suhrkamp taschenbuch
wissenschaft 245

Peter Bürger, geboren 1936, habilitierte sich 1970 an der Universität Erlangen-Nürnberg. Seit 1971 ist er Professor für Literaturwissenschaft an der Universität Bremen. Buchveröffentlichungen: *Die frühen Komödien Pierre Corneilles und das französische Theater um 1630* (1971), *Der französische Surrealismus. Studien zum Problem der avantgardistischen Literatur* (1971), *Studien zur französischen Frühaufklärung* (1972), *Theorie der Avantgarde* (1974), *Aktualität und Geschichtlichkeit. Studien zum gesellschaftlichen Funktionswandel der Literatur* (1977).

Dieser Band stellt sich eine doppelte Aufgabe: er will in die Methoden der Literatur- und Kunstsoziologie einführen und durch Dokumentation und Erörterung rivalisierender Ansätze Forschungsperspektiven aufzeigen. Dokumentiert und diskutiert werden: kunstsoziologische Aspekte der Brecht-Benjamin-Adorno-Debatte der 30er Jahre, die Auseinandersetzung zwischen Silbermann und Adorno über empirische und dialektische Kunstsoziologie, weiterhin Arbeiten zum Problem der Zurechnung kultureller Objektivationen (Georg Lukács, Lucien Goldmann, Erich Köhler), ideologiekritische (Peter Hahn, Peter Bürger) und kommunikationssoziologische Ansätze (Milton C. Albrecht, Thomas Neumann), sowie Arbeiten zur Soziologie der ästhetischen Wahrnehmung (Pierre Francastel, Pierre Bourdieu, Wolfgang Fritz Haug).

In ausführlichen Einleitungen zu den einzelnen Abschnitten des Bandes werden wichtige Einzeluntersuchungen erörtert, die wegen ihres Umfangs nicht aufgenommen werden konnten. Außerdem geht der Herausgeber hier dem Zusammenhang zwischen der Literatur- und Kunstsoziologie mit allgemeinen soziologischen Theorien (Max Weber, Karl Mannheim, Jürgen Habermas, Talcott Parsons) und mit der Entwicklung der Methoden der Literatur- und Kunstwissenschaft (Erich Auerbach, Panofsky) nach. Eine Auswahlbibliographie, die besonders auf methodologische Auseinandersetzungen aufmerksam macht, schließt den als Arbeitsinstrument konzipierten Band ab.

Seminar: Literatur- und Kunstsoziologie

Herausgegeben von Peter Bürger

Suhrkamp

suhrkamp taschenbuch wissenschaft 245
Erste Auflage 1978

Satz: Buchdruckerei Georg Wagner, Nördlingen
Druck: Nomos Verlagsgesellschaft, Baden-Baden
Printed in Germany
Umschlag nach Entwürfen von Willy Fleckhaus und Rolf Staudt.

Inhalt

Peter Bürger
Vorbemerkung

Der vorliegende Reader stellt sich eine doppelte Aufgabe: er will in die Methoden der Kunst- und Literatursoziologie einführen und durch Dokumentation und Erörterung der rivalisierenden Ansätze Forschungsperspektiven aufzeigen. Die aufgenommenen Texte behandeln, von zwei Ausnahmen abgesehen, Fragen der *Methode* der Kunst- und Literatursoziologie. Diese Schwerpunktbildung schien notwendig, um die zahlreichen Ansätze bzw. Problemstellungen einigermaßen umfassend zu dokumentieren. Auf wichtige *Einzeluntersuchungen* wird in den Einleitungen eingegangen. Diese fassen nicht die abgedruckten Arbeiten zusammen, sondern gehen der Frage nach, welche Probleme von einem gegebenen Ansatz aus formuliert werden können, welche dagegen nicht. Sie markieren so Ansatzpunkte für eine Kritik der Methoden der Literatursoziologie. Darüber hinaus beziehen sie weitere nicht-dokumentierte Ansätze in die Erörterung ein. Die Auswahlbibliographie ist bewußt knapp gehalten. Auf die meisten dort verzeichneten Titel wird in den Einleitungen Bezug genommen*. Die einzelnen Abteilungen bezeichnen Schwerpunkte der aufgeführten Arbeiten, erheben jedoch nicht den Anspruch einer systematischen Klassifikation.

Textauswahl bzw. Einleitungen wurden mit Christa Bürger, Martin Franzbach, Burkhardt Lindner und Hans Sanders diskutiert; ihnen habe ich für Hinweise und Kritik zu danken. Eine erste Fassung der Einleitungen wurde auf Anregung von Helmut Lamprecht für eine Sendereihe von »Studio Bremen« mit dem Titel *Einführung in die Literatursoziologie* im Winter 1974/75 niedergeschrieben und Ende 1975 gesendet. Für die Arbeit des Korrekturlesens und die Erstellung des Sachregisters danke ich Ingrid Hodde.

* Zitiert wird dabei jeweils der Autor sowie die Nummer der Bibliographie, evtl. gefolgt von Seitenangaben. Auf die abgedruckten Arbeiten wird in den Einleitungen mit der Bezeichnung ›Text‹ und laufender Nummer des Inhaltsverzeichnisses hingewiesen.

I
Theoretische Antworten auf die Krise des Autonomie-Status der Kunst

1. Peter Bürger
Kunstsoziologische Aspekte der Brecht-Benjamin-Adorno-Debatte der 30er Jahre

Im folgenden kann es nicht darum gehen, die Divergenzen der kunsttheoretischen Ansätze von Brecht, Benjamin und Adorno darzustellen und zu bewerten. Dies ist in letzter Zeit mehrfach getan worden[1]. In unserem Zusammenhang handelt es sich vielmehr darum auszumachen, welche kunstsoziologischen Problemstellungen von den genannten Autoren formuliert werden.

Brechts *Dreigroschenprozeß* ist, äußerlich betrachtet, ein Prozeßbericht, es handelt sich jedoch um einen der ersten Versuche, die Stellung der Kunst in der spätkapitalistischen Gesellschaft zu erfassen. Fassen wir zunächst den Sachverhalt kurz zusammen: In dem Vertrag, der das Recht der Verfilmung der *Dreigroschenoper* einer Filmfirma überläßt, hatte Brecht sich, was die Gestaltung des Drehbuchs anging, eine weitgehende Mitwirkung ausdrücklich vorbehalten. Als die Firma entgegen der vertraglichen Abmachung Brechts Mitarbeit an der Gestaltung des Drehbuchs ablehnt, prozessiert er. Inzwischen haben die Dreharbeiten begonnen, und die Firma hat fast eine Million Reichsmark in die Produktion investiert. Das Gericht entscheidet gegen Brecht; die Filmfirma jedoch ist zu einem Vergleich bereit. Brecht faßt den Prozeß als »soziologisches Experiment« auf: »die Vorstellung von einem unverletzlichen Phänomen Kunst, das direkt aus dem Menschlichen gespeist wird« (Brecht 5, 223), konfrontiert er im Prozeß mit den Verwertungsinteressen des Kapitals. Dabei zeigt sich, daß der Vorstellung der Autonomie der Kunst in der Praxis nichts entspricht. Von Brecht provoziert, übernimmt das Gericht die Aufgabe, die Nichtigkeit der Vorstellung zu erweisen. Die grandiose Einseitigkeit des Brechtschen Vorgehens besteht nun darin, daß er nicht nach dem Wahrheitsgehalt der Autonomie-Theorie fragt, sondern nur nach ihrer gesellschaftlichen Durchsetzbarkeit; die Nichtdurchsetzbarkeit bezeugt ihm dann zugleich die Unwahrheit der Theorie. Brecht radikalisiert den Autonomieanspruch der bürgerlichen Kunst, indem er ihn auf die Distributionsapparate (hier den Film) überträgt. Der Nachweis, daß die Autonomie der Kunst gegen die kapitalintensiv arbeitende Filmindustrie nicht durchgesetzt werden kann, enthüllt ihm die Unwahrheit des Autonomiegedankens überhaupt. Dessen Wahrheitsmoment unterschlägt er, obwohl es in die Voraussetzungen seines Experiments eingeht; denn ohne ein gewisses Maß an Freiheit gegenüber gesellschaftlichen Verwendungsansprüchen hätte er die *Dreigroschenoper* gar nicht konzipieren können. Nicht als Ideologie im Marxschen Sinne, als widersprüchliche Einheit von Wahrheit und Unwahrheit, faßt Brecht die Autonomie der Kunst, sondern als bloße Illusion. Gerade diese Einseitigkeit ermöglicht es Brecht, die Tatsache herauszuarbeiten, daß in der bürgerlichen Gesellschaft eine bestimmte Vorstellung von Kunst (Autonomie) institutionalisiert ist und daß diese Institutionalisierung das Verhalten von Produzenten und Rezipienten prägt.

Gegen die These vom autonomen Kunstwerk setzt Brecht die These vom Kunstwerk als Ware.

> Wie immer das Kunstwerk und wozu immer es entstanden gedacht wird, nun kommt es zum Verkauf und zu einem, der im Gesamtsystem der menschlichen Beziehungen eine ganz neuartige wichtige Rolle spielt. Der Verkauf, quantitativ so mächtig geworden, regelt nicht nur die alten Beziehungen durch gleichgültige, eben der Zeit entsprechende Usancen (die »mitgegangen sind«), sondern er bringt ganz neue Zwecke in die Verwertung hinein und somit auch in die Herstellung (Brecht 5, 225).

Brecht geht davon aus, daß keineswegs nur diejenigen Werke, die sich der neuen Medien (wie z. B. des Films) bedienen, Warencharakter annehmen, sondern daß »die ganze Kunst ohne jede Ausnahme« zur Ware wird. Denn: »die Umgestaltung durch die Zeit läßt nichts unberührt, sondern erfaßt immer das Ganze« (ebd., 168). Dabei ist für Brecht das Zur-Ware-Werden der Kunst ein fortschrittlicher Prozeß, insofern dadurch die Vorstellung vom autonomen Kunstwerk zerstört wird: »Die kapitalistische Produktionsweise zertrümmert die bürgerliche Ideologie« (ebd., 226). In dieser Zerstörung sieht Brecht die entscheidende Voraussetzung für das Entstehen einer neuen Kunst, die nicht mehr »Genußmittel« wäre, sondern »eine pädagogische Disziplin« (ebd., 167).

Wenn man die Frage stellt, was der Brechtsche Ansatz für die Kunstsoziologie leistet, dann muß man sich darüber im klaren sein, daß man die Brechtsche Schrift mit einer dem Autor durchaus fernliegenden Intention konfrontiert. Legitim ist dieses Vorgehen jedoch insofern, als Benjamin und Adorno in ihren kunstsoziologischen Arbeiten explizit oder implizit an Brecht anknüpfen. Im Hinblick auf die Konstituierung einer Kunstsoziologie scheint mir das Insistieren Brechts auf der Institutionalisierung von Vorstellungen über Kunst dessen bedeutsamstes und bisher kaum beachtetes Ergebnis (vgl. Text 13). Entscheidend ist dabei, daß diese Vorstellungen als wesentliches Hindernis auf dem Wege notwendiger Veränderung der gesellschaftlichen Funktion der Kunst aufgefaßt werden. Gerade weil diese Vorstellungen in den Köpfen der Kunstproduzenten und -rezipienten wirksam sind, gewinnt der Nachweis ihrer Nichtdurchsetzbarkeit praktische Bedeutung.

Während das Problem der Institutionalisierung eines Kunstbegriffs in der Kunstsoziologie so gut wie unbeachtet blieb, ist die These vom Zur-Ware-Werden der Kunst besonders im Kontext marxistischer Kunstsoziologie viel diskutiert worden (vgl. Text 2)[2]. Entgegen der von Brecht vertretenen These, daß die Kunst als ganze zur Ware wird, wäre zu untersuchen, inwiefern die durch den Warencharakter vermittelte Unterwerfung der Werke unter die Verwertungsinteressen des Kapitals in den einzelnen Kunstmedien in unterschiedlicher Weise stattfindet, ob sie nur die Distribution oder auch die Produktion betrifft. Weiterhin wäre zu fragen, welchen gegenläufigen Tendenzen die Unterwerfung unter die Verwertungsinteressen begegnet (vgl. Text 2). Schließlich ist zu fragen, ob der Warencharakter alle Werke bis in ihre Struktur hinein prägt, oder ob es auch hier Unterschiede gibt. Der Frage ist Adorno nachgegangen; Brecht dagegen lehnt es ausdrücklich ab, nach derartigen Unterschieden zu fragen: »Es soll hier nicht versucht werden, den bekannten feinen Unterschied zwischen echter und falscher Kunst zu machen« (Brecht 5, 183).

In Brechts *Dreigroschenoper* findet sich ein Satz, der – wenngleich vorsichtiger formuliert als bei Benjamin – in nuce die These des berühmten Aufsatzes *Das Kunstwerk im Zeitalter seiner technischen Reproduzierbarkeit* enthält. »Diese Apparate [sc. die Filmapparate] können wie sonst kaum etwas zur Überwindung der alten untechnischen, antitechnischen, mit dem Religiösen verknüpften, ›ausstrahlenden‹ ›Kunst‹ verwendet werden« (Brecht, 167). Brecht gibt also für das Ende der autonomen Kunst zwei voneinander unabhängige Erklärungen. Einmal führt er es auf den Prozeß zurück, in dessen Folge alle Bereiche der Gesellschaft vom Verwertungsinteresse des Kapitals ergriffen und dadurch umgestaltet werden; zum anderen sieht er die Möglichkeit, den Verfallsprozeß der alten Kunst durch Verwendung technischer Apparate zu beschleunigen. Dieses zweite Motiv wird von Benjamin in den Mittelpunkt seines Kunstwerkaufsatzes gestellt, der auf der gleichen Opposition zwischen alter Kunst und neuer Technik beruht und letztere als vorwärtsweisendes, die Kunstentwicklung vorantreibendes Moment faßt. Was Brecht die »mit dem Religiösen verknüpfte, ausstrahlende Kunst« nennt, heißt in der Terminologie Benjamins auratische Kunst; wobei Benjamin auch darin Brecht folgt, daß er die Aura aus der Unnahbarkeit des Kultobjekts herleitet und damit die Kunst in die Nähe des Sakralen rückt. Während bei Brecht jedoch die Frage nach der Veränderung der Kunst durch neue technische Medien nur als Möglichkeit formuliert ist und gleichsam nur ergänzend neben die dominierende These vom Zur-Ware-Werden der Kunst tritt, rückt sie in der Abhandlung Benjamins ins Zentrum der Erörterung. Dadurch aber gewinnt sie einen ganz anderen Stellenwert, und es verwundert nicht, daß Brecht, trotz der angedeuteten Übereinstimmungen, die Benjaminschen Thesen schroff abgelehnt hat.[3]

Und doch versucht Benjamin nichts anderes, als bestimmte Brechtsche Motive konsequent weiterzudenken, indem er sie auf die Haltung der Rezipienten bezieht. Brecht hatte die bürgerliche Vorstellung von der Autonomie des Kunstwerks kritisiert, Benjamin versucht, die dieser Vorstellung entsprechende Rezeptionshaltung zu bestimmen und diejenigen Kräfte anzugeben, die deren Überwindung notwendig herbeiführen müssen. Seine These lautet: Die auratische Rezeption (gebunden an die Einmaligkeit und Echtheit des Kunstwerks) wird notwendig durch die Entwicklung der Reproduktionstechnik zerstört. Brecht hatte auf die Veränderung der Wahrnehmungsweisen durch neue Medien aufmerksam gemacht

– »Der Filmesehende liest Erzählungen anders« (Brecht *5*, 165) – und provokatorisch formuliert: »Die Geschmacklosigkeit der Massen wurzelt tiefer in der Wirklichkeit als der Geschmack der Intellektuellen« (ebd., 177). Benjamin nimmt beide Motive auf. Geschichtlich bedingt sind die Wahrnehmungsweisen in zweifacher Hinsicht: einmal durch die Medien (die Zerstörung der Aura des Kunstwerks meint nichts anderes als die Zerstörung eines Typus von Wahrnehmung), zum anderen durch die Bedürfnisse des Publikums. Benjamin versucht nun zu zeigen, daß die von den technischen Medien (besonders dem Film) nahegelegte Wahrnehmungsweise, die er als zerstreute Rezeption charakterisiert, den Interessen der Massen entspricht.

Die Faszination, die von dem Aufsatz Benjamins ausgeht, dürfte vor allem darauf zurückzuführen sein, daß er den Versuch unternimmt, die Unterhaltungskunst aufzuwerten[4]. Hier setzt die Kritik Adornos an (Adorno *1;* vgl. auch Tiedemann *12,* 86 ff.). Es kann in unserem Zusammenhang nicht darum gehen zu klären, ob die Benjaminschen Thesen den materialistischen Anspruch einlösen, den er selbst damit verbunden hat (vgl. dazu Habermas *9,* 207 ff. und Bürger *8,* 35 ff.); hier interessiert vielmehr die kunstsoziologische Bedeutung seines Ansatzes. Wenn Brecht darauf aufmerksam gemacht hat, daß die gesellschaftlich institutionalisierten Vorstellungen über Kunst die Wirkung von Werken wesentlich bestimmen, so gelingt es Benjamin mit dem Begriff der Aura, den Typus der Beziehung zwischen Werk und Rezipient zu fassen, der der Vorstellung vom autonomen Kunstwerk entspricht. Zwei Einsichten sind darin festgehalten: einmal die Erkenntnis, daß Kunstwerke nicht einfach von sich aus wirken, daß vielmehr bestimmte Rezeptionshaltungen, die die Wirkungsmöglichkeiten der Einzelwerke wesentlich bestimmen, gesellschaftlich institutionalisiert sind; zum anderen die Erkenntnis, daß Rezeptionshaltungen sozialgeschichtlich fundiert sind: die auratische z. B. im bürgerlichen Individuum. Der Begriff der Aura ist ein Relationsbegriff. Weder ist er einem Werktypus noch einem Rezipiententypus einfach zuzurechnen; er bezeichnet vielmehr gerade den Bezug, in den beide miteinander treten. Selbst wenn man der von Benjamin intendierten Rettung der zerstreuten Rezeption nicht zu folgen vermag, wird man doch dem darin enthaltenen Problem nachgehen müssen, der Frage nämlich, inwiefern institutionalisierte Rezeptionshaltungen durch epochale Neuerungen im Bereich der Kunstdistribution (z. B. durch die Möglichkeit massenhafter Reproduktion) verändert werden können.

Die Rezeptionsforschung könnte von der Art, in der Benjamin an die Rezeptionsproblematik herangeht, lernen. Zwei Momente sind diesbezüglich von besonderer Bedeutung: Benjamin bemüht sich, die Rezeptionsproblematik nicht zu isolieren, sondern sie im Kontext von Kunstproduktion und -distribution zu situieren. Auf diese Weise kann die Verselbständigung einer Rezeptionsforschung vermieden werden, die schwierige Probleme der Möglichkeit der Verknüpfung mit anderen Ansätzen aufwirft.[5] Nicht weniger bedeutsam ist die Tatsache, daß Benjamin die Rezeptionsproblematik nicht an der Unmittelbarkeit subjektiven Kunsterlebnisses festmacht, sondern einen theoretischen Rahmen epochaler Veränderungen der Rezeptionshaltungen entwirft. Nur so kann der Gefahr einer Auflösung der Rezeptionsforschung in positivistische Einzeluntersuchungen begegnet werden.

Der in einem wichtigen Brief geäußerte Haupteinwand Adornos gegen die Arbeiten von Brecht und Benjamin betrifft deren Behandlung des autonomen Kunstwerks. Adorno wirft Benjamin vor, daß er das Wahrheitsmoment der autonomen Kunst, nämlich »Zeichen der Freiheit« in einer der Zweckrationalität unterworfenen Gesellschaft zu sein, unterschlage und dadurch die Widersprüchlichkeit der bürgerlichen Kunst verdecke (Adorno *1*, 127 f.)[6]. Allerdings bleibt festzuhalten, daß Benjamin von einer gesellschaftlich bedingten Rezeptionshaltung und nicht vom Werkgehalt des Einzelwerks spricht, auf den sich Adornos Interesse richtet. Der Gegensatz zwischen den beiden Diskussionspartnern verschärft sich dadurch, daß dieser entscheidende Unterschied der Ausrichtung ihrer Arbeiten nicht thematisiert wird. Erst mit seinem als Antwort auf Benjamin konzipierten Aufsatz *Über den Fetischcharakter in der Musik und die Regression des Hörens* untersucht Adorno die Rezeptionshaltung der Konsumenten der Massenkunst im Bereich der Musik und nimmt damit das Problem auf der Argumentationsebene Benjamins auf.

Benjamin hat die These vertreten, daß neue Medien wie der

Film einen radikal neuen Rezeptionstypus erzwängen, der mit den Interessen der Massen auf untergründige Weise korrespondiere. An die Stelle der auratischen Rezeption, die den Rezipienten zur kontemplativen Versenkung ins Werk zwingt und ihn damit vereinzelt und der Lebenspraxis entfremdet, trete eine zerstreute Rezeption, die Benjamin als eine zugleich distanziert-kritische und kollektive begreift. Auch Adorno konstatiert Zerstreuung als dominierendes Merkmal der Rezeption von Unterhaltungsmusik. Doch im Gegensatz zu Benjamin sieht er darin kein historisch vorwärtsweisendes, sondern ein regressives Moment. Nicht kritische Distanz ermöglicht das zerstreute Hören, sondern es fesselt den Rezipienten an die Unmittelbarkeit momentaner Effekte. Aufgenommen wird nicht mehr eine musikalische Komposition als strukturiertes Ganzes, sondern partikulare Reizeffekte. Die neue Rezeptionshaltung führt Adorno nicht wie Benjamin auf neue Medien zurück, sondern sucht sie – hierin Brecht folgend – aus der Entwicklung der kapitalistischen Gesellschaft als ganzer herzuleiten. Hatte sich aber Brecht noch damit begnügt, die Dynamik des Kapitalismus als eine zu beschreiben, die nach und nach alle gesellschaftlichen Bereiche dem Verwertungsinteresse des Kapitals unterwirft, so sucht Adorno im ersten Kapitel des Marxschen *Kapital* den Ansatzpunkt für eine Theorie des Spätkapitalismus, die auch die Prägung der Individuen durch das gesellschaftliche System kritisch zu erfassen vermag. »Je unerbittlicher das Prinzip des Tauschwerts die Menschen um die Gebrauchswerte bringt, um so dichter vermummt sich der Tauschwert selbst als Gegenstand des Genusses« (Adorno 2, 20). Dem Sich-Durchsetzen des Verwertungsinteresses entspricht auf der Subjektseite die Verselbständigung des Tauschwerts. Nicht mehr den Genuß der Sache, des Gebrauchswerts, erstrebt der Konsument, sondern der Kauf selber wird als solcher affektiv besetzt: »recht eigentlich betet der Konsument das Geld an, das er selber für die Karte zum Toscanini-Konzert ausgegeben hat« (ebd., 19).

Gerade weil Adorno sich explizit auf den Marxschen Begriff des Warenfetischismus bezieht, wird man sich Unterschiede in der Begriffsverwendung verdeutlichen müssen. Marx sucht mit dem Begriff Warenfetischismus das Phänomen zu veranschaulichen, daß den einzelnen für den Markt produzierenden selbständigen Produzenten ihre Beziehungen zueinander als Beziehungen von Sachen (nämlich: von Waren) erscheinen. Es geht also darum, daß die unmittelbaren gesellschaftlichen Beziehungen der ihre Arbeitsprodukte tauschenden Produzenten den Schein von Sachbeziehungen annehmen, die von den Produzenten als stummer Zwang erfahren werden. Bei Adorno ist der Begriff des Fetischismus enger an die umgangssprachliche Wortbedeutung angelehnt und bezeichnet die Verehrung für einen mit magischer Kraft erfüllten Gegenstand. Während Marx von der Beziehung zwischen Subjekten handelt, geht es Adorno vornehmlich um die Beziehung der Subjekte (Konsumenten) zur Warenwelt. Dabei sucht er nachzuweisen, daß die kapitalistische Gesellschaft die Subjekte bis in ihre intimsten Reaktionsformen prägt; das führt ihn dazu, das Verhalten des »Warenfetischisten neuen Stils« mit psychoanalytischen Begriffen zu erläutern (»affektive Besetzung des Tauschwerts«). Marx bemüht sich, auf einem hohen Niveau der Verallgemeinerung die gesellschaftlichen Verhältnisse der Menschen hinter den von ihnen produzierten und getauschten Objekten (Waren) auszumachen; Adorno dagegen geht von den beobachtbaren Verhaltensweisen von Kulturkonsumenten in der spätkapitalistischen Gesellschaft aus und interpretiert sie als Substanzverlust bürgerlicher Subjektivität. Mit andern Worten: Er versucht, die Marxsche Theorie, die für warenproduzierende Gesellschaften im allgemeinen Gültigkeit beansprucht, auf die besonderen Verhältnisse der spätkapitalistischen Gesellschaft anzuwenden. Dabei rückt die Problematik des Konsumenten ins Zentrum des Interesses, was angesichts der Bedeutung des Massenkonsums für das Fortbestehen der kapitalistischen Gesellschaft durchaus begründet scheint.

Versuchen wir, uns noch einmal die entscheidenden Unterschiede der Adornoschen Thesen gegenüber denen von Brecht und Benjamin zu verdeutlichen: Während Brecht und Benjamin beim »schlechten Neuen« ansetzen und die vorwärtsweisenden Momente einer durch die Dynamik des Kapitalismus (Brecht) bzw. der technischen Entwicklung (Benjamin) erzwungenen Veränderung im Bereich der Kunst aufzusuchen sich bemühen, geht es Adorno zunächst einmal um die Kritik eben dieser Entwicklung. Im Gegensatz zu Brecht (und Benjamin) ist für Adorno das Auseinanderfallen der bürgerlichen Kunst in Unterhaltungskunst für die Massen und esoterische Kunst für Kenner das für die bürgerliche Kulturentwicklung entscheidende Ereignis.

> Beide tragen die Wundmale des Kapitalismus, beide enthalten Elemente der Veränderung (freilich nie und nimmer das Mittlere zwischen Schönberg und dem amerikanischen Film); beide sind die auseinandergerissenen Hälften der ganzen Freiheit, die doch aus ihnen nicht sich zusammenaddieren läßt (Adorno *1*, 129).

Sicher kann man es Adorno zum Vorwurf machen, daß er in seinen Analysen die positive Seite der Massenkunst zu wenig hervorgehoben (aber sie existiert ja auch nur als Möglichkeit) und daß er dem gelungenen autonomen Kunstwerk geschichtlich vorwärtsweisenden Gehalt oft allzu generös zugesprochen hat. Beides ist auch eine Antwort auf Brecht. Trotzdem bleibt der Rahmen, der Unterhaltungskunst und ernste Kunst als die Teile einer zerbrochenen Einheit faßt, für eine Soziologie der Kunst in der bürgerlichen Gesellschaft von ähnlicher Tragweite wie Brechts Problematisierung der ökonomischen Formbestimmtheiten künstlerischer Produktion und Benjamins Entwurf einer Geschichte der Rezeptionshaltungen.

Anmerkungen

1 Vgl. die im Literaturverzeichnis genannten Arbeiten zur Diskussion der Debatte, besonders Lindner *(11)*.

2 Eine Zusammenstellung und Erörterung der diesbezüglichen Thesen gibt Hannelore Schlaffer *(15)*; über die historische Entwicklung des Kunstmarkts und seiner Rückwirkung auf die Kunstproduktion informieren Arnold Hauser (*32*, 505 ff.) und Lutz Winckler *(17)*; die Selbstauffassung des Schriftstellers im Übergang von der mäzenatischen zur marktorientierten Literaturproduktion dokumentiert Hans J. Haferkorn *(31)*.

3 In seinem *Arbeitsjournal* notiert Brecht am 25. 6. 1938 im Anschluß an eine zustimmende Bemerkung über den im Entstehen begriffenen Baudelaire-Essay Benjamins: »er geht von etwas aus, was er *aura* nennt, was mit dem träumen zusammenhängt (dem wachträumen). er sagt: wenn man einen Blick auf sich gerichtet fühlt, auch im rücken,

erwidert man ihn (!). die erwartung, daß, was man anblickt, einen selber anblickt, verschafft die aura. diese soll in letzter zeit im zerfall sein, zusammen mit dem kultischen. b[enjamin] hat das bei der analyse des films entdeckt, wo aura zerfällt durch die reproduzierbarkeit von kunstwerken. alles mystik, bei einer haltung gegen mystik. in solcher form wird die materialistische geschichtsauffassung adaptiert! es ist ziemlich grauenhaft« (*Arbeitsjournal*, hrsg. v. W. Hecht. 3 Bde. Frankfurt 1973, Bd. I, 14 f.).

4 Eine Wiederaufnahme dieses Versuchs, der eine Kritik der manipulativen Verwendung der Massenkunst keineswegs ausschließt, hat Hans Jörg Neuschäfer *(101)* vorgelegt.

5 Zur Kritik an der Verselbständigung der Rezeptionsinstanz gegenüber gesellschaftlichen Bedingungszusammenhängen vgl. M. Naumann, *Literatur und Probleme ihrer Rezeption*, in: Hohendahl *89*, 224 ff. und R. Weimann, *Gegenwart und Vergangenheit in der Literaturgeschichte*, in: Hohendahl *89*, 255 ff.

6 Zur widersprüchlichen Funktion der Kunst in der bürgerlichen Gesellschaft vgl. den in den gleichen Diskussionszusammenhang gehörenden Aufsatz von H. Marcuse, *Über den affirmativen Charakter der Kultur (6)*. Eine Gegenüberstellung von Benjamin und Marcuse gibt Habermas *9*, 177 ff., vgl. auch Bürger *8*.

2. Gerhard Leithäuser
Kunstwerk und Warenform

I. Anmerkungen zum Doppelcharakter von Kunstwaren und künstlerisch-schöpferischer Arbeit

In den letzten Jahren hat sich in der Literaturwissenschaft ein Diskussionsprozeß etabliert, in dem die Problematik des Übergangs »vom Kunstwerk zur Ware« kontrovers diskutiert wird.[1] Parallel dazu verläuft in der Wirtschaftswissenschaft eine ökonomisch (verkürzte) Marxrezeption, in der die Untersuchung der logischen Strukturen des Wert-Preis-Problems eine zentrale Rolle einnimmt.[2] In der folgenden Problemskizze soll versucht werden, politökonomische Formbestimmungen zu benennen, die aus der Dynamik sich verallgemeinernder kapitalistischer Warenproduktion erwachsen und Arbeitsprozesse, die sich ihr ganz oder teilweise zu unterwerfen gezwungen sind, inhaltlich prägen. Die nähere inhaltliche Bestimmung dessen jedoch, was als Kunstwerk oder künstlerisch-schöpferische Arbeit bezeichnet wird, wird in diesem Beitrag inhaltlich nicht ausgeführt.

Bevor auf die Formbestimmungen spezifisch kapitalistischer Warenproduktion eingegangen werden kann, sollen kurz Positionen der Marxschen Warenanalyse, soweit sie hier für die folgenden Ausführungen wichtig sind, aus den dunklen und rätselvollen ersten vier Kapiteln des Marxschen Kapital (1. Band) im Zusammenhang mit unserem Thema skizziert werden. – Die Ware erscheint dort als Elementarform des Reichtums in kapitalistischen Gesellschaften. Diese Elementarform aber ist fast allen warenproduzierenden – auch den vorkapitalistischen – Gesellschaften bekannt. Waren sind zunächst einmal Dinge, die durch ihre Eigenschaften menschliche Bedürfnisse des »Magens oder der Phantasie« (Marx) befriedigen und deshalb nützlich sind. Ihre Nützlichkeit macht sie zu Gebrauchswerten. Werden Gebrauchswerte – also auch Kunstgegenstände – getauscht, dann in einem quantitativen Verhältnis. Dieses quantitative Verhältnis ist der Tauschwert, der den Waren gemeinsam ist. Dieses Gemeinsame ist, Marx zufolge, nicht eine geometrische, physische oder stoffliche bzw. natürliche Eigenschaft der Waren, denn diese Eigenschaften konstituieren ihren Gebrauchswert. Sieht man aber vom Gebrauchswert der Waren ab, dann bleibt ihnen noch die gemeinsame Eigenschaft, Produkte menschlicher Arbeit zu sein. An dieser Stelle führt Marx ein »anthropozentrisches Vorurteil« in die Untersuchung ein, das der menschlichen Arbeit einen besonderen Status zuweist. Waren haben jetzt einen widersprüchlichen Doppelcharakter: Einmal sind sie voneinander unterschiedene Gebrauchswerte, die spezifische menschliche Bedürfnisse befriedigen, zum anderen, in ihrer Eigenschaft als Produkte menschlicher Arbeit, sind sie Tauschwerte und einander gleich. Kunstwerke befriedigen das Bedürfnis nach Kunstgenuß. Aber der Genuß eines Kunstwerks ist in der Geschichte ein spätes Phänomen der entwickelten bürgerlichen Gesellschaft und wie sie selbst ein Produkt der historischen Entwicklung. In der frühen Menschheitsgeschichte mag ein kollektiver Prozeß simultaner künstlerisch-schöpferischer Arbeit und Bedürfnisbefriedigung existiert haben, die z. B. in einem spontanen Mysterienspiel zusammenfallen. Mit der Entwicklung des zunächst zufälligen Tausches wird diese Einheit gespalten: Der Prozeß künstlerisch-schöpferischer Arbeit wird vom Kunstgenuß getrennt. Hier schlägt die Geburtsstunde des Warencharakters der Kunst. Kunstwerke werden erst dann getauscht, wenn sie Gebrauchswert für ihren Nichtbesitzer und Nichtgebrauchswert für ihren Besitzer haben bzw. wenn sie explizit für andere produziert werden. Am Beispiel dargestellt: Der Kunstproduzent tauscht seine Kunstwaren, die, weil für andere produziert, für ihn keinen oder einen geringeren Gebrauchswert haben, gegen Lebensmittel, mit denen er seine Bedürfnisse befriedigt. Mit einem solchen Tauschvorgang wird die Widersprüchlichkeit des Doppelcharakters der Waren auch den Kunstwerken auferlegt. Kunstwerke werden zu Kunstwaren. Frühformen des mehr oder weniger zufälligen Tausches lassen sich zurück bis in die graue Vorzeit der Menschheitsgeschichte verfolgen für Kultgegenstände und Herrschaftsembleme, die erst spät, gewissermaßen posthum in der bürgerlichen Gesellschaft über ihre Integration in den entwickelten Kunstmarkt in den Rang von Kunstwerken erhoben und in die Lage versetzt werden, gegenwärtige Bedürfnisse nach Kunstgenuß zu befriedigen – von spekulativen Kunstkäufen sei hier abgesehen –, obwohl uns ihr gesellschaftlicher Entstehungszusammenhang nur noch in Ausnahmefällen zugänglich ist. Dieser heute weitgehend anonyme Kunstmarkt – anonym, weil Kunstproduzent und Kunstgenießer in der Regel einander nicht persönlich kennen – ist das Ergebnis einer langen Entwicklung, die in der bürgerlich-kapitalistischen Gesellschaft ihren Höhepunkt findet. Der Künstler produziert dann für einen Kreis ihm unbekannter Kunstliebhaber, die als mögliche Käufer seiner Kunstware in Frage kommen. Vollständig durchsetzen konnte sich diese Form marktbezogener Verhältnisse auch heute nicht. Für einzelne Kunstgattungen, z. B. die Porträtmalerei, bleibt die direkte Beziehung zwischen Künstler und Besteller notwendig. Erst im Weiterverkauf wird das Gemälde in die Marktzirkulation aufgenommen. Der entwickelte anonyme Kunstmarkt hat gewiß seine Mucken und Tücken, doch läßt er dem Künstler noch immer einen relativ weiten Spielraum für die Entfaltung seiner Vorstellungen. Die immer häufiger, oft auch aus ökonomisch begründeten Spekulationsmotiven wechselnden Moden oder Stilrichtungen auf den Märkten für einzelne Kunstgattungen, die von den Kunstproduzenten nur als stummer Zwang erfahren werden können, zwingen zu Anpassungsleistungen, die manchmal mit geradezu suspekter Behendigkeit vollzogen werden.

Es ist ein Charakteristikum der Waren, daß sie besitzindividualistisch angeeignet werden können.[3] Auch Kunstwerke als Kunstwaren können für wichtige Kunstgattungen privat und individuell angeeignet werden – sei es durch Kauf oder Diebstahl. Dies gilt gewiß für Skulptur und Malerei, wird jedoch problematisch in der Baukunst, der Musik und dem Theater. Es kennzeichnet die bürgerliche Mentalität, daß sie versucht, den Zugang zur Kunst kommerziell durch den Verkauf von Eintrittskarten im Zuge individueller Aneignung des Kunstgenusses zu reglementieren, obwohl Besitzindividualismus für den Kunstverstand nicht unbedingt und immer förderlich ist.

In den Gesellschaften, in denen die bürgerlich-kapitalistische Produktionsweise herrscht, erscheinen die Kunstschätze als Kunstwarensammlung. Das Museum steht hier als Beispiel für den Versuch, Kunstwerke zu versammeln und zugänglich zu machen, ohne die bürgerliche Eigentumsordnung zu durchbrechen. Der Zugang zu den Schätzen staatlicher Museen und privater Sammlungen aber garantiert den zur Unbildung verurteilten proletarisierten Massen keineswegs den Zugang zum Kunstgenuß. André Malraux' Idee des »musée imaginaire« ist letztlich nichts anderes als eine explizite – wenn auch unbewußte – Inkarnation der ungeheuren Kunstwarensammlung, in der Malraux als subtiler Kenner der Qualitäten und des Marktes das Exquisiteste aus vielen Kulturkreisen und Stilepochen zusammentragen ließ und ihre unterschiedlichsten Entstehungszusammenhängen entspringenden Gebrauchswerte (Kultgegenstände beispielsweise) einer bürgerlichen Ästhetik subsumiert. Konsequent in der bürgerlich-elitären Tradition fand das »musée imaginaire« unzugänglich für die Massen in einem kleinen südfranzösischen Luxuskurort statt.[4]

Das Netz der Warenbeziehungen, mit dem Kunstwerke im entwickelten Kunstmarkt überzogen werden, zeigt sich als unzulängliche gesellschaftliche Form der Vermittlung, wenn es gilt, die proletarisierten Bevölkerungsmassen am Kunstgenuß teilhaben zu lassen. Die Warenform teilt Kunstwerke tendenziell dem Personenkreis des Bürgertums zu, der aufgrund seiner gesellschaftlichen Position als Klasse über die Voraussetzungen – nicht zuletzt eines ausgebildeten Kunstverstandes – besitzindividualistischer Aneignung von Kunstwerken verfügt. Die Warenform wird zur Barriere, mit der die Mehrheit der Bevölkerung vom Zugang zu Kunstwerken ausgeschlossen wird.

Der anonyme Kunstmarkt reißt historische Kunstgegenstände aus ihren ursprünglichen gebrauchswertgebundenen Entstehungs- und Verwendungszusammenhängen und verwandelt sie in Kunstwaren. Dagegen steht Walter Benjamins Behauptung in seiner Schrift »Das Kunstwerk im Zeitalter seiner technischen Reproduzierbarkeit«: »Die technische Reproduzierbarkeit des Kunstwerkes emanzipiert dieses zum ersten Mal in der Weltgeschichte von seinem parasitären Dasein am Ritual.«[5] Technische Reproduzierbarkeit vollbringt nicht die Metamorphose vom Gebrauchsgegenstand, der in einer historisch, geographisch begrenzten Situation rituellen Zwecken dienen mag, zum Kunstwerk. Es ist nicht die technische Reproduzierbarkeit, die den Gegenstand aus den originären Entstehungs- und Verwendungszusammenhängen befreit und zum Kunstwerk erhebt, sondern der heute weitgehend anonyme Kunstmarkt der entwickelten bürgerlichen Gesellschaft. Der entwickelte Kunstmarkt verleibt sich immer neue Bereiche der Gebrauchskunst historisch, geographisch und ethnologisch ferner Kulturkreise ein – von aztekischen Terrakottafiguren über buddhistische Bronzen bis hin zu afrikanischen Masken, um nur einige wenige Beispiele zu nennen – und adelt sie zu Kunstwerken, indem er sie zu Kunstwaren macht und damit in den Kreis der abendländischen Kunst aufnimmt. Der Kunstmarkt der bürgerlichen Gesellschaft aktualisiert die künstlerisch-schöpferische Arbeit der Menschheitsgeschichte aller Kulturkreise, katalogisiert sie, bewertet sie und bewahrt sie vor dem sicheren Untergang, vor Zerstörung und Vergessen. Dieser geschichtlich späte allgemeine und noch immer expandierende Kunstmarkt ist, wie später zu zeigen sein wird, notwendige Voraussetzung für die Entwicklung technischer Reproduzierbarkeit.

Wie verändern sich die Bedingungen künstlerisch-schöpferischer Arbeit in der Entwicklung des Kunstmarktes? – Das Beispiel eines vorgestellten Urzustandes, in dem Entstehung und Verwendung von Kunstwerken in kollektiven und simultanen Prozessen zusammenfallen, ist eine selbst im historischen Kontext atypische Situation. Die Regel ist vielmehr eine weitgehend individualisierte, mit wenig Materialausstattung ausgerüstete gebrauchswertorientierte künstlerische Tätigkeit, die ohne Unterstützung durch Lohnarbeiter auskommt, jedoch bis in unsere Gegenwart mit dem Odium einer magischen Geheimwissenschaft umgeben ist. In Floskeln wie: Zum Künstler muß man geboren sein, Musik liegt im Blut und so fort verweist sie auf Ursprünge in magischen Vorstellungen, die unser Alltagsbewußtsein bewahrt hat.

Künstlerisch-schöpferischer Arbeit wird, vermittelt über den Kunstmarkt, der widersprüchliche Doppelcharakter der Kunstwaren oktroyiert. So wie die Kunstware als Kunstwerk einerseits Gebrauchswert ist, ist auch künstlerische Arbeit einerseits gebrauchswertorientierte, auf die Schaffung des Kunstwerks gerichtete Arbeit. Andererseits ist die Kunstware Tauschwert. Im Tauschakt aber werden die in den Waren vergegenständlichten Arbeiten gleichgesetzt, auf abstrakt-allgemeine Arbeit reduziert.[6] Dieser abstrakt-allgemeine Charakter von Arbeit soll hier durchaus nicht im physiologischen Sinn als Verausgabung von Muskel- oder Nervenkraft, auf die künstlerische Arbeit nicht zu reduzieren ist, verstanden werden; er bezeichnet vielmehr die gesellschaftliche Seite der Arbeit, d. h. die spezifisch historischen Bedingungen und Verhältnisse, in denen der Kunstproduzent seine konkrete Arbeit vollbringt. Die Widersprüchlichkeit von konkreter und abstrakter Arbeit aber tritt wohl in keinem Zweig menschlicher Tätigkeit mit solcher Schärfe zutage wie in der künstlerisch-schöpferischen Produktion. Die konkrete Seite der individualistischen künstlerischen Arbeit streitet gegen die formbestimmenden Einflüsse ihrer Kehrseite, der abstrakt-allgemeinen Arbeit, die tendenziell der Marktlogik unterworfen ist. Mit der Entwicklung des Kunsthandels hin zum anonymen Kunstmarkt der entwickelten bürgerlichen Gesellschaft verschärft sich dieser Widerspruch. Die der Marktlogik tendenziell unterworfene abstrakte Seite der künstlerisch-schöpferischen Arbeit droht die konkrete zu fesseln.

Marx bereits hat sich u. a. in seinen »Resultaten des unmittelbaren Produktionsprozesses« mit den Formbestimmtheiten der Kunst als Ware auseinandergesetzt; er formuliert: »Milton produzierte das ›Paradise lost‹, wie ein Seidenwurm Seide produziert, als Betätigung seiner Natur. Er verkaufte später das Produkt für 5 £ und wurde insofern Warenhändler.«[7] Marx sieht die konkrete künstlerisch-schöpferische Arbeit als subjektiv naturhafte Betätigung. Diese naturhafte Betätigung unterliegt in der Geschichte Wandlungen, die von der abstrakten Seite der künstlerischen Arbeit, dem Markt, auf dem Milton sein Buch verkaufen muß, durchgesetzt werden. Zu Miltons Zeiten mag ihm der damalige Buchmarkt mit hoher Wahrscheinlichkeit mehr Freiheit bei seiner konkreten Schriftstellerarbeit als vergleichsweise die höfische Auftragskunst gelassen haben.

Ehe wir uns diesen Metamorphosen im Entwicklungsprozeß der bürgerlich kapitalistischen Gesellschaft zuwenden, müssen wir noch eine Besonderheit der künstlerisch-schöpferischen Arbeit festhalten. Sie kann sich in einem Kunstwerk vergegenständlichen, z. B. in einem Bild oder einer Statue, dann werden wir von einem materiellen Kunstwerk zu sprechen haben. Ein Konzert oder eine Theateraufführung dagegen sind immaterielle Kunstwerke, in denen künstlerische Arbeit sich nicht vergegenständlicht. Diese Unterscheidung ist im Hinblick auf die Möglichkeit technischer Reproduzierbarkeit von entscheidender Bedeutung.

II. Grenzen der Kunstproduktion unter den Formbestimmungen kapitalistischer Warenproduktion

Der entwickelte Kunstmarkt, der unter Bedingungen der entwickelten kapitalistischen Warenproduktion zur Anonymität tendiert, hat Kunstwerke zunehmend zur Ware werden lassen und die künstlerisch-schöpferische Arbeit über den Doppelcharakter der Ware auch mit dem Doppelcharakter von abstrakter und konkreter Arbeit konfrontiert. Die Existenz der Kunst als Ware aber ist nur Voraussetzung für ihre Unterordnung unter das Kapitalverhältnis. Es ist zu berücksichtigen, daß die Produktion von Kunst in der Warenform nicht notwendig kapitalistische Kunstproduktion bedeutet. Die kapitalistische Warenproduktion ist eine spezifische Form der Warenproduktion im allgemeinen.

Grob, aber für unsere Zwecke hinreichend formuliert, herrscht kapitalistische Produktionsweise, wenn die Klasse der unmittelbaren Produzenten nicht über Produktionsmittel verfügt und gezwungen ist, ihre Arbeitskraft als Ware zu verkaufen. Die Klasse der Kapitaleigentümer hat Kraft ihres Klassenmonopols über die Produktionsmittel die Möglichkeit, sich einen Teil der geleisteten Arbeitszeit unentgeltlich, d. h. als Mehrwert anzueignen. Marxens Beispiel von Milton, der sein »Paradise lost« selbst schreibt und dann als Warenhändler verkauft, ist repräsentativ für die nichtkapitalistische einfache Warenproduktion, in der der unmittelbare Produzent – hier Milton – den gesamten Arbeitsertrag für sich beansprucht und kein Anteil seiner geleisteten Arbeitszeit von anderen unentgeltlich angeeignet wird. Die Spaltung seiner Arbeit in gebrauchswertorientierte Schriftstellerarbeit und tauschwertorientierte abstrakte Arbeit, die ihm durch den Tauschakt auferlegt wird, ist damit jedoch nicht aufgehoben.

Die nichtkapitalistische einfache Warenproduktion tritt vorzugsweise auf in der höfischen Auftragskunst, die dem gebildeten Auftraggeber der feudalen und der kaufmännischen Oberschicht noch immer direkte Eingriffe in den künstlerischen Arbeitsprozeß zubilligte. Der Auftraggeber möchte sich selbst als einen der Heiligen Drei Könige, seine Geliebte als Madonna auf dem Gemälde festgehalten wissen. Der musikliebende Fürst besteht darauf, den Klang der Waldhörner in einer von ihm bestellten Komposition zu hören. Der Komponist wird diskret veranlaßt, in sein Werk eine nicht allzu schwierige Flötenpassage einzubauen, damit sie der König auch selbst ausführen könne. – Erst mit der Herausbildung des anonymen Kunstmarktes können allmählich die direkten Beziehungen zwischen dem Künstler als Produzenten und dem einflußnehmenden Auftraggeber überwunden werden. Bevor auf die besonderen Bedingungen von Kunstproduktion in der entwickelten bürgerlich-kapitalistischen Gesellschaft eingegangen werden soll, um deren formprägende Bedingungen auf die künstlerisch-schöpferische Arbeit zu untersuchen, müssen zwei Begriffe geklärt werden, die ebenfalls auf Marx zurückgehen – der der formellen Subsumtion und der reellen Subsumtion unter das Kapitalverhältnis. Der italienische Politökonom Claudio Napoleoni präzisiert die hier interessanten Aspekte wie folgt: »Allgemein versteht er (Marx, G.L.) unter formeller Subsumtion, daß die Arbeit in einen Produktionsprozeß einbezogen ist, der auf die Produktion von Mehrwert zielt und in dem die Arbeit die Produktionsmittel anwendet und nicht umgekehrt. In der spezifischen Bedeutung will Marx mit demselben Begriff eine Situation kennzeichnen, in der die Arbeit zwar in einen kapitalistischen Produktionsprozeß einbezogen worden ist, der die vorher beschriebenen Merkmale hat, in der jedoch der Arbeitsprozeß in technischer Hinsicht noch die Formen bewahrt hat, in denen er ablief, ehe das Kapitalverhältnis eingriff und sich ihn formell unterordnete. Wir befinden uns damit in einer Phase, die nicht nur logisch, sondern auch chronologisch am Anfang steht. Das Kapital hat sich zwar des Produktionsprozesses bemächtigt, aber doch erst formal, d. h. nur in dem Sinne, daß der besondere Inhalt des Arbeitsprozesses noch der alte geblieben ist. Der Produktionsprozeß läuft als Arbeitsprozeß in technischen

Formen ab, die das Kapital noch nicht beeinflussen und sich selbst angleichen konnte. ... Dagegen kennzeichnete die reelle Subsumtion der Arbeit unter das Kapital eine Situation, die nicht nur davon geprägt ist, daß die Arbeit in einen Produktionsprozeß eingefügt ist, dessen Sinn in der Produktion von Mehrwert liegt, sondern auch davon, daß der Arbeitsprozeß selbst – als technischer Prozeß des Verhältnisses zwischen Arbeit und Produktionsmittel – vom Kapital in einer Weise umgewandelt worden ist, die ihn dem bereits formal bestehenden Verhältnis von Arbeit und Kapital adäquat macht; d. h., daß die Produktionstechnik eine neue, spezifisch kapitalistische ist, in der die Subsumtion der Arbeit unter die Produktionsmittel nicht mehr lediglich auf der ökonomischen Ebene erfaßt werden kann, sondern auch auf der materiellen, kurz: die Arbeit im materiellen Sinn des Wortes dem Instrument untergeordnet ist. Es ist dies die Epoche der kapitalistischen Technik im eigentlichen und wahren Sinn, die ihren Höhepunkt in der ›Maschine‹ hat. Tatsächlich ist der Gebrauch der Maschine die volle Verwirklichung der reellen Subsumtion der Arbeit unter das Kapital.«[8]

Es soll jetzt versucht werden, die Bedeutung der Begriffe der formellen und reellen Subsumtion, in der Geschichte und Logik des Kapitalverhältnisses enthalten sind, für die Analyse der Formbestimmungen künstlerisch-schöpferischer Arbeit heranzuziehen. – Wenden wir uns zunächst den materiellen Kunstwerken zu, d. h. solchen, die unabhängig vom Künstler bestehen können wie Gemälde, Statuen, in denen sich die künstlerisch-schöpferische Arbeit materialisiert. Der Kunstproduzent mag sich am wohlsten fühlen als einfacher Warenproduzent, dem keiner dreinredet und der den vollen Arbeitsertrag für sich hat. Mit der Entwicklung des Kunstmarktes steigt die Nachfrage nach Kunsterzeugnissen und provoziert die Entstehung früher Formen der Reproduzierbarkeit, z. B. Kupferstich oder Lithographie, in neuerer Zeit Siebdruck.

Reproduzierbarkeit bedeutet hier noch Vervielfältigung des Originals. Diese unentwickelte Form der Reproduzierbarkeit ist dem Organisationsmodell der einfachen – nichtkapitalistischen – Warenproduktion angemessen. Der Kunstproduzent verfügt über die Arbeitsmittel und kann im Regelfall ohne Lohnarbeiter zurechtkommen. Die Herausbildung eines anonymen, unübersichtlichen Kunstmarktes aber kann es erforderlich machen, daß Maler sich mit einer Galerie vertraglich binden oder sich einem Manager unterwerfen, die einen und oft nicht den geringsten Teil des Arbeitsertrags beanspruchen. Mit diesem Schritt wird der Künstler formell unter das Kapitalverhältnis subsumiert. Sein Arbeitsprozeß ist technisch unverändert, doch muß er sich in zunehmendem Maß Einflußnahmen marktnaher Instanzen gefallen lassen. Er hat jedoch die Möglichkeit zu kämpfen gegen Fremdbestimmung und um einen möglichst hohen Anteil am Arbeitsertrag. Diese permanente Auseinandersetzung zwischen der gebrauchswertorientierten Seite seiner Arbeit gegen die außengesteuerte, tauschwertorientierte Seite seiner Tätigkeit ist die Quelle der Widersprüchlichkeit, der Zerrissenheit der künstlerischen Arbeit in der bürgerlichen Gesellschaft. Dieser Kampf wird ausgetragen im Zustand der formellen Subsumtion unter das Kapitalverhältnis, das den künstlerisch-schöpferischen Arbeitsprozeß den kapitalistischen Verwertungsinteressen unterzuordnen sucht.

Immaterielle Kunstwerke – Konzerte, Theateraufführungen – haben schon aus ihren spezifischen Produktionserfordernissen heraus andere Organisationsformen der künstlerisch-schöpferischen Arbeit hervorgebracht. Die formelle Subsumtion mag z. B. im Fall eines Orchesters schon frühzeitig sich durchgesetzt haben. Die besitzindividualistische Aneignung des Werks wird über den Erwerb einer Eintrittskarte geregelt. Die Möglichkeiten der Reproduktion des Musikstücks scheinen auf den ersten Blick begrenzt, denn sie liegen in wiederholten Aufführungen. Um zu einer Reproduktion im großen Umfang der kapitalistischen Massenproduktion zu gelangen, die als Waren besitzindividualistisch angeeignet werden können, bedarf es eines materiellen Substrats, d. h. der Fixierung des immateriellen Kunstwerks in einem materiellen Objekt. Die Schallplatte kann hier als Beispiel dienen. Sie wird in hohen Auflagen produziert und als Ware angeeignet.

Im letzten Stadium besitzindividualistischer Aneignung mag ein barockes Konzert – in seinen ursprünglichen Zusammenhängen ein festliches, unmittelbar gesellschaftliches Ereignis – von der besitzbürgerlichen Monade in völliger gesellschaftlicher Isolierung mit dem Kopfhörer konsumiert werden.

Es kennzeichnet nun die entwickelte kapitalistische Produktionsweise, daß im wesentlichen die Reproduzierbarkeit des Kunstwerks und in Fällen, in denen sie ursprünglich nicht existiert, die Produktion ihres materiellen Substrats der reellen Subsumtion unter das Kapitalverhältnis unterworfen wird. In der Schallplattenindustrie wird nach den Formbestimmtheiten der reellen Subsumtion verfahren. Dort wird menschliche Arbeit in zunehmendem Maß durch Maschinen ersetzt. Die technische Arbeitszerlegung nimmt zu. Der Arbeiter wird zum Instrument der Maschine. Seine konkrete Arbeit wird zunehmend ihrer Inhalte beraubt und auf abstrakt-allgemeine Arbeit reduziert. Die Möglichkeiten der Identifikation des Arbeiters mit seinen Arbeitsinhalten schwinden.

Wird künstlerisch-schöpferische Arbeit der reellen Subsumtion unter das Kapitalverhältnis überlassen wie in der Filmindustrie, dann droht die konkrete künstlerisch-schöpferische Arbeit – hier z. B. von Bühnenbildnern und Drehbuchautoren – im Prozeß zunehmender Arbeitsteilung ausgelöscht zu werden. Es zeigt sich, daß konkrete künstlerisch-schöpferische Arbeit, wie sie heute begriffen wird, mit der reellen Subsumtion unter das Kapitalverhältnis schlechterdings unvereinbar ist. Um die technologischen Möglichkeiten der großen Kunstmedien gesellschaftlichen Bedürfnissen entsprechend zu nutzen, bedarf es anderer Organisationsformen als derer, die das entwickelte Kapitalverhältnis erzwingt. Künstlerisch-schöpferische Arbeit findet keinen Platz in spezifisch kapitalistisch organisierten Arbeitsprozessen, d. h. Arbeitsprozessen, die den Verwertungsinteressen des Kapitals unterworfen bzw. ihm reell subsumiert sind. Künstlerisch-schöpferische Arbeit wird deshalb in den Bereich der formellen Subsumtion ausgelagert. Komponisten und Orchester gegenüber der Schallplattenindustrie, Drehbuchautoren gegenüber der Filmindustrie sind in formell subsumierten Formen der Arbeitsorganisation tätig. Diesen formell subsumierten Arbeitsprozessen aber wird von den großen Kunstmedien, dem Kunstmarkt der Handlungsspielraum eng begrenzt. Die Konkurrenz der vielen in ihren traditionellen Techniken befangenen Kunstproduzenten gegenüber den wenigen, mit ungleich größerer Verhandlungsmacht ausgerüsteten Nachfragen reduziert den Spielraum künstlerisch-schöpferischer Arbeit. Die großen

Kunstmedien suchen für ihre Reproduktionen einen maximalen Markt, der sie unter Konkurrenzbedingungen zwingt, auf das, was da Geschmack der breiten Massen heißt, der durch eben diese Kunstmedien auf eben diesem Weg erst verfestigt und reproduziert wird, einzugehen und ihn als Erfordernis der Marktgängigkeit ihrer vertraglich gebundenen Kontrahenten im Bereich der formellen Subsumtion als Voraussetzung zu oktroyieren. Hier mag ein entscheidender Grund für den relativ konventionellen Charakter der heutigen Kunstentwicklung, soweit sie der breiten Öffentlichkeit zugängig ist, liegen.

Bertold Brecht ist einer der wenigen, sicher aber der einzige bedeutende deutsche Künstler, der die wissenschaftliche Untersuchung von Formbestimmtheiten der Gesellschaft, in der er arbeitete und lebte, in seine künstlerisch-schöpferische Arbeit explizit einbezogen hat. Sein Dreigroschenprozeß z. B. erforscht die prägenden Einflußnahmen der reellen Subsumtion unter das Kapitalverhältnis in der Filmindustrie auf seine nur formell subsumierte Arbeit als Drehbuchautor in der sicher adäquaten Form eines soziologischen Experiments. Brecht hatte im Verfilmungsvertrag zum Schutz der politischen Tendenz und der künstlerischen Form seines Drehbuchs Mitbestimmungsrechte und Einflußnahmen der filmproduzierenden Firmen ausgeschlossen. Brechts Tendenz und Form geriet, wie er es vorausgesehen hatte, mit den gewinnorientierten Verwertungsinteressen des in der Filmbranche vorgeschossenen Kapitals, das aufgrund der politischen Tendenz Ertragseinbußen befürchtete, die seine Profitrate hätten senken können, in Konflikt. Brecht klagte und verlor den Prozeß. Im Urteil wird den Verwertungsinteressen des vorgeschossenen Kapitals gegenüber der vertraglichen Abmachung eine höhere Wertigkeit zugesprochen, d. h. ein Primat der Sphäre reeller Subsumtion über die formell subsumierte künstlerisch-schöpferische Arbeit begründet.[9] In Brechts soziologischem Experiment wird die Kunstfeindlichkeit des entwickelten Kapitalismus ins Licht gezogen. Zugleich wird sichtbar das politische Potential der künstlerisch-schöpferischen Arbeit, die gegen die reelle Subsumtion unter das Kapitalverhältnis rebelliert.

Es offenbart einen Strang der inhärent zerstörerischen Tendenzen kapitalistischer Produktionsweise, daß sich in ihrem Fortgang künstlerisch-schöpferische Arbeit der reellen Subsumtion unter das Kapitalverhältnis zu widersetzen gezwungen sieht, weil sie dort ausgelöscht zu werden droht. Künstlerisch-schöpferische Arbeit aber ist gerade der motivierende Anlaß zur reellen Subsumtion. In dieser Widersprüchlichkeit verharrt künstlerisch-schöpferische Arbeit, in ihrer Existenz bedroht, rebellierend gegen Interventionen, die in ihr bedrohtes Reservat der formellen Subsumtion gelenkt werden. Ambivalent schwankt sie zwischen den Extremen der politischen Überwindung des Kapitalverhältnisses und der Barbarei ihr aufgezwungener, endlos sich wiederholender retrospektiver Nostalgien.

III. Zusammenfassung

Als Abschluß sollen die wichtigsten Thesen dieser analytischen Skizze zusammengefaßt werden:

1. Subsumtion – sei es formelle oder reelle – unter das Kapitalverhältnis setzt voraus, daß Kunstwerke zu Waren geworden sind. Der Warencharakter von Kunstwerken ermöglicht private, besitzindividualistische Aneignung, sei es durch Erwerb des Kunstgegenstandes – im Fall von materialisierten Werken, wie Bücher, Bilder etc. –, sei es als Anrecht auf Genuß durch Erwerb einer Eintrittskarte für ein Theaterstück, ein Konzert, d. h. einer immateriellen Kunstleistung. Der Doppelcharakter der Ware, die gleichzeitig Gebrauchswert und Tauschwert besitzt, schlägt durch auf die künstlerisch-schöpferische Arbeit, die ihrerseits die Widersprüchlichkeit des Doppelcharakters in sich aufnimmt. Sie ist ihrerseits konkrete, gebrauchswertorientierte Arbeit. Andererseits ist künstlerisch-schöpferische Arbeit tauschwertorientierte, abstrakte Arbeit und in dieser Bestimmung liegt das Einfallstor für fremdbestimmende Einflußnahmen.

2. Kunst mag in der vorbürgerlichen Zeit vorwiegend in den Formbestimmtheiten der einfachen Warenproduktion hergestellt worden sein, die dem Künstler den vollen Erlös seines Arbeitsprodukts überließ. Mit der Entwicklung des Kunstmarktes schoben sich allerlei Agenten und Händler zwischen

Kunstproduzenten und Käufer. Sie besorgen den Absatz, kassieren einen variablen Teil des Erlöses und versuchen dem Künstler Marktgängigkeit aufzuzwingen. Auf diese Weise konstituiert sich die formelle Subsumtion unter das Kapitalverhältnis.

3. Formelle Subsumtion beläßt dem Kunstproduzenten noch überwiegend die Verfügung über seine Arbeitsinstrumente. Reelle Subsumtion unter das Kapitalverhältnis verwandelt den Künstler in einen weisungsgebundenen Lohnabhängigen, dem die Voraussetzungen künstlerischer Tätigkeit fast vollständig genommen werden. Das Spezifische seiner gebrauchswertorientierten Arbeit droht ausgelöscht zu werden.

4. Die technische Reproduzierbarkeit von Kunstwerken kann nur im Bereich der reellen Subsumtion voll entwickelt werden. Sie ist an zwei Voraussetzungen gebunden. Einmal muß Kunst zur Ware geworden sein und privat, besitzindividualistisch angeeignet werden können. Zum zweiten bedarf es materialisierter Substrate, d. h. auch immaterielle Kunstleistungen sind erst dann technisch reproduzierbar, wenn sie vergegenständlicht sind. Als Beispiel möge die Schallplatte dienen.

5. In der entwickelten kapitalistischen Produktionsweise zeichnet sich eine Arbeitsteilung ab zwischen künstlerisch-schöpferischer Arbeit, die formell subsumiert bleibt, und der technischen Reproduktion, die reell unter das Kapitalverhältnis subsumiert wird. Musikkonserven sollen wieder als Beispiel aufgeführt werden. Die künstlerische Produktion von der Komposition bis zur Aufführung bleibt formell subsumiert. Die technische Reproduktion der Schallplatte oder Kassette wird streng gewinnorientiert organisiert, d. h. sie verfällt der reellen Subsumtion unter das Kapitalverhältnis.

6. Künstlerisch-schöpferische Arbeit verbleibt bzw. wird relegiert in den unstrukturierten Bereich der formellen Subsumtion. Es mag ein Feld sein, in dem die Einflußnahmen aus der streng kapitalistisch organisierten Sphäre der technischen Reproduktion besonders subtil und effizient vorgenommen werden. Kunst aber rebelliert gegen diesen Unterwerfungsversuch. In diesem Spannungsfeld hat Brechts Motto zum Dreigroschenprozeß seinen Ort:

»Die Widersprüche sind die Hoffnungen«.

1 Positionen und Nachweise siehe Schlaffer, Hannelore, Kritik eines Klischees: »Das Kunstwerk als Ware«, in Literaturwissenschaft und Sozialwissenschaften 4, Erweiterung der materialistischen Literaturtheorie durch Bestimmung ihrer Grenzen, herausgegeben von Heinz Schlaffer, Stuttgart, 1974, S. 265-287; siehe auch unsere Fußnote 7.

2 Einen Überblick über das Problem gibt Meek, Roland, L. Ökonomie und Ideologie; Frankfurt, 1967, dort insbes. »Einige Bemerkungen zum ›Transformationsproblem‹«, S. 193-211; Materialien zum gegenwärtigen Diskussionsstand in Nutzinger, H. G., Wolfstetter, E. (Herausg.), Die Marxsche Theorie und ihre Kritik, 2 Bände, Frankfurt/New York 1974.

3 Das Konzept wird von Macpherson, C. B., Die politische Theorie des Besitzindividualismus von Hobbes bis Locke, Frankfurt, 1973 dargestellt.

4 Malraux, André, Fondation Maeght, Saint Paul, 1973, Der Katalog der Ausstellung gibt Hinweise über ihr Organisationsprinzip.

5 Benjamin, Walter, Das Kunstwerk im Zeitalter seiner technischen Reproduzierbarkeit, in: Schriften, Band I, Frankfurt, 1955, S. 375. Siehe hierzu auch die politökonomische Bereiche überschreitenden Ausführungen von Bürger, Peter. Theorie der Avantgarde, Frankfurt, 1974, S. 35 ff.

6 Zum Begriff der konkreten bzw. abstrakt-allgemeinen Arbeit siehe Petry, Franz, Der soziale Gehalt der Marxschen Werttheorie, Jena, 1916, S. 22 ff.; auszugsweise abgedruckt in Nutzinger, H. G., Wolfstetter, E., a.a.O., S. 212 ff.

7 Marx, Karl, Resultate des unmittelbaren Produktionsprozesses, Frankfurt, 1969, S. 70. Es handelt sich um eine von Marxens Vorarbeiten zum »Kapital«. Schlaffer, H. zitiert eine sinngemäß ähnliche Fassung aus den »Theorien über den Mehrwert«, Erster Teil, MEW 26.1, Berlin 1973, S. 376: »Milton, who did the ›Paradise Lost‹ ... war ein unproduktiver Arbeiter. Der Schriftsteller dagegen, der Fabrikarbeit für seinen Buchhändler liefert, ist ein produktiver Arbeiter. Milton produzierte das ›Paradise Lost‹ aus demselben Grund, aus dem ein Seidenwurm Seide produziert. Es war eine Betätigung seiner Natur.« Den bei Marx folgenden Satz läßt sie weg: »Er verkaufte später das Produkt für 5 £.« – Sie kommt dann zu der überraschenden Schlußfolgerung: »Auch wenn wir Marxens idealistischen Seitensprung, der Künstler schaffte wie die Natur selbst, nicht akzeptieren, bleibt das *Faktum, daß künstlerische Arbeit nicht vergesellschaftet* ist, daß gerade die Individualität der Äußerung als Konstituens der ästhetischen Besonderheit gewertet wird.« (Hervorhebung von mir, G.L.), Schlaffer, Hannelore, a.a.O., S. 268. – Ohne

dem Konzept eines wie auch immer gearteten »idealistischen Seitensprungs« nachzuträumen, sei auch der Versuchung widerstanden, den Unterschied zwischen produktiver und unproduktiver Arbeit bei Marx erklären zu wollen (siehe hierzu: Berthoud, A., Travail productif et productivité du travail chez Marx, Paris, 1974).
Festzuhalten ist, daß Miltons konkreter Schriftstellerarbeit unter Bedingungen der einfachen Warenproduktion durch den Verkauf des Buchs der Charakter von abstrakt-allgemeiner Arbeit aufgezwungen wurde, d. h. seiner Arbeit wird ein widersprüchlicher Doppelcharakter aufgeherrscht. Sie ist einerseits private Schriftstellerarbeit und andererseits vergesellschaftete abstrakt-allgemeine Arbeit.

8 Napoleoni, Claudio, Ricardo und Marx, Frankfurt 1974, S. 111/112.

9 Brecht, Bertolt, Der Dreigroschenprozeß, Gesammelte Werke 18, S. 144.

II
Zum Problem der Zurechnung künstlerischer Objektivationen

Peter Bürger
Einleitung

Soweit sich aus der Mannheimschen Wissenssoziologie ein kunstsoziologischer Ansatz ableiten läßt (vgl. dazu Text 3), geht es dabei um eine »In-Beziehung-Setzung der geistig-systematischen Standorte zu den sozialen Standorten« (Mannheim *58*, 375). Zweifellos lassen sich weltanschauliche Positionen bestimmten sozialen Standorten zuordnen. Dieses Vorgehen ist zumindest als Ausgangspunkt für weitere Fragestellungen dort gerechtfertigt, wo die Künstler sich vornehmlich konzeptueller Darstellungsmedien bedienen (wie dies z. B. in der Aufklärung der Fall ist). Eine solche um den Begriff der Weltanschauung zentrierte Kunstsoziologie ist jedoch in mehrfacher Hinsicht problematisch: Einmal tendiert sie zur Vernachlässigung der gesellschaftlichen Bedeutung der Darstellungssysteme und damit der formalen Seite der Kunstwerke; zum anderen besteht zumindest die Gefahr, daß die Widersprüchlichkeit der künstlerischen Objektivationen verdeckt wird, d. h. die für ihr Funktionieren innerhalb der Gesellschaft eminent wichtige Tatsache, daß künstlerische Gebilde sich vielfach eindeutiger Zuordnung zu einer Trägergruppe gerade entziehen (vgl. die Einleitungen zu Abschnitt IV und VI des Readers). Schließlich wird durch den Vorrang der Frage nach der Zuordnung von weltanschaulichen Positionen zu sozialen Standorten das Problem der gesellschaftlichen Funktion künstlerischer Gebilde in den Hintergrund gerückt.

Bereits zu Beginn des Jahrhunderts, also lange bevor Mannheim in den 20er Jahren seine Wissenssoziologie entwickelte, hat Max Weber in *Die protestantische Ethik und der Geist des Kapitalismus* den Zusammenhang von Weltanschauung und gesellschaftlicher Struktur in einer Weise untersucht, die eine Übertragung auf die Kunstsoziologie zumindest erwägenswert macht: nämlich unter dem Aspekt der Funktion einer religiös fundierten Moral für die gesellschaftliche Entwicklung. Herausgefordert durch eine vulgärmaterialistische Auffassung des Basis-Überbau-Modells, derzufolge Überbauphänomene sich kausalgenetisch aus der gesellschaftlichen Basis ableiten ließen, hat Max Weber ein Gegenmodell entwickelt; genauer: er hat eine historisch-soziologische Untersuchung der protestantischen Ethik vorgelegt, aus der sich ein Modell des Zusammenhangs von Normenentwicklung und Gesellschaftsentwicklung gewinnen läßt[1]. Am Ende der Debatte, die sich an die Veröffentlichung der Protestantismusarbeiten anschloß, hat Weber noch einmal mit Nachdruck die Intention seiner Untersuchung hervorgehoben: nicht um die Ableitung des kapitalistischen Wirtschaftssystems aus einem »kapitalistischen Geist« ging es ihm, sondern um die Erfassung »des *Menschentums,* welches durch das Zusammentreffen religiös und ökonomisch bedingter Komponenten geschaffen wurde« (Weber *82,* II, 303). Die Formulierung läßt erkennen, daß Weber die religiöse Komponente (Heilsbedürfnisse) als unabhängige Variable auffaßt, um dann der Frage nachzugehen, wie durch religiöse Anschauungen geprägte Normensysteme sich auf das Weltverhalten von Gruppen und, über dieses vermittelt, auch auf die gesellschaftliche Entwicklung auswirken. Weber kann zeigen, daß die asketische Ethik des Calvinismus zur Herausbildung von Verhaltensstrukturen beitrug (rationales Verhalten, Orientierung auf Erfolg), deren der entstehende Kapitalismus zu seiner Durchsetzung bedurfte. »Es vermählte sich eben ein Strang von psychischen Inhalten, der aus sehr spezifischen sittlich-religiösen Wurzeln entsprang, mit kapitalistischen Entwicklungs*möglichkeiten*« (Weber *82,* II, 313). Bei diesem Vorgehen wird weder die Ethik aus der Gesellschaftsstruktur, noch umgekehrt die Gesellschaftsstruktur aus der Ethik abgeleitet. Nicht um eine bloße Zuordnung beider Bereiche geht es Weber, sondern um ihre Wechselwirkung, hier: um den Beitrag, den die calvinistische Ethik zur Schaffung von Verhaltensweisen geleistet hat, die zur Durchsetzung des Kapitalismus erforderlich waren. W. M. Sprondel formuliert den Ansatz Webers folgendermaßen: »Die Analyse von sozialen Strukturen sagt noch nichts darüber, ob und inwieweit das Handeln der Menschen den mit ihnen vorgegebenen Bahnen tatsächlich folgt. Ethiken sind aus Strukturen allein nicht zureichend herleitbar, beide können aber auf den Grad ihrer gegenseitigen Adäquanz geprüft werden«[2]. Die Besonderheit der Weberschen Arbeit bestünde mithin darin, daß er die von der Sozialstruktur geforderte Verhaltensweise von der durch geltende Normensysteme festgelegten unterscheidet und dadurch die Möglichkeit gewinnt, die *Funktion* der letzten in den Griff zu bekommen. Wie immer man zu dem hier nur unter einem Aspekt skizzierten Ansatz von Max Weber steht[3], die darin aufgeworfene Frage nach der gesellschaftlichen Funktion von Normensystemen dürfte auch für die Kunstsoziologie fruchtbar sein[4]. Aufgenommen worden ist die Fragestellung, soviel ich sehe, vor allem in kritischen Arbeiten über Produkte der Kulturindustrie, wie sie aus dem Umkreis der Frankfurter Schule hervorgegangen sind (vgl. Forschungsbericht in Ch. Bürger *144*, Kap. I, 2 und I, 3).

Allerdings wird man sich nicht verhehlen dürfen, daß die von Max Weber gemachte Annahme, derzufolge religiöse Bedürfnisse als unabhängige Variable aufzufassen sind, zwar forschungspraktische Vorteile bietet, zugleich aber die Forschung mit einer wissenschaftstheoretischen Hypothek belastet. Die Annahme von voneinander unabhängigen Faktoren erlaubt zwar, Funktionszusammenhänge zwischen diesen auch empirisch zu untersuchen, schneidet aber von vornherein die Frage ab, ob nicht auch der als unabhängige Variable gesetzte »Faktor« (in unserm Beispiel: die Heilsbedürfnisse) seinerseits bedingt sein könnte. Einen Versuch, das damit aufgeworfene Problem zu lösen, stellt die marxistische Basis-Überbau-Theorie dar. Gegen das Nebeneinander einzelner unabhängiger Faktoren wird in der Basis-Überbau-Theorie der strukturelle Zusammenhang aller Bereiche einer Gesellschaft betont (vgl. Kosik *73*). Nun läßt sich nicht leugnen, daß die Basis-Überbau-Theorie vulgärmaterialistischen Mißdeutungen ausgesetzt ist. Wenn z. B. eingewendet wird, es gäbe stets weniger Determinanten in der Basis als zu determinierende Überbauphänomene (z. B. künstlerische Einzelwerke), so werden der Theorie zwei falsche Annahmen unterstellt: sie wolle eine »Basis« für jedes Einzelwerk aufzeigen und dann das Werk aus dieser »Basis« kausalgenetisch herleiten. Gegen derartige Mißdeutungen hat sich Engels in seinen späten Briefen immer wieder gewendet und auf der Wechselwirkung von Basis und Überbau insistiert.

Die politische, rechtliche, philosophische, religiöse, literarische, künstlerische etc. Entwicklung beruht auf der ökonomischen. Aber sie alle

> reagieren auch aufeinander und auf die ökonomische Basis. Es ist nicht, daß die ökonomische Lage *Ursache, allein aktiv* ist und alles andere nur passive Wirkung. Sondern es ist Wechselwirkung auf Grundlage der *in letzter Instanz* stets sich durchsetzenden ökonomischen Notwendigkeit.[5]

Obwohl es Engels gerade um die Zurückweisung vulgärmaterialistischer Auffassungen geht, hat er durch die Beibehaltung der Begriffe Ursache und Wirkung[6] die Möglichkeit derartiger Mißverständnisse nicht vollständig vermieden. Wie Althusser gezeigt hat, verfügt Engels nicht über eine Theorie, die die Wirkmächtigkeit der einzelnen Überbaubereiche und ihre Determination »in letzter Instanz« durch die Basis widerspruchsfrei zu denken erlaubt. Althussers Vorschlag zur Lösung des Problems geht dahin, zwei Untersuchungsebenen einzuführen, von denen die eine den Raum der Möglichkeit beschreibt, die andere dagegen die realen Auseinandersetzungen. Die beiden Ebenen verhalten sich dabei nicht wie Wesen und Erscheinung zueinander, sondern der strukturelle Gesamtzusammenhang einer gegebenen Gesellschaft (»Struktur mit Dominante«) bestimmt die Hierarchie und Wirkmächtigkeit der verschiedenen gesellschaftlichen Instanzen. Mit andern Worten: Althusser geht es darum, die Basis-Überbau-Theorie so zu formulieren, daß nicht der »ökonomische Faktor« der notwendig alle anderen determinierende ist, sondern daß sich jeweils aus der Struktur der Gesellschaft ergibt, welcher gesellschaftlichen Instanz in einer bestimmten Gesellschaftsformation ein Primat zukommt (Althusser *69*)[7].

Fragt man nach der Bedeutung der Basis-Überbau-Theorie für die Kunst- bzw. Literatursoziologie, so ist zunächst festzuhalten, daß sie jeder positivistischen Verselbständigung einzelner Faktoren entgegenwirkt. Sie macht die Tatsache bewußt, daß nicht einen wie immer auch zu bestimmenden »ästhetischen Faktor« mit »der Gesellschaft« in Beziehung zu setzen Aufgabe der Kunstsoziologie ist, sondern daß Kunst und Literatur – wie abgehoben sie auch vom Bereich der unmittelbaren Reproduktion des gesellschaftlichen Lebens sein mögen – immer schon Teil gesellschaftlicher Totalität sind. Allerdings wird man von der Basis-Überbau-Theorie nicht Hinweise erwarten dürfen, *wie* die Einsenkung einzelner Überbauphänomene in die gesellschaftliche Totalität zu erforschen ist. Im Gegenteil: wie Karel Kosik zu Recht bemerkt, kann die als Reflexionserkenntnis wichtige Einsicht in die strukturelle Abhängigkeit der Kunst von der Gesellschaft als ganzer sogar zum Hemmnis der Forschung werden, wenn »die konkrete Totalität der gesellschaftlichen Wirklichkeit zu einer abstrakten Ganzheit degeneriert« (Kosik *73*, 114)[8].

Georg Lukács, der den wohl konsequentesten Versuch unternommen hat, eine Literatursoziologie auf der Grundlage der marxistischen Basis-Überbau-Theorie zu entwickeln, entgeht der Gefahr der Hypostasierung der Totalität durch eine historische Konstruktion, die die Entwicklung literarischer Formen (besonders die des Romans) und die Entwicklung der bürgerlichen Gesellschaft in Beziehung zueinander setzt. Die Leistung von Lukács besteht dabei weniger in der Unterscheidung zwischen einer Aufstiegs- und einer Abstiegsphase des Bürgertums mit der Revolution von 1848 bzw. der Commune von 1870 als Einschnitt, sondern in dem Versuch, eine normative, am Vorbild des klassischen Realismus orientierte Ästhetik konsequent mit der marxistischen Geschichtstheorie zu verknüpfen (vgl. Bürger *71*, 207-219). Die in der Aufstiegsphase des Bürgertums entstandene realistische Kunst wird von Lukács auch für die sozialistische Gesellschaft kanonisiert, bei gleichzeitiger Ablehnung der während der Abstiegsphase entstandenen »dekadenten« Formen der naturalistischen und avantgardistischen Kunst (vgl. Text 4). Die Probleme, die die geschichtsphilosophisch abgesicherte Kanonisierung des klassischen Realismus für die Kunstpraxis gerade auch engagierter Kunstproduzenten wie Brecht aufwarf, sind in den Kontroversen im Bund proletarisch-revolutionärer Schriftsteller (vgl. Gallas *50*) und in der Expressionismus-Debatte der 30er Jahre diskutiert worden (vgl. Schmitt *56*). Die Schwierigkeiten, in die die Lukácssche Theorie die Bemühungen um eine materialistische Ästhetik bringt, sind zur Genüge erörtert (vgl. Bibliographie). Es mag daher an der Zeit sein, nach den großen Abrechnungen mit Lukács auf wichtige Einzelarbeiten und das in ihnen angewendete Begriffsinstrumentarium kurz hinzuweisen.

Zunächst gilt es festzuhalten: Die Aporien der Lukácsschen Geschichtskonstruktion, in der die Entwicklung der bürgerlichen Gesellschaft und die der literarischen und künstlerischen

Formen aufeinander bezogen sind, ändern nichts an dem *erkenntnisfördernden Charakter der Konstruktion.* Ein Beispiel mag das verdeutlichen: Die Verselbständigung der Beschreibung im Roman der zweiten Hälfte des 19. Jahrhunderts wird von Lukács als historisch notwendige Dekadenzerscheinung aufgefaßt (vgl. Text 4). Wie immer man zu der Dekadenzthese steht (zur Kritik vgl. Adorno *49*), die Lukács selbst nicht streng durchzuhalten vermag, die Tendenz zur Verselbständigung der Beschreibung ist treffend charakterisiert, und die geschichtlichen Gründe dieser einschneidenden Veränderung sind zumindest angedeutet. Die historische Konstruktion ist diesen Ergebnissen nicht einfach äußerlich, sondern die Bedingung der Möglichkeit ihrer Erkenntnis. Ein anderes Beispiel: In seiner Kritik des Naturalismus und der Avantgarde folgt Lukács dem Modell der Hegelschen Romantik-Kritik. Hegel zufolge zerfällt in der romantischen Kunst die Einheit von Geist und Sinnlichkeit, die das klassische (griechische) Kunstwerk charakterisiert, in Subjektivität einerseits und Fülle des Tatsächlichen andererseits. Die Übernahme dieser Konstruktion erlaubt es Lukács, Naturalismus und Neuromantik, die einer oberflächlichen Betrachtung nur in ihrer Gegensätzlichkeit erkennbar sind, als Einheit zu fassen: Insofern beide Bewegungen der Wiedergabe der Unmittelbarkeit verhaftet bleiben; wenn auch an Stelle der Unmittelbarkeit der äußeren Wirklichkeit (im Naturalismus) in der Neuromantik die des Subjekts und seiner Regungen tritt. Es geht hier nicht um die Frage, ob diese Interpretation in allen Punkten haltbar ist, sondern um die kaum anzuzweifelnde Einsicht, daß die Konstruktion erkenntnisfördernd ist.

Daß der Vorwurf, Lukács reduziere den Gehalt eines literarischen Werks auf die gesellschaftlichen Bedingungen seiner Entstehung, dessen Arbeitsweise verfehlt, läßt sich vielleicht am besten an den *Faust-Studien* zeigen. Schon die Tatsache, daß die Entstehungszeit von Goethes *Faust* mehr als ein halbes Jahrhundert umfaßt, das durch folgenreiche geschichtliche Umbrüche charakterisiert ist, müßte eine vulgärsoziologische Interpretation zum Scheitern verurteilen. Lukács macht denn auch keinen Versuch, etwa die Etappen der Entstehungsgeschichte des Dramas von Einzelereignissen der historisch-gesellschaftlichen Entwicklung Deutschlands aus zu interpretieren. Er begreift das Drama vielmehr als dichterische Synthese der Epoche des Umbruchs von der feudalen zur bürgerlichen Gesellschaft, deren Kraft der Wirklichkeitserhellung nur dann adäquat erfaßt werden kann, wenn man sie mit der großen philosophischen Synthese der Epoche, Hegels *Phänomenologie des Geistes,* parallel setzt.[9] Diese Parallele gründet einmal auf zentralen Übereinstimmungen im Gehalt: Individualschicksal als Abbreviatur des Gattungsschicksals (Lukács *48,* II, 146), Einheit von Tragik des Individuums und Fortschritt der Gattung (ebd., II, 149), dialektische Auffassung des Bösen als »Vehikel des objektiven Fortschritts« (ebd., II, 162); zum andern aber sucht Lukács die Schwierigkeit der Darstellungsweise der Hegelschen *Phänomenologie* und die »Phantastik der Handlungskomposition« des *Faust* aus dem Gehalt der Werke verständlich zu machen, nämlich aus der »dialektischen Zwei-Einheit von Individuum und Gattung« (ebd., II, 147)[10]. Die Parallelisierung von Philosophie und Dichtung, wie Lukács sie vornimmt, geht von der unausgesprochenen Voraussetzung aus, daß Philosophie und Literatur Erkenntnisinstrumente sind, die – bei aller Verschiedenheit ihrer Vorgehensweise – sich doch auf die historisch entstandene Wirklichkeit ihrer Epoche, und d. h. auf den gleichen Erkenntnisgegenstand, beziehen. Auch hierin folgt Lukács der Geschichtsphilosophie Hegels, nur daß er nicht den Weltgeist, sondern die realen Auseinandersetzungen der Menschen als das bewegende Prinzip der Geschichte ansieht.

Eine historische Konstruktion der Entwicklung der bürgerlichen Gesellschaft und ein Literaturbegriff, der das Werk nicht als bloßes Abbild der Wirklichkeit, sondern als Instrument der Wirklichkeitserkenntnis faßt, ermöglichen Lukács eine historisch-dialektische Wertung sowohl von Einzelwerken, als auch von literarischen Strömungen. Die Kategorie, die Lukács dabei zur Anwendung bringt, ist die des historisch möglichen Bewußtseins. Er vermeidet damit die historistische Illusion, derzufolge es möglich ist, jede Epoche aus sich heraus zu erfassen, ebenso wie eine abstrakte Bewertung vergangener geistiger Objektivationen vom Standpunkt des Interpreten in der Gegenwart aus. So unterliegt für Lukács der Irrationalismus, der sowohl im Sturm und Drang als auch in der Neuromantik um 1900 als zentrales Moment aufweisbar ist, jeweils einer anderen geschichtlichen Bewertung. Aufgrund seiner Studien zum jungen Hegel kann Lukács nämlich nachweisen, daß der Irrationalismus am Ende des 18. Jahrhunderts meist als »ein Anlauf zur Dialektik« begriffen werden muß (Lukács *48*, II, 13); wobei er davon ausgeht, daß die Dialektik im Vergleich zum rationalistischen Fortschrittsbegriff der Aufklärung eine höhere Stufe von Erkenntnis der Geschichte darstellt, insofern sie erlaubt, auch partielle Rückschritte als notwendige Momente im Prozeß gesellschaftlicher Entwicklung zu begreifen. Der Irrationalismus, der am Ende des 18. Jahrhunderts ein erstes Tasten nach den Gesetzen der Dialektik ist, kann dagegen, Lukács zufolge, am Ende des 19. Jahrhunderts, also nach der Entwicklung der Hegelschen Dialektik und ihrer materialistischen Umformulierung durch Marx als Anzeichen der »Zerstörung der Vernunft« gelten. Allerdings wird man sehen müssen, daß die Kategorie des historisch möglichen Bewußtseins in literatursoziologischen Untersuchungen nur als regulatives Prinzip, nicht als starrer Maßstab der Beurteilung Anwendung finden kann. Denn sonst tritt an die Stelle der Erfassung des gesellschaftlichen Gehalts der Einzelwerke ihre vorschnelle Subsumtion unter allgemeine gesellschaftliche Kategorien, die Lenk an Mannheim zu Recht kritisiert (vgl. Text 3). Daß Lukács diese Gefahr sehr wohl gekannt und ihr durch eine Versenkung in die Werke zu begegnen wußte, zeigen neben anderen seine Studien zur realistischen Literatur des 19. Jahrhunderts.

Obwohl er sich stets als Schüler von Lukács verstanden hat, nimmt Lucien Goldmann eher die Mannheimsche Frage der Zurechnung von künstlerischen Objektivationen zu sozialen Standorten wieder auf. Auch die zentrale Vermittlungskategorie Mannheims, die Weltanschauungstotalität (vgl. Text 3), kehrt bei Goldmann wieder. In seiner großen Arbeit über Pascal und Racine ist es die tragische Weltanschauung des Jansenismus, die Einzelwerk und Gesamtgesellschaft miteinander in Beziehung zu setzen erlaubt. Im Unterschied zu der relativ vage bleibenden Rede Mannheims vom sozialen Standort handelt Goldmann von gesellschaftlichen Gruppen, deren Interessenlage sich präzise bestimmen läßt. Die Weltanschauung wird als Antwort einer Gruppe auf eine gegebene gesellschaftliche Situation aufgefaßt: Durch die Zentralisierung der

Verwaltung verliert der französische Amtsadel um die Mitte des 17. Jahrhunderts immer mehr an politischer Macht, ohne doch gegen das Königtum aufbegehren zu können, das Garant seiner privilegierten Stellung bleibt. In dieser ausweglosen Lage bildet der Amtsadel eine tragische Weltanschauung aus, die sowohl den *Pensées* von Pascal als auch den Tragödien von Racine zugrunde liegt (vgl. Goldmann *27*). Kollektivbewußtsein der Gruppe und Einzelwerk unterscheiden sich dabei für Goldmann vor allem durch den höheren Grad der Kohärenz des letzteren.

Auf die Problematik des Goldmannschen Kohärenzbegriffs ist verschiedentlich hingewiesen worden (vgl. *29*, 61 f., 90 f.): Wo der Begriff zur Charakterisierung menschlichen Verhaltens überhaupt verwendet wird (vgl. Text 5), droht er zu einer allgemeinen anthropologischen Konstante zu werden. Wo er als normative Kategorie eingeführt wird, um die Qualität künstlerischer Objektivationen auszumachen (Goldmann *25*, 123), wird deren Widersprüchlichkeit eliminiert (vgl. Lefèbvre, in: *29*, 62) und ein an den Kriterien klassischer Ästhetik (wie organische Einheit von Ganzem und Teilen) orientierter Werkbegriff zur Voraussetzung der Literatursoziologie gemacht. Daß dieser Werkbegriff, den Goldmann von Lukács übernimmt, seiner positiven Einschätzung der Avantgarde widerstreitet, scheint ihm entgangen zu sein.

In seiner zweiten großen Arbeit, der *Soziologie des modernen Romans*, hat Goldmann einen zweiten Ansatz vorgelegt, der sich von dem bisher erörterten dadurch grundlegend unterscheidet, daß in ihm Kunst und Gesellschaft, hier: Romanform und bürgerlich-kapitalistische Gesellschaft, nicht über das Kollektivbewußtsein einer Gruppe oder Klasse vermittelt werden, sondern in eine unmittelbare Entsprechung zueinander treten, die Goldmann als Strukturhomologie bezeichnet. Ausgehend vor allem von den romantheoretischen Arbeiten des frühen Lukács *(216)*, bestimmt Goldmann den Roman als Darstellung »einer Welt, welche von Werten regiert ist, die von der gesellschaftlichen Umwelt des Helden ignoriert werden und die der Held selber auf nicht-authentische, degradierte und vermittelte Weise sucht« (*26*, 141). Die Romanform wäre charakterisiert durch die Suche eines problematischen Individuums nach authentischen Werten, die in dessen Umwelt keine Gültigkeit haben und die der Held (das problematische Individuum) daher nicht unmittelbar verwirklichen kann, sondern nur, indem er sich in die von inauthentischen Werten regierte Welt hineinbegibt. Die These Goldmanns lautet nun, daß zwischen der so definierten Romanform und der Struktur der Beziehungen zwischen Menschen und Dingen in der auf Warentausch beruhenden Gesellschaft eine Homologiebeziehung herrsche. Denn, so führt Goldmann unter Rückgriff auf die Analyse des Warenfetischismus von Marx aus, in der warenproduzierenden Gesellschaft kann der qualitative Gebrauchswert eines Dinges nur auf dem Umweg über den quantitativen Tauschwert (Geld) angeeignet werden. Wie der Mensch in der warenproduzierenden Gesellschaft Gebrauchswerte nur über Tauschwerte vermittelt erreichen kann und dadurch seine Beziehung sowohl zu Dingen als auch zu Menschen notwendig inauthentisch werden, so ist auch die Suche des Romanhelden nach authentischen Werten notwendig von der Inauthentizität seiner Umwelt geprägt. Das Problem, wie denn bei tendenziell universaler Verdinglichung diese im Roman ihre kritische Darstellung habe finden können, löst Goldmann dadurch, daß er die Künstler als problematische Individuen, »deren Bewußtsein wesentlich auf die Qualität ihrer Erzeugnisse, d. h. auf ihren Gebrauchswert orientiert ist« (ebd., 142), aus dem universalen Verblendungszusammenhang ausnimmt und sie als Träger der Romanform ansieht.

Goldmann vorzuwerfen, er setze (im Roman verhandelte) Normen und ökonomische Kategorien (Gebrauchswert/Tauschwert) gleich, trifft dessen These insofern nicht, als diese nur eine Strukturentsprechung, keine Inhaltsentsprechung behauptet. Treffender ist der Hinweis, daß die Vergleichskategorie (Inauthentizität) zu allgemein ist, um überhaupt etwas über das Verhältnis der beiden Bezugsobjekte zueinander ausmachen zu können (vgl. Kallweit/Lepenies, in: *29*, *92*). Mit dieser schlechten Allgemeinheit der Goldmannschen These hängt auch die Tatsache zusammen, daß eine Entwicklung der Gesellschaft nur unter dem Aspekt zunehmender Verdinglichung gesehen werden kann, die dann im Roman ihre notwendige Entsprechung findet. Auch die Sonderstellung, die der Roman in der Theorie Goldmanns gegenüber allen andern Genera gewinnt, da nur er in einer Strukturentsprechung zur warenproduzierenden Gesellschaft steht, ist theoretisch wenig befriedigend. Anfechtbar dürfte schließlich die soziale Zuordnung sein, die Goldmann vornimmt, indem er den Roman explizit nicht einer sozialen Gruppe oder Klasse wie dem Bürgertum zurechnet, sondern den »problematischen Individuen«. Eine gewisse Nähe zu Mannheims Konzept des »freischwebenden Intellektuellen« ist hier nicht zu übersehen. Wie dieser ist auch das »problematische Individuum« von Goldmann sozial ungebunden und auf die Verwirklichung von »Werten« ausgerichtet; Mannheim spricht in diesem Zusammenhang vom »Denken des Qualitativen« (*58*, 458). Man wird in dem Rekurs auf die »problematischen Individuen« allerdings das Bemühen erkennen müssen, reale Träger für die Romanform auszumachen. Die problematischen Individuen erhalten in der Konzeption Goldmanns die Aufgabe, stellvertretend das auszudrücken, was zu erfahren andern aufgrund des universalen Verdinglichungszusammenhangs unmöglich ist (vgl. Sanders *181 a*). Man wird sich jedoch fragen müssen, ob nicht die Suche nach realen Trägern der Romanform von der Einsicht wegführt, daß diese Form den universalistischen Anspruch bürgerlicher Kultur am ehesten erfüllt hat und daher zum privilegierten Medium bürgerlicher Ideologie werden konnte. Hier macht sich die Tatsache, daß Goldmann den kritischen Ideologiebegriff des frühen Marx (vgl. Text 12) nicht rezipiert hat, als Mangel bemerkbar. Denn der Ideologiebegriff erlaubt die Divergenz zwischen den unmittelbaren Interessen einer Klasse und den von ihr entwickelten Normen aus der Notwendigkeit herzuleiten, eine beschränkte gesellschaftliche Praxis mit Hilfe universalistischer Konzepte zu legitimieren.

Eine nicht zu unterschätzende Stärke der Goldmannschen Theorie, die die Auseinandersetzung mit ihr lohnend macht, liegt in der Konsequenz, mit der er einen gewählten Ansatz zu Ende denkt. So hat er sich auch das Problem der Vereinbarkeit der beiden von ihm entwickelten Ansätze gestellt, von denen der eine das Kollektivbewußtsein zur entscheidenden Vermittlungsinstanz zwischen Kunstwerk und Gesellschaft macht, während der andere diese Vermittlung explizit leugnet. Sein Lösungsvorschlag geht dahin, die Kategorie Kollektivbewußtsein radikal zu historisieren und für die kapitalistische Gesellschaft aufgrund des universalen Verdinglichungszusammenhangs die Möglichkeit der Bildung von Kollektivbewußtsein zu leugnen. Eine in dieser Allgemeinheit wohl kaum haltbare These.

Während Goldmanns literatursoziologische Anstrengung vor allem darauf gerichtet ist, *Homologiebeziehungen* aufzufinden – sei es zwischen literarischen Werken und Gruppenbewußtsein, sei es zwischen der Form des Romans und der Struktur der warenproduzierenden Gesellschaft –, hat Erich Köhler die Frage nach der gesellschaftlichen *Funktion* literarischer Objektivationen ins Zentrum seiner Untersuchung der altfranzösischen Artusepik gestellt. Den Wirklichkeitsbezug der märchenhaften Artusdichtung vermag Köhler gerade dadurch aufzudecken, daß er sie als ideales Gegenbild zur gesellschaftlichen Wirklichkeit der zweiten Hälfte des 12. Jahrhunderts auffaßt. Einem durch den Gegensatz von reichen Baronen und niederem Rittertum zerrissenen und durch das sich ankündigende antifeudale Bündnis von Monarchie und Bürgertum bedrohten Feudaladel gibt der Artusroman ein freilich prekäres Bewußtsein ständischer Einheit, indem er ein ideales ritterliches Menschenbild entwirft. Die Funktion dieser Dichtung ist Legitimation. »So ist der höfische Roman das Erzeugnis einer Epoche und einer Gesellschaft, in denen sich die partikularistischen feudalen Mächte der Gemeinsamkeit ihrer Interessen und der Notwendigkeit, ihnen eine sittliche und historische Rechtfertigung zu geben, bewußt werden« (Köhler *35*, 38)[11]. Indem Köhler die Frage der Zurechnung vom Problem der gesellschaftlichen Funktion literarischer Werke her angeht, kann er zeigen, daß im Fall der Artus-Dichtung gerade der historische Zwang zur Allianz zweier sozialer Gruppen (hier: des Hochadels und des niederen Rittertums) zur Herausbildung einer klassischen Literatur geführt hat (vgl. auch Text 6, These 7).

In vergleichbarer Weise hat Robert Weimann zeigen können, daß das elisabethanische Theater auf einer Verschmelzung von plebejischen und höfischen Publikumsinteressen beruht (*67 a*, 289 ff.).

Ohne die hier nur z. T. angesprochenen Unterschiede zwischen den Arbeiten von Lukács, Goldmann und Köhler gering zu veranschlagen, wird man doch eine Gemeinsamkeit in ihrer Vorgehensweise erkennen können. Sie besteht darin, daß die historisch-soziologische Deutung des Werks das Zentrum der Analyse ausmacht. Insofern das Werk sich erst aus den gesellschaftlichen Bedingungen erschließt, denen es sich verdankt, ist die Zurechnung zu einer Trägerschicht notwendiger Bestandteil der Deutung des Werks. Die Zurechnung erfolgt dabei nicht über die empirische Erforschung von Leserreaktionen, sondern durch das Aufweisen einer Homologie- bzw. einer Funktionsbeziehung zwischen dem Werkgehalt und der Interessenslage der Trägergruppe(n).

Während in den skizzierten Zurechnungsverfahren Dokumente über Leserverhalten allenfalls als Anhaltspunkt für die Richtigkeit der vorgenommenen Zuordnung gewertet werden, stehen sie im Mittelpunkt eines anderen Ansatzes, den man als historische Lesersoziologie bezeichnen kann. Nicht literarische Werke und ihr Gesellschaftsbezug sind hier Gegenstand der Untersuchung, sondern das dokumentarisch feststellbare Verhalten von Rezipientengruppen. So haben Rudolf Schenda Leseverhalten und Lesestoffe der Unterschicht (Schenda *105*), Rolf Engelsing die Entwicklung bürgerlicher Lesekultur am Beispiel Bremens (Engelsing *87*) und Marlies Prüsener die Lesegesellschaften im 18. Jahrhundert (Prüsener *104*) untersucht; und Henri-Jean Martin hat in einer monumentalen Arbeit den Versuch unternommen, alle Aspekte des Zusammenhangs von Buchproduktion, -distribution und -rezeption im Paris des 17. Jahrhunderts zu erfassen (Martin *98*). Wo ältere publikumssoziologische Arbeiten (Schücking *106*) sich vornehmlich auf einzelne zeitgenössische Aussagen über Produktionszwänge, Distributionsschwierigkeiten und Rezeptionsgewohnheiten gründen – dies gilt auch noch für die richtungweisende Arbeit von Werner Krauß über den Anteil der Buchgeschichte an der Aufklärung (Krauß *94*) –, sind neuere Untersuchungen wie die von Engelsing und Martin den von Daniel Mornet *(99)* gewiesenen Weg einer systematischen Untersuchung öffentlicher und privater Bibliotheken gegangen. So hat Martin für das französische 17. Jahrhundert das Nebeneinander zweier Kulturkonzeptionen aufweisen können: die eine vom Amtsbürgertum getragen, an der Antike und den Kirchenvätern orientiert; die andere vom Schwertadel getragen, auf exakte Wissenschaften, Cartesianismus und mondäne Literatur ausgerichtet. In vergleichbarer Weise hat Engelsing in der zweiten Hälfte des 18. Jahrhunderts einen tiefgreifenden Wandel des Lesestils von der intensiven, auf Einübung in schon bekannte Denk- und Verhaltensweisen gerichteten zur extensiven, an der Erfassung des Neuen interessierten Lektüre nachweisen können (Engelsing *87*, 182 ff.).

Es kann hier nicht darum gehen, die beispielhaft herausgegriffenen Einzelergebnisse zu diskutieren. Soviel aber dürfte außer Zweifel stehen: die historische Lesersoziologie kann ein wichtiges Korrektiv sein bei dem Bemühen einer Zurechnung künstlerischer Objektivationen zu gesellschaftlichen Trägergruppen. Das Nebeneinander einer werkorientierten Literatursoziologie und einer auf das ausmachbare Rezipientenverhalten gerichteten historischen Publikumssoziologie mußte den Gedanken nahelegen, beide Ansätze zu verknüpfen, d. h. die historisch-soziologische Analyse von Werken mit den belegbaren Reaktionen des zeitgenössischen Publikums zu konfrontieren. Diesen Weg hat vor allem Fritz Nies beschritten. Die Nachlässigkeit *(négligence)*, die als Stilideal die Briefe der Mme de Sévigné prägt, vermag er als Verhaltensattitüde des nach der Fronde politisch weitgehend entmachteten französischen Hochadels zu erweisen, und er kann weiterhin zeigen, wie spätere bürgerliche Leser die *négligence* als antihöfische Natürlichkeit uminterpretieren (Nies *102*)[12].

Einen andern Zugang zum Problem einer historischen Publikumssoziologie hat bereits in den 30er Jahren Erich Auerbach aufgezeigt. Ausgehend von einer Analyse der im französischen 17. Jahrhundert geläufigen Begriffe für Publikum kommt er zur historisch-soziologischen Erfassung der Träger der klassischen französischen Literatur (Auerbach *85*; zur Diskussion vgl. Krauß *93*)[13].

Seit dem *Strukturwandel der Öffentlichkeit* von Jürgen Habermas *(178)* dürfte die Bedeutung der Frage nach den epochalen Vorstellungen von literarischer und politischer Kommunikation allgemein anerkannt sein. Der Forscher macht sich dabei die in der Epoche selbst bereits geleistete Abstraktion zunutze. Wichtig ist jedoch, die Vorstellungen über literarische bzw. politische Kommunikation nicht einfach für die Darstellung wirklicher Kommunikationsabläufe zu nehmen. Gerade das Festhalten dieser Distanz macht es Habermas möglich, die Kategorie der Öffentlichkeit als eine im strengen Wortsinne ideologische zu kritisieren. Den Ansatz von Habermas haben vor allem Jochen Schulte-Sasse für die Erforschung der historischen Veränderungen des Literaturbegriffs *(179)* und Peter Uwe Hohendahl für die Erfassung des historischen Wandels der Literaturkritik *(185)* nutzbar gemacht (vgl. auch die Einleitung von Hans Sanders zu Abschnitt V).

Anmerkungen

1 Die Bedeutung der Max Weberschen Arbeit für die gegenwärtige Theoriediskussion in der Soziologie erhellt aus dem von C. Seyfarth und W. M. Sprondel herausgegebenen Reader *Seminar: Religion und gesellschaftliche Entwicklung. Studien zur Protestantismus-Kapitalismus-These Max Webers* (suhrkamp taschenbuch wissenschaft, 38), Frankfurt 1973.

2 *Religion und gesellschaftliche Entwicklung*, 218.

3 Zur Kritik an Max Weber vgl. K. Lenk, *Marx in der Wissenssoziologie [...]* (Soz. Texte, 78). Neuwied/Berlin 1972, 24-32.

4 Vgl. auch die neueren Arbeiten zum Problem des Bildersturms (Warnke *66*, Bredekamp *22*), die in dem Phänomen der gewaltsamen Zerstörung von Bildkunstwerken einen Zugang zur Erforschung der gesellschaftlichen Funktion von Kunst erkennen.

5 Brief von Engels an H. Starkenburg vom 25. 1. 1894, zit. nach: K. Marx / F. Engels, *Studienausgabe*, hrsg. v. I. Fetscher, Bd. I: *Philosophie* (Fischer Bücherei, 764). Frankfurt 1966, 236.

6 Vgl. z. B. Brief von Engels an F. Mehring vom 14. 7. 1893 (ebd., 235): »Daß ein historisches Moment, sobald es einmal durch andre, schließlich ökonomische Ursachen, in die Welt gesetzt, nun auch reagiert, auf seine Umgebung und selbst seine eignen Ursachen zurückwirken kann, vergessen die Herren oft fast absichtlich.«

7 Habermas scheint mir zu dem gleichen Ergebnis zu kommen, wenn er schreibt: »Diese Annahme [das Marxsche Basis-Überbau-Modell] ist vereinbar mit dem Wechsel des ›funktionalen Primats‹ von einem Teilsystem zum andern« (in: J. Habermas/N. Luhmann, *Theorie der Gesellschaft oder Sozialtechnologie [...]*. Frankfurt 1971, 284).

8 Wenn hier auf eine Erörterung des Widerspiegelungsbegriffs verzichtet wird, so deshalb, weil inzwischen Konsens darüber zu herrschen

scheint, daß er den Zusammenhang zwischen Kunstwerken und gesellschaftlicher Wirklichkeit festhält, die Erforschung des Zusammenhangs (besonders wenn man diesen als einen der Funktion begreift) aber keineswegs fördert (vgl. Diskussion Metscher *77*, Bürger *71* sowie Bogdal/Lindner/Plumpe *70*).

9 Diesen Ansatz hat in jüngster Zeit Th. Metscher aufgenommen und weitergeführt (*Faust und die Ökonomie [. . .]*, in: *Vom Faustus bis Karl Valentin [. . .]* [Argument Sonderbände, AS 3]. Berlin 1976, 28-155). Zur Diskussion vgl. *Faust-Diskussion*, in: Das Argument, Nr. 99 (Sept./Okt. 1976).

10 Die Schwierigkeit der Darstellungsweise Hegels hat G. Lukács ausführlich erörtert in: *Der junge Hegel [. . .]* (suhrkamp taschenbuch wissenschaft, 33). [2]Frankfurt 1973, 731 ff.

11 In einer Reihe von Arbeiten ist der Köhler-Schüler Henning Krauß den Veränderungen nachgegangen, die die lyrischen Genera des Mittelalters durch Aufnahme in einen anderen historisch-gesellschaftlichen Kontext erfahren haben; wobei er zeigen kann, daß die Veränderungen der lyrischen Gattungen sich erklären lassen aus dem historisch-gesellschaftlich determinierten Verstehenshorizont der neuen Trägerschicht (vgl. *Gattungssystem und Sitz im Leben. Zur Rezeption der altprovenzalischen Lyrik in der sizilianischen Dichterschule*, in: *63*, 37-70, sowie Krauß *40*).

12 Einen Überblick über Ansätze sozialgeschichtlicher Rezeptionsforschung gibt Hohendahl in der Einleitung des von ihm herausgegebenen Readers (*89*, 9-48).

13 Vgl. auch meinen Versuch einer ideologiekritischen Erfassung frühbürgerlicher Publikumsvorstellungen (Bürger *145*, 44-68).

3. Kurt Lenk
Zur Methodik der Kunstsoziologie

Das Verständnis der wissenssoziologischen Verfahrensweisen kann durch eine vergleichende Übersicht der ihnen vorausgehenden kunst- und literatursoziologischen Arbeiten erleichtert werden. Es ist bekannt, daß das Schema der wissenssoziologischen Axiomatik *Karl Mannheims* bereits seinen frühen methodologischen Analysen zum Sinnverstehen geistiger und künstlerischer Gebilde zugrunde liegt. Sein im Jahre 1923 erschienener kunstsoziologischer Entwurf (»Beiträge zur Theorie der Weltanschauungsinterpretation«, Kunstgeschichtliche Einzeldarstellungen, Bd. II, Wien 1923) enthält bereits alle wesentlichen Kategorien, die für die späteren wissenssoziologischen Untersuchungen grundlegend geworden sind. So findet sich hier bereits die These, daß die im Laufe der geschichtlichen Entwicklung hervorgetretenen Kunststile Ausdruck bestimmter voluntativer Tendenzen der sie tragenden Gruppen, Schichten und Klassen seien.

Im folgenden sollen einige Motive der Kunstsoziologie im Hinblick auf ihre Funktion für die Herausbildung kultur- und wissenssoziologischer Problemstellungen untersucht werden. Es wird sich hierbei zeigen, inwiefern das zunächst rein kunsthistorische Problem des »Stilbruchs« sowie die Frage der Realisierung ästhetischer Werte im künstlerischen Schaffensprozeß die Ansatzpunkte kunstsoziologischer Überlegungen bieten konnten. Ähnlich wie in der Wissenssoziologie stehen auch hier die mit der Vermittlung zweier Faktorenreihen verknüpften Probleme im Mittelpunkt: die einer Kunstgattung immanenten Tendenzen einerseits und die realen gesellschaftlichen Bedingungen, unter denen sich diese Tendenzen den ihnen gemäßen Ausdruck schaffen müssen, andererseits.

Begreift man einmal ästhetische Überlegungen als den Versuch, über die den Kunstwerken äußerlich bleibenden Spekulationen dadurch hinauszugelangen, daß die in den ästheti-

Abruck mit freundlicher Genehmigung des Autors aus: Kölner Zeitschrift für Soziologie und Sozialpsychologie 13 (1961), 413-425.

schen Gegenständen selber angelegte Synthesis der anschaulichen Einzelmomente im Prozeß des erkennenden Nachvollzugs auf einer neuen Stufe ihrer selbst inne wird, so könnte man die Gedankengänge, wie sie sich in den kunstsoziologischen Passagen der Frühschriften *Karl Mannheims*[1] finden, als dem damit bezeichneten Vorgehen strikt entgegengesetzt bezeichnen. Nicht bloß wird hier von jedem Versuch abgesehen, ästhetische Gegenstände in ihrer konkreten Gestalt zum Ausgangspunkt der Überlegungen zu nehmen, sondern die Sphäre der Kunst insgesamt wird neben Religion, Sitte u. ä. zu einer eigenen Region der Geisteswissenschaften verdinglicht. Gegenüber der Ästhetik, die *Mannheim* zum Gegenstand hat, stellt seine Soziologie der Kunst bereits die zweite Stufe der Rationalisierung dessen dar, was Kunstwerke beinhalten. Während jedoch diese Form der Ästhetik (es handelt sich vor allem um die kunsthistorischen Bemühungen *Wölfflins, Riegls, Dvořaks* und *Heidrichs*), sofern sie nur ihren Gegenstand im Auge behält, immer noch auf ihre eigene Insuffizienz gegenüber den künstlerischen Gebilden zu reflektieren vermag, befindet sich die kultursoziologische Kunsttheorie ihrem Ansatz gemäß von vornherein in der Position des Rezeptiven: sie operiert mit bereits von der Ästhetik fertig bezogenen Begriffen, ohne diese Begriffe kritisch mit dem zu konfrontieren, woraus sie ihre Substanz und ihr Leben haben. Die Kunst, die ihr Wesen darin hat, nicht unmittelbar und ohne Gewalt begrifflichen Konstruktionen subsumiert werden zu können, erscheint nur mehr im Medium der Stilbegriffe. Während also die Ästhetik die in ihr notwendig mitgesetzte Ferne vom eigenen Gegenstand noch thematisch werden läßt, bildet die »Rationalisierbarkeit« ästhetischer Gebilde die notwendige Bedingung für die kunstsoziologischen Spekulationen. Als Anwendungsform allgemein-wissenssoziologischer Überlegungen bezieht die Kunstsoziologie *Mannheims* ihre begrifflichen Einheiten unbesehen von der Ästhetik, in deren Zuständigkeitsbereich allein die Entscheidung über die Zweckmäßigkeit und den Erkenntniswert der in ihr verwendeten Stilbegriffe falle.

Die idealtypischen Konstruktionen werden – entgegen der ursprünglichen Bestimmung *Max Webers*[2] – begriffsrealistisch gefaßt und als solche bestimmten historischen Phasen oder gesellschaftlichen Strukturen »zugeordnet« oder, was noch häufiger geschieht, der Wandel von Stilformen dem Wandel sozialer Gebilde (Klassen, Schichten, Gruppen usw.) zugeschrieben. Zugrunde liegt diesem Verfahren die Vorstellung, daß die geschichtlich vorfindbaren Kunststile »Ausdruck« bestimmter sozialer Tendenzen – revolutionärer oder konservativer Art – seien. Die vordringliche Aufgabe der von *Mannheim* inaugurierten Kunstsoziologie besteht darin, aufgrund solcher aufgewiesener Beziehungen typische Schemata und Verlaufsformen ausfindig zu machen, mit deren Hilfe dann alle einzelnen Phänomene ihren Stellenwert innerhalb der Gesamtentwicklung erhalten könnten.

Das zentrale Problem bildet für *Mannheim* die Frage, welcher Art die jeweils zu stiftenden Beziehungen zwischen Kultur- und Kunstformen und ihnen entsprechenden Gesellschafts- und Wirtschaftsformen sind: ob Kausalbeziehungen, Analogien, Parallelen, Wechselwirkungen, funktionale Beziehungen u. a. m. Dabei werden jedoch nicht bloß die Kunstgebilde zugunsten der Stilbegriffe eskamotiert, sondern die sozialen Gebilde selber erscheinen in der Größenordnung von »Unterschichten und Oberschichten«, »Intelligenz«, »Bürgertum« usw. Häufig werden die gesellschaftlichen Strukturen aus der Vogelperspektive pauschal als »Seinsverhältnisse« eingeführt. Die generelle Tendenz der Konzeption *Mannheims* läuft eher auf Subsumtion unter Oberbegriffe denn auf Differenzierung der verwandten Kategorien hinaus. Dem Denken in epochalen Einheiten entspricht die methodologische Forderung, unter dem Aspekt der klassifikatorischen Subsumtion die beiden Begriffsreihen, die ästhetische und die soziologische, irgendwie miteinander in der Weise zu vermitteln, daß gemäß dem zugrunde gelegten Zurechnungstypus die Seinsbasis einmal als die bedingende Invariable, ein andermal als die dynamisch sich fortbewegende wiederkehrt. Der jeweils verwandte Modus der Vermittlung soll die gesuchte Erklärung für das Gesetz der Bewegung von Seinsbasis und ideeller Sphäre bieten.

Verzichtet so die Kunstsoziologie *Mannheims* von vornherein auf die Frage nach der spezifischen Qualität künstlerischer Gebilde, so kommt es ihr um so nachdrücklicher darauf an, nach einer Möglichkeit zu suchen, Kunstwerke anderen »Kulturobjektivationen« vergleichbar zu machen. Im Vordergrund aller Überlegungen steht somit das Problem, worin das in philosophischen Systemen, Kunstgebilden und religiösen Ausdrucksformen Identische zu suchen sei, das erst erlauben würde, sie auf einen gemeinsamen Nenner zu bringen, um dadurch jenen »Entsprechungspunkt«[3] aufzuweisen, »an dem eine innere Verwandtschaft z. B. zwischen dem eine Epoche beherrschenden wirtschaftlichen rationalen Prinzip und einer bestimmten Gestalt des seelischen Ausdruckes demonstrierbar wird«. Den »Entsprechungspunkt« findet *Mannheim* in einer »Weltanschauungstotalität«[4], die, als ein im fortwährenden Wandel begriffener Idealtypus[5], zugleich der Ort sein soll, von dem her »die objektive Kultur als Ausstrahlung« begriffen werden könne. *Mannheim* möchte »das Wachstum der seelisch-kulturellen Gebiete mit jener Methode darstellen, die . . . darin besteht, daß man die Einheit der verschiedenen Ausdrucksgebiete in der in ihnen und durch sie sich bekundenden ›Weltanschauungstotalität‹ anschaulich aufweist«[6].

Die eigentliche Legitimation für dieses Verfahren, alle geistigen »Objektivationen« rückzubeziehen auf diese konstruierte Instanz, sieht *Mannheim* in der Rationalisierbarkeit der »seelisch-kulturellen Gebiete«, die nach ihm »Dokumente derselben Kulturseele«[7] darstellen. Die Kulturregionen sollen also begriffen werden als Emanationen einer sich historisch wandelnden Weltanschauungstotalität, die ihrerseits den rationalisierbaren Teil einer – von *Oswald Spengler* bereits strapazierten – »Kulturseele« bildet. Diese Totalität sei in den einzelnen Kunstwerken stets als isolierbare »Dokument-« oder »Weltanschauungssinnschicht« gegeben, die über sich hinausweise und daher »nur vom Rezeptiven aus erfaßbar« sei[8]. »Alle Versuche einer dokumentarischen Interpretation bauen . . . aus den in den zusammengehörigen Kulturobjektivationen zerstreuten dokumentarischen Momenten neuartige Totalitäten auf, die wir dann als ›Kunstwollen‹, ›Wirtschaftsgesinnung‹, ›Weltanschauung‹, ›Geist‹ . . . benennen können[9].«

Das kultursynthetische Verfahren *Mannheims* beruht somit auf der Annahme, daß in allen geistigen Gebilden eine rationalisierbare Dokumentschicht aufzuweisen sei, die es erlaube, sie unter eine idealtypisch konstruierte Totalität zu befassen. Die Korrelation der so zustande gekommenen Weltanschauungstotalität mit Sozialstrukturen und »Seinsverhältnissen« sei dann die letzte Stufe der Interpretation. Diese Deutung »bezieht stets jenen in der Totalität des objektiven Sinnes bereits einmal erfaßten verstandenen Teil eines Sinngebildes auf jene andere Totalität, die der Weltanschauung, und indem sie es als deren Dokument erfaßt, wird der einmal schon vom objektiven Sinnganzen her erfaßte verstandene Teil von einer anderen Seite her beleuchtet«[10].

Die Konzeption *Mannheims* erweist sich im Grunde als eine Variante der Hermeneutik, wie sie bereits in der geisteswissenschaftlichen Methodenlehre *Wilhelm Diltheys* entwickelt wurde[11]. *Diltheys* Theorie der Geisteswissenschaften ist dadurch charakterisiert, daß sie die *Hegelsche* Kategorie des »objektiven Geistes« nicht aus der Vernunft, sondern aus dem »Leben« als der Totalität des seelischen Strukturzusammenhanges verstehen möchte. Ihre Intention, auf dieser Grundlage eine Kritik der historischen Vernunft im Sinne einer Analyse der kategorialen Strukturveränderungen im Erkenntnisprozeß zu liefern, enthält bereits alle wesentlichen Elemente der Wissenssoziologie. Hier wie dort bildet die Korrelation des Lebenszusammenhangs (= Seinsverhältnisse) mit den in den einzelnen Epochen sich wandelnden Bewußtseins- und Weltanschauungsformen die Grundlage dafür, das Gesetz der Bedingtheit des Kategoriensystems der menschlichen Vernunft zu bestimmen. *Diltheys* wie *Mannheims* Begriff der Weltanschauung meint das einheitliche Ganze des je vorhandenen Lebensverständnisses und den historisch variablen Untergrund des Erlebens, Erkennens und geistig-künstlerischen Produzierens.

Verstehen als Sinnverstehen, als Deuten der Ausdrucksformen menschlichen Schaffens verfährt nach der Methode des hermeneutischen Zirkels[12]. Wenn *Mannheim* behauptet, daß das einzelne Kunstgebilde als »Träger eines Dokumentsinnes einen neuen Sinn« erhalte, »sofern er aus der Totalität des Geistes, aus der Weltanschauung heraus erfaßt wird«[13], so ist die Differenz zwischen dem Sinn dieser Feststellung und dem der Formulierungen *Diltheys* eine solche der Terminologie. Dem gemeinten Sachverhalt nach bestehen keinerlei Unterschiede, da auch *Mannheim* davon ausgeht, »daß der Teil das Ganze und das Ganze den Teil zu erfassen verhilft. Aus den

Einzeldokumentationen erfasse ich den Geist der Epoche, und aus dem Geist der Epoche lerne ich die Dokumentationen als Teilmomente desselben zu verstehen[14]«. In der Formulierung *Diltheys* lautet die gleiche Bestimmung: »Aus den einzelnen Worten und deren Verbindungen soll das Ganze eines Werkes verstanden werden, und doch setzt das volle Verständnis des einzelnen schon das des Ganzen voraus[15].« Im Auffinden des seiner selbst noch stets »unbewußten Zusammenhangs, der in der Organisation eines Kunstwerks wirksam ist«, erblicken *Dilthey* und *Mannheim* die primäre Aufgabe aller Interpretation; dieser »unbewußte Zusammenhang«, der in ein Kunstwerk ohne willentliches Zutun seines Schöpfers einfließt, ist identisch mit *Mannheims* »Dokumentsinn«. *Diltheys* Lehre vom unbewußten Schaffen hat auch hier Pate gestanden, jene Lehre, die eine geistige Ausdrucksform als Objektivation des »Lebenszusammenhangs« begreifen will. Da dieser Lebenszusammenhang, wie er sich im Werk Ausdruck verschafft, dem Künstler selbst im Vollzug seines Schaffens verborgen bleibt, ist es die primäre Leistung des Sinnverstehens, ihn als Dokumentsinn aus der Einheit des Werkes herauszulösen, um dadurch einerseits die Weltanschauungstotalität, aus der es hervorging, konkret zu bestimmen, andererseits dem einzelnen Werk aufgrund dieser Vermittlung einen neuen Sinn abzugewinnen. Deutung heißt hier: das Werk besser verstehen, als der Künstler selbst es zu verstehen vermochte[16].

Die kunstsoziologischen Entwürfe *Mannheims* sind dadurch gekennzeichnet, daß deren Analysen dem Anspruch der Kunstgebilde, ästhetische Einheiten und damit gestaltete Wahrheit zu sein, bereits vom Ansatz her nicht gerecht werden können. Denn kann, wie *Mannheim* es glaubt, »das Dokumentarische ... auch an einem Bruchstück des Werkes in Erscheinung treten«[17], so ist eo ipso die Möglichkeit abgeschnitten, die gesellschaftlichen Implikationen der Kunstwerke aus der Analyse ihres spezifischen, durch das principium stilisationis vermittelten Wahrheitsgehaltes selber zu begreifen. Daran hindert *Mannheim* überdies die seinem Vorgehen eigene Departementalisierung des Materials, sei es des soziologischen, sei es des kunsthistorischen, und dessen Aufgliederung in voneinander getrennte Bereiche und Regionen. Es bleibt auch bei ihm – gerade wegen der universellen Tendenz zur Subsumtion heterogener »Kulturobjektivationen« unter idealtypische Oberbegriffe – bei kunstfremden Korrelationen zwischen ästhetischen und soziologischen Kategorienreihen. Selbst wenn man annähme, daß durch eine Differenzierung der soziologischen Kategorien, wie *Mannheim* sie verwendet, die Diskrepanz zwischen Methode und Gegenstand sich verringern könnte, bliebe es doch auch innerhalb des dünnmaschigeren Kategoriennetzes bei rein äußerlichen Zuordnungen. Das rührt daher, daß die Begriffsmodelle, mit denen *Mannheim* operiert, lediglich klassifikatorische und heuristische Funktion besitzen können. Ganz ähnlich wie *Max Webers* Idealtypen ihre einzige Beziehung zum darunter befaßten Substrat darin besitzen, daß sie Hypothesen über bestimmte Zusammenhänge erlauben, kann auch *Mannheim* von seinem eigenen Ausgangspunkt her nicht über seinen nominalistischen Schatten springen. Die beanspruchte dialektische Vermittlung der ästhetischen Einheiten mit der Totalität ihres gesellschaftlichen Sinnes muß so lange bloßes Programm bleiben, wie *Mannheim* die Befragung der genuin ästhetischen Kategorien auf ihren sozialen Stellenwert durch einen Zurechnungsmechanismus eskamotiert. Dadurch wird der rein heuristische Charakter der verwandten begrifflichen Konstruktionen unterschlagen, was zur Folge hat, daß man die den Kunstgebilden angemessene Form ästhetischen Erfahrens – als eines Nachvollzugs der in ihnen geleisteten Synthesis anschaulicher Einzelmomente zur Totalität ihres Sinnes – durch Reflexionen über die Gegenstände ersetzt.

Die kunstsoziologischen Diskussionen sind von Beginn an beherrscht von der Frage, die sich aus der Notwendigkeit ergibt, die Sphäre der ästhetischen Werte mit deren Realisierung im konkreten Prozeß des künstlerischen Schaffens in eine einsehbare Beziehung zu bringen. Dieses Problem rückt bereits in den Arbeiten des jungen *Georg Lukács*[18] in den Mittelpunkt. Stets geht es dabei um die besondere Form des Bestimmtseins der real gewordenen Kunstproduktionen von den sich in ihnen ausdrückenden Ideen. Die Kunstgebilde in ihrer realen Gestalt werden gemessen an den »reinen« Formen und werthaften Potenzen, die sich im Vollzug der künstlerischen Produktion angeblich verwirklicht haben. Dabei spielt der Gedanke mit, daß die Ideen des Künstlers sich am Material, durch welches sie zur Darstellung gelangen – seien es die Sprache, musikalische Ausdrucksmittel oder Leinwand und Farbe –, gewissermaßen »gebrochen« hätten und deshalb die fertige Gestalt des Werkes stets hinter der Vollkommenheit seines Plans zurückbleiben müsse. Kunstwerke werden begriffen als defiziente Modi zeitlos geltender Utopien und Bilder. Für die kunstsoziologischen Interpretationen wird diese platonisierende, mit einer dualistischen Metaphysik (wie etwa der von *Schelling*) verknüpfte Realisierungstheorie insofern relevant, als der Anteil, den gesellschaftliche Faktoren bei der künstlerischen Produktion besitzen, auf die Möglichkeit des Realwerdens ästhetischer Wesenheiten reduziert werden soll.

Das Modell dieser für die Kunstsoziologie konstitutiven Theorie der Wertverwirklichung ist bereits von *G. W. Plechanow* im Jahre 1898 entworfen worden[19]. Plechanow wollte damals durch eine Neuformulierung des Theorie-Praxis-Problems den vulgärmarxistischen Auffassungen den Boden entziehen. Es ging dabei um die Frage, inwiefern das Eingreifen großer Männer in den Gang der Geschichte die Entwicklung der gesellschaftlichen Produktivkräfte zu modifizieren vermag. Die Antwort *Plechanows* besagt, daß der jeweils erreichte Zustand der Produktivkräfte zwar die Möglichkeiten und Grenzen der Wirksamkeit einflußreicher Persönlichkeiten erklären könne, niemals jedoch das »individuelle Gepräge der Geschehnisse«[20], welches ausschließlich das Werk einzelner sei. Verdanken sonach die großen Talente den gesellschaftlichen Bedingungen den Spielraum ihres Tätigseinkönnens, so bleibt doch die je besondere Ausformung und der Inhalt ihrer Tätigkeit, die individuell bestimmte Nuancierung innerhalb der Gesamtentwicklung, dem zufälligen Sosein der schöpferischen Persönlichkeit vorbehalten. Wieweit die durch die allgemeine Richtung der kulturellen Entwicklung tendenziell vorgezeichneten Möglichkeiten auch eingelöst werden können, ist vom Vorhandensein einzelner abhängig, die dem objektiven Geschichtsprozeß den spezifisch-individuell geprägten Charakter zu geben vermögen[21].

In seinen früheren Arbeiten zum Wesen der dramatischen Form hat *Lukács* die Frage, in welcher Weise die gesellschaftlichen Bedingungen für die Struktur der Wertverwirklichung von Bedeutung sein können, eingehend untersucht. Er kommt zu dem Ergebnis, »daß alles Soziologische ... nur die Möglichkeit der Verwirklichung des ästhetischen Wertes, nicht aber diesen Wert selbst bestimmt«[22]. Diese Aussage beinhaltet, daß der gesellschaftliche Unterbau zwar die conditio sine qua non aller möglichen Realisierung der Dramenform – was für das Drama gilt, kann analog für alle Kunstgattungen gelten – darstellt, nicht jedoch die besondere Qualität, die Wesenheit der sich in den Werken ausdrückenden ästhetischen Möglichkeiten tangiert. »Zu fremd, um einander Feind zu sein, stehen sie einander gegenüber: das Enthüllende und das Enthüllte, die Veranlassung und die Offenbarung. Denn fremd ist dem Anlaß, was da durch seine Berührung geoffenbart ward, höher ist es und aus anderen Welten[23].« Die Idee des Kunstwerks wird »zur apriorischen Grundlage«[24], zur reinen Möglichkeit, über deren Wirklichwerdenkönnen nicht sie selbst, sondern »das Historisch-Soziologische«[25] befindet.

Mit dieser Bestimmung läßt sich auch die von *Max Scheler*[26] an einigen Stellen seines Werks umrissene kunstsoziologische Konzeption charakterisieren, die ihrerseits jedoch nur einen Bestandteil seiner allgemeinen Kultur- und Wissenssoziologie bildet[27]. In einer frühen Rezension[28] findet sich die *Schelersche* Theorie in allen wesentlichen Punkten exemplarisch vorgezeichnet. Dort heißt es: »Niemals wird man den Kölner Dom, seinen Stil oder gar seinen einzigartigen individuellen künstlerischen Gehalt aus irgendwelchen ökonomischen Bedingungen begreifen können. Aber die jedesmalige Verwirklichung und die öffentliche Geltung dessen, was in den Potenzen der Volksgeister, der sonstigen geistigen Gruppenanlagen und der bedeutenden Menschen gelegen war, und der Ausschluß dessen von der geschichtlichen Verwirklichung, was gleichfalls in diesen Potenzen lag und vom Standpunkt des kulturbildenden Geistes aus gesehen ebenso gut hätte werden können, wird während des Verlaufes dieses Zeitalters in der Tat von der Lage bestimmt, welche Völker, Gruppen, Menschen im Stufenbau der ökonomischen Produktions- und Besitzverhältnisse einnehmen[29].« Die gesellschaftlichen Bedingungen werden sonach bei *Scheler* zu Auslösefaktoren, die aus der Fülle des an sich möglichen Geistigen nur dasjenige real werden lassen, was eine gewisse Kongruenz zum naturalen Unterbau besitzt. Geschichte selber wird *Scheler* zu einer Art Kunstprodukt, zum »Werk von teilweise realisierten Utopien«[30]. Der Vorgang des Verwirklichens – dies unterscheidet die *Schelersche* Konzeption von der *Mannheims* – fügt dem werdenden Kunstgebilde nichts Wesentliches hinzu: der realisierende Faktor hat hinsichtlich der bereits als präexistent gedachten Ideenfülle nur eine »Faktizitätsrelevanz«, was besagen soll, daß die gesellschaftlichen Bedingungen lediglich das Ob oder Ob-nicht der künstlerischen Verwirklichung determinieren. So erklärt sich auch die von *Mannheim*[31] und *Arnold Hauser*[32] kritisierte Aufstellung *Schelers* »Raffael braucht einen Pinsel; seine Ideen und künstlerischen Träume schaffen ihn nicht. Er braucht politisch und sozial mächtige Auftraggeber, die ihre Ideale zu verherrlichen ihm auftragen; sonst vermag er sein Genie nicht auszuwirken[33].« Hier mündet die Spekulation in leere Tautologien, weniger vornehm: in Banalitäten aus.

Ein allen kunstsoziologischen Versuchen[34] gemeinsames Merkmal ist der stets wiederkehrende Gedanke, daß Kunstsoziologie als Sonderdisziplin ihre Legitimation von dem Tatbestand herleiten könne, daß man mit rein ästhetischen und kunsthistorischen Erkenntnismitteln allein die mit Stilwandlungen verbundenen Probleme nicht zureichend lösen könne. Hierauf haben sowohl *Mannheim, Emil Lederer*[35], *Erich Rothacker* und neuerdings auch *Hauser*[36] hingewiesen. Es scheint, als beruhe das Selbstverständnis der genannten Autoren vor allem darauf, kultursoziologische Untersuchungen dann als begründet anzusehen, wenn diese sich auf die Fragen des Stilwandels und ihrer Verursachungen konzentrieren. Kunstsoziologie hätte, sofern man dieser Forderung zustimmt, den Charakter einer Hilfswissenschaft für Kunstgeschichte und Ästhetik. Nur so ist es zu verstehen, daß bei *Lederer* häufig von «Voraussetzungen«, »Bedingungen«, »Einflußmöglichkeiten«, »Wirkungen«, »Einflüssen«, »Abhängigkeit« und »Bestimmtheit« die Rede ist. *Rothacker* spricht bei der Kennzeichnung des Verhältnisses von Kunst und Gesellschaft u. a. vom »Anteil gesellschaftlicher Vorgänge an Stilwandlungen«[37], von »gesellschaftlich mindestens mitbedingten Prozessen«[38] und von »einer in sich einleuchtenden Affinität der sozialen Schicht einerseits, ihrem Kunststil andererseits«[39]. Im Vordergrund steht dabei stets die Vorstellung von bestimmten Analogien zwischen Lebensstilen und Kunstformen, wie sie seit je den Gegenstand vergleichender Kulturgeschichte gebildet haben. Eine eigene kunstsoziologische Methode, die nicht von Anleihen bei der Philosophie- und Geistesgeschichte lebte, scheint bislang noch nicht zu bestehen. Auch der Versuch *Hausers* steht trotz seiner in vielen Punkten weiterführenden methodischen Neuansätze im wesentlichen noch in der Tradition kultur- und wissenssoziologischer Bemühungen um die Kunst[40]. Darauf möchte ich abschließend noch kurz hinweisen. Vorweg sei jedoch betont, daß die Intentionen *Hausers* – im Gegensatz zu denen der besprochenen Autoren – vor allem auf eine Synthese von Motiven des ideologiekritischen Verfahrens und des »progressiven Historismus« – hier berührt er sich u. a. mit *Mannheim* und *Lederer* – hinauslaufen. In deutlicher Abgrenzung gegenüber *Scheler* bemüht sich *Hauser*, dem Anspruch einer ideologiekritischen Kunstanalyse gerecht zu werden. Seine Betonung des Ideologiebegriffs und seiner aufschließenden Funktion für historische Einzelanalysen[41] und der Nachdruck, den *Hauser* auf die Theorie von der Verselbständigung geistiger Produkte gegenüber dem realen Lebensprozeß legt, zeugt von seiner Orientierung an der kritisch-dialektischen Gesellschaftstheorie[42]. Doch neben diesen Elementen der Theorie *Hausers* finden sich auch Motive, die eher der wissenssoziologischen Kunstauffassung denn einer an *Marx* orientierten Analyse nahekommen. Hierzu wären vor allem zu zählen:

1. die generelle Tendenz, der soziologischen Analyse die Bestimmung der weltanschaulichen Elemente vorzubehalten, während die künstlerische Qualität und die Formen des Stilwandels selbst keinen soziologisch angebbaren Sinn beinhalten sollen[43];

2. die grundsätzliche Fixierung der Aufgabenstellung der Kunstsoziologie an Fragen, die mit der Erklärung diskontinuierlicher Entwicklungen der Kunstformen mit Stilwandel und Stilbruch zusammenhängen[44];

3. die Betonung der generellen Seinsverbundenheit und »sozialen Standortgebundenheit«[45] jeder künstlerischen Produktion sowie der Partikularität und Seinsverbundenheit aller Standpunkte, von denen aus man Kunstwerke der Vergangenheit bewertet[46]. Es liegt nahe, hierin eine gewisse Affinität zu *Mannheims* »totalem« Ideologiebegriff zu sehen;

4. die These, daß die Kulturerscheinungen einer Zeit auf einen »gemeinsamen Ursprung« zurückzuführen seien und daß demgemäß Kulturgebilde »auf einen gemeinsamen Nenner«[47] gebracht werden könnten, sofern sie »Symptome des gleichen gesellschaftlichen Seins, Ausdruck der gleichen Interessen« darstellen, steht in enger Beziehung zu *Mannheims* Konzeption einer Weltanschauungstotalität als dem Entsprechungspunkt, mit dessen Hilfe das in den einzelnen künstlerischen Gebilden Identische bestimmt werden könne. Auch nach *Hauser* sollen die weltanschaulichen Elemente in den Kunstwerken den wesentlichen Vergleichsmaßstab bilden;

5. die Negation der Möglichkeit, irgendwelche Gesetzmäßigkeiten im historischen Prozeß aufzufinden[48].

Wenn man berücksichtigt, daß *Hauser* bei der Durchführung seiner kunstsoziologischen Analysen[49] sich in weit größerem Umfang von den hier genannten Prinzipien leiten ließ als von seinem ideologiekritischen Programm, so läßt sich sein Unternehmen als Erweiterung und Differenzierung der in der Kunstsoziologie der zwanziger Jahre angelegten Verfahrensweisen begreifen. Daß diese Feststellung sich mit einer Würdigung der bei *Hauser* vorliegenden Einsichten verträgt, muß wohl nicht eigens betont werden.

Anmerkungen

1 In unserem Zusammenhang sind vor allem die folgenden Arbeiten *Mannheims* von Interesse:
a) Beiträge zur Theorie der Weltanschauungsinterpretation (Kunstgeschichtliche Einzeldarstellungen, Bd. II), Wien 1923 (=A);
b) Historismus, in: Arch. f. Sozialwissenschaft u. Sozialpolitik, Bd. 52, H. 1, 1924 (=B);
c) Das Problem einer Soziologie des Wissens, in: Arch. f. Sozialwissenschaft u. Sozialpolitik, Bd. 53, H. 3, 1925 (=C);
d) Ideologische und soziologische Interpretation der geistigen Gebilde, in: Jahrbuch f. Soziologie, Bd. II, Karlsruhe 1926 (=D);
e) Die Bedeutung der Konkurrenz im Gebiete des Geistigen, in: Verhandlungen des 6. Dt. Soziologentages, Tübingen 1929 (=E);
f) Ideologie und Utopie, 3. verm. Aufl. Frankfurt/M. 1952.

2 *Max Weber*, Ges. Aufsätze zur Wissenschaftslehre, 2. Aufl. Tübingen 1952, S. 190 ff., 429 f., 521 ff. und passim.

3 B, S. 36, 39 Anm.

4 Ibid.; vgl. A, S. 10, 13 f., 25, 36, 41 f.

5 Die bei *Mannheim* zugrunde liegende Vorstellung einer sich dynamisch wandelnden Weltanschauungstotalität, die ihrerseits eine begriffliche Strukturkombination der darunter befaßten rationalisierbaren Dokumentsinnschichten der einzelnen Kunstgebilde darstellt, ist bereits rein logisch in mancher Hinsicht fragwürdig. Selbst wenn man, mit *Hauser*, Stilbegriffe begriffsrealistisch als eine Art »Mittelmaß« aller einzelnen vorfindbaren Stilmerkmale begreift, kann man die begriffliche Konstruktion einer hinter den einzelnen Stilen sich je und je wandelnden Totalität aller Dokumentschichten nur als heuristische Annahme gelten lassen. Als solche ist diese Konstruktion jedoch eine empirieferne »operational definition« ohne Korrelat in der Wirklichkeit. Wenn *Mannheim* diesem Gedankengebilde ein Eigenleben zuspricht, so weist das auf seine Tendenz zur Metaphysizierung rein heuristischer Setzungen hin, die dem nominalistischen Anspruch seines Denkens widerspricht (vgl. hierzu *Arnold Hauser*, Philosophie der Kunstgeschichte, München 1958, S. 235 ff.). *Hans Barth* bemerkt in diesem Zusammenhang zu Recht, beim *Mannheim*schen Zurechnungsverfahren werde übersehen, »daß das Substrat ... uns faktisch überhaupt nur in ... menschlichen Schöpfungen gegeben ist. Was man Substrat nennt, erweist sich sonach bereits als das Ergebnis von Abstraktionen und Interpretationen. Nachträglich wird dann dieses Ergebnis der Auswahl und Deutung mit dem in Beziehung gesetzt, woraus das Substrat erst erschlossen werden mußte« (Wahrheit und Ideologie, Zürich 1945, S. 289).

6 B, S. 36.

7 B, S. 45.

8 A, S. 22.

9 A, S. 25.

10 A, S. 42.

11 *Wilhelm Dilthey*, Gesammelte Schriften, Bd. I-IX, Leipzig und Berlin 1922/23. Bes. Bd. V (Die Entstehung der Hermeneutik, S. 332 ff.) sowie Bd. VII, S. 193 ff.

12 Nach *Dilthey* gehört es zur vordringlichsten Aufgabe der Geisteswissenschaften, durch »Probieren im Verständnisvorgang die Worte zu einem Sinn und den Sinn der einzelnen Glieder eines Ganzen zu dessen Struktur« zusammenzunehmen (Bd. VII, S. 220). Verstehen bedeute demnach einen »Fortgang, der vom Auffassen unbestimmtbestimmter Teile zum Versuch weitergeht, den Sinn des Ganzen zu erfassen, abwechselnd mit dem Versuch, von diesem Sinn aus die Teile fester zu bestimmen (Bd. VII, 227). »Dieses Versuchen geht so

lange fort, bis der ganze Sinn ausgeschöpft ist, der in den Lebensäußerungen enthalten ist« (ibid.). Da diese Ausschöpfung des vollen Sinnes einer Lebensäußerung jedoch faktisch niemals ohne Rest möglich ist und der Lebenszusammenhang, auf den geisteswissenschaftliches Erkennen bezogen ist, de facto »unerschöpflich« ist, bedeutet Sinnverstehen zugleich ein »Niezuendekommen« (vgl. Bd. VII, S. 275). Ganz ähnlich folgert *Mannheim* aus dem Tatbestand der Zeitlichkeit der Verstehensprozesse, »daß beim historischen Verstehen das historisch-erkennende Subjekt konstitutiv in das Resultat der Erkenntnis hineinragt, daß gewisse Seiten des zu verstehenden Geistes sich nur gewissen Geistigkeiten offenbaren . . .« (A, S. 27). In dieser geschichtlich bedingten Perspektivität – nicht Realität, wie *Mannheim* stets mit großem Nachdruck versichert – des Erkennens sieht er die conditio sine qua non optimaler Erkenntnis historischer und kultureller Zusammenhänge. So etwa, wenn er feststellt, daß »man diesen, sich gegenseitig nicht stückweise ergänzenden, sondern immer von neuen Zentren aus ordnenden Erkenntnisprozeß auch für erkenntnisbringend erachten« müsse, »um so mehr, als wir ihn stets antreffen werden, so oft es sich um diese Erkenntnis eines dynamisch sich verändernden Objektes durch ein dynamisch sich veränderndes Subjekt handelt« (ibid.).

13 A, S. 36.

14 Ibid.

15 *Wilhelm Dilthey*, Gesammelte Schriften, Bd. V, S. 330.

16 *O. F. Bollnow* hat diese Eigenart der Deutung historisch zurückverfolgt und darauf hingewiesen, daß sich bei *Kant* (Kritik der reinen Vernunft, 2. Aufl. S. 370) bereits Bemerkungen finden, die sich auf diesen Sachverhalt beziehen. Auch in den Schriften *Fichtes, Schleiermachers* und *J. F. Herbarts* gibt es Stellen, die das »Besserverstehen« durch den Interpreten behaupten (vgl. *O. F. Bollnow,* Das Verstehen. Drei Aufsätze zur Theorie der Geisteswissenschaften, Mainz 1949, S. 7-33).

17 A, S. 23.

18 Vgl. bes. Metaphysik der Tragödie, in: Logos, Bd. II, Tübingen 1911/12; Zur Soziologie des modernen Dramas, in: Archiv für Sozialwissenschaft und Sozialpolitik, Bd. 38, H. 2 und 3, 1914.

19 Über die Rolle der Persönlichkeit in der Geschichte, 2. Aufl. Moskau 1946.

20 Ibid., S. 49. An dieser Stelle bemerkt *Plechanow* ferner, »daß Talente überall und immer dann auftreten, wo und wann gesellschaftliche Bedingungen bestehen, die für ihre Entwicklung günstig sind. Das bedeutet, daß jedes Talent, das sich in Wirklichkeit offenbart hat, d. h. jedes Talent, das zur gesellschaftlichen Kraft geworden ist, ein Resultat der gesellschaftlichen Beziehungen ist. Wenn dem aber so

ist, so ist es begreiflich, warum talentvolle Menschen, wie gesagt, nur das individuelle Gepräge, nicht aber die allgemeine Richtung der Geschehnisse ändern können: sie selber existieren nur dank dieser Richtung; wäre diese Richtung nicht da, so hätten sie niemals die Schwelle überschritten, die die Möglichkeit von der Wirklichkeit trennt.« Vgl. auch S. 20, 41, 52 u. a.

21 Es ist paradox, daß *Plechanow* bei seinem Versuch, die Einheit von Theorie und Praxis zu demonstrieren, die Entdeckung macht, daß »das Element des Zufälligen« für den Gang der gesellschaftlichen Entwicklung eine Rolle spielt, die trotz der von *Plechanow* stets vorgebrachten Versicherung, daß in letzter Instanz die Ökonomie den Ausschlag gäbe, nicht als geringfügig gelten kann. Die Betonung der Kontingenz im Geschichtsablauf führt zwar nicht bei *Plechanow*, doch in der »bürgerlichen« Soziologie zur Negation historischer und gesellschaftlicher Gesetzmäßigkeiten. Vgl. hierzu etwa *Ernst Troeltsch*, Aufsätze zur Geistesgeschichte und Religionssoziologie (Gesammelte Schriften Bd. IV), Tübingen 1925, S. 722 ff.

22 Zur Soziologie des modernen Dramas, a.a.O., S. 323.

23 Metaphysik der Tragödie, a.a.O., S. 82.

24 A.a.O., S. 83.

25 Zur Soziologie des modernen Dramas, a.a.O.

26 Obwohl sich *Scheler* nirgends eingehend mit ästhetischen Fragen beschäftigt, finden sich in den vereinzelten Bemerkungen, vor allem aus der Frühzeit und der phänomenologischen Periode seines Schaffens, nahezu alle Motive, die später zu einem wissenssoziologischen Entwurf geführt haben. Vgl. vor allem: Vom Ewigen im Menschen, 4. Aufl. Bern 1954, S. 110, 121 f., 198 ff., 230 f., 259 ff.; und die Nachlaßfragmente: Vorbilder und Führer, in: Schriften aus dem Nachlaß, Bd. I, Bern 1957, S. 329-337, sowie: Metaphysik und Kunst, in: Deutsche Beiträge, 1947, H. 2.

27 Auch in den Schriften *Mannheims* spielen kunstsoziologische oder ästhetische Erörterungen – wenn man einmal von den »Beiträgen zur Theorie der Weltanschauungsinterpretation«, a.a.O., absieht – eine verhältnismäßig untergeordnete Rolle. Wenn daher der Ertrag an kunstsoziologischen Einsichten im engeren Sinne bei *Scheler* und bei *Mannheim* spärlich erscheint, so liegt das z. T. auch in den bei beiden Theoretikern vorherrschenden wissenssoziologischen Interessen begründet.

28 Von kommenden Dingen. Eine Auseinandersetzung mit einem Buche *(W. Rathenau)*, in: Hochland, 1916/17, H. 10.

29 A.a.O., S. 394 f. Vgl. ferner S. 386, 411, sowie: Zur religiösen Erneuerung, in: Hochland, 1918/19, H. 1, wo es an einer für die *Schelersche* Konzeption bezeichnenden Stelle heißt: »Denn so ist die Welt und die menschliche Natur allüberall eingerichtet, daß die je

unteren naturartigen und triebmäßigen Kräfte wohl höher geartete Tätigkeiten auslösen können, aber nicht sie schaffen; suchen heißen, nicht sie notwendig finden lassen. Das Schaffende, das Findende ist immer eine höhere geistige Kraft, die nach ihrem eigenen inneren Gesetz wirkt und die nichts an Ziel, Gesetz, Gehalt, Idee von dem erborgt, was sie nur in Bewegung setzte« (S. 14). Vgl. Vom Ewigen im Menschen, a.a.O., S. 115.

30 Metaphysik und Kunst, a.a.O., S. 117.

31 C, S. 609 f. In Anlehnung an *Konrad Fiedler* schreibt *Mannheim:* »Im Formen, im Gestalten wird das Werk und dessen Idee, wie denn überhaupt jedes ›reale Moment‹, jede bereits gezogene Linie, jeder Handgriff die nächsten determiniert, zugleich aber durch einen jeden neuen Streich neue, vorher ungeahnte Möglichkeiten geschaffen werden ... Die bestimmte Existenz ist eine ›conditio sine qua non‹ für den *Sinn*gehalt und die Idee, die selbst in und mit dem realen Werden wird« (610). Im gleichen Sinne hat sich *Mannheim* auch in einem Diskussionsbeitrag zu *W. Sombarts* Vortrag über »Das Verstehen« ausgesprochen. Vgl. Verhandlungen des 6. Deutschen Soziologentages, a.a.O., S. 238-243.

32 Philosophie der Kunstgeschichte, a.a.O., S. 27 f. und 256 ff. Wenn *Hauser* feststellt, es sei »unbegreiflich, wie es einem Soziologen von *Schelers* Rang entgehen konnte, daß der Künstler die ›Ideale‹ nicht nur seiner wirklichen, sondern auch seiner potentiellen Auftraggeber verherrlicht ...«, so liegt dem ein prinzipielles Mißverständnis zugrunde. *Scheler* geht es nämlich keineswegs um die Analyse des ideologischen Moments in der Kunst, sondern in erster Linie um eine Kritik des ideologiekritischen Verfahrens als solchem. Ihm setzt er einen ontologischen Dualismus von Genesis und Geltung gegenüber, der sich in allen wissenssoziologischen Aufstellungen *Schelers* deutlich erkennen läßt.

33 Probleme einer Soziologie des Wissens, in: Versuche zu einer Soziologie des Wissens, München und Leipzig 1924, S. 10.

34 Gemeint sind hier lediglich die von uns dargestellten Entwürfe, nicht jedoch die Kunstsoziologie überhaupt.

35 Vgl. Aufgaben einer Kultursoziologie, in: Hauptprobleme der Soziologie. Erinnerungsgabe für Max Weber, Bd. II, herausgegeben von *M. Palyi,* München und Leipzig 1923.

36 Philosophie der Kunstgeschichte, a.a.O., S. 14, 285 f.

37 Der Beitrag der Philosophie und der Einzelwissenschaften zur Kunstsoziologie, in: Verhandlungen des 7. Deutschen Soziologentages, Tübingen 1931, S. 141.

38 A.a.O., S. 143.

39 Ibid., s. auch »Bausteine z. Kultursoziologie«, in: Gegenwartsprobleme, Potsdam 1949.

40 Das Verdienst der *Hauser*schen Sozialgeschichte der Kunst und Literatur, München 1953, 2 Bde., liegt wohl vor allem darin, daß hier mit Einzelanalysen gezeigt werden konnte, wie komplex die ideologische Funktion der Kunst mit ihrer autonomen Entfaltung verschränkt ist.

41 Philosophie der Kunstgeschichte, a.a.O., S. 27 f., 29 f., 34 ff. Vgl. auch *A. Hauser*, Der Begriff der Ideologie in der Kunstgeschichte, in: Kölner Zeitschrift für Soziologie VI (1953/54).

42 A.a.O., S. 5 ff., 11 f., 17 f., 41 f., 182 ff., 193 f., 219 f. u. a.

43 Vgl. bes. S. 23 f., 266 f., 299 f.

44 Vgl. S. 14, 25, 137, 285 f.

45 A.a.O., S. 17, 141.

46 A.a.O., S. 39.

47 A.a.O., S. 293 f.

48 A.a.O., S. 42 und 207.

49 Sozialgeschichte der Kunst und Literatur, a.a.O.

4. Georg Lukács
Erzählen oder beschreiben?

Zur Diskussion über Naturalismus und Formalismus

> Radikal sein ist die Sache an der Wurzel fassen. Die Wurzel für den Menschen ist aber der Mensch selbst.
>
> *(Karl Marx)*

I

Beginnen wir in medias res. In zwei berühmten neueren Romanen, in Zolas »Nana« und in Tolstois »Anna Karenina«, wird ein Wettrennen geschildert. Wie gehen die beiden Schriftsteller an ihre Aufgabe heran?

Die Beschreibung des Wettrennens ist ein glänzendes Beispiel der schriftstellerischen Virtuosität Zolas. Alles, was bei einem Wettrennen überhaupt vorkommen mag, wird genau, bildhaft, sinnlich lebendig beschrieben. Die Beschreibung Zolas ist eine kleine Monographie des modernen Turfs: vom Satteln der Pferde bis zum Finish wird das Rennen in allen seinen Phasen mit gleicher Eindringlichkeit beschrieben. Der Zuschauerraum erscheint in der Farbenpracht einer Pariser Modeschau unter dem Zweiten Kaiserreich. Auch die Welt hinter den Kulissen wird genau beschrieben und in ihren allgemeinen Zusammenhängen dargestellt: das Rennen endet mit einer großen Überraschung, und Zola beschreibt nicht nur die Überraschung selbst, sondern entlarvt auch den Wettschwindel, der dieser Überraschung zugrunde liegt. Dennoch ist die virtuose Beschreibung im Roman selbst nur eine »Einlage«. Die Geschehnisse beim Rennen sind mit der Handlung nur recht lose verknüpft, sie sind aus der Handlung leicht wegdenkbar – besteht doch der ganze Zusammenhang darin, daß einer der vielen vorübergehenden Liebhaber Nanas an dem entlarvten Schwindel zugrunde geht.

Abdruck mit freundlicher Genehmigung des Luchterhand Verlags aus: Georg Lukács, *Schicksalswende. Beiträge zu einer neuen deutschen Ideologie.* Berlin (Aufbau-Verlag) 1948, 115-179. Um den Schlußabschnitt gekürzt.

Eine andere Verknüpfung mit dem Hauptthema ist noch loser, schon überhaupt kein Bestandteil der Handlung mehr – aber eben deshalb für die Methode der Gestaltung noch bezeichnender. Das siegreiche Pferd, das die Überraschung verursacht, heißt ebenfalls Nana. Und Zola versäumt nicht, die lose und zufällige Beziehung auffällig zu unterstreichen. Der Sieg der Namensschwester der Kokotte Nana ist ein Symbol ihrer Triumphe in der Pariser Welt und Halbwelt.

Das Wettrennen in »Anna Karenina« ist der Knotenpunkt eines großen Dramas. Wronskis Sturz bedeutet den Umschwung im Leben Annas. Knapp vor dem Rennen ist es ihr klar geworden, daß sie schwanger ist, und nach schmerzlichem Zögern hat sie ihre Schwangerschaft Wronski mitgeteilt. Die Erschütterung durch den Sturz Wronskis löst das entscheidende Gespräch mit ihrem Manne aus. Alle Beziehungen der wesentlichen Personen des Romans treten durch das Rennen in eine entschieden neue Phase. Das Wettrennen ist also kein »Bild«, sondern eine Reihe hochdramatischer Szenen, ein Wendepunkt der Gesamthandlung.

Die vollkommen verschiedenen Aufgaben der Szenen in beiden Romanen spiegeln sich in der ganzen Darstellung. Das Rennen wird bei Zola vom Standpunkt des Zuschauers beschrieben; bei Tolstoi vom Standpunkt des Teilnehmers erzählt.

Die Erzählung von Wronskis Ritt bildet bei Tolstoi den eigentlichen Gegenstand. Tolstoi unterstreicht die nicht episodische, nicht zufällige Bedeutung dieses Rittes im Leben Wronskis. Der ehrgeizige Offizier ist durch eine Reihe von Umständen, unter denen das Verhältnis zu Anna in erster Reihe steht, an seiner eigentlichen militärischen Karriere gehindert. Der Sieg im Rennen, in Anwesenheit des Hofes und der ganzen aristokratischen Gesellschaft, gehört zu den wenigen noch offen gebliebenen Möglichkeiten der Befriedigung seines Ehrgeizes. Alle Vorbereitungen zum Rennen, alle Phasen des Rennens selbst sind also Teile einer wichtigen Handlung. Sie werden in ihrer dramatischen Folge erzählt. Wronskis Sturz ist der Gipfel dieser Phase seines Lebensdramas. Mit diesem Gipfel bricht die Erzählung des Rennens ab, die Tatsache, daß sein Rivale ihn überholt, kann andeutungsweise in einem Satz erwähnt werden.

Aber damit ist die Analyse der epischen Konzentration dieser Szene noch lange nicht erschöpft. Tolstoi beschreibt nicht eine »Sache«, sondern erzählt die Schicksale von Menschen. Darum wird der Verlauf des Rennens zweimal, echt episch erzählt, nicht bildhaft beschrieben. In der ersten Erzählung, in welcher der im Rennen mitreitende Wronski die Zentralgestalt war, mußte alles Wesentliche der Vorbereitung des Rennens und des Rennens selbst genau und mit Sachkenntnis erzählt werden. Jetzt sind Anna und Karenin die Hauptfiguren. Die außerordentliche epische Kunst Tolstois zeigt sich darin, daß er diese zweite Erzählung des Rennens nicht unmittelbar an die erste fügt. Er erzählt den ganzen vorangehenden Tag Karenins, seine Beziehung zu Anna, um dann die Erzählung des Rennens selbst zum Gipfel des Tages zu machen. Das Rennen selbst wird jetzt zu einem seelischen Drama. Anna verfolgt nur Wronski und sieht vom Verlauf des Rennens, vom Schicksal der anderen gar nichts. Karenin beobachtet nur Anna und ihre Reaktion auf das, was mit Wronski geschah. So wird diese fast wortlos gespannte Szene zur Vorbereitung der Explosion Annas auf dem Heimweg, wo sie Karenin ihr Verhältnis zu Wronski eingesteht.

Der »modern« geschulte Leser oder Schriftsteller könnte hier einwenden: zugegeben, daß hier zwei verschiedene Methoden der Gestaltung vorliegen; wird nicht gerade durch die Verknüpfung des Wettrennens mit wichtigen menschlichen Schicksalen seiner Hauptfiguren das Rennen selbst zufällig, zu einer bloßen Gelegenheit für die Katastrophe dieses Dramas? Und gibt nicht gerade die geschlossene, monographisch bildhafte Vollständigkeit der Beschreibung bei Zola das richtige Bild einer sozialen Erscheinung?

Es fragt sich nur: was ist zufällig im Sinne der künstlerischen Gestaltung? Ohne Elemente des Zufälligen ist alles tot und abstrakt. Kein Schriftsteller kann etwas Lebendiges gestalten, wenn er das Zufällige vollständig vermeidet. Andererseits muß er in der Gestaltung über das brutal und nackt Zufällige hinausgehen, das Zufällige in die Notwendigkeit aufheben.

Macht die Vollständigkeit der gegenständlichen Beschreibung etwas im künstlerischen Sinne notwendig? Oder macht das vielmehr die notwendige Beziehung der gestalteten Menschen zu den Gegenständen und Ereignissen, an denen ihr

Schicksal zum Ausdruck kommt, durch deren Vermittlung sie handeln und leiden? Schon die Verknüpfung von Wronskis Ehrgeiz mit der Teilnahme am Rennen gibt eine künstlerische Notwendigkeit ganz anderer Art, als die Vollständigkeit der Beschreibung bei Zola geben konnte. Besuch eines Wettrennens oder Teilnahme an einem Wettrennen kann objektiv nur eine Lebensepisode sein. Tolstoi hat die Verknüpfung dieser Episode mit dem wichtigen Lebensdrama so eng gestaltet wie nur irgend möglich. Das Rennen ist zwar einerseits nur Gelegenheit zur Explosion eines Konflikts, aber die Gelegenheit ist durch ihre Verknüpfung mit Wronskis gesellschaftlichem Ehrgeiz – einer wichtigen Komponente der späteren Tragödie – keineswegs eine zufällige Gelegenheit.

Es gibt in der Literatur viel krassere Beispiele, in denen der Gegensatz der beiden Methoden gerade in bezug auf die Gestaltung der Gegenstände in ihrer Notwendigkeit oder Zufälligkeit vielleicht noch klarer zum Ausdruck kommt.

Nehmen wir die Beschreibung des Theaters in demselben Roman Zolas und vergleichen wir sie mit der in Balzacs »Verlorenen Illusionen«. Äußerlich gibt es manche Ähnlichkeit. Die Uraufführung, mit der Zolas Roman beginnt, entscheidet die Laufbahn von Nana. Die Premiere bei Balzac bedeutet einen Wendepunkt in der Laufbahn Lucien de Rubemprés, seinen Übergang aus einem verkannten Dichter zu einem erfolgreichen und gewissenlosen Journalisten.

Wieder ist bei Zola das Theater in der gewissenhaftesten Vollständigkeit beschrieben. Diesmal allerdings nur vom Zuschauerraum aus. Alles, was im Zuschauerraum, im Foyer, in den Logen vorgeht, wie sich die Bühne von hier aus ausnimmt, wird mit einer blendenden schriftstellerischen Fähigkeit beschrieben. Und der monographische Vollständigkeitsdrang Zolas begnügt sich damit nicht. Er widmet ein anderes Kapitel seines Romans der Beschreibung des Theaters von der Bühnenseite her, wo nun Kulissenwechsel, Garderoben usw. während der Aufführung und ihrer Pausen eine ebenso blendende Beschreibung erfahren. Und zur Vervollständigung dieses Bildes wird nun in einem dritten Kapitel die Probe eines Stückes ebenso gewissenhaft und ebenso blendend beschrieben.

Diese gegenständliche, stoffliche Vollständigkeit fehlt bei

Balzac. Das Theater, die Aufführung ist für ihn nur der Schauplatz von inneren menschlichen Dramen: des Aufstiegs von Lucien, der schauspielerischen Laufbahn von Coralie, der Entstehung der leidenschaftlichen Liebe zwischen Lucien und Coralie, der zukünftigen Konflikte Luciens mit seinen früheren Freunden aus dem Kreise D'Arthèz, mit seinem jetzigen Protektor Lousteau, der Beginn seines Rachefeldzuges gegen Madame de Bargeton usw.

Was wird aber in allen diesen Kämpfen und Konflikten, die direkt oder indirekt mit dem Theater zusammenhängen, gestaltet? Das Schicksal des Theaters im Kapitalismus: die allseitige und komplizierte Abhängigkeit des Theaters vom Kapital, des Theaters vom Journalismus, der wieder vom Kapitalismus abhängt; der Zusammenhang des Theaters und der Literatur, des Journalismus und der Literatur; der kapitalistische Charakter im Zusammenhang des Lebens der Schauspielerinnen mit der offenen und versteckten Prostitution.

Diese sozialen Probleme tauchen auch bei Zola auf. Aber sie werden bloß als soziale Tatsachen, als Ergebnisse, als caput mortuum der Entwicklung beschrieben. Zolas Theaterdirektor wiederholt unaufhörlich: »Sag nicht Theater, sag Bordell.« Balzac gestaltet aber, wie das Theater im Kapitalismus prostituiert wird. Das Drama der Hauptfiguren ist hier zugleich das Drama der Institution, an der sie mitwirken, der Dinge, mit denen sie leben, des Schauplatzes, in dem sie ihre Kämpfe auskämpfen, der Gegenstände, an denen ihre Beziehungen zum Ausdruck kommen, durch die sie vermittelt werden.

Das ist freilich ein extremer Fall. Die Gegenstände der Umwelt des Menschen sind mit seinem Schicksal nicht immer und nicht notwendig so eng verknüpft wie hier. Sie können Instrumente seiner Tätigkeit, Instrumente seines Schicksals sein, auch – wie hier bei Balzac – Knotenpunkte seines entscheidenden sozialen Schicksals. Aber sie können auch bloße Schauplätze seiner Tätigkeit, seines Schicksals sein.

Besteht der hier aufgezeigte Gegensatz auch dort, wo es sich nur um die schriftstellerische Darstellung eines solchen Schauplatzes handelt?

Walter Scott schildert im Einleitungskapitel seines Romans »Old Mortality« eine mit Volksfestlichkeiten verbundene Waffenschau in Schottland, die von der Stuartischen Restauration als Erneuerungsversuch der feudalen Einrichtungen, als Heerschau über die Getreuen, als Provokation und Entlarvung der Unzufriedenen veranstaltet wurde. Diese Heerschau findet bei Scott am Vorabend des Aufstandes der unterdrückten Puritaner statt. Die große epische Kunst Walter Scotts vereinigt auf diesem Schauplatz alle Gegensätze, die bald darauf im blutigen Kampfe explodieren werden. Die Waffenschau offenbart in grotesken Szenen das hoffnungslose Veraltetsein der feudalen Beziehungen, den dumpfen Widerstand der Bevölkerung gegen den Versuch ihrer Erneuerung. Das anschließende Wettschießen zeigt sogar die Gegensätze innerhalb der beiden feindlichen Parteien, indem aus beiden nur die Gemäßigten sich an dieser Volksbelustigung beteiligen. Im Wirtshaus sehen wir die brutale Gewalttätigkeit der königlichen Soldateska, und zugleich enthüllt sich vor uns in ihrer düsteren Großartigkeit die Figur Burleys, des späteren Führers im puritanischen Aufstand. Mit einem Wort: indem Walter Scott die Geschichte einer solchen Waffenschau erzählt und in dieser Erzählung den ganzen Schauplatz vor uns enthüllt, exponiert er zugleich alle Richtungen, alle Hauptfiguren eines großen historischen Dramas, stellt uns mit einem Schlag in die Mitte der entscheidenden Handlung.

Die Beschreibung der landwirtschaftlichen Ausstellung und Prämiierung der Landwirte in Flauberts »Madame Bovary« gehörte zu den gerühmtesten Gipfeln der Beschreibungskunst des neueren Realismus. Flaubert beschreibt hier wirklich nur den »Schauplatz«. Denn die ganze Ausstellung ist bei ihm nur die Gelegenheit für die entscheidende Liebesszene zwischen Rudolf und Emma Bovary. Der Schauplatz ist zufällig und bloßer Schauplatz im wörtlichen Sinne. Diese Zufälligkeit wird von Flaubert selbst scharf und ironisch hervorgehoben. Indem er offizielle Reden und Fragmente des Liebesdialoges parallel und kontrastierend bringt, stellt er öffentliche und private Banalität des Spießbürgerlebens in eine ironisch-kontrastierende Parallele. Dieser ironische Gegensatz ist sehr folgerichtig und mit großer Kunst durchgeführt.

Aber es bleibt der unaufgehobene Gegensatz, daß dieser zufällige Schauplatz, diese zufällige Gelegenheit zu einer Liebesszene zugleich ein wichtiges Ereignis der Welt der »Madame Bovary« ist, dessen eingehende Schilderung für Flauberts

Absichten, zur angestrebten Vollständigkeit der Milieuzeichnung unbedingt notwendig ist. Der ironische Gegensatz erschöpft deshalb nicht die Bedeutung der Schilderung. Der »Schauplatz« hat eine selbständige Bedeutung als Element der Vollständigkeit des Milieus. Die Gestalten sind aber hier ausschließlich Zuschauer. Damit werden sie für den Leser gleichartige und gleichwertige Bestandteile der nur vom Standpunkt der Milieuschilderung wichtigen Geschehnisse, die Flaubert beschreibt. Sie werden Farbenflecke in einem Bild. Und das Bild geht über das bloß Zuständliche, über das Genrehafte nur insofern hinaus, als es zum ironischen Symbol der Philisterhaftigkeit überhaupt erhöht wird. Das Bild erlangt eine Bedeutung, die nicht aus dem inneren menschlichen Gewicht der erzählten Ereignisse folgt, ja, die zu diesen fast überhaupt keine Beziehung hat, sondern durch Mittel der formalen Stilisierung künstlich erzeugt wird.

Der Symbolgehalt wird bei Flaubert ironisch und darum auf einer beträchtlichen künstlerischen Höhe, mit – wenigstens teilweise – echt künstlerischen Mitteln erreicht. Wenn aber bei Zola das Symbol eine soziale Monumentalität erhalten soll, wenn es die Aufgabe hat, einer an sich bedeutungslosen Episode den Stempel großer sozialer Bedeutung aufzudrükken, so wird die Sphäre der echten Kunst verlassen. Die Metapher wird zur Wirklichkeit aufgebauscht. Ein zufälliger Zug, eine zufällige Ähnlichkeit, eine zufällige Stimmung, ein zufälliges Zusammentreffen soll unmittelbar Ausdruck großer gesellschaftlicher Zusammenhänge sein. Beispiele ließen sich aus jedem Roman Zolas massenhaft anführen. Man denke an den Vergleich Nanas mit der goldenen Fliege, der ihre verhängnisvolle Wirkung auf das Paris vor 1870 symbolisieren soll. Zola selbst äußert sich über diese Absicht vollständig klar: »In meinem Werk ist die Hypertrophie des wahren Details. Vom Sprungbrett der genauen Beobachtung aus schwingt es sich bis zu den Sternen. Die Wahrheit erhebt sich mit einem einzigen Flügelschlage zum Symbol.«

Bei Scott, Balzac oder Tolstoi erfahren wir von Ereignissen, die an sich bedeutsam sind durch das Schicksal der an ihnen beteiligten Personen, dadurch, was die Personen in der reichen Entfaltung ihres menschlichen Lebens für das Leben der Gesellschaft bedeuten. Wir sind das Publikum von Ereignissen, an denen die Personen der Romane handelnd beteiligt sind. Wir erleben diese Ereignisse.

Bei Flaubert und Zola sind die Personen selbst nur mehr oder weniger interessierte Zuschauer von Begebenheiten. Diese werden deshalb für den Leser zu einem Bild, besser gesagt zu einer Reihe von Bildern. Wir beobachten diese Bilder.

II

Der Gegensatz des Mitlebens und des Beobachtens ist nicht zufällig. Er stammt aus der grundlegenden Stellung der Schriftsteller selbst. Und zwar aus ihrer grundlegenden Stellung zum Leben, zu den großen Problemen der Gesellschaft und nicht nur aus einer Methode der künstlerischen Bewältigung des Stoffes oder bestimmter Teile des Stoffes.

Erst durch diese Feststellung können wir zur wirklichen Konkretisierung unserer Frage kommen. Wie in anderen Gebieten des Lebens, gibt es auch in der Literatur keine »reinen Phänomene«. Engels erwähnt einmal ironisch, daß der »reine« Feudalismus nur in der Verfassung des kurzlebigen Königreichs Jerusalem existiert hat. Trotzdem war der Feudalismus selbstredend eine historische Wirklichkeit und kann vernünftigerweise den Gegenstand einer Untersuchung bilden. Es gibt sicher keinen Schriftsteller, der überhaupt nicht beschreiben würde. Und ebensowenig kann man von den bedeutenden Vertretern des Realismus der Zeit nach 1848, von Flaubert und Zola, behaupten, daß sie überhaupt nicht erzählen würden. Es kommt auf die Grundsätze des Aufbaus an, nicht auf das Phantom eines »reinen Phänomens« des Erzählens oder des Beschreibens. Es kommt darauf an, wie und warum aus dem Beschreiben, das ursprünglich eines der vielen Mittel der epischen Gestaltung und zweifellos ein untergeordnetes Mittel war, das entscheidende Prinzip der Komposition wird. Denn damit ändert die Beschreibung grundlegend ihren Charakter, ihre Aufgabe in der epischen Komposition.

Schon Balzac betont in seiner Kritik von Stendhals »Chartreuse de Parme« die Wichtigkeit der Beschreibung als eines wesentlich modernen Darstellungsmittels. Der Roman des achtzehnten Jahrhunderts (Le Sage, Voltaire u. a.) hat die Beschreibung kaum gekannt; sie spielte in ihm eine verschwindende, eine mehr als untergeordnete Rolle. Erst mit der Romantik ändert sich die Situation. Balzac hebt hervor, daß die von ihm vertretene literarische Richtung, als deren Begründer er Walter Scott ansieht, der Beschreibung eine größere Bedeutung zuweist.

Aber wenn Balzac in betontem Gegensatz zur »Trockenheit« des siebzehnten bis achtzehnten Jahrhunderts sich zu einer modernen Methode bekennt, so hebt er eine Reihe von neuen Stilmomenten als bezeichnend für diese Richtung hervor. Die Beschreibung ist nach Balzacs Auffassung ein Moment unter vielen. Mit ihr zusammen wird insbesondere die neue Bedeutung des dramatischen Elementes betont.

Der neue Stil entsteht aus der Notwendigkeit der angemessenen Gestaltung der neuen Erscheinungsweise des gesellschaftlichen Lebens. Die Beziehung des Individuums zur Klasse ist komplizierter geworden, als sie im siebzehnten und achtzehnten Jahrhundert war. Umgebung, äußere Erscheinung, Lebensgewohnheiten des Individuums konnten etwa bei Le Sage sehr einfach angegeben werden und bei all dieser Einfachheit eine klare und umfassende soziale Charakteristik ergeben. Die Individualisierung erfolgte so gut wie ausschließlich durch die Handlung selbst, durch die Art der tätigen Reaktion der Gestalten auf die Ereignisse.

Balzac sieht klar, daß diese Methode für ihn nicht mehr ausreicht. Rastignac etwa ist ein Abenteurer von ganz anderer Art als Gil Blas. Die genaue Schilderung der Pension Vauquer mit ihrem Schmutz, mit ihren Gerüchen, mit ihren Speisen, mit ihrer Bedienung ist unbedingt notwendig, um das eigenartige Abenteurertum Rastignacs wirklich und vollkommen verständlich zu machen. Ebenso muß das Haus Grandets, die Wohnung Gobsecks u. a. bis in die Einzelheiten hinein genau geschildert werden, um die verschiedenen individuellen und sozialen Typen des Wucherers zu gestalten.

Aber abgesehen davon, daß die Schilderung der Umgebung bei Balzac niemals bei der bloßen Beschreibung stehenbleibt, sondern fast überall in Handlung umgesetzt wird (man denke daran, wie der alte Grandet seine morsche Treppe selbst repariert), ist die Beschreibung bei Balzac nichts weiter als eine breite Fundamentierung für das entscheidende neue Element: für die Einbeziehung des Dramatischen in den Aufbau des Romans. Die außerordentlich vielfältigen und verwickelten Gestalten Balzacs könnten sich unmöglich mit schlagender Dramatik entfalten, wenn die Lebensgrundlage ihrer Charaktere uns nicht in einer so breiten Weise dargelegt worden wäre. Eine ganz andere Rolle spielt die Beschreibung bei Flaubert und Zola.

Balzac, Stendhal, Dickens, Tolstoi gestalten die sich in schweren Krisen endgültig konstituierende bürgerliche Gesellschaft. Sie gestalten die komplizierten Gesetzmäßigkeiten ihrer Entstehung, die vielfältigen und verschlungenen Übergänge, die aus der zerfallenden alten Gesellschaft zur entstehenden neuen Gesellschaft führen. Sie selbst haben die krisenhaften Übergänge dieses Entstehungsvorgangs aktiv miterlebt. Freilich in den verschiedensten Formen. Goethe, Stendhal, Tolstoi haben an den Kriegen, die als Geburtshelfer der Umwälzungen dienten, teilgenommen; Balzac war Teilnehmer und Opfer der fieberhaften Spekulationen des entstehenden französischen Kapitalismus; Goethe und Stendhal haben in der Verwaltung mitgearbeitet; Tolstoi erlebte als Grundbesitzer, als Teilnehmer an gesellschaftlichen Organisationen (Volkszählung, Kommission für Hungersnot usw.) die wichtigsten Geschehnisse der Umwälzung. Sie sind in dieser Hinsicht auch in ihrer Lebensführung Nachfolger der alten Schriftsteller, Künstler und Gelehrten der Renaissance und der Aufklärung: Menschen, die die großen gesellschaftlichen Kämpfe ihrer Zeit vielseitig und aktiv mitmachen, die aus den Erfahrungen eines vielseitigen und reichen Lebens heraus Schriftsteller werden. Sie sind noch keine »Spezialisten« im Sinne der kapitalistischen Arbeitsteilung.

Flaubert und Zola haben ihr Schaffen nach der Junischlacht in der bereits konstituierten, fertigen bürgerlichen Gesellschaft begonnen. Sie haben das Leben dieser Gesellschaft nicht mehr aktiv miterlebt; sie wollten es nicht mehr miterleben. In dieser Weigerung äußert sich die Tragödie einer bedeutenden Künstlergeneration der Übergangszeit. Denn diese Weigerung ist vor allem oppositionell bestimmt. Sie drückt den Haß, den Abscheu, die Verachtung für das politische und gesellschaftliche Regime ihrer Zeit aus. Die Menschen, die die gesellschaftliche Entwicklung dieser Zeit mitlebten, sind zu seelenlosen und verlogenen Verteidigern des Kapitalismus geworden. Dazu waren Flaubert und Zola zu groß und zu ehrlich. Sie konnten deshalb als Lösung des tragischen Widerspruchs ihrer Lage nur die Vereinsamung wählen. Sie sind kritische Beobachter der kapitalistischen Gesellschaft geworden.

Damit aber zugleich Schriftsteller im Sinne des ausschließlichen Berufsschriftstellertums, Schriftsteller im Sinne der kapitalistischen Arbeitsteilung. Das Buch ist nunmehr vollständig zur Ware geworden, der Schriftsteller zum Verkäufer dieser Ware, sofern er nicht zufällig als Rentner geboren war. Bei Balzac sehen wir noch die düstere Großartigkeit der ursprünglichen Akkumulation auf dem Gebiet der Kultur. Goethe oder Tolstoi stehen noch in der seigneurialen Haltung des nicht ausschließlich von der Literatur Lebenden dieser Erscheinung gegenüber. Flaubert ist freiwillig asketisch, Zola von materieller Not gezwungen bereits nur Schriftsteller im Sinne der kapitalistischen Arbeitsteilung.

Neue Stile, neue Darstellungsweisen der Wirklichkeit entstehen nie aus einer immanenten Dialektik der künstlerischen Formen, wenn sie auch stets an die vergangenen Formen und Stile anknüpfen. Jeder neue Stil entsteht mit gesellschaftlich-geschichtlicher Notwendigkeit aus dem Leben, ist das notwendige Ergebnis der gesellschaftlichen Entwicklung.

Aber die Erkenntnis dieser Notwendigkeit, der Notwendigkeit der Entstehung der künstlerischen Stile macht diese Stile künstlerisch noch lange nicht gleichwertig oder gleichrangig. Die Notwendigkeit kann auch eine Notwendigkeit zum künstlerisch Falschen, Verzerrten und Schlechten sein.

Mitleben oder Beobachten sind also gesellschaftlich notwendige Verhaltensweisen der Schriftsteller zweier Perioden des Kapitalismus.

Erzählen oder Beschreiben die beiden grundlegenden Darstellungsmethoden dieser Perioden.

Ich stelle, um den Gegensatz der beiden Methoden ganz scharf gegeneinander abzuheben, je eine Erklärung Goethes und Zolas über die Beziehung von Beobachtung und Schaffen einander gegenüber: »Ich habe«, sagte Goethe, »niemals die Natur poetischer Zwecke wegen betrachtet. Aber weil mein früheres Landschaftszeichnen und dann mein späteres Naturforschen mich zu einem beständigen genauen Ansehen der natürlichen Gegenstände trieb, so habe ich die Natur bis in ihre kleinsten Details nach und nach auswendig gelernt, dergestalt, daß, wenn ich als Poet etwas brauche, es mir zu Gebote steht und ich nicht leicht gegen die Wahrheit fehle.«

Auch Zola spricht sehr klar über die Art, wie er als Schriftsteller an einen Gegenstand herantritt: »Ein naturalistischer Romanschriftsteller will einen Roman über die Theaterwelt schreiben. Er geht von dieser allgemeinen Idee aus, *ohne noch eine Tatsache oder eine Figur zu besitzen.* Seine erste Sorge wird sein, Notizen darüber zu sammeln, was er über diese Welt, die er beschreiben will, erfahren kann. Er hat diesen Schauspieler gekannt, jener Aufführung beigewohnt . . . Dann wird er mit den Menschen sprechen, die am besten über dieses Material informiert sind, er wird die Aussprüche, die Anekdoten, die Porträts kollationieren. Das ist nicht alles. Er wird dann auch die geschriebenen Dokumente lesen. *Endlich* wird er die Orte selbst besuchen, wird *einige Tage* in einem Theater verbringen, um die kleinsten Details zu kennen, wird seine Abende in der Loge einer Schauspielerin verbringen, wird möglichst sich die Atmosphäre zu eigen machen. Und wenn einmal diese Dokumente komplett sind, wird sich sein Roman von selbst machen. Der Romanschriftsteller muß nur die Tatsachen logisch verteilen . . . *Das Interesse konzentriert sich nicht mehr auf die Merkwürdigkeit der Fabel; im Gegenteil, je banaler und allgemeiner sie ist, desto typischer wird sie.*« (Kursives von mir. G.L.)

Es sind zwei grundlegend verschiedene Stile. Zwei grundlegend verschiedene Stellungen zur Wirklichkeit.

III

Die soziale Notwendigkeit eines bestimmten Stils zu begreifen, ist etwas anderes, als die künstlerischen Folgen dieses Stils ästhetisch zu bewerten. In der Ästhetik gilt nicht das Motto: »Alles verstehen heißt alles verzeihen.« Nur die Vulgärsoziologie, die im Aufdecken des sogenannten sozialen Äquivalents der einzelnen Schriftsteller oder Stile ihre alleinige Aufgabe erblickt, meint, mit dem Aufweis der gesellschaftlichen Entstehungsgeschichte sei jede Frage beantwortet und erledigt. (Wie sie dies macht, darüber wollen wir hier nicht sprechen.) Praktisch bedeutet ihre Methode das Bestreben, die ganze vergangene Kunstentwicklung der Menschheit auf das Niveau des dekadenten Bürgertums herabzuziehen: Homer oder Shakespeare sind ebenso »Produkte« wie Joyce oder Dos Passos; die Aufgabe der Literaturwissenschaft besteht immer nur darin, das »soziale Äquivalent« für Homer oder Joyce aufzudecken. Marx hat die Frage ganz anders gestellt. Nachdem er die Entstehung der Homerschen Epen analysiert hat, sagt er: »Aber die Schwierigkeit liegt nicht darin, zu verstehen, daß griechische Kunst und Epos an gewisse gesellschaftliche Entwicklungsformen geknüpft sind. Die Schwierigkeit ist, zu verstehen, daß sie für uns noch Kunstgenuß gewähren und in gewisser Beziehung als Norm und als unerreichbare Muster gelten.«

Selbstverständlich bezieht sich dieser Hinweis von Marx auch auf die Fälle, in denen die Ästhetik ein negatives Urteil aussprechen muß. Und in beiden Fällen darf die ästhetische Bewertung von der historischen Ableitung nicht mechanisch getrennt werden. Daß die Homerischen Epen wirklich Epen sind, die von Camoens, Milton, Voltaire aber nicht, ist zugleich eine gesellschaftlich-geschichtliche und ästhetische Frage. Es gibt keine »Meisterschaft« abgetrennt und unabhängig von gesellschaftlich-geschichtlichen und persönlichen Bedingungen, die für eine reiche, umfassende, vielfältige und bewegte künstlerische Spiegelung der objektiven Wirklichkeit ungünstig sind. Die gesellschaftliche Ungunst der Voraussetzungen und der Umstände des künstlerischen Schaffens muß auch die wesentlichen Formen der Gestaltung verzerren.

Das gilt auch für den von uns behandelten Fall.

Es gibt von Flaubert eine recht aufschlußreiche Selbstkritik seines Romans »L'Education sentimentale«. Er sagt darin: »Er ist zu wahr, und ästhetisch gesprochen fehlt ihm: die Falschheit der Perspektive. Da der Plan gut durchdacht war, ist er verschwunden. Jedes Kunstwerk muß eine Spitze haben, einen Gipfel, muß eine Pyramide bilden oder aber das Licht muß auf einen Punkt der Kugel fallen. Aber von alledem existiert nichts im Leben. Jedoch die Kunst ist nicht die

Natur. Tut nichts, ich glaube, noch niemand ist in der Ehrlichkeit weiter gegangen.«

Dieses Geständnis zeugt, wie alle Äußerungen Flauberts, von rücksichtsloser Wahrhaftigkeit. Flaubert kennzeichnet die Komposition seines Romans richtig. Er hat auch recht, wenn er die künstlerische Notwendigkeit der Gipfelpunkte betont. Hat er aber recht damit, daß es in seinem Roman »zu viel Wahrheit« gibt? Gibt es »Gipfelpunkte« wirklich nur in der Kunst?

Natürlich nicht. Dieses restlos ehrliche Geständnis Flauberts ist für uns nicht nur als Selbstkritik seines bedeutenden Romans wichtig, sondern vor allem deshalb, weil er hier seine grundlegend falsche Auffassung der Wirklichkeit, des objektiven Seins der Gesellschaft, der Beziehung von Natur und Kunst enthüllt. Seine Auffassung, daß es »Gipfelpunkte« nur in der Kunst gibt, daß sie also vom Künstler geschaffen werden und es von seinem Belieben abhängt, ob er solche Gipfelpunkte schafft oder nicht, ist ein rein subjektives Vorurteil.

Ein Vorurteil, entstanden aus der äußerlichen und oberflächlichen Beobachtung der Symptome des bürgerlichen Lebens, der Erscheinungsweise des Lebens in der bürgerlichen Gesellschaft, abstrahiert von den treibenden Kräften der gesellschaftlichen Entwicklung und ihrer ständigen Wirkung auch auf die Oberfläche des Lebens. In dieser abstrahierenden und abstrakten Betrachtung erscheint das Leben als ein gleichartig dahinfließender Strom, als eine langweilige, glatte Fläche ohne Gliederung. Die Gleichartigkeit wird freilich zuweilen von »plötzlichen« krassen Katastrophen unterbrochen.

In der Wirklichkeit selbst aber – natürlich auch in der kapitalistischen Wirklichkeit – sind die »plötzlichen« Katastrophen seit langem vorbereitet. Sie stehen nicht in ausschließendem Gegensatz zu der ruhigen Entwicklung der Oberfläche. Eine komplizierte, ungleichmäßige Entwicklung führt auf sie zu. Und diese Entwicklung gliedert objektiv die scheinbar glatte Oberfläche der Flaubertschen Kugel. Der Künstler muß zwar die wichtigen Punkte ihrer Gliederung beleuchten; Flaubert hegt aber ein Vorurteil, wenn er meint, die Gliederung dieser Oberfläche existiere nicht unabhängig von ihm.

Die Gliederung entsteht durch die Wirksamkeit der Gesetze,

die die historische Entwicklung der Gesellschaft bestimmen, durch die treibenden Kräfte der gesellschaftlichen Entwicklung. In der objektiven Wirklichkeit verschwindet der falsche und subjektive, abstrakte Gegensatz des »Normalen« und »Unnormalen«. Marx sieht gerade in der Wirtschaftskrise die »normalste« gesetzmäßige Erscheinung der kapitalistischen Wirtschaft. »Die Selbständigkeit, die die zueinander gehörigen und sich ergänzenden Momente gegeneinander annehmen, wird gewaltsam vernichtet. Die Krise manifestiert also die Einheit der gegeneinander verselbständigten Momente.«

Ganz anders wird die Wirklichkeit von der apologetisch gewordenen Wissenschaft der Bourgeoisie in der zweiten Hälfte des neunzehnten Jahrhunderts betrachtet. Die Krise erscheint als eine »Katastrophe«, die den »normalen« Ablauf der Wirtschaft »plötzlich« unterbricht. Ebenso erscheint jede Revolution als etwas Katastrophenhaftes und Unnormales.

Flaubert und Zola sind ihren subjektiven Meinungen und schriftstellerischen Absichten nach keineswegs Verteidiger des Kapitalismus. Aber sie sind Söhne ihrer Zeit und sind als solche weltanschaulich tief von den Anschauungen der Zeit beeinflußt; insbesondere Zola, auf dessen Werke die flachen Vorurteile der bürgerlichen Soziologie einen bestimmenden Einfluß ausübten. Darum entwickelt sich bei Zola das Leben fast ohne Gliederung, solange es, nach seiner Auffassung, im sozialen Sinne normal ist. Alle Lebensäußerungen der Menschen sind dann normale Erzeugnisse des sozialen Milieus. Es wirken aber noch ganz andere, völlig heterogene Mächte. So z. B. die Vererbung, die im Denken und Empfinden der Menschen mit einer fatalistischen Gesetzmäßigkeit wirksam ist und die Katastrophen hervorbringt, die den normalen Fluß des Lebens unterbrechen. Man denke an die erbliche Trunksucht von Etienne Lantier in »Germinal«, die verschiedene plötzliche Ausbrüche und Katastrophen verursacht, die mit dem allgemeinen Charakter Etiennes in keinem organischen Zusammenhang stehen und von Zola gar nicht im Zusammenhang gestaltet werden. Ähnlich die von Saccards Sohn verursachte Katastrophe im »Geld«. Überall steht die normale, gliederungslose Gesetzlichkeit des Milieus den plötzlichen Vererbungskatastrophen unverbunden gegenüber.

Offensichtlich handelt es sich hier nicht um richtige und

tiefe Spiegelung der objektiven Wirklichkeit, sondern um Verflachung und Verzerrung ihrer Gesetzmäßigkeiten, entstanden durch den Einfluß apologetischer Vorurteile auf die Weltanschauung der Schriftsteller dieser Periode. Die wirkliche Erkenntnis der treibenden Kräfte der gesellschaftlichen Entwicklung, die unbefangene, richtige, tiefe und umfassende dichterische Spiegelung ihrer Wirksamkeit im menschlichen Leben muß in der Form der Bewegung erscheinen, einer Bewegung, die die gesetzmäßige Einheit des Normalfalls und des Ausnahmefalls verdeutlicht.

Diese Wahrheit der gesellschaftlichen Entwicklung ist auch die Wahrheit der Einzelschicksale. Wo und wie wird aber diese Wahrheit sichtbar? Es ist nicht nur für die Wissenschaft, nicht nur für die wissenschaftlich fundierte Politik, sondern auch für die praktische Menschenkenntnis im Alltagsleben klar, daß diese Wahrheit des Lebens sich nur in der Praxis des Menschen offenbaren kann, in seinen Taten und Handlungen. Die Worte der Menschen, ihre bloß subjektiven Gefühle und Gedanken zeigen ihre Wahrheit oder Unwahrheit, ihre Echtheit oder Verlogenheit, ihre Größe oder ihre Beschränktheit nur dann, wenn sie in Praxis umgesetzt werden: wenn sie sich in Taten und Handlungen der Menschen bewähren oder wenn die Taten und Handlungen der Menschen ihr Scheitern an der Wirklichkeit zeigen. Nur die menschliche Praxis kann das Wesen der Menschen konkret zeigen. Wer ist tapfer? Wer ist gut? Solche Fragen werden ausschließlich durch die Praxis beantwortet.

Und nur dadurch werden die Menschen einander interessant. Nur dadurch werden sie wert, dichterisch gestaltet zu werden. Die Erprobung, die Bewährung wichtiger Charakterzüge des Menschen (oder sein Versagen) kann nur in den Handlungen, in den Taten, in der Praxis Ausdruck finden. Die ursprüngliche Poesie – handle es sich um Märchen, Balladen oder Sagen oder um die spätere spontane Form von erzählten Anekdoten – geht immer von dem grundlegenden Tatbestand der Bedeutung der Praxis aus. Diese Poesie hatte darum stets Bedeutsamkeit, weil sie die grundlegende Tatsache der Bewährung oder des Versagens der menschlichen Absichten in der Praxis gestaltet hat. Sie bleibt darum lebendig und noch heute interessant, weil sie, trotz ihrer oft phantastischen, naiven und für den heutigen Menschen unannehmbaren Voraussetzungen diese ewige Grundtatsache des menschlichen Lebens in den Mittelpunkt der Gestaltung rückt.

Und die Zusammenfassung einzelner Taten und Handlungen zu einer zusammenhängenden Kette gewinnt nur dadurch wirkliches Interesse, daß in den verschiedensten, buntesten Abenteuern derselbe typische Charakterzug eines Menschen sich ununterbrochen bewährt. Ob es sich um Odysseus oder um Gil Blas handelt, die unvertilgbare Frische dieser Abenteuerkette hat hierin ihre menschlich-dichterische Grundlage. Dabei ist natürlich der Mensch, die Offenbarung der wesentlichen Züge des menschlichen Lebens, ausschlaggebend. Uns interessiert, wie Odysseus oder Gil Blas, Moll Flanders oder Don Quichotte auf große Ereignisse ihres Lebens reagieren, wie sie Gefahren bestehen, Hindernisse überwinden, wie die Charakterzüge, die sie uns interessant und wichtig machen, sich in der Praxis immer breiter und tiefer entfalten.

Ohne die Offenbarung wesentlicher menschlicher Züge, ohne die Wechselbeziehung zwischen den Menschen und den Ereignissen der Außenwelt, der Dinge, der Naturmächte, der gesellschaftlichen Einrichtungen sind die abenteuerlichsten Ereignisse leer und inhaltlos. Aber man vergesse nicht: auch ohne Offenbarung wesentlicher und typischer menschlicher Züge ist in jeder Handlung wenigstens das abstrakte Schema der menschlichen Praxis (wenn auch verzerrt und verblaßt) vorhanden. Darum können abstrakte Darstellungen schematisch abenteuerlicher Handlungen, in denen bloß Menschenschemen geistern, doch vorübergehend ein gewisses allgemeines Interesse erregen (Ritterromane in der Vergangenheit, Detektivromane in unseren Tagen). In ihrer Wirksamkeit bricht sich eine der tiefsten Grundlagen des Interesses der Menschen an der Literatur Bahn: das Interesse an dem Reichtum und der Buntheit, der Abwechslung und der Vielfältigkeit der menschlichen Praxis. Wenn die künstlerische Literatur einer Zeit die Wechselbeziehung zwischen dem reich entfalteten Innenleben der typischen Gestalten der Zeit und der Praxis nicht wiederzugeben vermag, flüchtet sich das Interesse des Publikums zum abstrakt-schematischen Ersatz.

Gerade dies ist der Fall in der Literatur der zweiten Hälfte des neunzehnten Jahrhunderts. Die Literatur der Beobachtung, der Beschreibung schaltet die Wechselbeziehung in immer stärkerem Maße aus. Und es hat vielleicht nie eine Zeit gegeben, in der es neben der offiziellen großen Literatur eine so große leere Literatur der bloßen Abenteuer gegeben hätte, wie gerade in dieser Periode. Und man täusche sich nicht damit, daß diese Literatur bloß von den »Ungebildeten« gelesen würde, während die »Elite« sich an die moderne große Literatur hält. Weitestgehend ist das Gegenteil richtig. Weitestgehend werden die modernen Klassiker teils aus Pflichtgefühl, teils aus stofflichem Interesse für die Probleme der Zeit gelesen, die sie, wenn auch abgeschwächt und verzerrt, gestalten; zur Erholung, zum Vergnügen werden jedoch die Detektivromane verschlungen.

Flaubert hat sich während der Arbeit an der »Madame Bovary« wiederholt darüber beklagt, daß seinem Buch das Element des Unterhaltenden fehle. Ähnliche Klagen finden wir bei vielen bedeutenden modernen Schriftstellern: die Feststellung, daß die großen Romane der Vergangenheit die Darstellung einer bedeutsamen Menschlichkeit mit Unterhaltung und Spannung verbinden, während in die moderne Kunst in immer breiterem Ausmaße die Monotonie, die Langeweile ihren Einzug hält. Diese paradoxe Lage ist durchaus nicht die Folge eines Mangels an schriftstellerischer Begabung der literarischen Vertreter dieser Epoche, in der eine beträchtliche Zahl ungemein begabter Schriftsteller wirkte. Die Monotonie, die Langeweile entsteht vielmehr aus den Grundsätzen ihrer Gestaltungsweise, aus Prinzip und Weltanschauung der Schriftsteller.

Zola verurteilte aufs schärfste die Gestaltung des Exzeptionellen bei Stendhal und Balzac als »unnatürlich«. So sagte er über die Gestaltung der Liebe in »Rot und Schwarz«: »Das verläßt vollständig die Wahrheit des Alltags, die Wahrheit, an die wir gestoßen werden, und wir befinden uns bei dem Psychologen Stendhal ebenso im Gebiet des Außergewöhnlichen, wie bei dem Erzähler Alexander Dumas. Vom Standpunkt der exakten Wahrheit bringt mir Julien ebenso viele Überraschungen wie D'Artagnan.«

In seinem Essay über die literarische Tätigkeit der Goncourts formuliert Paul Bourget sehr klar und scharf das neue Kompositionsprinzip: »Das Drama ist, die Etymologie zeigt es an, Handlung, und die Handlung ist niemals ein sehr guter Ausdruck der Sitten. Was für einen Menschen charakteristisch ist, ist nicht das, was er in einem Moment der scharfen und leidenschaftlichen Krise tut, es sind seine alltäglichen Gewohnheiten, welche nicht eine Krise, sondern einen Zustand bezeichnen.« Erst von hier aus wird die oben angeführte kompositionelle Selbstkritik Flauberts ganz verständlich. Flaubert verwechselt das Leben mit dem durchschnittlichen Alltagsleben des Bourgeois. Selbstverständlich hat dieses Vorurteil seine gesellschaftlichen Wurzeln. Damit hört es aber nicht auf, ein Vorurteil zu sein, hört nicht auf, die dichterische Spiegelung der Wirklichkeit subjektiv zu verzerren, ihre angemessene und umfassende dichterische Spiegelung zu verhindern. Flaubert kämpft sein ganzes Leben lang, um aus dem Zauberkreis der aus gesellschaftlicher Notwendigkeit entstandenen Vorurteile herauszukommen. Da er aber nicht gegen die Vorurteile selbst kämpft, sondern sie vielmehr als unaufhebbare, objektive Tatsachen ansieht, ist sein Kampf tragisch-vergeblich. Ununterbrochen beschimpft er in der leidenschaftlichsten Weise die Langweiligkeit, die Niedrigkeit und Widerwärtigkeit der bürgerlichen Sujets, die sich ihm zur Gestaltung aufdrängen. Bei der Arbeit an jedem bürgerlichen Roman schwört er, sich nie wieder auf solchen Dreck einzulassen. Er kann aber einen Ausweg nur durch die Flucht in die phantastische Exotik finden. Der Weg zur Entdeckung der inneren Poesie des Lebens bleibt ihm durch seine Vorurteile versperrt.

Die innere Poesie des Lebens ist die Poesie der kämpfenden Menschen, der kampfvollen Wechselbeziehung der Menschen zueinander in ihrer wirklichen Praxis. Ohne diese innere Poesie kann es keine wirkliche Epik geben, kann keine epische Komposition ausgedacht werden, die geeignet ist, das Interesse der Menschen zu erregen, zu steigern und lebendig zu erhalten. Die epische Kunst – und selbstverständlich auch die Kunst des Romans – besteht in der Entdeckung der jeweils zeitgemäßen und bezeichnenden, menschlich-bedeutsamen Züge der gesellschaftlichen Praxis. Der Mensch will sein eigenes deutlicheres, gesteigertes Spiegelbild, das Spiegelbild seiner gesellschaftlichen Praxis in der epischen Poesie erhalten. Die Kunst des Epikers besteht gerade in der richtigen Verteilung der Gewichte, in der rechten Betonung des Wesentlichen. Er wirkt desto hinreißender und allgemeiner, je mehr bei ihm dieses Wesentliche, der Mensch und seine gesellschaftliche Praxis, nicht als ausgeklügeltes Kunstprodukt erscheint, sondern als etwas naturhaft Gewachsenes, als etwas nicht Erfundenes, sondern bloß Entdecktes.

Darum sagt der in seiner Praxis sehr problematische deutsche Epiker und Dramatiker Otto Ludwig als Ergebnis seiner Studien über Walter Scott und Dickens sehr richtig: ». . . die Existenzen scheinen die Hauptsache, und das drehende Rad der Begebenheiten diente nur, die Existenzen als solche in ein natürlich anziehendes Spiel zu setzen, nicht sind diese deshalb vorhanden, das Rad drehen zu helfen. Die Sache ist, daß der Autor das interessant macht, was des Interesses bedarf, und das ohnehin Interessierende ohne weitere Nachhilfe seiner eigenen Kraft überläßt . . . Die Gestalten sind immer die Hauptsache. Und wirklich, eine Begebenheit, so wunderbar sie sei, wird uns nicht so auf die Dauer beschäftigen, als Menschen, die wir im Umgange liebgewonnen.«

Die Beschreibung in dem von uns bereits dargelegten Sinn, als herrschende Methode der epischen Gestaltung, entsteht in einer Periode, in der aus gesellschaftlichen Gründen der Sinn für das Wichtigste am epischen Aufbau verlorengeht. Die Beschreibung ist ein schriftstellerischer Ersatz für die verlorengegangene epische Bedeutsamkeit.

Aber wie überall in der Entstehungsgeschichte neuer ideologischer Formen waltet hier eine Wechselwirkung. Die schriftstellerisch herrschende Beschreibung ist nicht nur Folge, sondern zugleich auch Ursache, Ursache der noch weiteren Entfernung der Literatur von der epischen Bedeutsamkeit. Die Herrschaft der kapitalistischen Prosa über die innere Poesie der menschlichen Praxis, das immer Unmenschlicherwerden des gesellschaftlichen Lebens, das Sinken des Niveaus der Menschlichkeit – all das sind objektive Tatsachen der Entwicklung des Kapitalismus. Aus ihnen entsteht notwendig die Methode des Beschreibens. Aber ist diese Methode einmal vorhanden, wird sie von bedeutenden und in ihrer Art konsequenten Schriftstellern gehandhabt, so wirkt sie auf die dichterische Spiegelung der Wirklichkeit zurück. Das dichterische Niveau des Lebens sinkt – aber die Literatur überbetont dieses Sinken.

IV

Das Erzählen gliedert, die Beschreibung nivelliert.

Goethe verlangt von der epischen Dichtung, daß sie alle Ereignisse als vollkommen vergangen behandle im Gegensatz zur vollkommenen Gegenwärtigkeit der dramatischen Aktion. In dieser richtigen Gegenüberstellung erkennt Goethe den Stilisierungsunterschied zwischen Epik und Dramatik. Das Drama steht von vornherein auf einer viel größeren Höhe der Abstraktion als die Epik. Das Drama konzentriert stets alles um einen Konflikt. Alles, was mit dem Konflikt nicht direkt oder indirekt zusammenhängt, darf überhaupt nicht vorkommen, ist eine störende Nebensächlichkeit. Der Reichtum eines Dramatikers wie Shakespeare beruht auf der vielfältigen und reichen Konzeption des Konfliktes selbst. In der Ausmerzung aller Einzelheiten, die nicht zum Konflikt gehören, besteht aber zwischen Shakespeare und den Griechen kein grundsätzlicher Unterschied.

Das von Goethe verlangte Verlegen der epischen Handlung in die Vergangenheit bezweckt die dichterische Auswahl des Wesentlichen aus dem breiten Reichtum des Lebens, die Gestaltung des Wesentlichen in einer Weise, die die Illusion der Gestaltung des ganzen Lebens in seiner vollständigen entfalteten Breite erweckt. Das Urteil darüber, ob eine Einzelheit zur Sache gehört oder nicht, ob sie wesentlich oder unwesentlich ist, muß deshalb in der Epik »weitherziger« sein als im Drama, muß verschlungene, indirekte Zusammenhänge noch immer als wesentlich anerkennen. Innerhalb einer solchen breiteren und weiteren Auffassung des Wesentlichen ist aber die Auswahl ebenso streng wie im Drama. Das nicht zur Sache Gehörige ist hier ebenso ein Ballast, ein Hemmnis der Wirkung wie im Drama.

Die Verschlungenheit der Wege des Lebens klärt sich nur am Ende auf. Nur die menschliche Praxis zeigt, welche Eigenschaften eines Menschen in der Gesamtheit seiner Charakteranlagen die wichtigen, die entscheidenden gewesen sind. Nur die Verbindung mit der Praxis, nur die komplizierte Verkettung verschiedener Taten und Leiden der Menschen kann erweisen, welche Dinge, Einrichtungen usw. ihr Schicksal wesentlich beeinflußt haben und wie und wann die Beeinflussung erfolgte. All das läßt sich erst vom Ende aus überblicken. Die Auswahl des Wesentlichen hat sowohl in der subjektiven wie in der objektiven Welt des Menschen das Leben selbst vollzogen. Der Epiker, der ein Menschenschicksal oder das Gewirr von verschiedenen Menschenschicksalen rückblikkend, vom Ende aus erzählt, macht die vom Leben selbst vollzogene Auswahl des Wesentlichen für den Leser klar und verständlich. Der Beobachter, der notwendig immer gleichzeitig ist, muß sich im Gewirr der an sich gleichwertigen Einzelheiten verlieren, da das Leben selbst die Auswahl durch die Praxis noch nicht vollzogen hat. Der Vergangenheitscharakter der Epik ist also ein grundlegendes, von der Wirklichkeit selbst vorgeschriebenes Mittel der künstlerischen Gliederung.

Freilich kennt der Leser das Ende noch nicht. Er erhält eine Fülle von Einzelheiten, deren Rangordnung, deren Bedeutung überhaupt ihm nicht immer und nicht sofort klar werden kann. Es werden in ihm bestimmte Erwartungen erweckt, die der spätere Verlauf der Erzählung steigern oder widerlegen wird. Aber der Leser wird in dem reichen Gewebe sich vielfältig verschlingender Motive von dem allwissenden Autor geführt, der die besondere Bedeutung jeder an sich unscheinbaren Einzelheit für die endgültige Entwirrung, für die endgültige Offenbarung der Charaktere genau kennt, der nur mit Einzelheiten arbeitet, denen eine solche Aufgabe für die Gesamthandlung eignet. Die Allwissenheit des Autors macht den Leser sicher, beheimatet ihn in der Welt der Dichtung. Wenn er auch die Ereignisse nicht im voraus weiß, so empfindet er doch die Richtung, die die Ereignisse kraft ihrer inneren Logik, kraft der inneren Notwendigkeit der Personen einnehmen müssen, ziemlich genau. Er weiß über den Zusammenhang, über die Entwicklungsmöglichkeit der Gestalten zwar nicht alles, aber im allgemeinen mehr als die handelnden Gestalten selbst.

Freilich rücken im Laufe der Erzählung, der allmählichen Enthüllung der wesentlichen Momente, die Einzelheiten in ein ganz neues Licht. Wenn z. B. Tolstoi in seiner Novelle »Nach dem Balle« den Vater der Angebeteten seines Helden mit rührend menschlichen Zügen der Aufopferung für seine Tochter schildert, so unterliegt der Leser der Wucht dieser erzählten Erscheinung, ohne ihre ganze Bedeutung zu begreifen. Erst nach der Erzählung vom Spießrutenlaufen, bei dem derselbe liebevolle Vater als brutaler Exekutionsleiter auftritt, löst sich die Spannung vollständig auf. Die große epische Kunst Tolstois besteht gerade darin, daß er die Einheit in dieser Spannung bewahren kann, daß er aus dem alten Offizier nicht ein vertiertes »Produkt« des Zarismus macht, sondern zeigt, wie das zaristische Regime an sich gutmütige, in ihrem Privatleben opferbereite und selbstlose Menschen vertiert, zu mechanischen, ja eifrigen Vollstreckern seiner Bestialität macht. Es ist klar, daß alle Farben der Erzählung des Balles nur vom Spießrutenlauf her gefunden und gestaltet werden konnten. Der »gleichzeitige« Beobachter, der den Ball nicht von dort aus, nicht rückblickend erzählt, hätte ganz andere, unwesentliche und oberflächliche Einzelheiten sehen und beschreiben müssen.

Die Distanzierung der erzählten Ereignisse, die die Auswahl des Wesentlichen durch die menschliche Praxis zum Ausdruck bringt, ist bei wirklichen Epikern auch dann vorhanden, wenn der Schriftsteller die Ichform der Erzählung wählt, wenn eine Gestalt des Werkes als Erzähler fingiert wird. Das ist ja der Fall in der eben erwähnten Tolstoischen Erzählung. Selbst wenn man einen in Tagebuchform erzählten Roman wie Goethes »Werther« nimmt, kann man stets beobachten, daß die einzelnen Abschnitte in eine bestimmte, wenn auch kurzfristige Vergangenheitsdistanz gerückt sind, die infolge der Einwirkung dieser Ereignisse und Menschen auf Werther selbst die notwendige Auswahl des Wesentlichen vollziehen hilft.

So erst bekommen die Gestalten des Romans feste und sichere Umrisse, ohne daß darum ihre Wandlungsfähigkeit aufgehoben wäre. Im Gegenteil, gerade auf diese Weise wirkt die Verwandlung stets nur in der Richtung der Bereicherung, der Erfüllung der Umrisse mit einem immer reicheren Leben. Die wirkliche Spannung des Romans ist ein Gespanntsein auf diese Bereicherung, ein Gespanntsein auf die Bewährung oder das Versagen uns bereits vertraut gewordener Menschen.

Darum kann in der bedeutenden epischen Kunst das Ende gleich am Anfang vorweggenommen werden. Man denke an die Einleitungszeilen in den Homerschen Epen, in denen der Inhalt und das Ende der Erzählung zusammengefaßt werden.

Wie entsteht die trotzdem vorhandene Spannung? Sie besteht zweifellos nicht in einem artistischen Interesse daran, wie es der Dichter machte, um zu diesem Ziele zu gelangen. Es ist vielmehr die menschliche Spannung darauf, welche Kraftanstrengungen Odysseus noch entfalten wird, welche Hindernisse er noch zu überwinden hat, um zu dem uns bereits bekannten Ziele zu gelangen. Auch in der eben analysierten Erzählung Tolstois wissen wir im voraus, daß die Liebe des Erzählerhelden nicht zur Ehe führen wird. Die Spannung ist also nicht die, was aus dieser Liebe werden wird, sie ist vielmehr darauf gerichtet, auf welchem Wege die uns bekannte humorvoll überlegene menschliche Reife des Erzählerhelden entstanden ist. Die Spannung des echt epischen Kunstwerkes betrifft also stets menschliche Schicksale.

Die Beschreibung macht alles gegenwärtig. Man erzählt Vergangenes. Man beschreibt das, was man vor sich sieht, und die räumliche Gegenwart verwandelt Menschen und Dinge auch in eine zeitliche Gegenwärtigkeit.

Dies ist aber eine falsche Gegenwart, nicht die Gegenwart der unmittelbaren Aktion im Drama. Die moderne große Erzählung konnte gerade durch folgerechte Verwandlung aller Ereignisse in Vergangenheit das dramatische Element in die Form des Romans einarbeiten. Die Gegenwärtigkeit des beobachtenden Beschreibers ist aber gerade der Gegenpol des Dramatischen. Es werden Zustände beschrieben. Statisches, Stillstehendes, Seelenzustände von Menschen oder das zuständliche Sein von Dingen. Etats d'âme oder Stilleben.

Damit sinkt die Darstellung ins Genrehafte hinunter. Das natürliche Prinzip der epischen Auswahl geht verloren. An sich ist ein Seelenzustand eines Menschen – ohne Bezug auf seine wesentlichen Handlungen – ebenso wichtig oder unwichtig wie der andere. Und diese Gleichwertigkeit herrscht bei den Gegenständen noch stärker vor. In der Erzählung kann vernünftigerweise nur von den Seiten eines Dinges gesprochen werden, die für seine besonderen Aufgaben in der konkreten menschlichen Handlung, in der es auftaucht, wichtig sind. An sich hat jedes Ding unendlich viele Eigenschaften. Wenn der Schriftsteller als beobachtender Beschreiber eine gegenständliche Vollkommenheit des Dinges erstrebt, kann er entweder überhaupt kein Auswahlprinzip besitzen und unterwirft sich der Sisyphusarbeit, die Unendlichkeit der Eigenschaften in Worten auszudrücken, oder es werden die pittoresken, zur Beschreibung geeignetsten, oberflächlichen Seiten des Dinges bevorzugt.

Jedenfalls geht dadurch, daß die erzählerische Verknüpfung der Dinge mit ihrer Aufgabe in konkreten menschlichen Schicksalen verlorengeht, auch ihre dichterische Bedeutsamkeit verloren. Eine Bedeutsamkeit können sie nur dadurch erhalten, daß irgendein abstraktes Gesetz, das der Verfasser in seinem Weltbild für ausschlaggebend hält, unmittelbar an diese Dinge geknüpft wird. Dadurch erhält das Ding zwar keine wirklich dichterische Bedeutsamkeit, es wird ihm aber eine solche Bedeutsamkeit angedichtet. Das Ding wird zum Symbol.

Es ist hier klar ersichtlich, wie die dichterische Problematik des Naturalismus zwangsläufig formalistische Methoden der Gestaltung hervorbringen muß.

Der Verlust der inneren Bedeutsamkeit und damit der epischen Ordnung und Hierarchie bleibt aber bei der bloßen Nivellierung, bei der bloßen Verwandlung des Lebensabbildes in ein Stilleben nicht stehen. Die unmittelbar sinnliche Verlebendigung der Menschen und der Gegenstände, ihre unmittelbar sinnliche Individualisierung hat eine eigene Logik und verleiht eigene neue Akzente. Dadurch entsteht vielfach etwas weit Schlechteres als eine bloße Nivellierung: es entsteht eine Rangordnung mit verkehrten Vorzeichen. Diese Möglichkeit ist in der Beschreibung notwendig enthalten. Denn schon dadurch, daß an sich Wichtiges und Unwichtiges mit gleicher Eindringlichkeit beschrieben werden, ist die Richtung auf Verkehrung der Vorzeichen gegeben. Sie schlägt bei vielen Schriftstellern in eine alles menschlich Bedeutsame wegschwemmende Genrehaftigkeit um.

Friedrich Hebbel analysiert in einer vernichtend ironischen Abhandlung einen typischen Vertreter dieser genrehaften Beschreibung, Adalbert Stifter, der seitdem, besonders dank der Propaganda Nietzsches, zu einem Klassiker der deutschen Reaktion geworden ist. Hebbel zeigt, wie bei Stifter die großen Fragen der Menschheit verschwinden, wie die »liebevoll« gemalten Einzelheiten alles Wesentliche überschwemmen. »Weil das Moos sich viel ansehnlicher ausnimmt, wenn der Maler sich um den Baum nicht bekümmert, und der Baum ganz anders hervortritt, wenn der Wald verschwindet, so entsteht ein allgemeiner Jubel, und Kräfte, die eben für das Kleinleben der Natur ausreichen und sich auch instinktiv die Aufgabe nicht höher stellen, werden weit über andere erhoben, die den Mückentanz schon darum nicht schildern, weil er neben dem Planetentanz gar nicht sichtbar ist. Da fängt das ›Nebenbei‹ überall an zu florieren; der Kot auf Napoleons Stiefel wird, wenn es sich um den großen Abdikationsmoment des Helden handelt, ebenso ängstlich treu gemalt, wie der Seelenkampf auf seinem Gesicht . . . Kurz, das Komma zieht den Frack an und lächelt stolz und selbstgefällig auf den Satz herab, dem es doch allein seine Existenz verdankt.«

Hebbel beobachtet hier scharf die andere wesentliche Gefahr der Beschreibung: das Selbständigwerden der Einzelheiten. Mit dem Verlust der wirklichen Kultur der Erzählung sind die Einzelheiten nicht mehr Träger konkreter Handlungsmomente. Sie erlangen eine unabhängige Bedeutung von der Handlung, vom Schicksal der handelnden Menschen. Damit geht aber ein jeder künstlerische Zusammenhang mit dem Ganzen der Dichtung verloren. Die falsche Gegenwärtigkeit des Beschreibens drückt sich in einer Atomisierung der Dichtung in selbständige Momente, in einem Zerfall der Komposition aus. Nietzsche, der die Symptome der Dekadenz in Leben und Kunst scharfäugig beobachtete, deckt den Vorgang bis in seine stilistischen Folgerungen für die einzelnen Sätze auf. Er sagt: »Das Wort wird souverän und springt aus dem Satz hinaus, der Satz greift über und verdunkelt den Sinn der Seite, die Seite gewinnt Leben auf Unkosten des Ganzen – das Ganze ist kein Ganzes mehr. Aber das ist das Gleichnis für jeden Stil der décadence . . . das Leben, die gleiche Lebendigkeit, die Vibration und Exuberanz des Lebens in die kleinsten Gebilde zurückgedrängt, der Rest arm an Leben . . . Das Ganze lebt überhaupt nicht mehr: es ist zusammengesetzt, gerechnet, künstlich, ein Artefakt.«

Das Selbständigwerden der Einzelheiten hat für die Darstellung von Menschenschicksalen die verschiedenartigsten, aber gleicherweise verheerenden Folgen. Einerseits bemühen sich die Schriftsteller, die Einzelheiten des Lebens so vollständig wie nur möglich, so plastisch und pittoresk wie irgend möglich zu beschreiben. Sie erreichen darin eine außergewöhnliche artistische Vollendung. Aber die Beschreibung der Dinge hat nichts mehr mit dem Schicksal der Personen zu tun. Nicht nur, daß die Dinge unabhängig vom Schicksal der Menschen beschrieben werden und dadurch eine ihnen im Roman nicht zukommende selbständige Bedeutung erlangen, auch die Art ihrer Beschreibung spielt sich in einer vollkommen anderen Lebenssphäre ab als das Schicksal der geschilderten Personen. Je naturalistischer die Schriftsteller werden, je mehr sie sich bemühen, nur Durchschnittsmenschen der Alltagswirklichkeit zu schildern und ihnen nur Gedanken, Gefühle und Worte der Alltagswirklichkeit zu geben, desto schroffer wird der Mißklang. Im Dialog die nüchterne, platte Poesielosigkeit des bürgerlichen Alltags; in der Beschreibung die ausgesuchteste Künstlichkeit einer raffinierten Atelierkunst. Die so geschilderten Menschen können zu den so beschriebenen Gegenständen überhaupt keine Beziehung haben.

Wird aber eine Beziehung auf Grundlage der Beschreibung hergestellt, so wird die Sache noch schlimmer. Dann beschreibt der Autor von der Psychologie seiner Gestalten aus. Ganz abgesehen von der Unmöglichkeit, diese Darstellung – mit Ausnahme eines extrem-subjektivistischen Ichromans – konsequent durchzuführen, wird dadurch jede Möglichkeit einer künstlerischen Komposition zerschlagen. Der Blickpunkt des Autors hüpft unruhig umher. Es entsteht ein ununterbrochenes Flimmern der wechselnden Perspektiven. Der Autor verliert seine Übersicht, die Allwissenheit des alten Epikers. Er sinkt absichtlich auf das Niveau seiner Gestalten: er weiß über die Zusammenhänge nur so viel, wie die einzelnen Gestalten jeweils wissen. Die falsche Gegenwärtigkeit des Beschreibens verwandelt den Roman in ein schillerndes Chaos.

So verschwindet aus dem beschreibenden Stil jeder epische Zusammenhang. Erstarrte, fetischisierte Dinge werden von einer wesenlosen Stimmung umflattert. Der epische Zusammenhang ist kein bloßes Nacheinander. Wenn die einzelnen Bilder und Bildchen der Beschreibung Abbilder einer zeitlichen Folge sind, so entsteht dadurch noch kein epischer Zusammenhang. Das wirklich künstlerische Nacherleben der zeitlichen Folge wird in der echten Erzählungskunst mit sehr komplizierten Mitteln sinnfällig. Der Schriftsteller selbst muß sich in seiner Erzählung mit der größten Souveränität zwischen Vergangenheit und Gegenwart bewegen, damit dem Leser das wirkliche Aus-einander-Folgen der epischen Schicksale deutlich werde. Und nur das Erleben diese Aus-einander-Folgens vermittelt dem Leser das Erlebnis der wirklichen zeitlichen, der konkreten historischen Aufeinanderfolge. Man erinnere sich an das doppelte Erzählen des Wettrennens in Tolstois »Anna Karenina«. Man denke daran, mit welcher Kunst Tolstoi in der »Auferstehung« die Vorgeschichte der Beziehung Nechljudows und Maslowas stückweise erzählt, jeweils dort, wo die Aufhellung eines Stückes der Vergangenheit unmittelbar einen Schritt weiter in der Handlung bedeutet.

Die Beschreibung zieht die Menschen auf das Niveau der toten Gegenstände herab. Damit geht die Grundlage der epischen Komposition verloren. Der beschreibende Schriftsteller komponiert von den Sachen aus. Wir haben vernommen, wie Zola sich die schriftstellerische Bewältigung eines Themas vorstellt. Ein Tatsachenkomplex ist der eigentliche Mittelpunkt seiner Romane: das Geld, das Bergwerk usw. Diese Kompositionsart bedingt nun, daß die sachlich verschiedenen Erscheinungsweisen des Gegenstandskomplexes die einzelnen Abschnitte des Romans bilden. Wir haben gesehen, wie z. B. in »Nana« in einem Kapitel das Theater vom Zuschauerraum aus, in einem anderen von den Kulissen aus beschrieben wird. Das Leben der Menschen, das Schicksal der Helden bildet nur einen losen Faden zum Anknüpfen, zum Aneinanderreihen dieser gegenständlich geschlossenen Bildkomplexe.

Dieser falschen Objektivität entspricht eine ebenso falsche Subjektivität. Denn es ist vom Standpunkt des epischen Zusammenhanges nicht viel gewonnen, wenn das bloße Nacheinander eines Lebens zum Kompositionsprinzip wird; wenn der Roman von der vereinzelten, lyrisch gefaßten, auf sich gestellten Subjektivität einer Person aus aufgebaut wird. Die Aufeinanderfolge von subjektiven Stimmungen ergibt ebensowenig einen epischen Zusammenhang wie die Aufeinanderfolge von fetischisierten Gegenstandskomplexen – mögen sie noch so sehr zu Symbolen aufgebauscht werden.

In beiden Fällen entstehen einzelne Bilder, die im künstlerischen Sinne so unverbunden nebeneinander hängen, wie die Bilder in einem Museum.

Ohne kampfvolle Wechselbeziehungen der Menschen zueinander, ohne Erprobung der Menschen in wirklichen Handlungen ist in der epischen Komposition alles der Willkür, dem Zufall preisgegeben. Kein noch so verfeinerter Psychologismus, keine noch so pseudowissenschaftlich aufgeputzte Soziologie kann in diesem Chaos einen wirklich epischen Zusammenhang schaffen.

Die Nivellierung, die durch die Beschreibung entsteht, macht in solchen Romanen alles episodisch. Viele moderne Schriftsteller blicken hochmütig auf die veralteten und komplizierten Methoden herab, mit denen die alten Romanschriftsteller ihre Handlungen in Gang gebracht, die kampfvolle und verschlungene Wechselwirkung zwischen ihren Menschen, die epische Komposition hergestellt haben. Sinclair Lewis vergleicht von diesem Standpunkt aus die epische Kompositionsweise von Dickens und Dos Passos. »Und die klassische Methode – o ja, sie war sehr mühsam aufgetakelt! Durch ein unglückliches Zusammentreffen mußte Mister Johnes zugleich mit Mister Smith in einer Postkutsche befördert werden, damit etwas recht Peinliches und Unterhaltsames passieren konnte. In ›Manhattan Transfer‹ laufen die Personen einander entweder gar nicht über den Weg, oder es geschieht auf die natürlichste Weise.«

Die »natürlichste Weise« ist eben, daß die Menschen miteinander in gar keine oder höchstens flüchtige und oberflächliche Beziehungen geraten, daß sie plötzlich auftauchen und ebenso plötzlich verschwinden, daß ihr persönliches Schicksal – da wir sie gar nicht kennen – uns gar nicht interessiert, daß sie an keiner Handlung beteiligt sind, sondern durch die beschriebene gegenständliche Welt des Romans in verschiedenen Stimmungen hindurchspazieren.

Das ist sicher sehr »natürlich«. Es ist nur die Frage, was dabei für die Kunst der Erzählung herauskommt. Dos Passos ist ein großes Talent, und Sinclair Lewis ist ein bedeutender Schriftsteller. Eben deshalb ist es interessant, was er in derselben Abhandlung über die Menschengestaltung von Dickens und Dos Passos sagt: »Gewiß hat Dos Passos selbst keine so bleibende Gestalt geschaffen wie Pickwick, Micawber, Oliver, Nancy, David und seine Tante, Nicholas, Smike und mindestens vierzig andere, und es wird ihm auch wohl nie gelingen.«

Ein wertvolles Geständnis von großer Aufrichtigkeit. Wenn aber Sinclair Lewis hier recht hat – und er hat recht –, was ist dann die »natürlichste Weise« der Verknüpfung der Personen künstlerisch wert?

V

Aber das intensive Leben der Dinge? Aber die Poesie der Dinge? Die dichterische Wahrheit dieser Beschreibungen? Solche Fragen könnten uns Verehrer der naturalistischen Methode entgegenhalten.

Diesen Fragen gegenüber muß man auf die Grundfragen der epischen Kunst zurückgehen. Wodurch werden die Dinge in der epischen Poesie poetisch? Ist es wirklich wahr, daß eine noch so virtuose, das technische Detail einer Erscheinung, des Theaters, der Markthalle, der Börse usw. noch so genau berücksichtigende Beschreibung die Poesie des Theaters oder der Börse wiedergibt? Wir erlauben uns, daran zu zweifeln. Logen und Orchester, Bühne und Parterre, Kulissen und Garderoben sind an sich tote, uninteressante, vollkommen unpoetische Gegenstände. Und sie bleiben weiter unpoetisch, auch wenn sie mit menschlichen Gestalten gefüllt werden, sofern die menschlichen Schicksale der Dargestellten nicht imstande sind, uns dichterisch zu erregen. Das Theater oder die Börse ist ein Knotenpunkt menschlicher Bestrebungen, ein Schauplatz oder ein Schlachtfeld der kampfvollen Wechselbeziehungen der Menschen zueinander. Und nur in diesem Zusammenhang, nur indem das Theater oder die Börse die menschlichen Beziehungen vermitteln, indem sie als unerläßliche konkrete Vermittlung für konkrete menschliche Beziehungen erscheinen, werden sie in der Vermittlungsrolle, durch die Vermittlungsrolle dichterisch bedeutsam, poetisch.

Eine vom Menschen, von den menschlichen Schicksalen unabhängige »Poesie der Dinge« gibt es in der Literatur nicht.

Und es ist mehr als fraglich, ob die so hochgepriesene Vollständigkeit der Beschreibung, die Echtheit ihrer technischen Einzelheiten auch nur eine wirkliche Vorstellung des beschriebenen Gegenstandes zu vermitteln vermag. Jedes Ding, das in einer wichtigen Handlung eines Menschen, der uns dichterisch bewegt, eine wirkliche Rolle spielt, wird, wenn diese Handlung richtig erzählt wird, aus diesem Zusammenhang heraus poetisch bedeutsam. Es genügt, wenn man sich an die tiefpoetische Wirkung der aus dem Schiffbruch zusammengesuchten Instrumente im »Robinson« erinnert.

Man denke demgegenüber an eine beliebige Beschreibung aus Zola. Nehmen wir z. B. aus »Nana« ein Bild hinter den Kulissen. »Eine gemalte Leinwand kam herunter. Es war der Umbau zum dritten Akt: die Grotte des Ätna. Die Bühnenarbeiter pflanzten Stangen in die Versenkungen, andere holten die Versatzstücke, bohrten sie an und befestigten sie mit starken Stricken an den Stangen. Im Hintergrund stellte ein Beleuchter einen Scheinwerfer auf, dessen Flammen hinter roten Scheiben brannten: das war der wilde Feuerschein aus Vulkans Esse. Die ganze Bühne war ein tolles Durcheinander, ein scheinbar nicht zu entwirrendes Gedränge und Geschiebe, und doch war jede geringste Bewegung notwendig, jeder Handgriff geregelt. In dieser Hast und Eile spazierte gemächlich mit kleinen Schritten der Souffleur auf und ab, um seine Beine etwas zu bewegen.«

Wem gibt eine derartige Beschreibung etwas? Wer das Theater nicht ohnehin kennt, bekommt daraus keine wirkliche Vorstellung. Für den technischen Kenner des Theaters hingegen bringt eine solche Beschreibung nichts Neues. Sie ist dichterisch vollkommen überflüssig. Das Streben nach größerer sachlicher »Echtheit« enthält aber eine für den Roman sehr gefährliche Tendenz. Man braucht von Pferden nichts zu verstehen, um das Dramatische am Wettritt Wronskis nacherleben zu können. Die Beschreibungen des Naturalisten streben aber in ihrer Terminologie eine immer größere fachmännische »Echtheit« an, benützen im steigenden Maße die Fachsprache des Gebiets, das sie gerade beschreiben. So wird nach Möglichkeit das Atelier mit den Worten des Malers, die Werkstatt mit denen des Metallarbeiters beschrieben. Es entsteht eine Literatur für den Sachkenner, für den Literaten, der die mühsame literarische Erarbeitung dieser Sachkenntnisse, die Aufnahme der Jargonausdrücke in die Literatursprache kennerisch zu würdigen versteht.

Die Goncourts haben diese Tendenz am deutlichsten und paradoxesten ausgesprochen. Sie schrieben einmal: »Jene künstlerischen Produktionen sind verunglückt, deren Schönheit nur für die Künstler da ist ... Hier hat man eine der größten Dummheiten, die man nur überhaupt hat sagen können. Sie stammt von D'Alembert ...« In der Bekämpfung der tiefen Wahrheit des großen Aufklärers bekennen sich diese Mitbegründer des Naturalismus bedingungslos zur Atelierkunst des l'art pour l'art.

Die Dinge leben dichterisch nur durch ihre Beziehungen zum Menschenschicksal. Darum beschreibt sie der echte Epiker nicht. Er erzählt von der Aufgabe der Dinge in der Verkettung der Menschenschicksale. Diese Grundwahrheit der Poesie hat bereits Lessing vollständig klar erkannt. »Ich finde, Homer malt nichts als fortschreitende Handlungen, und alle Körper, alle einzelnen Dinge malt er nur durch ihren Anteil an diesen Handlungen ...« Und er belegt diese Grundwahrheit mit einem wichtigen Beispiel aus Homer so schlagend, daß wir es für nützlich halten, diesen ganzen Abschnitt aus dem »Laokoon« anzuführen.

Es handelt sich um die Gestaltung des Szepters von Agamemnon beziehungsweise von Achilleus. »... wenn wir, sage ich, von diesem wichtigen Szepter ein vollständigeres, genaueres Bild haben sollen, was tut sodann Homer? Malt er uns außer den goldenen Nägeln nun auch das Holz, den geschnitzten Knopf? Ja, wenn die Beschreibung in eine Heraldik sollte (hier hat man bereits die Kritik der Goncourt-Zolaschen »Echtheit«. G.L.), damit einmal in den folgenden Zeiten ein anderes genau darnach gemacht werden könne. Und doch bin ich gewiß, daß mancher neuere Dichter eine solche Wappenkönigsbeschreibung daraus würde gemacht haben, in der treuherzigen Meinung, daß er wirklich selber gemalt habe, weil der Maler ihm nachmalen kann. Was bekümmert sich aber Homer, wie weit er den Maler hinter sich läßt? Statt einer Abbildung gibt er uns die Geschichte des Szepters: erst ist es unter der Arbeit des Vulkans, nun glänzt es in den Händen des Jupiters; nun bemerkt es die Würde Merkurs; nun ist es der Kommandostab des kriegerischen Pelops; nun der Hirtenstab des friedlichen Atreus usw. ... Auch wenn Achilles bei seinem Szepter schwört, die Geringschätzung, mit der ihm

Agamemnon begegnet, zu rächen, gibt uns Homer die Geschichte dieses Szepters. Wir sehen ihn auf den Bergen grünen, das Eisen trennet ihn von dem Stamme, entblättert und entrindet ihn und macht ihn bequem, den Richtern des Volkes zum Zeichen ihrer göttlichen Würde zu dienen ... Dem Homer war nicht sowohl daran gelegen zwei Stäbe von verschiedener Materie und Figur zu schildern, als uns von der Verschiedenheit der Macht, deren Zeichen diese Stäbe waren, ein sinnliches Bild zu machen. Jener ein Werk des Vulkans. Dieser von einer unbekannten Hand auf den Bergen geschnitten. Jener der alte Besitz eines edlen Hauses; dieser bestimmt, die erste, die beste Faust zu führen; jener von einem Monarchen über viele Inseln und über ganz Argos erstreckt; dieser von einem aus dem Mittel der Griechen geführt, dem man nebst anderen die Bewahrung der Gesetze anvertraut hatte. Dieses war wirklich der Abstand, in welchem sich Agamemnon und Achill voneinander befanden; ein Abstand, den Achill selbst, bei allem seinem blinden Zorn, einzugestehen nicht umhin konnte.«

Hier haben wir die genaue Darlegung dessen, was die Dinge in der epischen Poesie wirklich lebendig, wahrhaft poetisch macht. Und wenn wir an unsere eingangs angeführten Beispiele aus Scott, Balzac und Tolstoi denken, so werden wir feststellen müssen, daß diese Dichter – mutatis mutandis – nach demselben Prinzip geschaffen haben, das Lessing bei Homer aufgedeckt hat. Wir sagen: mutatis mutandis, denn wir haben bereits darauf hingewiesen, daß die größere Kompliziertheit der gesellschaftlichen Beziehungen für die neue Poesie die Anwendung neuer Mittel erfordert.

Ganz anders die Beschreibung als herrschende Methode, das vergebliche Wetteifern der Poesie mit den bildenden Künsten. Die Beschreibung des Menschen, diese Methode seiner Darstellung kann ihn nur in ein totes Stilleben verwandeln. Nur die Malerei selbst besitzt die Mittel, die körperlichen Eigenschaften des Menschen unmittelbar zum Ausdrucksmittel seiner tiefsten menschlichen Charaktereigenschaften zu machen. Und es ist keineswegs zufällig, daß zur selben Zeit, in der die beschreibend malerischen Bestrebungen des Naturalismus die Menschen der Literatur zu Bestandteilen von Stilleben erniedrigten, auch die Malerei ihre Fähigkeit des erhöhten sinnlichen

Ausdrucks verlor. Die Porträts von Cézanne sind ebenso bloße Stilleben, verglichen mit der menschlich-seelischen Totalität der Porträts von Tizian oder Rembrandt wie die Menschen Goncourts oder Zolas im Vergleich zu Balzac oder Tolstoi.

Auch das körperliche Wesen des Menschen wird nur in der Wechselbeziehung der Handlung zu anderen Menschen, nur in der Wirkung auf sie dichterisch lebendig. Auch dies hat Lessing klar erkannt und an der Homerischen Gestaltung der Schönheit Helenas richtig analysiert. Auch hier können wir sehen, wie sehr die Klassiker des Realismus diese Forderungen der echten Epik erfüllen. Tolstoi gestaltet die Schönheit Anna Kareninas ausschließlich durch ihre Wirkung auf die Handlung, durch die Tragödien, die diese Schönheit im Leben anderer Menschen und in ihrem eigenen Leben verursacht.

Die Beschreibung gibt also keine wirkliche Poesie der Dinge, verwandelt aber die Menschen in Zustände, in Bestandteile von Stilleben. Die Eigenschaften der Menschen existieren nebeneinander und werden in diesem Nebeneinander beschrieben, statt wechselseitig einander zu durchdringen und damit die lebendige Einheit der Persönlichkeit in ihren verschiedenartigsten Äußerungen, in ihren widerspruchsvollsten Handlungen zu bezeugen. Der falschen Breite der äußeren Welt entspricht eine schematische Enge der Charakterisierung. Der Mensch erscheint fertig, als »Produkt« vielleicht verschiedenartiger gesellschaftlicher und naturhafter Komponenten. Die tiefe soziale Wahrheit der gegenseitigen Verschlungenheit von gesellschaftlichen Bestimmungen mit psychophysischen Eigenschaften der Menschen geht immer verloren. Taine und Zola bewundern die Darstellung der erotischen Leidenschaften in Balzacs Hulot. Sie sehen aber nur die medizinisch-pathologische Beschreibung einer »Monomanie«. Von der tiefen Gestaltung des Zusammenhangs zwischen der Art der Erotik Hulots und seines Lebenslaufes als General der Napoleonischen Zeit, die Balzac noch besonders durch den Gegensatz zu der Erotik Crévels, des typischen Vertreters des Julikönigtums, hervorhebt, sehen sie gar nichts.

Die auf Beobachtung ad hoc gegründete Beschreibung muß notwendig oberflächlich sein. Zola hat sicher unter den naturalistischen Schriftstellern am gewissenhaftesten gearbeitet und seine Gegenstände möglichst ernsthaft zu studieren versucht. Dennoch sind viele seiner Schicksale gerade in den entscheidenden Punkten oberflächlich und falsch. Wir beschränken uns auf einige von Lafargue hervorgehobene Beispiele. Zola führt die Trunksucht des Bauarbeiters Coupeau auf seine Arbeitslosigkeit zurück, während Lafargue nachweist, daß diese Gewohnheit einiger Gruppen der französischen Arbeiter, darunter der Bauarbeiter, darauf zurückzuführen sei, daß sie nur gelegentlich Arbeit bekommen und auf diese Arbeit in den Schenken warten müssen. Ebenso zeigt Lafargue, daß Zola im »Geld« den Gegensatz Gundermann-Saccard oberflächlich auf Judentum und Christentum zurückführt. In Wirklichkeit spielte sich der Kampf, den Zola abzubilden versucht, zwischen dem Kapitalismus alten Stils und dem neuen Typus der Einlagebanken ab.

Die beschreibende Methode ist unmenschlich. Daß sie sich, wie gezeigt wurde, in der Verwandlung des Menschen in ein Stilleben äußert, ist nur das künstlerische Anzeichen der Unmenschlichkeit. Diese zeigt sich aber in den weltanschaulich-künstlerischen Absichten der bedeutenden Vertreter der Richtung. So erzählt Zolas Tochter in ihrer Lebensbeschreibung folgende Äußerung ihres Vaters über »Germinal«: »Zola akzeptiert Lemaîtres Definition ›eine pessimistische Epopöe des Animalischen im Menschen‹, unter der Bedingung, daß man den Begriff ›Animalisch‹ genau festlege«; »Ihrer Ansicht nach ist es das Gehirn, das den Menschen ausmacht«, schrieb er dem Kritiker, »ich finde, daß auch die anderen Organe eine wesentliche Rolle spielen.«

Wir wissen, daß die Unterstreichung des Animalischen bei Zola ein Protest gegen die von ihm nicht verstandene Bestialität des Kapitalismus gewesen ist. Aber der verständnislose Protest schlägt in der Gestaltung in eine Fixierung des Unmenschlichen, des Animalischen um.

Die Methode der Beobachtung und der Beschreibung entsteht mit der Absicht, die Literatur wissenschaftlich zu machen, die Literatur in eine angewandte Naturwissenschaft, in eine Soziologie zu verwandeln. Aber die sozialen Momente, die durch Beobachtung erfaßt und durch Beschreibung gestaltet wurden, sind so ärmlich, so dünn und schematisch, daß sie sehr bald und sehr leicht in ihren polaren Gegensatz, in einen vollendeten Subjektivismus umschlagen konnten. Diese Erbschaft haben dann die verschiedenen naturalistischen und formalistischen Richtungen der imperialistischen Periode von den Begründern des Naturalismus übernommen.

VI

Jeder dichterische Aufbau ist gerade in seinen kompositionellen Grundsätzen aufs tiefste weltanschaulich bestimmt. Nehmen wir ein möglichst einfaches Beispiel. Walter Scott stellt in seinen meisten Romanen – man denke etwa an »Wawerley« oder »Old Mortality« – einen mittelmäßigen, in den geschilderten großen politischen Kämpfen unentschiedenen Menschen in den Mittelpunkt. Was erreicht er damit? Der unentschiedene Held steht zwischen beiden Lagern, in »Wawerley« zwischen dem schottischen Aufstand zugunsten der Stuarts und der englischen Regierung, in »Old Mortality« zwischen der puritanischen Revolution und den Vertretern der Stuartschen Restaurationsregierung. Die bedeutenden Vertreter der extremen Parteien können dadurch wechselweise mit den menschlichen Schicksalen des Helden verknüpft werden. Die großen Gestalten der politischen Extreme werden dadurch nicht nur gesellschaftlich-historisch, sondern auch menschlich gestaltet. Hätte Walter Scott eine seiner wirklich bedeutenden Gestalten in den Mittelpunkt seiner Erzählung gestellt, so wäre es unmöglich gewesen, sie mit ihrem Gegenspieler in eine menschliche, in eine handlungsmäßige Beziehung zu bringen. Der Roman wäre eine »Haupt- und Staatsaktion« geblieben, d. h. die Beschreibung eines bedeutenden historischen Ereignisses, nicht aber ein aufwühlendes menschliches Drama, in dem wir alle typischen Vertreter eines großen historischen Konfliktes in ihrer entfalteten Menschlichkeit kennenlernen.

In dieser Kompositionsweise zeigt sich die epische Meisterschaft Walter Scotts. Diese Meisterschaft ist aber nicht aus rein künstlerischen Erwägungen entstanden. Walter Scott selbst nimmt für die englische Geschichte einen »mittleren«, einen zwischen den extremen Richtungen vermittelnden Standpunkt ein. Er ist ebenso gegen das radikale Puritanertum, besonders in dessen plebejischen Strömungen, wie gegen die katholisierende Reaktion der Stuarts. Das künstlerische Wesen seiner Komposition ist also das Spiegelbild seiner politisch-historischen Stellung, die Äußerungsform seiner Weltanschauung. Der zwischen den Parteien stehende Held ist nicht bloß die kompositionell günstige Gelegenheit, beide Parteien menschlich lebendig zu gestalten, sondern zugleich Ausdruck der Weltanschauung Walter Scotts. Die menschlich-dichterische Bedeutung Scotts zeigt sich freilich darin, daß er trotz dieser weltanschaulich-politischen Vorliebe für seinen Helden klar sieht und überzeugend gestaltet, wie sehr die energischen Vertreter der Extreme seinem Helden an menschlichem Format überlegen sind.

Wir haben dieses Beispiel wegen seiner Einfachheit gewählt. Denn bei Scott liegt ein sehr unkomplizierter und vor allem direkter Zusammenhang zwischen Weltanschauung und Kompositionsweise vor. Bei den anderen großen Realisten sind diese Zusammenhänge zumeist indirekter und komplizierter. Die episch-kompositionell günstige Beschaffenheit des »mittleren« Helden für den Roman ist ein formal-kompositionelles Prinzip, das sich in der dichterischen Praxis in mannigfaltigster Weise äußern kann. Dieser »mittlere« Charakter braucht sich nicht als menschliche Mittelmäßigkeit zu äußern, sie kann vielmehr der gesellschaftlichen Lage entstammen, die Konsequenz einer einmaligen menschlichen Situation sein. Es handelt sich nur darum, jene Zentralgestalt zu finden, in deren Schicksal sich alle wesentlichen Extreme der dargestellten Welt kreuzen, um die herum sich also eine totale Welt mit ihren lebendigen Widersprüchen aufbauen läßt. So vermittelt zum Beispiel Rastignacs gesellschaftliche Lage als Adeliger ohne Vermögen zwischen der Welt der Pension Vauquer und der Welt der Aristokratie, so Lucien de Rubemprés' innere Unentschiedenheit zwischen der Welt der aristokratischen, journalistischen Streber und der reinen Bestrebung auf wirkliche Kunst des Kreises um D'Arthèz.

Aber der Dichter muß eine feste und lebendige Weltanschauung haben, er muß die Welt in ihrer bewegten Widersprüchlichkeit sehen, um überhaupt in der Lage zu sein, einen Menschen zum Helden zu wählen, in dessen Schicksal sich die Widersprüche kreuzen. Die Weltanschauungen der großen

Dichter sind recht verschieden. Die Arten, in denen sich die Weltanschauungen episch-kompositionell äußern, noch verschiedener. Denn je tiefer, je differenzierter, je mehr von lebendigen Erfahrungen gespeist eine Weltanschauung ist, desto verschiedenartiger und abwechslungsreicher kann ihr kompositioneller Ausdruck werden.

Aber ohne Weltanschauung gibt es keine Komposition.

Flaubert hat diese Notwendigkeit sehr tief empfunden. Er zitiert immer wieder das tiefe und schöne Wort Buffons: »Richtig schreiben bedeutet zugleich richtig empfinden, richtig denken und es richtig aussprechen.« Aber bei ihm ist das Verhältnis bereits auf den Kopf gestellt. Er schreibt an George Sand: »Ich bemühe mich, richtig zu denken, um richtig zu schreiben. Aber das richtige Schreiben ist mein Ziel, ich verheimliche es nicht.« Flaubert hat sich also nicht im Leben eine Weltanschauung errungen und diese Weltanschauung dann in seinen Werken ausgedrückt, sondern er hat als ehrlicher Mensch und bedeutender Künstler um eine Weltanschauung gerungen, weil er eingesehen hat, daß ohne Weltanschauung keine große Literatur entstehen kann.

Dieser verkehrte Weg kann zu keinem Ergebnis führen. Flaubert gesteht sein Scheitern in demselben Brief an George Sand mit erschütternder Aufrichtigkeit: »Es fehlt mir eine fundierte und umfassende Anschauung über das Leben. Sie haben tausendmal recht, aber wo die Mittel finden, damit es anders werde? Ich frage Sie. Sie erhellen meine Finsternis nicht mit Metaphysik, weder die meine noch die der anderen. Die Worte Religion oder Katholizismus einerseits, Fortschritt, Brüderlichkeit, Demokratie andererseits, entsprechen nicht mehr den geistigen Anforderungen der Gegenwart. Das neue Dogma der Gleichheit, das der Radikalismus predigt, ist von der Physiologie und der Geschichte experimentell widerlegt. Ich sehe keine Möglichkeit heute, weder ein neues Prinzip zu finden, noch die alten Prinzipien zu achten. Also ich suche diese Idee, von welcher alles übrige abhängt, ohne sie finden zu können.«

Flauberts Bekenntnis ist ein selten aufrichtiger Ausdruck der allgemeinen Weltanschauungskrise der bürgerlichen Intelligenz nach 1848. Objektiv ist aber diese Krise bei allen seinen Zeitgenossen vorhanden. Bei Zola äußert sie sich in einem agnostizistischen Positivismus; er sagt, man könne nur das »Wie« der Ereignisse erkennen und beschreiben, nicht aber ihr »Warum«. Bei den Goncourts entsteht eine lässig-skeptische, oberflächliche Gleichgültigkeit in Weltanschauungsfragen.

Diese Krise muß sich im Laufe der Zeit noch verschärfen. Daß sich in der imperialistischen Periode der Agnostizismus immer mehr zu einer Mystik entwickelt, ist keine Lösung der Weltanschauungskrise, wie viele Schriftsteller dieser Zeit sich einbilden, sondern im Gegenteil nur ihre Verschärfung.

Die Weltanschauung des Schriftstellers ist ja nur die zusammengefaßte und auf eine gewisse Höhe der Verallgemeinerung erhobene Summe seiner Lebenserfahrungen. Die Bedeutung der Weltanschauung für die Schriftsteller ist, wie Flaubert ganz richtig sieht, daß sie die Möglichkeit gibt, die Widersprüche des Lebens in einem reichen und geordneten Zusammenhang zu erblicken; daß sie als Grundlage der richtigen Empfindungen und des richtigen Denkens die Grundlage zum richtigen Schreiben bietet. Die Isolierung der Schriftsteller vom lebendigen Mitkämpfen im Leben, vom abwechslungsreichen Miterleben macht alle Weltanschauungsfragen abstrakt. Einerlei, ob die Abstraktion sich in einer Pseudowissenschaftlichkeit, in einer Mystik oder in einer Gleichgültigkeit gegenüber den großen Lebensfragen äußert, sie nimmt den Weltanschauungsfragen ihre künstlerische Fruchtbarkeit, die sie in der alten Literatur besessen haben.

Man kann ohne Weltanschauung nicht richtig erzählen, keine richtige, gegliederte, abwechslungsreiche und vollständige epische Komposition aufbauen. Die Beobachtung, das Beschreiben ist aber gerade ein Ersatzmittel für die fehlende bewegte Ordnung des Lebens im Kopfe des Schriftstellers.

Wie können auf solcher Grundlage epische Kompositionen entstehen? Und wie sehen solche Kompositionen aus? Der falsche Objektivismus und der falsche Subjektivismus der modernen Schriftsteller führen zur Schematisierung und Eintönigkeit der epischen Komposition. Beim falschen Objektivismus des Typus Zola bildet die gegenständliche Einheit eines Stoffgebietes das Prinzip der Komposition. Die Komposition beruht darauf, daß alle wichtigen gegenständlichen Momente des Stoffgebietes von verschiedenen Seiten vorgeführt werden. Wir erhalten eine Reihe von Zustandsbildern, von

Stilleben, die nur stofflich gegenständlich miteinander zusammenhängen, die ihrer inneren Logik nach nebeneinander stehen, nicht einmal nacheinander, geschweige denn auseinander folgen. Die sogenannte Handlung ist nur ein dünner Faden, an dem die Zustandsbilder aufgereiht werden, sie schafft eine oberflächliche, im Leben unwirksame, dichterisch zufällige zeitliche Aufeinanderfolge der einzelnen Zustandsbilder. Die künstlerische Variationsmöglichkeit einer solchen Kompositionsart ist gering. Die Schriftsteller müssen sich darum bemühen, mit der Neuheit des dargestellten Stoffgebietes, mit der Originalität der Beschreibung die angeborene Eintönigkeit dieser Kompositionsart vergessen zu lassen.

Nicht viel besser ist es um die Variationsmöglichkeit der Romane bestellt, die aus dem Geist des falschen Subjektivismus entstanden sind. Das Schema solcher Kompositionen ist die unmittelbare Spiegelung des Grunderlebnisses der modernen Schriftsteller: der Enttäuschung. Es werden subjektive Hoffnungen psychologisch beschrieben, und dann wird bei der Beschreibung verschiedener Lebensetappen das Zerschellen der Hoffnungen an der Roheit und Brutalität des kapitalistischen Lebens geschildert. Hier ist freilich ein zeitliches Nacheinander thematisch gegeben. Aber einerseits ist stets ein und dasselbe zeitliche Nacheinander da, anderseits ist die Gegenüberstellung von Subjekt und Welt so starr und schroff, daß keine bewegte Wechselwirkung entstehen kann. Die höchste Entwicklungsstufe des Subjektivismus im modernen Roman (Joyce, Dos Passos) verwandelt auch tatsächlich das ganze Innenleben der Menschen in eine stehende, dinghafte Zuständlichkeit. Sie nähert paradoxerweise den extremen Subjektivismus wieder der toten Dinghaftigkeit des falschen Objektivismus.

So führt die beschreibende Methode zu einer kompositionellen Eintönigkeit, während die erzählte Fabel eine unendliche Abwechslung der Komposition nicht nur zuläßt, sondern fördert und befördert.

Aber ist diese Entwicklung nicht unvermeidlich? Gut, sie zerstört die alte epische Komposition; gut, die neue Komposition ist der alten dichterisch nicht gleichwertig, all dies zugegeben – gibt aber nicht gerade diese neue Form der Komposition das angemessene Bild des »fertigen« Kapitalismus? Gut, sie ist unmenschlich, sie macht aus dem Menschen ein Zubehör der Dinge, einen Zustand, ein Stück im Stilleben – ist das aber nicht gerade das, was eben der Kapitalismus mit dem Menschen in der Wirklichkeit macht?

Das klingt bestechend, ist aber trotzdem unrichtig.

Vor allem lebt in der bürgerlichen Gesellschaft auch das Proletariat. Marx betont scharf den Unterschied in der Reaktion der Bourgeoisie und des Proletariats auf die Unmenschlichkeit des Kapitalismus. »Die besitzende Klasse und die Klasse des Proletariats stellen dieselbe menschliche Selbstentfremdung dar. Aber die erste Klasse fühlt sich in dieser Selbstentfremdung wohl und bestätigt, weiß die Entfremdung als *ihre eigene Macht*, und besitzt in ihr den *Schein* einer menschlichen Existenz; die zweite fühlt sich in der Entfremdung vernichtet, erblickt in ihr ihre Ohnmacht und die Wirklichkeit einer unmenschlichen Existenz.« Und im weiteren zeigt Marx die Bedeutung der *Empörung* des Proletariats gegen die Unmenschlichkeit dieser Selbstentfremdung.

Wird aber diese Empörung dichterisch gestaltet, so ist das Stilleben der beschreibenden Manier in die Luft gesprengt, die Notwendigkeit der Fabel, der erzählenden Methode entsteht von selbst. Man kann sich hier nicht nur auf Gorkis Meisterwerk »Die Mutter« berufen; auch Romane wie »Pelle der Eroberer« von Andersen Nexö zeigen einen solchen Bruch mit der modernen Beschreibungsmanier. (Selbstverständlich entspringt diese Darstellungsart aus der nichtisolierten Lebensweise der mit dem Klassenkampf des Proletariats verbundenen Schriftsteller.)

Existiert aber die von Marx geschilderte Empörung gegen die Entfremdung des Menschen im Kapitalismus nur bei den Arbeitern? Selbstverständlich nicht. Die Unterwerfung aller Werktätigen unter die wirtschaftlichen Formen des Kapitalismus läuft in der Wirklichkeit als Kampf ab, löst bei den Werktätigen die verschiedensten Formen der Empörung aus. Und sogar ein nicht unbeträchtlicher Teil des Bürgertums wird zur bourgeoisen Entmenschung nur allmählich, nur nach erbitterten Kämpfen »erzogen«. Die neuere bürgerliche Literatur zeugt hier gegen sich selbst. Ihre bezeichnende Stoffwahl, die Gestaltung der Enttäuschung, der Desillusion, zeigt, daß hier eine Auflehnung vorhanden ist. Jeder Desillusionsroman ist die Geschichte einer solchen gescheiterten Auflehnung.

Aber die Auflehnung ist oberflächlich konzipiert und darum ohne wirkliche Kraft gestaltet.

Das »fertige« Wesen des Kapitalismus bedeutet selbstverständlich nicht, daß nunmehr alles fix und fertig wäre, daß Kampf und Entwicklung auch im Leben des Einzelmenschen aufgehört hätten. Die »Fertigkeit« des kapitalistischen Systems bedeutet nur, daß es sich ständig als solches, auf immer höherer Stufe der »fertigen« Unmenschlichkeit reproduziert. Aber das System reproduziert sich ununterbrochen, und dieser Reproduktionsvorgang ist in der Wirklichkeit eine Kette von erbitterten, von wütenden Kämpfen – auch im Leben des einzelnen Menschen, der zum unmenschlichen Zubehör des kapitalistischen Systems erst gemacht wird, nicht aber als solches auf die Welt kommt.

Hier liegt die weltanschaulich und dichterisch entscheidende Schwäche der Schriftsteller der beschreibenden Methode. Sie kapitulieren kampflos vor den fertigen Ergebnissen, vor den fertigen Erscheinungsformen der kapitalistischen Wirklichkeit. Sie sehen in ihnen nur das Ergebnis, nicht aber den Kampf entgegengesetzter Kräfte. Und auch dort, wo sie scheinbar eine Entwicklung darstellen – in den Desillusionsromanen – wird der Endsieg der kapitalistischen Unmenschlichkeit vorweggenommen. Das heißt, es wird nicht ein im Sinne des »fertigen« Kapitalismus erstarrter Mensch im Laufe des Romans erzeugt, sondern die Gestalt zeigt von Anfang an die Züge, die nur als Ergebnis des ganzen Vorgangs in Erscheinung treten dürften. Darum wirkt das Gefühl, das im Laufe des Romans enttäuscht wird, so schwach, bloß subjektiv. Nicht ein lebendiger Mensch, den wir als lebendigen kennen und lieben lernen, wird im Laufe des Romans vom Kapitalismus seelisch ermordet, sondern ein Toter wandelt durch die Kulissen der Zustandsbilder mit ständig wachsender Bewußtheit seines Gestorbenseins. Der Fatalismus der Schriftsteller, ihre – wenn auch zähneknirschende – Kapitulation vor der Unmenschlichkeit des Kapitalismus bestimmt die Entwicklungslosigkeit dieser »Entwicklungsromane«.

Darum ist es unrichtig zu meinen, daß diese Darstellungsmethode den Kapitalismus in seiner Unmenschlichkeit angemessen spiegelt. Im Gegenteil! Die Schriftsteller schwächen die Unmenschlichkeit des Kapitalismus unfreiwillig ab. Denn das traurige Schicksal, daß die Menschen ohne bewegtes Innenleben, ohne lebendige Menschlichkeit und menschliche Entwicklung existieren, ist weit weniger empörend und aufreizend als die Tatsache, daß vom Kapitalismus täglich und stündlich Tausende von lebendigen Menschen mit unendlichen menschlichen Möglichkeiten in »lebende Leichname« verwandelt werden.

Man vergleiche die Romane Maxim Gorkis, die das Leben des Bürgertums darstellen, mit den Werken des modernen Realismus, und man sieht den Gegensatz lebhaft vor sich. Man sieht, daß der moderne Realismus, die Methode der Beobachtung und der Beschreibung durch den Verlust der Fähigkeit, die wirkliche Bewegung des Lebensvorgangs zu gestalten, die kapitalistische Wirklichkeit abgeschwächt und verkleinlicht, unangemessen spiegelt. Die Entwürdigung und Verkrüppelung des Menschen durch den Kapitalismus ist tragischer, die Bestialität des Kapitalismus ist niederträchtiger, wilder und grausamer als das Bild, das selbst die besten Romane dieser Art geben können. Es würde freilich den Sachverhalt unzulässig vereinfachen, wollte man behaupten, die ganze moderne Literatur hätte vor der Fetischisierung und Entmenschlichung des Lebens durch den »fertigen« Kapitalismus kampflos kapituliert. Wir haben ja bereits darauf hingewiesen, daß der ganze französische Naturalismus der Periode nach 1848 seiner subjektiven Absicht nach eine Protestbewegung gegen diesen Vorgang darstellt. Und man kann auch in den späteren literarischen Richtungen des niedergehenden Kapitalismus immer wieder beobachten, daß die verschiedenen literarischen Bestrebungen bei ihren bedeutenden Vertretern mit solchen Proteststimmungen verknüpft waren. Die menschlich und künstlerisch bedeutenden Vertreter der verschiedenen formalistischen Absichten wollten zumeist die Bedeutungslosigkeit des kapitalistischen Lebens dichterisch bekämpfen. Wenn man zum Beispiel den Symbolismus des späten Ibsen betrachtet, so erkennt man deutlich die Revolte gegen die Eintönigkeit des bürgerlichen Alltagslebens. Nur müssen diese Revolten überall künstlerisch ergebnislos verlaufen, wo sie nicht bis zur menschlichen Grundlage der Bedeutungslosigkeit des menschlichen Lebens im Kapitalismus gelangen, wo sie nicht imstande sind, den wirklichen Kampf des Menschen um die sinnvolle Gestaltung seines Lebens im Leben mitzuerleben, weltanschaulich zu begreifen und dichterisch darzustellen.

Darum ist die literarische und literaturtheoretische Bedeutung des humanistischen Aufstandes der besten Intellektuellen der kapitalistischen Welt von so großer Bedeutung. Bei der außerordentlichen Verschiedenheit der Strömungen und der bedeutenden Persönlichkeiten dieses Humanismus würde eine auch nur andeutende Analyse den Rahmen dieser Abhandlung sprengen. Es sei nur kurz darauf hingewiesen, daß schon in der offenen humanistischen Revolte Romain Rollands, in der satirischen Selbstauflösung des isolierten und isolierenden Egoismus bei André Gide gelegentlich ernste Bestrebungen vorhanden sind, über die literarischen Traditionen der bürgerlichen Literatur nach 1848 hinauszugehen. Und die Erstarkung des Humanismus durch den Sieg des Sozialismus in der Sowjetunion, die Konkretisierung seiner Ziele, die Verschärfung seines Kampfes gegen die faschistische Bestialität als höchste Form der kapitalistischen Unmenschlichkeit haben diese Bestrebungen auch theoretisch auf ein höheres Niveau gehoben. In den theoretischen Aufsätzen der letzten Jahre, z. B. bei Bloch, zeigt sich der Anfang einer grundsätzlichen Kritik der Kunst der zweiten Hälfte des neunzehnten Jahrhunderts und der des zwanzigsten. Selbstverständlich ist auch dieser kritische Kampf noch nicht zum Abschluß gelangt, er hat noch nicht überall eine prinzipielle Klarheit errungen, aber die Tatsache eines solchen Kampfes, einer solchen grundsätzlichen Abrechnung mit der Periode der Dekadenz ist ein historisches Merkmal von nicht unbeträchtlicher Bedeutung.

5. Lucien Goldmann
Der genetische Strukturalismus in der Literatursoziologie

Jede Untersuchung kultureller Schöpfungen, die nach der Methode des genetischen Strukturalismus arbeitet, basiert auf folgender Hypothese: Es gibt eine für jedes menschliche Verhalten gültige universale Eigenschaft, die auch den besonderen Charakter der Verhaltensweisen erhellt, die wir kulturelle nennen (ein Charakter, den diese Verhaltensweisen nicht für den Kritiker, sondern für die Gesellschaft besitzen, in der sie sich entwickelt haben). Gemeint ist die Erkenntnis, von der jegliches dialektisches Denken ausgeht, daß nämlich menschliches Handeln sinnvoll ist oder dahin tendiert, es zu sein.

Als Handelnder sieht sich der Mensch einer Situation gegenüber, die für ihn eine Aufgabe oder ein zu lösendes Problem darstellt, und er versucht die Welt durch sein Verhalten so zu verändern, daß er auf das gestellte Problem eine sinnvolle Antwort erhält. Außerdem strebt er danach, obwohl ihm das nur sehr selten gelingt, die verschiedenen Antworten, die er auf die verschiedenen Probleme erhält, in Übereinstimmung zu bringen, d. h. *alle Menschen streben danach, ihr Denken, Empfinden und Verhalten zu einer sinnvollen und kohärenten Struktur zu verbinden.* Unter diesem Aspekt stellt die kulturelle Schöpfung in ihren verschiedenen Formen – der religiösen, philosophischen, künstlerischen und natürlich auch literarischen – insofern ein besonderes, *privilegiertes* Verhalten dar, als sie auf einem speziellen Gebiet eine beinahe kohärente und sinnvolle Struktur schafft, d. h. insofern sie sich einem Ziel nähert, dem *alle Angehörigen einer bestimmten sozialen Gruppe* zustreben.

Abdruck mit freundlicher Genehmigung der Zeitschrift Alternative aus: Alternative, Nr. 71 (April 1970), 50-60. Aus dem Französischen von Erika Höhnisch.

Hinzugefügt werden muß, daß es sich nicht um irgendeine beliebige Gruppe handelt.[1] Hier nun müssen wir uns einen Moment aufhalten, denn diese Tatsache ist äußerst komplex. Die Zugehörigkeit zu jeder sozialen Gruppe hat für ein Individuum Rückwirkungen auf sein Denken, Empfinden und Verhalten; und insofern jedes Individuum in jeder Gesamtgesellschaft einer mehr oder minder großen Zahl von sozialen Gruppen angehört, stellen sein Denken, Empfinden und Verhalten insgesamt ein Gemisch dar, das der Kohärenz mehr oder minder entbehrt. Deshalb wäre es äußerst schwierig, ein individuelles Bewußtsein zu untersuchen, eben weil es einzigartig und besonders komplex ist. Gehen wir indessen vom Individuum zur Gruppe über, und ist diese Gruppe in sich groß genug, werden die individuellen Unterschiede – die daraus resultieren, daß jedes Individuum auch verschiedenen anderen sozialen Gruppen angehört (die von Individuum zu Individuum differieren) – nach Null tendieren.

Die Elemente, die im Bewußtsein der untersuchten Individuen aus der Zugehörigkeit zu ein und derselben Gruppe stammen, werden hingegen die Tendenz aufweisen, sich gegenseitig zu verstärken und so sichtbar zu werden. Wenn wir davon absehen, daß dieses Gebiet viel weiter ist und quantitativ viel mehr Arbeitskraft verlangt, ist es dennoch vom methodologischen Standpunkt aus stets leichter, ein Kollektivbewußtsein zu analysieren, als diese globale Struktur aus den antagonistischen und widersprüchlichen, zu verschiedenen Bedeutungen tendierenden Elementen zu erstellen, die nun einmal ein Individualbewußtsein ausmachen.

Es müssen jedoch, was ihre Bedeutung für die kulturelle Schöpfung angeht, zwei Typen von sozialen Gruppen und zwei entsprechende Formen von Kollektivbewußtsein unterschieden werden. Einerseits alle Gruppen, die (wie Familien, Berufsgruppen usw.) ihre kollektiven Verhaltensweisen nur auf die Verbesserung bestimmter Positionen innerhalb einer gegebenen sozialen Struktur richten. Das ihnen entsprechende Kollektivbewußtsein nennen wir ein *ideologisches Bewußtsein,* insofern es einen in besonderer und entschiedener Weise soziozentrischen Charakter hat und die materiellen Interessen in mehr oder weniger engem Sinne eine vorrangige Rolle spielen, wie es sehr oft der Fall ist.

Auf der anderen Seite stehen die sozialen Gruppen, deren Bewußtsein, Empfinden und Verhalten auf eine globale Reorganisation aller menschlichen Beziehungen und der Beziehungen zwischen Mensch und Natur gerichtet sind bzw. auf eine globale Erhaltung der bestehenden Gesellschaftsstruktur. Diese Totalschau menschlicher Beziehungen und der Beziehungen zwischen Mensch und Universum impliziert bei diesem Typ des Kollektivbewußtseins die Möglichkeit und sehr oft das tatsächliche Vorhandensein eines Bildes vom Menschen, und das veranlaßt uns, es vom Typ des soeben ideologisch genannten Kollektivbewußtseins durch die Bezeichnung *Weltanschauung* abzuheben.

Man muß hinzufügen, daß bei diesem letzten Typ von Kollektivbewußtsein neben den natürlich für seine Ausbildung weiterhin wichtigen materiellen Interessen die Sorge um Einheit und Kohärenz einen sehr viel wichtigeren Platz einnimmt als in den Kollektivstrukturen ideologischer Art.

Schließlich sei gesagt, daß die Weltanschauungen und die sozialen Gruppen, aus denen sie hervorgehen (und die zumindest während einer langen Periode der abendländischen Geschichte die sozialen Klassen gewesen sind), den entscheidenden Faktor kultureller Schöpfung darstellen.

Jetzt ist es leichter, auf die Frage zu antworten, von der wir ausgegangen sind. Wenn jedes Individualbewußtsein ein Gemisch aus verschiedenen und widersprüchlichen Tendenzen ist, die kohärenten Strukturen globalen ideologischen Typs zustreben, so ist das kulturelle Werk dadurch charakterisiert, daß es auf einer besonderen Ebene – und in dem uns interessierenden Fall auf der Ebene literarischer Schöpfung – eine beinahe kohärente Welt schafft, die einer Weltanschauung entspricht, deren Grundlagen durch eine bestimmte privilegierte Gruppe ausgebildet wurden. Allerdings erreichen die Gruppenangehörigen diese Kohärenz nur annäherungsweise. In diesem Sinne spiegelt der Schriftsteller nicht das Kollektivbewußtsein wider, wie es eine positivistische und mechanistische Soziologie lange Zeit geglaubt hat, sondern er treibt die von jenem in relativer und rudimentärer Art ausgebildeten Strukturen zu einer sehr hohen Stufe von Kohärenz. In diesem

Sinne ist das Werk Bewußtwerdung kollektiven Denkens durch das Medium eines Individualbewußtseins, nämlich desjenigen des Schöpfers – eine Bewußtwerdung, die der Gruppe allmählich klarmacht, wohin sie, ›ohne es zu wissen‹, in ihrem Denken, Fühlen und Verhalten tendierte.

Ihr Privileg verdankt die kulturelle Schöpfung eben diesem Grad von Kohärenz; das überrascht nicht, sofern das Streben nach Kohärenz und das Privileg solcher Formen von Bewußtsein und Verhalten, die sich ihr am ehesten nähern, als eine universale Eigenschaft allen Bewußtseins, allen Empfindens und Verhaltens angesehen werden. Das Werk nun hat einen individuellen und zugleich ausgeprägt kollektiven Charakter insofern nämlich, als die Gruppe sich ihres eigenen Strebens nicht ohne das Eingreifen schöpferischer Individuen hätte bewußt werden können – es sei denn auf viel schwierigeren Wegen –, und insofern, als diese Individuen, ob es nun Theologen, Philosophen, Politiker, Künstler oder Schriftsteller sind, ihre Werke niemals hätten hervorbringen können, wenn sie nicht deren Elemente und Verbindungen – und sei es nur tendenziell – im Kollektivbewußtsein vorgefunden hätten.

Die anthropologischen Voraussetzungen

Welches sind also für den genetischen Strukturalismus die drei grundlegenden Eigenschaften menschlichen Verhaltens, die, sofern unsere Analyse richtig ist, in letzter Instanz über die Methode jeder empirischen und wissenschaftlichen Untersuchung des gesellschaftlichen Lebens im allgemeinen und der kulturellen Schöpfung im besonderen entscheiden?

a) Das erste ist die Tatsache, daß alles menschliche Verhalten zu Bedeutung und Rationalität tendiert. In dieser Hinsicht muß man allerdings, um Mißverständnisse zu vermeiden, darauf hinweisen, daß, wenn wir von Rationalität sprechen, *nicht die kartesianische Ratio gemeint ist* (die nur eine der vielfältigen Formen rationalen Verhaltens ist) noch auch eine Rationalität der Logik, die von soziologischen und psychologischen Gegebenheiten unabhängig wäre: Rationalität bedeutet hier einfach die Tatsache, daß menschliches Verhalten immer eine Antwort auf Probleme ist, die die Umwelt dem

Menschen stellt, und daß diese Antwort dahin tendiert, sinnvoll zu sein, d. h. bald dem Organismus des Individuums, bald der Gruppe gestattet, zu überleben und sich auf die wirkungsvollste und ihren immanenten Tendenzen am ehesten gemäße Art zu entwickeln.

b) Die zweite grundlegende Eigenschaft des Denkens und Verhaltens beruht darauf, daß es unabhängig von der immanenten Tendenz zur Bedeutung, die sich auf jedem strukturierten Teilgebiet zeigt, bei den Individuen und somit bei sozialen Gruppen auch die Tendenz gibt, eine globale Kohärenz aller Teilsektoren dieses Typs zu schaffen. Bei dieser Tendenz zu globaler Kohärenz kommt den verschiedenen Teilsektoren natürlich ein unterschiedliches und spezifisches Gewicht zu. Dieses hängt von zahlreichen Faktoren ab, unter anderem auch von der *quantitativen* Bedeutung eines Sektors des Denkens und Handelns für die konkrete Existenz der Menschen und auch von der Bedrohung, die zu einem bestimmten Zeitpunkt für wichtige Verhaltensweisen besteht (man weiß z. B., daß die Sicherung des Arbeitsplatzes im Bewußtsein der Arbeiter um so wichtiger wird, je unmittelbarer und realer die Drohung der Arbeitslosigkeit auf sie zukommt). Daraus folgt, daß die Gesamtheit der Verhaltensweisen, die sich auf die Produktion materieller Güter richten und denen bisher im Lauf der Geschichte und noch jetzt eine für die menschliche Existenz besonders große Bedeutung zukam, auch eine beträchtliche Rolle bei den Versuchen globaler Strukturierung spielte und noch spielt und daß sie – ohne daß diese ihre Wirkung die einzige und ausschließliche wäre – auf die Kulturbereiche im eigentlichen Sinne entscheidend einwirkt. Zu ergänzen wäre: In einer spezifischen sozialen Struktur – die für uns besonders relevant ist, da sie sich seit mehreren Jahrhunderten in Westeuropa herausgebildet hat –, in der kapitalistischen Gesellschaft nämlich, tendiert ein bestimmter Sektor zwischenmenschlicher Beziehungen zunehmend dahin, auf das übrige gesellschaftliche Leben einzuwirken und dabei die Rückwirkungen anderer Sektoren auszuschalten: es ist der mit dem Markt verbundene, der sogenannte ökonomische Sektor.[2]

c) Die dritte grundlegende Eigenschaft menschlichen Verhaltens schließlich ist die Tendenz zur Überwindung. Es ist die von Hegel beschriebene Negation, aber es ist auch die Pascalsche Überwindung, der aktive, umformende, praktische Zug jeder gesellschaftlichen und historischen Tat. Diese Tendenz zur Überwindung ist indessen, wie Lefèbvre zu Recht betont hat, ebensowenig ein nur der literarischen oder kulturellen Schöpfung eigenes Element, sondern kennzeichnet das historische Leben insgesamt.

Das Wort Struktur klingt unglücklicherweise nach etwas Statischem, weshalb es denn auch ungenau ist. Man müßte nicht von Strukturen sprechen – diese existieren im realen gesellschaftlichen Leben nur selten und nur sehr kurze Zeit –, sondern von Strukturierungsprozessen. Dies wäre allerdings stilistisch äußerst schwerfällig, zumal Struktur als Gegensatz zu Unordnung, Strukturierung hingegen weniger als Gegensatz denn als Ergänzung zu Destrukturierung gefaßt wird – ein zwar genaueres, aber um so schwieriger zu formulierendes Bild. In der Tat setzen Studium und Verständnis einer Gesamtheit menschlicher Phänomene immer voraus, daß diese unter zwei komplementären Gesichtspunkten betrachtet werden, nämlich erstens als Strukturierungsprozeß, der zu einer neuen Struktur hinstrebt, und zweitens als Prozeß der Destrukturierung älterer, schon verwirklichter Strukturen oder solcher, zu denen dieselbe soziale Gruppe kurze Zeit vorher noch hinstrebte. Wir sagten bereits, daß die Strukturierungsprozesse auf ein optimales Gleichgewicht gerichtet sind, und zwar im Hinblick auf die Natur, das Überleben des menschlichen Subjekts und die Gesamtheit einer gegebenen Situation; sehr oft aber treten, noch bevor dieses optimale Gleichgewicht erreicht ist, zweierlei Phänomene auf: zum einen die exogenen, von außen kommenden wie Krieg, Invasion, Einwanderung, Einflußnahme peripherer Gesellschaften usw., zum anderen die endogenen, nämlich Veränderung der Umwelt durch das Verhalten der Gruppenangehörigen selbst, die mit einem gegebenen Strukturierungsprozeß in Verbindung stehen. Diese Phänomene schaffen eine neue Situation und von daher eine neue Rationalität. Wir sehen uns dann einem neuen Prozeß gegenüber, der eine neue, von der früheren unterschiedene Kohärenz aufweist und einem anderen Gleichgewicht zustrebt; dieses kann sich nur herstellen, wenn die mehr oder weniger weit gediehene Verwirklichung des zuvor erstrebten

Gleichgewichts und die ihm entsprechenden mentalen und affektiven Strukturen destrukturiert werden. So hört das in einer früheren Epoche Kohärente und Rationale in einer späteren auf, kohärent und rational zu sein. Das Streben nach Rationalität schafft sich selbst seine eigene Negation, wenn diese nicht, wie es häufig geschieht, von außen kommt.

Der berühmte Ausdruck »Übergang von der Quantität zur Qualität«, der in den Schriften von Marx und Engels so oft auftaucht, besagt, in die Sprache empirischer Wissenschaft übersetzt, nichts anderes als die Tatsache, daß die Veränderungen eines gegebenen Strukturierungsprozesses in Richtung auf einen neuen und anders ausgerichteten Strukturierungsprozeß einen solchen Grad erreichen können, daß es ökonomischer ist, sie in der Sprache der neuen Struktur zu beschreiben, in der noch die Überreste der alten Struktur weiterleben, als in der Sprache dieser letzteren, die durch die Entwicklung von Elementen einer neuen Struktur bereits umgeformt worden ist.

Kategoriale Entsprechung von Kunstwerk und Gesellschaft

Mir scheint, von der Annahme der drei grundlegenden Eigenschaften allen menschlichen Verhaltens, nämlich:

1. der Tendenz, sich der Umwelt anzupassen und sich ihr gegenüber sinnvoll und rational zu verhalten,
2. der Tendenz zur globalen Kohärenz und Strukturierung,
3. dem dynamischen Charakter des Verhaltens, der Tendenz zur Veränderung der Struktur, der es angehört, und zu deren Entwicklung,

geht jede empirische Untersuchung literarischer Schöpfungen aus.

Was die erste Eigenschaft betrifft, so ist das Problem natürlich überaus komplex, da die literarische oder künstlerische Welt eine imaginative ist, die als solche keine direkte Beziehung zur realen Umwelt hat. Diese Beziehung existiert nur vermittelt, aber sie existiert, und zwar auf zwei Ebenen: zum einen auf der der Bedingungen, unter denen die eine imaginative Welt strukturierenden Kategorien gebildet werden; zum anderen auf der Ebene der von Barthes angesprochenen anthropologischen Funktion künstlerischer Schöpfungen.

Wir sagten, die Tendenz zu sinnvollem und rationalem Verhalten gegenüber der Umwelt führe, im Verein mit dem Streben nach globaler Kohärenz, innerhalb bestimmter sozialer Gruppen zur Ausbildung einer Gesamtheit von grundlegenden Kategorien im Denken, Empfinden und Verhalten. Die Verbindung zwischen diesen Kategorien ist keine willkürliche, sie ist durch die Tendenz zur Vereinbarkeit, zur Kohärenz gegeben. In der Realität werden diese Kohärenz und Vereinbarkeit allerdings niemals vollständig erreicht, sondern immer nur mit größerem oder geringerem Annäherungswert. Wenn ein Schöpfer in seinem Werk eine sinnvolle, kohärente, einheitliche Welt schaffen kann, so ist das nur möglich, weil er schon von der kollektiven Ausarbeitung mehr oder minder stark präformierter Kategorien und interkategorialer Verbindungen ausgeht, die er dann in der von ihm geschaffenen Welt nur viel weiter führt, als es die anderen Gruppenangehörigen getan haben. So gibt es, ohne daß der Schöpfer der bloße Reflex des Kollektivbewußtseins ist, eine enge Verbindung zwischen beiden. Das Werk entspricht den Strebungen und Tendenzen des Kollektivbewußtseins, und insofern ist es eminent gesellschaftlich. Aber es verwirklicht auf der Ebene der Imagination auch eine in der Realität niemals oder nur selten erreichte Kohärenz, und insofern ist es das Werk eines außergewöhnlichen Individuums und trägt betont individuellen Charakter. Die Entsprechung von Kollektivbewußtsein und individuellem Werk aber bleibt bestehen. Die Hypothese dieser Entsprechung stellt für die Wissenschaft in jedem Fall ein überaus operationales Instrument bei der Untersuchung des Werkes wie auch des Kollektivbewußtseins dar; denn die strukturale Erforschung eines jeden von ihnen vermag zur Entdeckung gewisser Elemente des anderen zu führen, die bei direkter Beobachtung und immanenter Analyse übersehen worden sein können. Wir erinnern daran, daß jedesmal, wenn wir von Kollektivbewußtsein sprechen und es um das Schaffen kultureller Werke geht, auf jene privilegierten Gruppen Bezug genommen werden muß, deren Bewußtsein auf eine globale Organisation zwischenmenschlicher Beziehungen ausgerichtet ist.

Von dieser Hypothese ausgehend hat Lukács als erster eine vollkommene Umwälzung literatursoziologischer Untersuchungen bewirkt. Die gesamte frühere Literatursoziologie und sogar ein Großteil der gegenwärtigen waren und werden noch immer von der Suche nach Entsprechungen zwischen dem Werk und dem *Inhalt* des Kollektivbewußtseins geleitet. Die Resultate solcher Arbeiten waren leicht vorauszusehen (und tatsächlich bestätigen sich diese Voraussagen immer). Da sie das Werk als einfachen Reflex der gesellschaftlichen Realität betrachten, sind diese Arbeiten dann um so erfolgreicher, je geringer das künstlerische Niveau der untersuchten Werke ist – der Werke, die die gesellschaftliche Realität bei der Übertragung in die künstlerische kaum umformen. Selbst in den günstigsten Fällen verstümmeln diese Untersuchungen den Inhalt des Werkes, da sie alles, was direkte Wiedergabe der Realität ist, besonders hervorheben und alles, was imaginative Schöpfung ist, ausklammern. In dem Maße aber, wie Lukács die Entsprechung zwischen der Schöpfung und dem gesellschaftlichen Bewußtsein nicht auf der Ebene der Inhalte suchte, sondern auf der Ebene der *Kategorien, die Bewußtsein oder Inhalt strukturieren,* und insbesondere auf der Ebene ihrer Kohärenz, entzog sich die Forschung in der Lukács-Nachfolge solchen Einwänden. Dieselben Kategorien und dieselbe Kohärenz können Welten mit *ganz verschiedenen Inhalten* beherrschen, so daß die künstlerische Übertragung nicht gegen die Existenz einer engen Beziehung zwischen Kultur und Gesellschaft spricht. Im Gegenteil, es sind gerade die – im Sinne einer Verwirklichung privilegierter Kohärenz – wichtigen Werke (vor allem ihre innere Einheit), die für soziologische Untersuchungen am geeignetsten erscheinen.

Erlauben Sie mir, auf eine Erinnerung zurückzugreifen, die das eben Gesagte erläutern wird: Als ich meine Studie über den Jansenismus, die *Pensées* von Pascal und das Bühnenwerk Racines abgeschlossen hatte, die deren strukturelle Entsprechung untereinander im Frankreich des 17. Jahrhunderts bestätigte, suchte ich einen Professor, der bereit gewesen wäre, diese Arbeit vor den Philosophen im Prüfungsausschuß als literaturwissenschaftliche These zu verteidigen. Nun, im Laufe meiner Unterredungen fand ich mich schließlich einem namhaften Literaturhistoriker gegenüber, der empört kundtat, er könne zwischen dem christlichen Denken der Herren von Port-Royal und den Heiden in den Werken Racines vor *Esther* keinerlei Entsprechung entdecken. Ich antwortete, es sei sicherlich richtig, die Unterschiede hervorzuheben; diese seien indessen etwa von derselben Art wie die zwischen einem Werk und dessen Übersetzung in eine fremde Sprache; der Christengott stelle sich den Jansenisten als verborgener Gott dar, der widersprüchlichen Geboten gegenüber absoluten Respekt verlange und sich jedesmal, wenn der Mensch in der Welt handeln muß, gerade durch diese Widersprüchlichkeit offenbare – genau wie in den Theaterstücken Racines, wo die absoluten Gebote der Moral in Hektor und Astyanax, Bérénice und dem römischen Volk, der Sonne und Venus inkarniert sind, und natürlich geht diese Analogie, die ich hier aus Zeitmangel nicht voll entwickeln kann, noch viel weiter, bis in die geringsten Details, wie ich in meiner Arbeit zu zeigen versucht habe.[3] Daraus folgt, daß entgegen den Ansichten aller Kritiker und Literarhistoriker, die auf den Inhalt der Stücke fixiert blieben, nicht die christlichen Dramen wie *Esther* und *Athalie*, sondern die heidnischen wie *Andromaque*, *Britannicus*, *Bérénice* und *Phèdre* die engste Beziehung zur Theologie des verborgenen Gottes besitzen, d. h. zum Denken und Empfinden der Jansenisten.

Sublimierung und kulturelle Schöpfung

Wenn wir nun zum Problem der anthropologischen Funktion von Kunst kommen, so scheint mir, diese Funktion muß einerseits in Analogie, andererseits im Unterschied zur individuellen Funktion aufgefaßt werden, die Freud in seiner Theorie der Sublimierung hervorgehoben hat. Im individuellen Bereich hat Freud ja in der Tat gezeigt, daß der Konflikt zwischen den Bedürfnissen des Individuums und dem Widerstand, den die äußere Realität ihrer Befriedigung entgegensetzt, zu schwer erträglichen Spannungen führen kann; das Subjekt löst sie schließlich dadurch, daß es die reale Frustration durch eine imaginative, sublimative Befriedigung kompensiert. In diesem Fall ist die imaginative Schöpfung indirekt durch die Realität strukturiert und stellt ein Element der Anpassung des Subjekts an die Realität dar.

Im Bereich des Kollektivs scheint das Problem sich im wesentlichen in analoger Weise zu stellen. Das Streben der Individuen nach Kohärenz und Überwindung stößt sich natürlich an dem Hindernis, das die tatsächliche Struktur der Realität darstellt. Dieser Konflikt kann und muß mehr oder weniger große Spannungen und Frustrationen erzeugen, und es ist selbstverständlich, daß die imaginative Schöpfung einer Welt, die dem Streben der Gruppe entspricht, zugleich Kompensation und Mittel der Anpassung zu sein vermag.

Der Unterschied zwischen dem kollektiven Prozeß, von dem wir eben sprachen, und dem individuellen, wie Freud ihn darstellte, scheint uns jedoch in der Art der Spannungen zu liegen und von daher in der Art der Imagination, deren Funktion es wäre, die Spannungen zu kompensieren. Freuds Theorie, die allein die individuelle Ebene erfaßt, geht von einem *Subjekt* aus, *das ein Objekt begehrt,* dessen *Besitz* ihm von der Gesellschaft aus diesem oder jenem Grunde verwehrt wird. Das Kollektivstreben dagegen ist, wie wir schon sagten, vor allem auf Stringenz und Kohärenz gerichtet. Es stößt auf keine moralischen Verbote, die es ins Unbewußte verdrängen könnte, sondern auf Schwierigkeiten bei der Verwirklichung, die nichts mit Moral zu tun haben. Folglich scheint uns das Unbewußte (nicht aber das Nicht-Bewußte) nur eine nebensächliche Rolle bei der ästhetischen Schöpfung zu spielen; hier muß die Imagination nicht irgendein von der Moral verpöntes Objekt, sondern vor allem die kohärente, kompromißlose Welt ersetzen, die im täglichen Leben zu verwirklichen die Realität verhindert.

Aus dem Gesagten geht schon hervor, welche Rolle unserer Ansicht nach die zweite universelle Eigenschaft allen menschlichen Verhaltens, das Streben nach Kohärenz, bei der literarischen Schöpfung spielt. Uns scheint in der Tat, daß Negation und Streben nach Überwindung bei jeder literarischen Schöpfung grundlegend sind; denn in dem Versuch, eine kohärente Struktur zu realisieren oder, genauer gesagt, einen Strukturierungsprozeß bis an die äußerste Grenze zu treiben, geraten sie notwendig mit schon bestehenden Strukturen in Konflikt und müssen sich in bezug auf diese und die Faktoren der Destrukturierung artikulieren. Diese Tendenz zur Überwindung, die die klassische Philosophie von Pascal über Kant, Hegel und Marx hervorgehoben hat, impliziert, daß jede kohärente Welt sich in bezug auf *transindividuelle* Werte situiert, und sei es durch deren *Abwesenheit;* letzteres charakterisiert vor allem die wichtigste Form der modernen Literatur, den Roman, und auch einen Großteil der gemeinhin Avantgarde genannten zeitgenössischen Literatur.

Verstehen und Erklären

Um diesen schon allzu langen Vortrag abzuschließen, möchte ich noch kurz drei Punkte skizzieren, die mir besonders wichtig scheinen:

a) die Beziehung zwischen Verstehen und Erklären in der Literatursoziologie,

b) die Auswahl relativer Totalitäten oder, wenn Sie so wollen, übergreifender Strukturierungen, in die das Werk eingegliedert werden muß, und

c) die Abgrenzung des Untersuchungsgegenstandes.

Das Problem von Verstehen und Erklären[4] hat in der philosophischen und methodologischen Diskussion im Ausland, insbesondere in Deutschland, eine große Rolle gespielt und spielt sie noch immer, während es in Frankreich zwar ebenso brennend ist, aber eher implizit als explizit verhandelt wird.

Wie dem auch sei, es kommt jedenfalls darauf an, das Problem klar zu stellen. Meine diesbezügliche These besteht aus zwei Behauptungen:

1. Verstehen ist nicht, wie so oft behauptet, ein affektiver oder intuitiver Prozeß, sondern ein vollkommen intellektueller. Es ist die *Beschreibung von konstitutiven und wesentlichen Beziehungen einer sinnvollen Struktur.* Natürlich kann diese Beschreibung wie alle intellektuellen Prozesse durch affektive Beziehungen des Forschers zu seinem Gegenstand (Sympathie, Antipathie, Enpathie usw.) oder durch gelegentliche Intuitionen begünstigt oder benachteiligt werden, aber deswegen verliert der Prozeß keineswegs seinen wesentlich intellektuellen Charakter.

Erklären scheint mir nun in den Geisteswissenschaften dadurch gekennzeichnet, daß eine sinnvolle Struktur in eine andere, übergreifende eingegliedert wird, zu deren konstitutiven Elementen sie gehört.

2. Daraus folgt, daß sich Verstehen und Erklären in den Geisteswissenschaften nicht nur nicht ausschließen, vielmehr nicht einmal zwei komplementäre intellektuelle Prozesse sind, sondern ein und derselbe, der sich lediglich jeweils auf verschiedene Koordinaten bezieht.

In der Tat stellt unter diesem Aspekt jede genetische Beschreibung, die auf das *Verstehen* einer Struktur abzielt, ein *Erklären* von Teilstrukturen dar, die diese Struktur ausmachen. So weit wie möglich, muß diese verstehende Beschreibung durch eine (in bezug auf sie erklärende) Beschreibung der unmittelbar übergreifenden Struktur vervollständigt werden (auf die bezogen sie wiederum Verständnischarakter besitzt).

Um ein Beispiel zu geben: Die Beschreibung der immanenten Struktur von Pascals *Pensées* verfährt in bezug auf das Werk *verstehend,* in bezug auf jede einzelne ›Pensée‹ *erklärend.* Die Beschreibung des extremistischen Jansenismus heißt diesen *verstehen* und die *Pensées* sowie Racines Tragödien *erklären;* die verstehende Beschreibung der globalen Struktur der jansenistischen Bewegung kann den extremistischen Jansenismus *erklären;* die verstehende und genetische Beschreibung von Strukturveränderungen im Denken des Amtsadels im Frankreich des 17. Jahrhunderts *erklärt* die jansenistische Bewegung usw.

Daraus folgt unter anderem, daß jede ernsthafte, Verstehen und Erklären umfassende Untersuchung einer literarischen oder gesellschaftlichen Struktur sich notwendig auf zwei Ebenen bewegen muß: der möglichst genauen verstehenden Beschreibung der Struktur des gewählten Gegenstandes und der sehr viel knapperen und allgemeineren Beschreibung der unmittelbar übergreifenden Struktur, die man ihrerseits natürlich nicht erklären kann, ohne dadurch den Gegenstand der Untersuchung zu wechseln.

Übergreifende Strukturen

Diese Ausführungen bringen uns zum zweiten der obengenannten Punkte. Wenn jede Untersuchung, die dem genetischen Strukturalismus folgt, nur dadurch Erklärungswert erlangt, daß sie die untersuchte Struktur in eine übergreifende eingliedert, welches ist dann im Fall literarischer Werke, die uns hier ja interessieren, die übergreifende Struktur mit optimalem Erklärungswert?

Bevor wir auf diese Frage eingehen, ist eine Vorbemerkung nötig. Eine Grundthese des genetischen Strukturalismus besagt: jede sinnvolle Teilstruktur kann in gültiger Weise in eine mehr oder minder große Anzahl von übergreifenden Strukturen eingegliedert werden, wobei jede dieser Eingliederungen eine der vielfältigen Bedeutungen sichtbar macht, die jede menschliche Realität besitzt. Diese These ist für das dialektische Denken um so wesentlicher, als Geschichte ja nicht abgeschlossen ist, und jede neue Epoche, die auf frühere folgt, die globale historische Struktur verändert und mit ihr die Bedeutung der zugrunde liegenden Teilstrukturen. Wenn z. B. der tragische Jansenismus im 17. Jahrhundert, der im Verhältnis zur Monarchie und zum Dritten Stand reaktionär ist, einem Forscher jüngerer Zeit, der darin die Überwindung des kartesianischen Rationalismus und den Übergang zu dialektischem Denken sieht, dagegen progressiv erscheint, so liegt das daran, daß er den Jansenismus in eine globale Struktur eingliedert, der bereits Hegel und der Marxismus angehören, beide inexistent im 17. Jahrhundert.

Wir können hier natürlich nicht alle übergreifenden Strukturen behandeln, in die literarische Werke eingegliedert werden könnten. Drei von ihnen werden jedoch in der Forschung ständig verwendet, und auf sie wollen wir unser Augenmerk kurz lenken. Es sind a) die Literaturgeschichte, b) die Biographie des Autors, c) die gesellschaftliche Gruppe, zu der das untersuchte Werk in Beziehung steht. Die Literaturgeschichte klammern wir sogleich wieder aus, da sie uns keine autonome Sinnstruktur zu ergeben scheint. Es ist ein akademisches Vorurteil, begünstigt durch die administrativen Einteilungen der verschiedenen Unterrichtszweige, anzunehmen, man könne die Genese eines Werkes durch den Einfluß vorangegangener Werke oder als Reaktion auf diese erklären. Die Schriften von Descartes, die *Pensées* von Pascal oder eine bestimmte Gruppe von Stücken Corneilles und Racines bilden Sinnstrukturen; die Schriften von Descartes *und* Pascal, von Corneille *und* Racine jedoch sind in ihrem Verhältnis zueinander einfach *Summen* autonomer Strukturen, es sind keine übergreifenden Strukturen. Das gilt um so mehr, wenn man Descartes und Kant oder Corneille und Claudel vereint. Will man den Übergang von einem zum anderen verstehen, muß man die Vermittlungen in Gestalt einer ganzen Reihe von übergreifenden Strukturen aufsuchen, bis hin zu einer Ebene, die eine *relativ* autonome signifikante Genese aufweist (die selbstverständlich wiederum exogenen Einflüssen ausgesetzt ist, aber dennoch eine Sinnstruktur bildet). Im vorliegenden Falle könnte es sich bei dieser Struktur – doch das ist nur eine Hypothese – um die Geschichte der französischen Gesellschaft handeln.

Es bleibt zu zeigen, inwieweit die Eingliederung eines Werkes in das individuelle Leben des Autors (Psychoanalyse, Biographie usw.) und in die soziale Gruppe, die die Weltanschauung ausbildet, wissenschaftlich relevant ist. In beiden Fällen handelt es sich im Unterschied zum vorigen Beispiel um Eingliederungen in reale Strukturen, die, sofern sie in gültiger Weise durchgeführt werden, alle Chancen haben, zur tatsächlichen Bedeutung der untersuchten Schriften vorzustoßen.

Wenn ich indessen – als Literaturhistoriker und nicht als Philosoph – ein soziologisches Vorgehen bevorzuge, d. h. die Eingliederung des Werkes in die soziale Gruppe, so geschieht das aus drei Gründen:

Erstens, weil die Eingliederung in den individuellen Zusammenhang in einer wissenschaftlichen Analyse – und nicht wie so oft im Zettelkasten der Gelehrten oder in einem intelligenten Essay (bzw. einem Mixtum aus beiden) – äußerst schwierig und praktisch sogar unmöglich zu realisieren ist. Wenn man bedenkt, wieviel Zeit und wieviel »mündliche Dokumente«, imaginative wie biographische, ein Psychoanalytiker braucht, um einen Kranken zu analysieren, fragt man sich zu Recht, welchen Wert eine psychoanalytische Erklärung für das Werk eines Schriftstellers haben kann, den der Psychoanalytiker nie gekannt hat und von dem er nur Schriften und Zeugnisse zweiter Hand besitzt. (Die Gültigkeit psychoanalytischer Erklärung selbst ist mit dieser Überlegung natürlich nicht in Frage gestellt.)

Zweitens, weil die psychoanalytische Erklärung in den meisten Fällen – und das ist kein Zufall – nicht das gesamte Werk, sondern nur ein Element (oder einige Elemente) erfaßt, das biographisch tatsächlich von Bedeutung ist.

Drittens endlich – und das ist nur die andere Seite der vorangegangenen Bemerkung –, weil die biographische Deutung von Werkelementen, die eine psychoanalytische Erklärung zutage fördert, diese Elemente auf dieselbe Ebene wie beliebige andere psychische Symptome eines beliebigen Individuums stellt – ob es nun normal oder krank ist – und weil sie den spezifisch literarischen, pikturalen, philosophischen usw. Charakter des analysierten Werkes überhaupt nicht berücksichtigt. Dieser aber liegt in dessen globaler Kohärenz und nicht in der vergleichsweise additiven Bedeutung, die eine bestimmte Anzahl von Teilsektoren des Werkes auf biographischer Ebene annimmt.

Hier noch eine Bemerkung über zwei Sonderarten psychologischer Erklärung von Werken der Literatur, die, obwohl der Psychoanalyse verpflichtet, weniger orthodox verfahren. Ich denke an die Arbeiten von Bachelard und Mauron.[5] Ich habe mit meinen Mitarbeitern einmal versucht, den großartigen Essay *L'Eau et les rêves (Das Wasser und die Träume)* zu untersuchen, und war wie wohl die meisten Leser von der Kraft und Schönheit dieser Arbeit gefesselt. Als ich aber versuchte, Bachelards Analysen an Hand einiger Schriften von E. A. Poe zu überprüfen, habe ich darin sehr wenig Wasserbilder gefunden, zumindest nicht mehr als Bilder anderer Elemente auch. Als Essay imponierend, erscheint mir Bachelards Werk als wissenschaftliche Arbeit doch nicht stringent genug.

Was nun Mauron angeht, so finde ich seine Hypothese von Bildnetzen interessant und fruchtbar, weil sie sich auf eine allgemeine Struktur des Werkes und nicht auf Teilelemente bezieht; aber ich sehe nicht den geringsten Grund dafür, diese Bildnetze mit »Tiefentrieben« statt mit mentalen Strukturen zu verbinden, die durch die Probleme, vor denen ein Individuum steht, erzeugt werden.

Hier hilft die Verbindung zu rein individuellen Faktoren wieder einmal solchen Begriffen wie »tief«, »irrational«, »instinktiv« usw. zur Herrschaft und macht es buchstäblich unmöglich, die Besonderheit des Literarischen, Poetischen, Philosophischen, Religiösen, kurz des Kulturellen gegenüber dem Pathologischen und Alltäglichen zu definieren.

Deshalb scheint mir – sobald es um eine verstehende und erklärende Untersuchung kultureller Phänomene geht und nicht um die Untersuchung eines individuellen Lebens oder eines pathologischen Falles –, daß im Interesse einer empirischen und operationalen Forschung als Eingliederungszusammenhang für das Werk stets den gesellschaftlichen und historischen Strukturen der Vorzug zu geben ist.

Zum Abschluß dieser allgemeinen Bemerkungen sei noch ein Wort zum wichtigsten Punkt der strukturalistischen Untersuchung gesagt: zur Abgrenzung des Gegenstandes. Es besteht ein enger Zusammenhang zwischen dieser Abgrenzung und den Resultaten, zu denen man, selbst bei strengstem und objektivem Vorgehen, gelangt. (Nach Marx war es besonders Max Weber, der auf diesen Zusammenhang hingewiesen hat.) Gerade bei der Abgrenzung von Pseudo-Gegenständen (z. B. das »Werk Pascals«, das »Bild der Natur« usw.) wirken vertretene Werte häufig deformierend, und die Resultate, zu denen alltägliches wie wissenschaftliches Denken gelangen kann, sind im voraus determiniert.

Deshalb muß der Soziologe gerade am Anfang seiner Untersuchung äußerst kritisch vorgehen. In der Praxis geht er natürlich meistens von Gegenständen aus, die vom Kollektivbewußtsein und der früheren Forschung mehr oder weniger vorfabriziert sind; er sollte sich aber bewußt bleiben, daß diese Abgrenzung schon eine Apriori-Hypothese darstellt, die es erst noch zu beweisen gilt.

Das einzig gültige Kriterium scheinen mir hier die Begriffe Sinn und Bedeutung zu sein. Es ist stets davon auszugehen, daß alle menschliche Realität Prozesse sinngebender Strukturierung darstellt und daß eine gültige Abgrenzung des Gegenstandes dadurch charakterisiert ist, daß a) die Bedeutungen einer großen Zahl von Gegebenheiten verstanden werden können, die vorher nicht einmal als Problem erkannt waren, und b) die Untersuchung im fortgeschrittenen Stadium fast über die Gesamtheit der Elemente des untersuchten Gegenstandes und über die Beziehungen Auskunft zu geben vermag, die diese Elemente verbinden oder einander entgegensetzen.

Häufig gelangt man natürlich nicht zu diesen Ergebnissen, und ein einigermaßen kritischer und erfahrener Forscher wird oft genötigt sein, festzustellen, daß es viele unverstandene und unerklärte Sektoren und Tatsachen in dem von ihm untersuchten Bereich gibt. Es liegt schließlich und endlich bei ihm zu entscheiden, wie lange er die Forschung auf der alten Grundlage fortsetzen will, bevor er zu einer veränderten Abgrenzung des Gegenstandes übergeht. Diese Entscheidung ist stets vom Willen abhängig und trägt dadurch die Gefahr des Willkürlichen in sich. Jeder erfahrene Forscher aber weiß, daß diese Gefahr praktisch recht gering ist und daß man ziemlich genau unterscheiden kann, ob eine Untersuchung ungenügend ist, weil sie vorschnell abgeschlossen wurde oder weil sie von falschen Voraussetzungen ausging, die nicht erlaubten, die Realität in den Griff zu bekommen und sie *zugleich zu verstehen und zu erklären*.

Anmerkungen

1 Um Mißverständnisse zu vermeiden: Alle Menschen haben die Tendenz, sinnvolle Strukturen zu schaffen (das ist die Grundlage für den virtuell universalen Wert aller Kulturschöpfungen); alle Angehörigen einer sozialen Gruppe haben die Tendenz, *dieselben* Sinnstrukturen zu schaffen; alle Angehörigen bestimmter Gruppen, die wir privilegierte genannt haben, haben die Tendenz, Sinnstrukturen von universaler Tragweite zu schaffen, die wir als Weltanschauungen bezeichnet haben.

2 Auf historischer Ebene könnte man vom strukturalen Gesichtspunkt aus den Platz der Ökonomie und ihre Beziehungen zur Kultur mit den Beziehungen vergleichen, die auf individueller Ebene zwischen den von Freud aufgedeckten Komplexen und der Gesamtheit des bewußten Lebens bestehen. Diese Komplexe, immer weniger bewußt und immer automatischer funktionierend, wirken auf das Bewußtsein ein, ohne selbst dessen Wirken ausgesetzt zu sein. Und genau dahin tendiert – im Vergleich zur Gesamtheit des sozialen Lebens – der ökonomische Sektor in der liberalen Gesellschaft. Ein wichtiges

Problem, das wir hier nicht weiter verfolgen können, wären die Veränderungen, die der zeitgenössische Kapitalismus und insbesondere die Planwirtschaft innerhalb dieses Sektors auslösen.
(Zur These der Homologie zwischen der Struktur des Warentausches in der liberalen Marktwirtschaft und der Struktur der Romanform siehe Lucien Goldmann: Zur Soziologie des Romans, in: Alternative Nr. 49/50, 1966, Neuauflage 1970, S. 140 ff. Anm. d. Red.).

3 Siehe Lucien Goldmann: Le dieu caché (Etude sur la vision tragique dans les ›Pensées‹ de Pascal et dans le théâtre de Racine), Paris 1955. Deutschsprachige Teilveröffentlichung unter dem Titel »Weltflucht und Politik« in der Reihe Soziologische Essays, Neuwied/Berlin 1967 (Anm. d. Red.).

4 Siehe dazu ausführlich Lucien Goldmann: Das Subjekt der Kulturschöpfung, in: Alternative Nr. 49/50 (1966, ²1970), Beilage, S. 8 ff. (Anm. d. Red.).

5 Vgl. u. a. Gaston Bachelard: Psychoanalyse des Feuers, Stuttgart 1959; Charles Mauron: Die Ursprünge des ›persönlichen Mythos‹, in: Alternative Nr. 49/50 (1966, ²1970), Beilage, S. 13 ff. (Anm. d. Red.).

6. Erich Köhler
Einige Thesen zur Literatursoziologie

1. Literatursoziologie grenzt sich ab von Soziologie der Literatur. Letztere, vorwiegend empirisch orientiert, ist eine Teildisziplin der Soziologie und bei dieser anzusiedeln. Literatursoziologie dagegen ist eine Methode der Literaturwissenschaft. Wir definieren sie als historisch-soziologische Literaturwissenschaft. Ihr fundamentales Postulat lautet: Jede Literatursoziologie muß historisch, jede Literaturgeschichte muß soziologisch vorgehen. Das Postulat impliziert Dialektik als vom Gegenstand auferlegte Methode.

2. Nur in Gestalt so verstandener Literatursoziologie vermag die Literaturwissenschaft einen substantiellen Beitrag zu einer materialistischen Hermeneutik zu leisten. Sie kann dies nur, wenn 1. ihr unabdingbarer ideologiekritischer Ansatz nicht dogmatisch erstarrt, 2. sie ihre Scheu vor Texten ablegt und 3. vor der Dimension des Ästhetischen nicht zurückschreckt.

3. »Das wirklich Soziale [aber] in der Literatur ist: die Form.« Dieses Wort des jungen Lukács behauptet die Dependenz dessen, was Kunst im letzten als Kunst bezeugt, von dem, wovon sie sich am weitesten entfernt, mit anderen Worten: die Abhängigkeit der subtilsten Ausgestaltung des künstlerischen Überbaus von der Basis. Klarheit muß darüber herrschen, daß, die Richtigkeit von Lukács Auffassung vorausgesetzt, die Form als abstrakteste »Widerspiegelung« das ästhetische Gebilde, welches sie mit der Kraft der Rückwirkung auf veränderndes Bewußtsein ausstattet, den Endpunkt einer verschlungenen Kette von Vermittlungen darstellt, die idealiter in jedem Einzelfall zu entwirren ist. Klarheit auch darüber, daß die Basis dem Künstler im allgemeinen in bereits vielfältig vermittelter Gestalt vor Augen tritt, durch die Vermittlungen hindurch aber, wie immer »gestört«, in »letzter Instanz« (Engels) bestimmend ist.

Abdruck mit freundlicher Genehmigung des Autors aus: Germanisch-Romanische Monatsschrift N.F. 24 (1974), 257-264.

4. Adornos – im Zusammenhang seiner Kritik an den frühen Baudelaire-Interpretationen W. Benjamins geäußerte – Auffassung, die Herstellung einer Beziehung zwischen dem Unterbau und dem spezifisch künstlerischen Überbau sei nur möglich über die Vermittlung durch den »Gesamtprozeß«, bedarf der Konkretisierung.

Um diesen Gesamtprozeß, dem die ganze komplexe Vielfalt des empirisch-sozialen und des geistigen Lebens eignet, näher zu bestimmen und die Einsicht in seine Struktur hermeneutisch tauglich zu machen, d. h. zugleich, um eine Ästhetik auf literatursoziologischer Basis zu begründen, sind in den Werken selbst jene Schichten des Überbaus auszumachen, die zwischen der Basis und der Kunstform vermitteln.

5. Wir bedienen uns dazu eines Schichtenmodells, das schon bei Engels eine gewisse Hierarchie einschließt, wenn es heißt: »Die politische, rechtliche, philosophische, religiöse, künstlerische usw. Entwicklung beruht auf der ökonomischen ...«. Die Reihenfolge bei Marx weicht ab: die Schicht des Rechts steht näher bei der Basis. Bei Plechanow lautet die Folge: Stand der Produktivkräfte, Ökonomie, soziale Ordnung, Psychologie, Ideologie. Diese Ansätze sind unentfaltet geblieben.

Unser Vorschlag hat zum Gegenstand das Modell bzw. die Modelle einer variablen (und methodisch flexiblen) Schichtentheorie. Die Variabilität ist bedingt durch vier wesentliche Komponenten: 1. die jeweilige geschichtliche Konstellation, 2. die Klassen- bzw. Gruppenzuordnung, mithin das »Bewußtsein« des Autors, 3. seine Persönlichkeit und Bildung und 4. die gewählte Gattung.

6. Die so bedingte Variabilität besagt, daß je nach geschichtlicher Phase, aber auch innerhalb der Phase, je nach Autor und Gattung eine (oder auch mehrere) der Vermittlungsschichten dominiert, sei es definitiv oder nur tendenziell. Jene eine (oder auch mehrere) unter den genannten Bedingungen bevorzugte Vermittlungsschicht bildet innerhalb der anderen ein organisierendes und strukturierendes Gravitationszentrum, das den ersten Schlüssel für die Interpretation bieten kann. Hier kommt auch ein literatursoziologischer Strukturbegriff (anderer Art als derjenige Goldmanns) in Sicht. Nicht alle Vermitt-

lungsschichten des Überbaus müssen materiell im Werk vorhanden sein; oft genug sind sie es nur als bereits vermittelte, d. h. in einer anderen Schicht (etwa der psychologischen) aufgehobene. Das materielle Nicht-Erscheinen einzelner Vermittlungsschichten besagt nichts gegen ihre tatsächliche Wirksamkeit. Doch am Grad der »vermittelten Vermittlung« eröffnet sich ein Einblick in Gattungsdifferenzierung und Gattungssystem.

7. Die Grundkategorie der Vermittlung muß auch da immer neu fundiert und appliziert werden, wo sie am unproblematischsten scheint: bei der Zuweisung bestimmter literarischer Erscheinungen an soziale Klassen oder Gruppen.

Noch L. Goldmann ging von der These aus, daß eine authentische kulturelle Schöpfung nur dann zustandekommt, wenn deren geistige Struktur mit derjenigen der sozialen Gruppe übereinstimmt, die auf eine im Sinne des Fortschritts höhere Gesamtordnung des sozialen Lebens abzielt. Wir stellen dieser Auffassung, die den Klassenkampf um seine komplexere Folgedialektik verkürzt und die Neigung fördert, die Bewußtseinsdialektik zum vulgärmaterialistischen, allzu handlichen Klassifikationsschema von »falschem« und »richtigem« Bewußtsein absinken zu lassen, die folgende These entgegen:

Blütezeiten der Kunst, die Herausbildung sozusagen »klassischer« Phasen, beruhen auf der soziokulturellen Allianz zweier, möglicherweise auch mehrerer sozialer Gruppen. Ursache solcher kreativer Allianzen sind partielle, aber vitale Interessenkongruenzen ökonomischer und politischer Natur. Dabei kann durchaus *eine* Gruppe den initialen Impuls geben und auch weiter dominieren, diese Dominanz kann sich aber auch in den verschiedenen Kunstgattungen anders, nämlich im Sinne der zweiten (oder dritten) Gruppe akzentuieren. Das jeweilige System der Gattungen und Gattungsstile, so ist zu folgern, schließt dann auch den tendenziellen Ausgleich der gesellschaftlichen Widersprüche ein und trägt diese zugleich aus.

8. Die soziokulturelle Allianz ist nicht von Dauer. Der Prozeß des Umschlagens des tendenziellen Ausgleichs in neue Wider-

sprüche verläuft mit unterschiedlicher Geschwindigkeit, die von der Entwicklung der Produktivkräfte abhängt, aber auch vom Beharrungsvermögen bzw. von der ideologischen Überzeugungskraft der aus den Produktionsverhältnissen entwikkelten Vorstellungen moralischer, religiöser, philosophischer und ästhetischer Art, die ihrerseits auf die Basis zurückwirken. Der Legitimationszwang, unter dem die herrschende Gruppe steht, sobald sie ernstlich mit einer rivalisierenden Gruppe konfrontiert wird, treibt zur Moralisierung, ja Spiritualisierung des interessegeleiteten Weltbilds, das in seiner abstrakt-ethischen Verallgemeinerung, deren kulturellem und künstlerischem Niederschlag und in seinen substantiellen Entdeckungen von Teilwahrheiten über den Menschen sich zu einem Wertsystem herausbildet, mit dem sich auch die aufsteigende Gruppe identifizieren *kann* und sogar zunächst in dem Maße *muß*, als sie selber ideologisch noch nicht mündig ist. Erst recht hat solche Affizierung statt, wenn beide Gruppen einen gemeinsamen Gegner haben.

Was für die Epoche der Ständegesellschaft und diejenige der Klassengesellschaft einsichtig ist, ist es nicht mehr in gleichem Maße für die Moderne. Die soziologische Zuordnung von Werken, Gattungen, Stilen bedarf heute eines Instrumentariums, das nicht mehr allein aus den Verhältnissen des 19. Jahrhunderts gewonnen werden kann.

9. Das Erscheinungsbild der Kunst – d. h. ihre Inhalte und Formen – ist stets unendlich reicher als die Basis. Drei Gründe bieten sich vor allem an: 1. Den gleichen Basis-Verhältnissen stehen mehrere soziale Gruppen in affirmativer, resignativer, opponierender, verklärender, kritischer usw. Auseinandersetzung gegenüber. 2. In die Literatur einer Epoche geht jene Überlieferung ein, welche die gespeicherten Wahrheiten ihrer historischen Entdeckungen mitbringt, die von keiner Gruppe ohne Schaden für ihren eigenen sozialen Geltungsanspruch geleugnet werden können, vielmehr in dessen ideologisches Arsenal integriert werden müssen. 3. Kunst hat es mit einer Vielzahl von Individualitäten zu tun, mit unzähligen subjektiven Reflexen und persönlichen Reaktionen auf die gleichen gesellschaftlichen Verhältnisse, mit dem Einzelnen und nicht bloß mit dem Allgemeinen. Es gilt, der Dialektik von Typus

und Individuum nachzugehen in einer Fragestellung, die mit Lukács zu erweitern ist um die Kategorie der Besonderheit, die – im Leben wie in der Literatur – zwischen dem Partikulär-Einzelnen und dem Allgemeinen vermittelt.

10. Grundsätzlich sind in der Kunst jeder Epoche mehrere Einstellungen zur »Widerspiegelung« der Wirklichkeit vorhanden: Mimesis im naturalistisch verengten Begriff des Realismus als Abbild; als Wiedergabe des normativ Wahrscheinlichen (Aristotelismus); als fiktive Realisierung des Möglichen (bis hin zum Phantastischen und Absurden); als kritischer Realismus in dem Sinn, daß aufgezeigt wird, was an real Möglichem sinnfremd verfehlt wurde, und als utopischer Widerspruch des Ideals gegen die Wirklichkeit.

Die Dominanten sind epochenspezifisch, d. h. bedingt nicht nur von der persönlichen Neigung des Autors, sondern abhängig von der jeweiligen Gesamtlage und der sozialen Gruppe innerhalb dieser Gesamtlage.

11. Die gewählte Einstellung zur Realität ist zugleich Einstellung zur Totalität. Die Vorentscheidung für sie fällt mit der Wahl der Gattung, die stets auch die Entscheidung für einen bestimmten Ort im System der Gattungen ist, das als Ganzes sich zur Totalität des Wirklichen homolog verhält.

Das materielle Vorhandensein der Vermittlungsschichten des Überbaus oder ihre bis zur scheinbaren Absenz gediehene Vermitteltheit ist bedingt von der Gattung. Unser Schichtenmodell erfährt daher seine Modifikationen infolge der Funktion der einzelnen Gattung im jeweiligen Gattungssystem.

12. Gattungen werden unter bestimmten historischen Voraussetzungen geboren. Sie wurzeln in einem »Sitz im Leben« und können absterben, wenn ihre Funktion erfüllt ist und sie ungeeignet sind, eine andere zu übernehmen.

Jeder synchrone Querschnitt zeigt ein scheinbar festes funktionales Gattungssystem, das doch in unaufhörlicher Veränderung begriffen ist. In Zeiten, in denen der Weltgeist sich auszuruhen scheint, da die Basis vergleichsweise erstarrt ist zum ruhigen Kontinuum, vollziehen sich die Veränderungen des Gattungssystems fast unmerklich durch vereinzelte Umbesetzungen. An Wendepunkten der Geschichte aber wird die Evolution unterbrochen: die Impulse des Unterbaus schlagen durch die Schichten des Überbaus hindurch in verkürzter Vermittlung und bewirken den Einsatz einer neuen literarischen Epoche (W. Krauß). Hier vorab haben die Bemühungen um eine sinnvolle Periodisierung einzusetzen, unter Beachtung des Phänomens der »Ungleichzeitigkeit des Gleichzeitigen«, der Verspätung wie der Antizipation, des »unegalen Verhältnisses« (Marx).

13. Wenn Gattungs- und Stilgrenzen bis zur Französischen Revolution im wesentlichen zusammenfallen mit den Standesgrenzen, d. h. mit der Interessenverschiedenheit eindeutig auszumachender sozialer Gruppen, so läßt sich in der Moderne eine vergleichbare Zuordnung nur im Durchmessen völlig opak gewordener Vermittlungen noch vornehmen. Umsomehr muß auf dem Nachvollzug des Prozesses der Transformation der Wirklichkeit in Kunst insistiert werden.

In der Wahl der Gattung bezeugt sich eine unterschiedliche Interpretation des gleichen Weltzustands durch unterschiedlich von ihm betroffene soziale Gruppen. Je mehr dieser Zustand als einer der Entfremdung und der Absurdität die gesamte Gesellschaft erfaßt und die alten Unterscheidungen in die Trivialliteratur abdrängt, desto mehr verwischen sich die Konturen der Kongruenz von Gattungssystem und sozialem System, ohne sie durch solche Unkenntlichkeit auch schon aufzuheben.

14. L. Goldmann hat eine gravierende Schwäche der Widerspiegelungstheorie überwunden, indem er die Übereinstimmung der Basis mit dem künstlerischen Überbau nicht mehr auf Inhalte, sondern auf die Homologie von Strukturen bezog. Sein genetischer Strukturalismus läßt indessen außer acht die Bedeutung der Vermittlung durch literarische Traditionen. Selbst im qualitativen Sprung kann die Formtradition überleben, wenn sie sich als geeignet erweist, in einen neuen Motivationszusammenhang einzurücken. Sie bringt ihre eigene Schwerkraft mit und vermag aus der ihrer ursprünglichen Funktion innewohnenden dialektischen Spannung heraus unter den Anstößen des Unterbaues Neues zu entbinden.

15. Die relative Eigenständigkeit des literarischen und künstlerischen Überbaus bezeugt sich auch in Themen und Motiven, die, unter bestimmten geschichtlichen Bedingungen erfunden oder besser: gefunden, auch unter veränderten Bedingungen produktiv werden können. Das Eigengewicht an Bedeutung und Form, das sie als traditionell Konsekrierte mitbringen, will beachtet sein nicht bloß bei der Frage nach ihrer Integration in einen neuen Zusammenhang bzw. nach ihrer veränderten Funktion, sondern auch als Institution der Vermittlung. Ihre Problematik erweist sich gerade daran, daß sie in eine Struktur eintreten, die primär gesteuert ist von gesellschaftlichen Grundverhältnissen, die nicht mehr diejenigen der Zeit ihrer Entstehung sind, ja dieser sogar konträr sein können.

Es ist also keineswegs so, daß die Mittel, das Material, mit deren Hilfe die Wirklichkeit in die erfundene Wahrheit und in die Form der Kunst überführt wird, der jeweiligen geschichtlichen Situation selber entnommen sein müssen. Unabdingbar aber ist es – und dies muß alten und neuen Formalisten entgegengehalten werden –, daß sie kraft einer alle Schichten des Werks durchdringenden Struktur konvergieren, die sich ihrerseits homolog zur Lage der Gesellschaft verhält, wie auch immer gebrochen durch Vermittlungsschichten verschiedenster Provenienz und durch deren Interferenzen.

16. Die marxistische Scheu vor der Psychoanalyse versperrt wichtige Einsichten. Diese Feststellung gilt nicht nur für die Lehre Freuds, die immerhin die sozialpsychologische Dimension hinzugewonnen hat bzw. im Begriffe ist, dies zu tun, sondern auch für die Tiefenpsychologie C. G. Jungs. Es ist u. E. falsch, die Archetypenlehre für schlechthin unvereinbar mit einer ideologiekritisch orientierten historischen Literatursoziologie zu erklären. Die von Marx gestellte, weder von ihm selbst noch von seinen Jüngern befriedigend beantwortete Frage, weshalb griechische Kunst und Epos »für uns noch Kunstgenuß gewähren und in gewisser Beziehung als Norm und unerreichbare Muster gelten«, dürfte, will man nicht vor der idealistischen »Zeitlosigkeit« großer Kunst kapitulieren, kaum zu beantworten sein ohne die Konzeption einer epochenübergreifenden Historizität der Manifestation psychischer Konstanten.

17. Der Stoffwechsel zwischen der Realität der gesellschaftlichen Grundverhältnisse und den künstlerischen Hervorbringungen vollzieht sich in der menschlichen Psyche und unterliegt allen – vermittelnden – Voraussetzungen, von denen diese geprägt ist. Blind ist, wer verkennt, daß ein Individualstil sich einem Epochenstil einordnet, blind aber auch, wer die Existenz eines Individualstils leugnen wollte. Das Verhältnis der – relativen – Freiheit des schöpferischen Individuums ist neu zu bestimmen, nicht bloß um seiner selbst, sondern um der Erkenntnis der geschichtlichen Dialektik willen.

18. Hegels Wort, daß es die Individuen seien, die dem Weltgeist die Kastanien aus dem Feuer holen, ist dadurch nicht außer Kraft gesetzt, daß der Weltgeist und sein Erfinder inzwischen vom Kopf auf die Füße gestellt worden sind. »Die Freiheit der Individualität zeigt sich nicht in der Loslösung von den geschichtlichen Gesetzen, sondern in der Fähigkeit, sie zu verwirklichen«. Diese Formulierung Boris Eichenbaums schließt auch die Möglichkeit ein, daß geschichtliche Gesetze nicht oder nur unzulänglich verwirklicht werden, mangels Individualitäten, die hierzu in der Lage und willens sind. Die Menschheit – so Ernst Bloch im Anschluß an ein vielzitiertes Wort von Karl Marx – »stellt sich zwar immer nur Aufgaben, die sie lösen kann, findet jedoch der große Moment zur Lösung ein kleines Geschlecht, dann ist diese Lösung erst recht bloß möglich, nämlich nur noch schwach möglich«. »Klein« ist das Geschlecht, dem die schöpferischen Individuen fehlen, um mit ihnen die optimale Ausschöpfung des Spielraums der Freiheit zu realisieren, was zugleich notwendig und möglich ist.

Das hervorragende, schöpferische Individuum ist – in seinem jeweiligen Bereich – die Summe der Möglichkeiten seiner Zeit. Sie zu realisieren ist seine Freiheit. Sein Vorhandensein, seine Geburt, seine Begabung, die Chance von deren Entfaltung sind Zufälle, die ebenso auch hätten ausbleiben können und – so ist anzunehmen – auch oft ausgeblieben sind.

19. Dem auf Teleologie – sei's der Providenz, sei's der Kausalität – programmierten Menschen fällt es schwer, Hegels nach Engels »unerhörten« Satz zu begreifen und zu akzeptieren,

»daß das Zufällige einen Grund hat, weil es zufällig ist, und ebenso sehr auch keinen Grund hat, weil es zufällig ist; daß das Zufällige notwendig ist und daß die Notwendigkeit sich selbst als Zufälligkeit bestimmt und daß andererseits diese Zufälligkeit die absolute Notwendigkeit ist«. Der Zufall, nicht zuletzt des Vorhandenseins einer schöpferischen Individualität, entscheidet darüber, ob und welche von jenen Möglichkeiten, aus denen die noch unentschiedene Notwendigkeit sich zusammensetzt, verwirklicht werden und die andererseits ohne jene Notwendigkeit nicht wären. »Was möglich ist, das ist mit Notwendigkeit bestimmt«, doch die Notwendigkeit »setzt sich wohl selbst die Bedingungen, aber sie setzt sie als zufällige« (Hegel). Da Notwendigkeit erst als realisierte Möglichkeit zur Existenz kommt, aus ihrer Unentschiedenheit erlöst durch den Zufall, der im Möglichen auswählt – in einem Möglichen, das von Notwendigkeit determiniert ist –, wohnt der Notwendigkeit stets ein Anders-Sein-Können inne. Notwendigkeit determiniert das Wirkliche nur als Summe von Möglichkeiten, deren Realisierungschance vom Zufall abhängt. Die moderne Naturwissenschaft bestätigt, was die moderne Kunst als Erfahrung der Absurdität fixiert. »Ohne die Dialektik von Zufälligkeit und Notwendigkeit können wir nicht begreifen, was Freiheit wirklich ist« (R. Havemann).

20. Notwendigkeit determiniert das Wirkliche als eine Summe von Möglichkeiten. Geschichte, nicht nur Literaturgeschichte, ist zu verstehen als Geschehen, das auch anders hätte verlaufen können und das doch nicht ohne Notwendigkeit so gekommen ist.

Auch eine historisch-soziologische Literaturwissenschaft hat die im Möglichen beschlossene Offenheit der Zukunft in die vergangene wie gegenwärtige Wirklichkeit einzubeziehen, will sie Notwendigkeit nicht zu einer Determinanten hypostasieren, die es dem Menschen untersagt, seine Zukunft selber zu gestalten. Es gilt, die vom Möglichen verbürgte Offenheit der Zukunft in die Dialektik der Geschichte, auch vergangener Geschichte, einzuführen.

21. Notwendigkeit definiert sich durch ihre Möglichkeiten. Die Kategorie Möglichkeit relativiert das »Müssen« in der

Zufälligkeit des Verwirklichens, ohne das bloße »Können« seiner Notwendigkeit zu berauben. Neben dem Möglichen, das der Zufall aus seiner Potentialität erlöst, steht solches, das eben dadurch, als sein Anderes oder Gegenteiliges, nichtig wird. Das realisierte Mögliche ist das Neue, das sogleich zu den konstitutiven Momenten der durch es veränderten Notwendigkeit wird und innerhalb dieser neue Möglichkeiten gebiert.

22. Auch wer das marxistische Axiom einer »letztinstanzlichen« Dynamik des Widerspruchs zwischen Produktivkräften und Produktionsverhältnissen vertritt, wird, nimmt er die Rolle des Menschen ernst, an der Bedeutung des Zufalls und der von ihm über das realisierte Mögliche erfolgenden Rückwirkungen nicht vorbeigehen dürfen. Kontingenz ist nicht nur im individuellen Leben, sondern auch im geschichtlichen Prozeß unausrottbar und eben darum zu vermitteln mit dem Notwendigen über das Mögliche.

Die Frage nach dem Zufall als Medium der Notwendigkeit, die Frage, ob es am Zufall liegt, ob, was »zeitnotwendig« ist, auch verwirklicht wird, diese Frage muß bejaht werden. Der Sinn einer Zeit, geborgen im Notwendigen, kann verfehlt werden im Verfehlen des Möglichen. Die unabdingbare Einführung des Zufalls in die historische Dialektik bedeutet keine Einschränkung von deren Geltungsanspruch, noch gar ihre Liquidation, sie macht vielmehr aus der historischen Dialektik in Wahrheit erst eine solche der Geschichte des Menschen. Gesellschaftliche »Praxis« wäre undenkbar ohne das Aktionsfeld des Möglichen, das selber nicht wäre, gäbe es nicht die Zufälligkeit, ohne welche Notwendigkeit längst zum puren »unmenschlichen« Zustand erstarrt wäre.

III
Empirische versus dialektische Kunstsoziologie

Peter Bürger
Einleitung

Eine Wissenschaft findet ihren Gegenstand nicht einfach vor; sie muß ihn vielmehr allererst konstituieren. Auf der Ebene der Gegenstandskonstitution wird entschieden, was im Rahmen eines bestimmten wissenschaftlichen Ansatzes erforscht werden kann, welche Fragen gestellt werden können, welche dagegen nicht. Mit dem Begriff Kunstsoziologie werden sehr unterschiedliche wissenschaftliche Ansätze bezeichnet, die sich nicht nur in ihren Verfahrensweisen voneinander unterscheiden, sondern auch in ihrem Gegenstand. Bereits in den Referaten und Diskussionen über Kunstsoziologie des Siebenten Deutschen Soziologentages von 1930 lassen sich zwei einander entgegengesetzte Konzeptionen der Kunstsoziologie erkennen, je nachdem, ob diese von der Soziologie oder von der Kunst her konzipiert wird. Während es Leopold von Wiese vor allem darum geht, »völlig im Soziologischen, d. h. in der Sphäre des Zwischenmenschlichen [zu bleiben]«,[1] formuliert Erich Rothacker programmatisch: »Ohne vom Kunstwerk auszugehen, kommt man zu keiner *Kunst*soziologie.«[2]

Die empirische Kunstsoziologie läßt sich in erster Annäherung beschreiben als Anwendung eines soziologischen Instrumentariums auf den Bereich der Kunst. Gegenstand einer so verstandenen Kunstsoziologie ist das *Kunsterlebnis.* Die Begründung für diese Gegenstandsbestimmung lautet, daß erst in der Wirkung das Kunstwerk als soziale Handlung in Erscheinung tritt. Silbermann grenzt seine Gegenstandsbestimmung der Kunstsoziologie gegen eine andere ab, die die Gesellschaftlichkeit der Kunst in den künstlerischen Gebilden selbst auszumachen sucht (vgl. Text 9).[3]

In seinen *Thesen zur Kunstsoziologie* hat Adorno gegen die von Silbermann vertretene Gegenstandsbestimmung Einspruch erhoben und ihr eine dialektisch-materialistische entgegengestellt. Adorno wendet sich gegen die Einschränkung der Kunstsoziologie auf die empirische Erfassung der Wirkung von Kunstwerken, weil die Wirkung »von zahllosen Mechanismen der Verbreitung, der sozialen Kontrolle und

Autorität, schließlich der gesellschaftlichen Struktur« abhänge (Text 10, These 1). Hier zeigt sich, daß hinter den verschiedenen Gegenstandsbestimmungen der Kunstsoziologie tiefer reichende methodologische Divergenzen liegen; es sind die zwischen Positivismus und dialektischer Gesellschaftstheorie. Für Silbermann ist die Wirkung von Kunstwerken ein empirisch aufweisbares soziales Faktum, die Aufgabe der Kunstsoziologie ist es, Fakten dieses Typs festzustellen. Für den in der Tradition von Hegel und Marx stehenden Dialektiker Adorno ist jedes »soziale Faktum« vermittelt, d. h. es ist nicht einfach gegeben, sondern durch das gesellschaftliche Ganze bedingt, in das es eingespannt ist. Dabei ist zu beachten, daß für Adorno die *Vermittlung* von Kunstwerk und Gesellschaft nicht in einem Dritten, einer gesellschaftlichen Instanz zu suchen ist, sondern primär im Kunstwerk selbst. Insofern das *Material*, das ein Künstler in den Werken seiner Vorgänger vorfindet, ein geschichtlich geprägtes ist (in ihm ist geschichtliche Erfahrung abgelagert), kann und muß die Auseinandersetzung des Künstlers mit der Gesellschaft als Auseinandersetzung mit dem künstlerischen Material erfolgen (vgl. Text 8).

Zusammenfassend können wir feststellen: Was für den Positivisten Silbermann zugleich zentraler Gegenstand der Kunstsoziologie und Garant ihrer Wissenschaftlichkeit ist, die empirisch erfaßbare Wirkung von Kunstwerken, ist für den Dialektiker Adorno eine Erscheinung, die keineswegs zur Grundlage der Kunstsoziologie gemacht werden kann, die vielmehr erst im Zusammenhang mit andern gesellschaftlichen Erscheinungen und letztlich im Rahmen einer gesamtgesellschaftlichen Theorie adäquat gedeutet werden kann. Es wird deutlich geworden sein, daß die Gegenstandsbestimmung von Silbermann eine ganze Reihe von Fragen ausschließt, die von derjenigen Adornos aus formuliert werden können. Das gilt vor allem für die Möglichkeit, die Wirkung bzw. Wirkungslosigkeit von Kunstwerken auf ihre vielfältigen Bedingungen hin zu untersuchen.

Noch in einem andern, nicht weniger wichtigen Punkt unterscheidet sich die Gegenstandsbestimmung der empirischen Kunstsoziologie von derjenigen einer dialektisch-materialistischen. Während Silbermann das Kunstwerk als ästhetisches Gebilde, als Form-Inhalts-Totalität ausdrücklich aus der

Kunstsoziologie ausschließt, da es ihn einzig als Anlaß sozialer Wirkung interessiert (die gleiche Position vertritt Fügen *117*, 2), konzipiert Adorno die Kunstsoziologie von der Sache, d. h. vom Kunstwerk her. Diese Ausklammerung des Kunstwerks aus der Kunstsoziologie erklärt sich bei Silbermann einmal aus einem irrationalen Kunstbegriff, zum andern aus einem positivistischen Wissenschaftsverständnis. Wenn Silbermann in der Analyse von Kunstwerken »den unmöglichen Versuch erkennt, den sogenannten irrationalen Gehalt der Malerei, der Musik oder der Literatur als bestimmten Gegenstand, als greifbare Tatsache zu erfassen« (Silbermann *125*, 21), so stellt er damit die Möglichkeit einer rationalen Werkanalyse in Frage. Das aber ist gleichbedeutend mit dem Rückfall auf einen Kunstbegriff, der seit dem russischen Formalismus und dem Prager Strukturalismus in der Literatur- und Kunstwissenschaft als überwunden gelten kann. In der Weigerung, Fragen der ästhetischen Wertung zu berücksichtigen, ist bei Silbermann die Polemik gegen Adorno unüberhörbar.

> Da es der empirischen Kunstsoziologie nicht darum getan ist, irgend etwas zu ersetzen, da sie von imperialistischen Gelüsten frei zu sein sich bemüht, hält sie sich, im Gegensatz zu ästhetischen Werttheorien gleich welcher Herkunft, fern von der Formulierung künstlerischer Normen und Werte: *Denn das Studium der sozialen Verflechtung der Kunst dient nicht dazu, Natur und Essenz der Künste selbst zu erklären.* (Silbermann *125*, 20).

Wertneutralität ist einem positivistischen Wissenschaftsverständnis der Inbegriff von Wissenschaftlichkeit. Man muß sich jedoch darüber im klaren sein, daß die Ausklammerung der Wertproblematik selbst auf einer der wissenschaftlichen Untersuchung vorausgehenden Wertentscheidung beruht. Denn zwischen ernster Literatur und Unterhaltungsliteratur keine soziologisch relevante Differenz anzuerkennen, stellt eine folgenreiche Wertentscheidung dar. Man kann sich das verdeutlichen, wenn man die der positivistischen Kunstsoziologie zugrunde liegende Auffassung der Kunstrezeption zu rekonstruieren versucht. Das Verhalten des Rezipienten wird in der positivistischen Kunstsoziologie nämlich nach dem Modell des Warenkonsumenten gedacht. Wie der Warenkonsument zwischen alternativen Warenangeboten »frei« wählt, so der Kunstrezipient zwischen alternativen Kunstangeboten. Ob die Mitglieder einer Rezipientengruppe Schlager oder klassische Musik hören, Landserhefte oder ernste Literatur lesen, interessiert den empirischen Kunstsoziologen nur als »Tatsache«, die sich registrieren und mit anderen Daten (z. B. Herkunft, schulische Ausbildung, Beruf) in Beziehung setzen läßt. Nun soll keineswegs geleugnet werden, daß es sinnvoll sein kann, das Verhalten gegenüber Kunstwerken mit andern sozialen Daten in Beziehung zu setzen. Wenn man aber die so gewonnenen Ergebnisse als »Tatsachen« hinnimmt, die keiner weiteren Erklärung bedürfen, dann verwandelt sich das empirische Untersuchungsverfahren in eine Legitimationswissenschaft.

Die Folgen der skizzierten Ausklammerung der Wertproblematik sind unschwer erkennbar: Kunstsoziologie wird dadurch um ihre kritische Perspektive verkürzt[4]. Eine Kritik der Kulturindustrie, ihrer Produkte und ihrer mit dem Begriff der Manipulation allzu einfach bezeichneten Wirkungsmechanismen läßt sich auf der Grundlage der von Silbermann entworfenen Kunstsoziologie nicht formulieren, denn eine solche Kritik setzt sowohl einen Begriff von ernster Kunst als auch einen Begriff von angemessenem Umgang mit künstlerischen Gebilden voraus – beides sind wertende Begriffe, die nur aus der Kenntnis der Sache selbst gewonnen werden können. Erst die Unterscheidung zwischen gesellschaftlich gehaltvollen Werken und solchen der Unterhaltungsliteratur bzw. zwischen angemessener und unangemessener Rezeption führt auf die kritische Frage, warum denn bestimmte Bevölkerungsschichten Zugang nur zu Produkten der Kulturindustrie haben bzw. Kunstwerke, wenn sie mit diesen konfrontiert werden, inadäquat aufnehmen. Eine solche Frage, die auf Widersprüche einer Gesellschaft stößt, die Chancengleichheit proklamiert, ohne deren Verwirklichung zu ermöglichen, eine solche Frage wird in der positivistischen Kunstsoziologie dadurch abgeschnitten, daß die Wertproblematik aus der Erörterung ausgeschlossen bleibt. Das Problematische an dieser Entscheidung ist die Tatsache, daß sie der wissenschaftlichen Behandlung entzogen ist. Während eine kritische Wissenschaft ihre Werturteile durch eine Erfassung der Sache begründet, trifft der Positivist eine Entscheidung, die außerhalb der Reichweite seiner Wissenschaft bleibt.

Daß Silbermann den positivistischen Anspruch der Wertneutralität nicht einzulösen vermag, zeigt sich dort am deutlichsten, wo er Anleihen bei der funktionalistischen Soziologie macht (vgl. dazu Abschnitt V des Readers, sowie die Einleitung von Hans Sanders).

> Die empirische kunstsoziologische Betrachtungsweise richtet sich darauf aus, es [sc. das Kunsterlebnis] zu erreichen, d. h. es zu erfassen, sowohl in seinen sozial organisierenden und desorganisierenden Auswirkungen, sowohl in seinen wohltuenden buw. funktionalen, als auch für das Individuum oder die Gesellschaft verderblichen bzw. dysfunktionalen Verzweigungen (Silbermann *125*, 19).

Die Gleichsetzung von wohltuend und funktional bzw. von verderblich und dysfunktional läßt erkennen, daß in der von Silbermann vorgeschlagenen Kunstsoziologie die Erhaltung der bestehenden Gesellschaft als nicht weiter hinterfragbarer Wert gesetzt ist[5].

Gegen unsere Argumentation ist ein gewichtiger Einwand denkbar: Wenn Silbermann den Kunstrezipienten nach dem Modell des Warenkonsumenten denkt, trifft er nicht damit genau die Tatsache, daß in der spätkapitalistischen Gesellschaft die Kunstwerke tatsächlich zu Waren geworden sind und durch ihren Warencharakter total geprägt werden? Wird nicht angesichts dieses Phänomens die Rede vom ästhetischen Wert und die Unterscheidung zwischen ernster Kunst und Unterhaltungskunst hinfällig? Die Stärke dieses Einwands besteht darin, daß er durch den Hinweis auf in der Sache (d. h. den Kunstwerken) liegende Unterschiede nicht mehr widerlegt werden kann. Zu erörtern ist vielmehr das Argument, alle Kunstwerke wären auf Grund des Warencharakters gleichartig. Hier ist auf den Beitrag von Gerhard Leithäuser zu verweisen (vgl. Text 2), der zu dem Ergebnis kommt, daß es zwei deutlich voneinander unterscheidbare Stufen der Unterwerfung der Kunst unter das Kapitalverhältnis gibt: die formelle Subsumtion, die »dem Kunstproduzenten noch überwiegend die Verfügung über seine Arbeitsinstrumente« beläßt, und die reelle Subsumtion unter das Kapitalverhältnis, die »den Künstler in einen weisungsgebundenen Lohnabhängigen [verwandelt], dem die Voraussetzungen künstlerischer Tätigkeit fast vollständig genommen sind«. Es ist unschwer einzusehen, daß die ernste Kunst im Stadium der formellen

Subsumtion verbleibt (der »Fortschritt« zur reellen Subsumtion würde sie als Kunst auslöschen), die Kulturindustrie dagegen das Stadium der reellen Subsumtion erreicht hat (die Produktion ist hier ganz an der Kapitalverwertung ausgerichtet). Für unsern Argumentationszusammenhang können wir festhalten: die Unterscheidung von ernster Kunst und Kulturindustrie ist keine bloß subjektiv imaginierte, sie hat ihr präzis beschreibbares ökonomisches Äquivalent. Wenn – wie wir gesehen haben – Silbermann den Kunstrezipienten nach dem Modell des Warenkonsumenten denkt, so betrachtet er alle künstlerischen Gebilde, als wären es Produkte der Kulturindustrie.

Die hier skizzierte Kritik an Silbermann gilt der positivistischen Methodologie, die wesentliche Fragen gar nicht zu stellen erlaubt und dadurch zu einer systematischen Verengung der Gegenstandsbestimmung von Kunstsoziologie führt. Es wäre jedoch ein Mißverständnis, wollte man darin eine Ablehnung empirischer Untersuchungsverfahren sehen. Daß die empirischen Verfahren nicht notwendig an eine positivistische Methodologie gebunden sind, sondern auch im Rahmen von Untersuchungen verwendet werden können, die sich nicht mit einer bloßen Bestätigung des bestehenden kulturellen Systems zufriedengeben, zeigen z. B. die Arbeiten von Bourdieu/Darbel (111), Kaës (90), Pfütze u. a. (122) und Rittelmeyer (124).

Zur Literatursoziologie in der DDR

Zwei Schwierigkeiten stellen sich einer Erörterung der Literatursoziologie in der DDR entgegen, die vorab angesprochen werden müssen, um falsche Entgegensetzungen und ebenso falsche Parallelisierungen mit entsprechenden Ansätzen in nicht-sozialistischen Ländern zu vermeiden. Fragen des Zusammenhangs von Kunst und Gesellschaft standen im Zentrum marxistisch-leninistischer Literaturwissenschaft, längst bevor zu Beginn der 60er Jahre die Einführung der Soziologie, neben der Gesellschaftswissenschaft, sich als notwendig erwies. Überbau, Widerspiegelung, Realismus sind die Leitbegriffe, unter denen der in Rede stehende Zusammenhang abgehandelt wurde und abgehandelt wird. Will man nicht die Gesamtheit der literaturtheoretischen Arbeiten der DDR zum Gegenstand der Erörterungen machen (was schon deren Anzahl verbietet), so wird man sich notgedrungen auf Arbeiten beschränken müssen, in denen explizit von Literatur- bzw. Kunstsoziologie die Rede ist. Wenn man diese Arbeiten erörtert, in denen Fragen der empirischen Literatursoziologie dominieren, muß man sich jedoch darüber im klaren sein, daß man gleichsam nur eine Seite marxistisch-leninistischer Kunstsoziologie im Blick hat, deren andere die literaturtheoretische Auseinandersetzung um Widerspiegelung und Realismus ausmacht.

Entscheidender noch ist eine andere Schwierigkeit, die sich bei einer Erörterung der Literatur- und Kunstsoziologie der sozialistischen Länder ergibt. Sie entsteht dadurch, daß in der sozialistischen Gesellschaft, zumindest tendenziell, Kunst anders institutionalisiert ist als in der bürgerlichen. Um es mit einem Stichwort zu umreißen: Kunst ist nicht als autonome, von der Lebenspraxis abgehobene institutionalisiert, sie hat vielmehr unmittelbar gesellschaftliche Aufgaben zu übernehmen. Unabhängig davon, wie man die andere Institutionalisierung von Kunst und Literatur beurteilt, scheint mir wichtig, daß man sich den Unterschied bewußt hält. Denn: der andere Funktionszusammenhang, in dem Literatursoziologie steht, verändert auch den Stellenwert scheinbar gleichartiger Ansätze (zum Institutionsbegriff vgl. Text 13).

Die Bedeutung des Beitrags von Günther K. Lehmann (Text 11), der eine im folgenden knapp zu referierende Diskussion ausgelöst hat, besteht in der Radikalität, mit der er für eine empirische Kunstsoziologie eintritt. Die Übereinstimmungen mit der Position von Silbermann sind augenfällig: Ablehnung einer normativen Ästhetik (Lehmann wendet sich gegen Lukács wie Silbermann gegen Adorno); emphatisches Insistieren auf einer am naturwissenschaftlichen Wissenschaftsbegriff orientierten empirischen Soziologie; Aussparung des Kunstwerks aus der literatursoziologischen Analyse; Beschränkung auf die Erforschung der sozialen Wirkung von Kunstwerken, wobei von den »beobachtbaren und meßbaren Realisationen« auszugehen sei; schließlich ein Marx-Verständnis, das diesen in die Nähe des Positivismus rückt. Obwohl Silbermann die

Ansätze einer empirisch verfahrenden Kunstsoziologie in der DDR nicht zur Kenntnis nimmt, kommt auch er zu dem Ergebnis, »daß marxistische Kunstauffassungen gar nicht so weit entfernt sind von der pragmatischen Analyse und dem positivistisch-empirischen Denken, nach dem das Kunsterlebnis als sozialer Prozeß Mittelpunkt der Kunstsoziologie sein soll« (Silbermann *125*, 18). Man mag in der Bemerkung Silbermanns einen geschickten Schachzug sehen, mit dem er Adorno auf dem Gebiet marxistischer Theorie zu begegnen sucht, die skizzierten Übereinstimmungen zwischen der von Lehmann entworfenen marxistischen Kunstsoziologie und der positivistischen Silbermanns sind damit nicht aus der Welt geschafft. Insofern die Frage des »heimlichen Positivismus« von Marx hier nicht diskutiert werden kann,[6] bleiben zwei Wege, um die in Rede stehenden Übereinstimmungen zu erörtern: einmal die Frage, inwieweit die Position von Lehmann für die Kunstsoziologie der DDR repräsentativ ist, zum andern die Frage nach der Stellung der empirischen Kunstsoziologie innerhalb des kulturellen Systems der DDR.

Lehmann hat Ästhetik als System von Normen und empirische Kunstsoziologie schroff einander gegenübergestellt; dagegen wendet sich Horst Redeker in einer ausführlichen Kritik der Lehmannschen Arbeit. Anstelle der »Alternative von Systematik und empirischer Forschung« fordert er die »tiefere Durchdringung von System und Empirie« (Redeker *123*, 209 f.). Sein Einwand richtet sich gegen eine empiristische Verkürzung des Begriffs der Tatsache. Wo diese mit beobachtbaren Oberflächenerscheinungen gleichgesetzt wird, droht die für jede dialektische Untersuchung wichtige Unterscheidung von Wesen und Erscheinung verlorenzugehen. Von hieraus kann Redeker eine Reihe von Schwierigkeiten ansprechen, denen der Versuch begegnet, Kunstrezeption empirisch zu beobachten (ebd., 214 ff.): das Problem der »Beziehung von Inputs und Outputs«, insofern das einzelne Kunstwerk stets auf dem Hintergrund zahlreicher früherer ästhetischer Erfahrungen seine Wirkung entfaltet; damit zusammenhängend das Problem der Abgrenzung der ästhetischen Informationen (z. B. Interpretationen); schließlich das Problem, »daß man die notwendigen statistischen Werte nur durch lange Beobachtung unter vollständig konstanten Bedingungen erhalten könne« (ebd., 215). Gegen die Aussparung der Werkanalyse aus der Kunstsoziologie wendet sich, wenngleich ohne auf Lehmann Bezug zu nehmen, Thomas Höhle, indem er auf der Notwendigkeit insistiert, »Zusammenhänge zwischen den ästhetischen Wesenseigentümlichkeiten des literarischen Kunstwerks und der gesellschaftlichen Wirklichkeit herzustellen« (Höhle *118*, 267).

Es wäre jedoch verfehlt anzunehmen, die Schärfe der Kritik von Redeker hätte in der DDR zur Ablehnung der empirischen Kunstsoziologie geführt. Das ist keineswegs der Fall. Die Schärfe der Kritik dürfte vor allem der Zielsetzung gelten, die Lehmann mit der Einführung der empirischen Kunstsoziologie verband: nämlich den Kampf gegen die in der DDR herrschende normative Ästhetik. Der von Lehmann unternommene Versuch, empirische Kunstsoziologie gegen die normative Ästhetik des sozialistischen Realismus einzusetzen, zeigt deutlich, daß ein methodischer Ansatz in verschiedenen kulturellen Systemen unterschiedliche Funktionen erfüllen kann. Während in den spätkapitalistischen Ländern, die spätestens seit der historischen Avantgardebewegungen keine normative Ästhetik von epochaler Gültigkeit mehr kennen, die positivistische Kunstsoziologie tendenziell die Möglichkeit von Kritik eliminiert, konnte in der DDR die Hoffnung bestehen, sie als Instrument zur Aufsprengung einer normativen Ästhetik zu verwenden. Sieht man in dem Angriff auf die normative Ästhetik das Zentrum von Lehmanns Bemühung, so kann man in der Tat behaupten, daß sein Ansatz sich nicht durchgesetzt habe[7]; richtet man dagegen sein Augenmerk auf die Einführung empirischer Untersuchungsverfahren, so wird man feststellen, daß Anregungen Lehmanns durchaus aufgenommen und weiterentwickelt worden sind. Allerdings steht in der gegenwärtigen literaturtheoretischen Diskussion der DDR nicht die empirische Literatursoziologie im Mittelpunkt, sondern eher eine an der Marxschen Methode der Wissenschaftskritik geschulte Kritik neuerer literaturwissenschaftlicher Ansätze, als deren kompetenteste Vertreter der älteren Generation Robert Weimann und Manfred Naumann gelten dürfen[8]. Während die empirisch ausgerichteten Forscher vor allem die Wirkung der Gegenwartsliteratur auszumachen suchen, geht es den zuletzt genannten Theoretikern mehr um die kritische Aneignung der Literatur vergangener Epochen.[9]

Die Übereinstimmung mit der methodischen Einstellung der positivistischen Kunstsoziologie mag bei Lehmann besonders auffällig sein, vorhanden ist sie auch bei anderen DDR-Forschern. Wenn z. B. Höhle folgende Arbeitsgebiete für die Literatursoziologie vorschlägt: 1. »die Rolle der Schriftsteller- und Autorenverbände im Leben der Schriftsteller und bei der Entstehung und Förderung der Literatur«, 2. die »Institutionen, die mit der Vermittlung von Literatur beschäftigt sind, also Verlagswesen, Buchhandel, Bibliothekswesen, Theater, Funk, Fernsehen, Presse«, 3. den »Bereich der Wirkung des literarischen Kunstwerks auf den, für den es eigentlich bestimmt ist: den ›Konsumenten‹ in seinen verschiedenen Erscheinungsformen [.. .]« (Höhle *118*, 260 f.) – dann deckt sich dieser Aufriß weitgehend mit den verschiedenen Programmen empirischer Literatur- bzw. Kunstsoziologie. Die Abschnitte der *Sociologie de la littérature* (deutsch: *Das Buch und der Leser*) von Robert Escarpit z. B. behandeln ebenfalls die Bereiche Produktion, Distribution und Konsum (Escarpit *115*). Auch die von Dieter Sommer vorgeschlagenen Fragestellungen einer marxistischen Literatursoziologie bleiben im Rahmen dessen, was die empirisch-positivistische Kunstsoziologie zum Gegenstand ihrer Untersuchungen macht:

> Welchen Stellenwert haben die Kunst, ihre Gattungen und Darstellungsmittel in den Wertvorstellungen und in der kulturellen Freizeitbetätigung der sozialen Gruppen? Hieraus ergibt sich eine weitere Frage, nämlich, ob gruppenspezifische Wertordnungen derart stereotyp und verfestigt erscheinen, daß sie die Rezeptionsbereitschaft für bestimmte Kunsterscheinungen begünstigen oder hemmen. [. . .] Die Erwartungshaltung zielt endlich auf die Frage: Was verspreche ich mir – unabhängig vom Prestige – von dieser oder jener Kunstbegegnung? Erwarte ich Spannungsreize, Zerstreuung, Belustigung, Information über unbekannte Lebensbereiche oder die Bestätigung meines eigenen geistig-praktischen Verhältnisses zur Welt? (Sommer *127*, 300 f.)

Die Übernahme von Fragestellungen aus der empirisch-positivistischen Kunstsoziologie erlaubt noch nicht, die gesellschaftliche Funktion der Kunstsoziologie in der DDR zu erfassen. Dazu ist vielmehr eine (wenn auch skizzenhafte) Bestimmung der Stellung der Kunstsoziologie im kulturellen

System der DDR erforderlich. In einer ganzen Reihe von Beiträgen wird die Notwendigkeit einer empirischen Kunst- bzw. Literatursoziologie mit dem Hinweis auf den Funktionswandel der Kunst in der sozialistischen Gesellschaft legitimiert. Als Aspekte dieses Funktionswandels nennt Horst Redeker »die Überwindung der bürgerlichen Trennung von Kunst und Leben« und die »neue Stellung des sozialistischen Künstlers in der Gesellschaft« (im Gegensatz zur »Außenseiterposition des Künstlers« in der bürgerlichen Gesellschaft) (Redeker *123*, 212 f.). Dieter Sommer und Dieter Löffler leiten die Notwendigkeit empirischer Wirkungsforschung ab aus der »produktiv mitgestaltende[n] und mitverantwortende[n] Gesellschaftsfunktion, die die sozialistisch-realistische Literatur bei der Festigung und Entfaltung des entwickelten gesellschaftlichen Systems zu erfüllen hat« (Sommer/Löffler *126*, 51). Claus Träger schließlich formuliert:

> Während unter kapitalistischen Bedingungen auch den aufgeklärten Köpfen noch immer die Kunst als eigentliche Verwirklichung des menschlichen Selbstzwecks *erscheint* (als abstrakte Aufhebung der Entfremdung), wird sie *tatsächlich* im sozialistischen Staat zugleich mit Notwendigkeit zum Mittel, durch welches der vergesellschaftete Mensch sich erst wirklich als sein eigener Zweck tätig begreift.[10]

Die zitierten programmatischen Äußerungen sind Versuche, die Institutionalisierung der Kunst in der sozialistischen Gesellschaft im Gegensatz zu derjenigen der bürgerlichen Gesellschaft zu bestimmen. Es kann hier nicht darum gehen, das angesprochene Programm zu beurteilen – dies wäre nur im Rahmen einer eingehenden Darstellung der Kulturpolitik der DDR zu leisten. Dabei wären sowohl Widersprüche innerhalb der Programmatik, als auch die möglicherweise konstatierbare Kluft zwischen Anspruch (z. B. von Träger formuliert) und kulturpolitischer Wirklichkeit Gegenstand der Kritik. Hier geht es um etwas anderes: Um die Einsicht, daß die skizzierte Funktionsbestimmung der Kunst auch die Kunstsoziologie zu einem Instrument der Kulturpolitik werden läßt. Deren Aufgabe besteht dann darin, »Grundlagen für Kulturprognosen und zur Ausarbeitung von Leitungsprinzipien (zu schaffen)« (Sommer *127*, 294). Die für die Wissenschaftsauffassung zahlreicher Literaturwissenschaftler und Kunsttheoretiker der

DDR charakteristische enge Verknüpfung von Wissenschaft und Kulturpolitik hat zweierlei zur Folge: einmal sind derartige Positionen nur im Rahmen einer Auseinandersetzung mit der Kulturpolitik der DDR ernsthaft zu kritisieren, nicht aber als einzelne. Zum andern ist überhaupt die Vergleichbarkeit mit hiesigen Ansätzen erschwert, denn Übereinstimmungen in Details korrespondieren fast immer einem andern Funktionsmechanismus. Schließlich ist auch die Übernahme von Grundpositionen der Literatur- und Kunsttheorie der DDR problematisch, wenn die anderen Funktionsbedingungen von Kunst in der bürgerlichen Gesellschaft dabei nicht reflektiert werden.

Anmerkungen

1 L. von Wiese, *Methodologisches über den Problemkreis einer Soziologie der Kunst*, in: *Verhandlungen des Siebenten Deutschen Soziologentages vom 28. Sept. bis 1. Okt. 1930 in Berlin* [...]. Tübingen 1931, 121-132: hier: 127.

2 E. Rothacker, *Der Beitrag der Philosophie und der Einzelwissenschaften zur Kunstsoziologie*, ebd., 132-156, hier: 195 (Diskussionsbeitrag.

3 Die gleiche Position wie Silbermann vertreten H. P. Thurn *(128)* und neuerdings W. Nutz *(121)*. Einen Überblick über die empirische Kunst- und Literatursoziologie im anglo-amerikanischen Bereich gibt Albrecht *(109)*.

4 Zur Frage, wie eine kritische Kunstsoziologie dem Zusammenhang von Sozialisation und Möglichkeiten des Kunstgenusses nachgeht, vgl. Text 18 (Bourdieu).

5 Daß der deskriptive Anspruch des Funktionalismus nicht haltbar ist, hat J. Habermas gezeigt (*Zur Logik der Sozialwissenschaften. Materialien* [ed. suhrkamp, 481]. Frankfurt 1970, 164 ff., hier: 178.

6 Vgl. dazu A. Wellmer, *Der heimliche Positivismus der Marxschen Geschichtsphilosophie*, in: ders., *Kritische Gesellschaftstheorie und Positivismus* (ed. suhrkamp, 336). Frankfurt 1969, 69-127.

7 Dahingehend äußert sich P. U. Hohendahl in seinem informativen und sachlichen Überblick über neuere literaturtheoretische Diskussionen in der DDR (*Ästhetik und Sozialismus. Zur neueren Literaturtheorie in der DDR*, in: P. U. Hohendahl/P. Herminghouse

(Hrsg.), *Literatur und Literaturtheorie in der DDR* (ed. suhrkamp, 779). Frankfurt 1976, 100-162; hier: 132).

8 Vgl. R. Weimann, *»New Criticism« und die Entwicklung bürgerlicher Literaturwissenschaft [. . .]*. [2]München 1974; ders., *Literaturgeschichte und Mythologie. Methodologische und historische Studien.* Berlin/Weimar 1971; M. Naumann *99*.

9 Den fortgeschrittensten Stand der Bemühungen der Literaturwissenschaftler der DDR, den Gegensatz von Historismus und beliebiger Aktualisierung zu überwinden, veranschaulichen eindrucksvoll die jüngsten Arbeiten aus der Berliner Akademie der Wissenschaften *(179 a* und *187 a)*.

10 C. Träger, *Zur Stellung des Realismusgedankens bei Marx und Engels*, in: ders., *Studien zur Realismustheorie und Methodologie der Literaturwissenschaft* (Röderberg Taschenbuch, 8) Frankfurt 1972, 7-66; hier: 25 f.

7. Paul Honigsheim
Kunstsoziologie

Der Kunstsoziologischen Arbeitsgemeinschaft ist die Aufgabe gestellt worden, nicht so sehr fertige Resultate vorzutragen, als vielmehr auf Fragen hinzuweisen, die uns wichtig erscheinen. Dementsprechend seien hier einige derartige Probleme herauspräpariert, ohne daß gleichzeitig der Anspruch erhoben werde, die Lösung zu bringen.

Da ist denn als erstes dies zu untersuchen: *Der Prozeß, durch den überhaupt erst aus einem größeren Kollektivum eine kleinere Gruppe herauskristallisiert wird, die die Funktion der Künstler ausübt.* Insbesondere wäre die Rolle zu betrachten, die hierbei Magie, Arbeitsteilung und sonstige konstitutive Komponenten spielen.

Die zweite Frage lautet dann aber: *Um welche Vergesellschaftungsart handelt es sich bei der Gruppe von Künstlern, die sich auf solche Weise gebildet hat.* Als Beispiele derartiger Forschungsobjekte seien aufgezählt: Einerseits die Form der vorbürgerlichen Gemeinschaft der »Fahrenden« und »Unehrlichen«, andererseits – um sofort eine Situation zu erwähnen, die von der soeben genannten recht verschieden ist – die Sprengung des Zusammenhalts durch die Entwicklung Einzelner zu Monopolbesitzern. Um einen derartigen Fall zu nennen, der vielleicht trivial erscheint, der aber die Situation charakterisiert: Es gibt Kulturen, in denen man einen Menschen, der einen solchen Kehlkopf hat, daß er das hohe C singen kann, als etwas ganz besonders zu Bewertendes ansieht. Naturgemäß ist dann die Art seiner Bezogenheit zu den sonstigen Künstlern eine ganz andere als in den Zeiten, in denen eine derartige Schätzung eines solchen Monopolbesitzers noch nicht besteht, oder aber, in denen die geschilderte Entwicklung durch eine entgegengesetzt geartete gehemmt worden ist. Hiermit aber berühren wir eine dritte Verbunden-

Abdruck mit freundlicher Genehmigung des Verlags J. C. B. Mohr ›Paul Siebeck‹ aus: *Verhandlungen des Siebenten Deutschen Soziologentages vom 28. September bis 1. Oktober 1930 in Berlin [. . .]* (Schriften der Deutschen Gesellschaft für Soziologie, 7). Tübingen 1931, 179-181. Titel des Diskussionsbeitrags vom Herausgeber.

heitsart der sogenannten Künstler. Sie besteht hierin: Man ist in der Weise vergruppt, die gerade für die Vergesellschaftung der Nichtkünstler in der gleichen Zeit charakteristisch ist, nämlich in der Form des Zweckverbandes der Leute, die nicht zuletzt durch die gleiche Gelagertheit der ökonomischen Interessen zusammengehalten werden. So sehen wir in unsern Tagen: die Gewerkschaft der Klavierlehrer, den Ballettverband, die Organisation der Gymnastiklehrer und zahlreiche ähnliche Gebilde. Das führt zu einer veränderten Art des Sichverhaltens dieser Künstler untereinander. Beispielsweise werden durch eine derartige Vergewerkschaftung Individuen ausgeschaltet, die einen solchen Typisierungsprozeß nicht mitmachen. Selbstverständlich wird hierdurch indirekt auch die Kunstproduktion weitgehend berührt.

Das dritte Untersuchungsobjekt ist dann aber: *die gesellschaftliche Struktur des Publikums.* Wer kommt als solches in Betracht? Eine kleine Gruppe? Ist diese Gruppe in sich geschlossen und als solche deutlich erkennbar, oder handelt es sich um mehr oder minder zahlreiche Liebhaber, die zwar nicht in irgendeiner Weise organisiert sind, auf die aber der Künstler rechnet? Oder aber hat man es direkt mit zahlenmäßig umfassenden Abnehmerorganisationen zu tun? So entwikkeln sich die Gewerkschaften zu Theaterbesucherorganisationen und bestimmen dadurch teilweise den Spielplan und damit indirekt überhaupt die Möglichkeit des Aufkommens bestimmter Kunstgattungen und Kunstrichtungen. Oder aber die Menschen schließen sich, weil heute fast niemand mehr ein einzelnes Haus errichten lassen kann, in Form von Siedlungsgenossenschaften zusammen. Letztere treten aber den Architekten gegenüber als Abnehmer auf, und so entsteht allmählich ein neuer Stil, der etwa durch das Wort »neue Sachlichkeit« charakterisiert ist. Das hat dann wiederum, im Zusammenwirken mit andern Faktoren, nicht zuletzt psychologischer Art, das allmähliche Absterben bestimmter Kunstgattungen, wie des Tafelbildes, im Gefolge, für das man in einem solchen neuen Siedlungsheim keine Verwendung hat.

Viertens ist die *Beziehung zwischen Künstler und Publikum* zu erforschen. Hier spielt die ganze Frage des sogenannten Esoterikertumes der Künstler hinein, des positiv bzw. negativ Privilegiertseins. So wurden sie im Mittelalter als »Fahrende«, und zwar vielfach zu ihrem großen Schmerz, verachtet, in der Neuzeit aber waren sie als »Bohème« zeitweilig sehr stolz darauf, von den übrigen Schichten abgelehnt zu werden. Beiden Erscheinungsformen gegenüber beginnt sich aber das Bild heute wiederum völlig zu verändern. Der rationalisierte Typ in der heutigen Künstlermassengruppe hat nämlich nun den Wunsch, direkt die gleiche Bewertung zu genießen, die innerhalb der nicht künstlerischen Welt besonders erstrebt wird. So weist heute ein zunehmender Teil der Künstler die Tendenz auf, einen Doktorgrad zu erwerben, einen Titel also, der in anderen Kreisen ein gewisses Ansehen schafft.

Das fünfte Problem ist dies: *Wann und wie entstehen Zwischengebilde zwischen Künstler und Publikum?* Hier handelt es sich beispielsweise um folgende Spezialfragen: Unter welchen Umständen kann überhaupt erst die Erscheinung des Kunsthändlers erwachsen? Inwiefern muß dazu vorher schon jene Situation eingetreten sein, die überhaupt erst die Existenz jenes Dritten ermöglicht, wie ihn Tönnies versteht, und wie er sich zwischen die beiden ursprünglichen Kontrahenten einschiebt. Parallel zu gehen hätte eine Untersuchung darüber: Unter welchen Verhältnissen ist die Möglichkeit für das Werden von Kritiker und Kunstwissenschaftler gegeben? Nach der Beantwortung beider Fragen kann dann an die Lösung eines weiteren Problems gegangen werden, nämlich dieses: Besteht ein Zusammenhang zwischen den Werdeprozessen beider Typen, des Händlers und des Kunstwissenschaftlers? Verdanken vielleicht beide der gleichen gesellschaftlichen Situation ihr Dasein, und sind sie alle zwei aus diesem Grunde im Mittelalter und in der asiatischen Welt unmöglich?

Darüber hinaus wäre dann noch sechstens zu fragen: *Welche Arten von Beziehungen bestehen zwischen diesen eben hier bloß skizzierten Zwischengebilden ihrerseits untereinander,* so zwischen Kunstwissenschaft und Kritiker einerseits und Kunsthandel andererseits? Hiermit berühren wir aber Zusammenhänge, die für die Gegenwart von höchster Aktualität sind. Damit man sie aber in ihrer Wesenheit erkennen kann, muß erst die nötige Vorarbeit geleistet, das heißt eine ganze Fülle, wenn nicht überhaupt alle anderen Epochen und Kulturen, und zwar nicht zuletzt nach den hier herauspräparierten Gesichtspunkten, untersucht worden sein.

8. Theodor W. Adorno
Vermittlung

Bis heute ist musiksoziologische Erkenntnis unbefriedigend. Sie spaltet sich in vielfach unproduktiven Wissenschaftsbetrieb hier und, zu nicht geringem Maß, in Unbewiesenes dort. Wo ihr etwas aufgeht, streift sie die bloße Analogie. Ein Rest des Dogmatischen bleibt ihr auch, wo sie ihre Motive aus konsequenter Theorie der Gesellschaft zieht. Wenig ergiebig aber sind meist musiksoziologische Sätze, die, um nur ja festen Boden unter den Füßen zu behalten, auf Konsumentengewohnheiten sich beschränken, oder wenigstens Musik nur dort als soziologischen Gegenstand zulassen, wo sie etwas wie eine Massenbasis der Verbreitung findet. Wohl mögen raffiniertere Erhebungsmethoden zuweilen von Resultaten belohnt werden, die nicht von vornherein sich absehen lassen, nicht die Forschung erübrigen gleich Research-Binsenweisheiten: daß Jazz lieber in großstädtischen Zentren als auf dem Lande gehört wird oder daß das Interesse Jugendlicher an Tanzmusik größer ist als das Älterer. Was aber Musiksoziologie dem Unbefangenen verspricht, was keine einzelne Erhebung erfüllt und schwerlich die stets wieder vertagte Synthesis, das wäre die gesellschaftliche Dechiffrierung musikalischer Phänomene selbst, die Einsicht in ihr wesentliches Verhältnis zur realen Gesellschaft, in ihren inneren sozialen Gehalt und ihre Funktion. Die wissenschaftlich etablierte Musiksoziologie sammelt statt dessen bloß Daten im bereits Konstituierten und ordnet sie. Ihr Habitus ist administrativ: die Auskünfte über Hörgewohnheiten, die sie bereitstellt, sind vom Typus dessen, was die Büros der Massenmedien benötigen. Indem sie aber auf die Rolle als solcher hingenommenen Musik in einer als solcher hingenommenen Gesellschaft sich einengen, versperren sie die Perspektive sozialer Strukturprobleme, der impliziten der Musik ebenso wie der funktionalen der Gesellschaft gegenüber. Nicht umsonst rühmen sie sich, unter Anrufung Max Webers, ihrer Wertfreiheit. Unkritische Registrierung dessen, was sie als Tatsachen vermelden, empfiehlt sie dem Getriebe, dem sie naiv sich einordnen; sie machen eine wissenschaftliche Tugend aus der Unfähigkeit zu erkennen, was es mit dem Getriebe, und mit der Musik darin, auf sich hat.

Musiksoziologische Intentionen jedoch, die damit nicht sich abspeisen lassen; die deutend bloße Faktizität überschreiten, werden, weil sie nicht rein von Fakten einzulösen sind, ohne viel geistige Unkosten als willkürliche Spekulation gebrandmarkt. Man sollte denken, daß gesellschaftliche Aspekte von Musik wie der Zusammenhang großer, ihrem Sinn nach der Erfahrung noch heute offener Musik mit dem Geist geschichtlicher Epochen, und damit ihrer Sozialstruktur, Perspektiven, welche selbst die vom Verdacht des »Soziologismus« entfernte Geistesgeschichte Diltheys öffnet, ohne weiteres einleuchten. Selbst sie geraten indessen ins Zwielicht, sobald ihnen nach empirischen Spielregeln die Rechnung präsentiert und verlangt wird, man solle hieb- und stichfest beweisen, daß Beethovens Musik nun tatsächlich etwas mit Humanität und bürgerlicher Emanzipationsbewegung, oder Debussy mit dem Lebensgefühl des Impressionismus und der Bergsonschen Philosophie zu tun habe. Das Allerplausibelste verkehrt sich jener verhärteten wissenschaftlichen Gesinnung, die ihr Ethos daran hat, gegen die Erfahrung der Gegenstände sich blind zu machen und nur Reflexe darauf zu studieren, zum spekulativen Dogma. Diese Gesinnung beruht, wie Max Weber schon ahnte, auf dem Verlust kontinuierlicher Bildung. Deren Abwesenheit wirft sich als Kriterium des Wahren auf. Die Frage nach dem Gehalt wird als eitel abgeschnitten, weil sie der etablierten Unbildung entglitt. Der Geist, der in den Gegenständen der Geisteswissenschaften beheimatet ist, wird vor den Verfahren, zu denen er degenerierte und denen es wichtiger ist, ihre Resultate allen demonstrieren zu können als mit ihnen die Sache zu erreichen, zum Angeklagten. Die Ungegenständlichkeit der Musik benachteiligt diese dabei besonders: sie verweigert unmittelbar gesellschaftliche Daten.

Schuld aber hat nicht nur die fortschreitende Sturheit und Verblendung des Wissenschaftsbetriebs. Auch wer von jener nicht sich terrorisieren läßt, bemerkt, daß Musiksoziologie zur Atrophie des einen oder des anderen der beiden Momente tendiert, aus denen ihr Name zusammengestückt ist. Je gesicherter soziologische Befunde über Musik, desto ferner und äußerlicher sind sie ihr selbst. Je tiefer aber sie in spezifisch musikalische Zusammenhänge sich versenken, desto ärmer und abstrakter drohen sie als soziologische zu werden. Gesetzt, man werde einer Beziehung zwischen Berlioz und dem beginnenden industriellen Hochkapitalismus inne. Die Relation, insbesondere die Verwandtschaft des technologischen Aspekts der Berliozschen Orchesterbehandlung zu industriellen Verfahren, ist schwer zu leugnen. Die gesellschaftlichen Momente aber, die dabei herausschauen, sind selbst bei weitgehenden Extrapolationen ganz außer Verhältnis zu dem, was wir über die französische Gesellschaft jener Epoche konkret wissen. Wesentliche Züge von Berlioz wie das Schockhafte und Abrupte seines Idioms bezeugen zwar deutlich gesellschaftliche Veränderungen der Reaktionsformen, die, musikalisch, auch die seinen waren. Aber selbst das wäre immer noch auf einer höheren Allgemeinheitsstufe lokalisiert als die sozialen Vorgänge, die Umwälzung der Produktionsmethoden zu Berlioz' Zeit. Umgekehrt wird man aus der Fülle dessen, was man über die Gesellschaft des Imperialismus und Spätkapitalismus weiß, kaum die spezifische Beschaffenheit voneinander so divergierender Musiken ableiten können wie den gleichzeitigen von Debussy, Mahler, Strauss und Puccini. Differentielle Musiksoziologie scheint bloß ex post facto möglich, und das macht sie fragwürdig im Sinn des Diktums, was ein starker Denker nicht alles fertigbringe. Des Unbehagens an den Identifikationen beider Bereiche über Stock und über Stein kann auch der nicht sich entschlagen, der sie für notwendig hält, weil der volle musikalische Gehalt in sich gesellschaftliche Sinnesimplikate birgt, und der frei ist von jener reaktionären Kulturideologie, die sich, wie bereits Nietzsche rügte, nicht damit abfinden will, daß die Wahrheit – und die Kunst ist ihre Erscheinung – ein Gewordenes sei. Nicht ist zu fürchten, die Reinheit des Kunstwerks werde befleckt von den Spuren des Seienden in ihm selber, über das es nur soweit sich erhebt, wie es am Seienden sich mißt. Wohl aber ist zu fürchten, daß jene Spuren in der Sache verfließen und den Erkennenden verleiten, sie durch Konstruktion zu erschleichen. Index dessen ist das Widerstreben des Gedankens gegen den Gebrauch von Worten wie »Zuordnung«. Sie übertünchen die Schwäche der Erkenntnis; ihre Unverbindlichkeit täuscht vor, sie entspränge dem schwebend Differenzierten. Solche Schwäche von Musiksoziologie nach der einen oder der anderen Richtung enthüllt sich so regelmäßig, daß sie kaum auf die Unzulänglichkeit individuellen Verfahrens oder gar auf die mittlerweile gealterte Jugend der Disziplin abzuschieben ist.

Der soziologische Wissenschaftsbetrieb hilft sich über die Schwierigkeit, wie über viele, durch geschäftsordnungsmäßige Klassifikationen: Soziologie habe es mit der sozialen Wirkung von Musik zu tun, nicht mit dieser selbst; mit ihr hätten sich Musiktheorie, Geistesgeschichte, Ästhetik zu beschäftigen. Derlei Ansichten haben ihre Tradition in der Geschichte der Soziologie. Um als neue Disziplin in der alten universitas litterarum untergebracht zu werden, war sie interessiert daran, von Nachbardisziplinen – Ökonomie, Psychologie, Historie – durch sogenannte saubere Definition ihres Gegenstandsbereichs sich abzugrenzen. Bis zur Periode von Max Weber und Durkheim wollte Soziologie immer wieder apologetisch ihre Eigenständigkeit beweisen. Unterdessen hat sich herumgesprochen, wohin die wissenschaftliche Arbeitsteilung in getrennten Schächtelchen führt: zur Verwechslung des methodisch Veranstalteten mit der Sache selbst, zur Verdinglichung. Seitdem sind jene limitierenden Bestrebungen auf die Bindestrichsoziologien herabgesunken; so, wenn man, durchsichtig genug, die Betriebssoziologie von den tragenden wirtschaftlichen Vorgängen als Erforschung angeblicher zwischenmenschlicher Beziehungen abspaltet. Nicht weit davon ist das Postulat, Musiksoziologie mehr oder minder auf Erhebungen über den gesellschaftlichen Konsum von Musik einzuschränken. Vielleicht ist es ein wissenschaftstheoretisches Ergebnis der musiksoziologischen Reflexionen, die ich angestellt habe, daß dies Verfahren, das sich für wissenschaftlich gesichert hält, den eigenen Gegenstand versäumt. Ästhetische und soziologische Fragen der Musik sind unauflöslich, konstitutiv miteinander verflochten. Nicht zwar, wie es der vulgärsoziologischen Ansicht passen könnte, derart, daß nur das gesellschaftlich auf breiter Basis sich Durchsetzende ästhetisch qualifiziert sei. Sondern ästhetischer Rang und gesellschaftlicher Wahrheitsgehalt der Gebilde selbst haben wesentlich miteinander zu tun, wie wenig auch beides unmittelbar identisch ist. Nichts an Musik taugt ästhetisch, was nicht, sei's auch als

Negation des Unwahren, gesellschaftlich wahr wäre; kein gesellschaftlicher Gehalt von Musik gilt, wofern er nicht ästhetisch sich objektiviert. Was an Strauss, auch an Wagner Ausdruck von Ideologie ist, reicht bis in Unstimmigkeiten ihrer Technik wie die alogische Beliebigkeit des Effekts oder die überredende Wiederholung hinein – der musikalische Kitsch des Ostblocks ist zumindest Symptom dessen, wie es um den Sozialismus dort bestellt ist, der von den Komponisten propagandistisch bebildert werden muß. Erst solche Zusammenhänge wären musiksoziologisch relevant. Die gesellschaftliche Distribution und Rezeption der Musik ist bloßes Epiphänomen; das Wesen ist die objektive gesellschaftliche Konstitution der Musik in sich. Dies Wesentliche ist nicht mit gespielter Demut ad Kalendas Graecas zu vertagen, bis die Musiksoziologie erst über all die Fakten verfügte, die sie dann deutete und die sie zur Deutung befähigten. Denn die Fragen, die sie an Distribution und Rezeption der Musik heranbringt, wären selber zu determinieren von denen nach dem gesellschaftlichen Gehalt der Musik und von der theoretischen Interpretation ihrer Funktion.

Die Interessen jeglicher gesellschaftlichen Erkenntnis richten sich danach, ob sie ausgeht von den Verhaltensweisen und Reaktionen von Menschen in einer gegebenen Gesellschaft oder von den objektivierten, institutionellen Mächten, von denen die Sozialprozesse, und damit die Individuen bis in ihre vermeintlich irreduzible Psychologie hinein, abhängen. Weil jene Objektivitäten nicht oder nur inadäquat im Bewußtsein der einzelnen Menschen gegeben, vielmehr im Entscheidenden von der Fassade verdeckt sind, während ihre Verhaltensweisen sich beobachten, erfragen, gar messen lassen, konzentriert eine auf Objektivität versessene Wissenschaft sich auf die Subjekte; auch eine Musiksoziologie, die als Vorbild Max Weber oder womöglich Theodor Geiger sich erkoren hat. Aber die Objektivität solcher Blickrichtung ist Schein. Denn ihr Gegenstand ist selbst abgeleitet, sekundär, vordergründig. Weil die Subjekte heute Objekte der Gesellschaft sind, nicht ihre Substanz, sind auch ihre Reaktionsformen nicht objektive Daten, sondern Bestandteile des Schleiers. Die Objektivität ist, in einer durchgebildeten und hochrationalisierten Warengesellschaft, die zusammengeballte gesellschaftliche Macht, der Produktionsapparat, und der von diesem kontrollierte der Verteilung. Was, dem eigenen Begriff nach, das erste zu sein hätte, ist zum Appendix geworden, die lebendigen Menschen. Wissenschaft, die das verleugnet, verteidigt den Zustand, der es dahin brachte. Wissenschaftliche Aufklärung hätte das zu entwirren. Ob man mit dem Studium der gesellschaftlichen Subjekte oder der verhärteten gesellschaftlichen Objektivität anfängt, ist keine Sache des Beliebens von Standpunkt oder Themenwahl; keineswegs konvergieren Verfahren, die hier und dort ansetzen. Die gesellschaftlichen Verhältnisse sind solche der gesellschaftlichen Macht; daher rührt der Vorrang der Produktion über die anderen Bereiche. In ihm verschränken sich die für die gesellschaftliche Dialektik insgesamt maßgebenden Momente: die menschliche Arbeit, durch die das Leben bis in die äußersten Sublimierungen hinein sich erhält, und die Verfügung über fremde Arbeit als das Schema von Herrschaft. Ohne gesellschaftliche Arbeit ist kein Leben, Genuß wird von ihr erst hervorgebracht; die gesellschaftliche Verfügung aber reduziert den Gebrauch der hergestellten Güter, den die Vulgärsoziologie als Gegebenheit verkennt, zum Mittel, um des Profits willen den Produktionsapparat in Gang zu halten. Abstraktionsschnitte, die das eskamotieren, sind darum ihrem Gegenstand gegenüber nicht so neutral, wie ihre bona fides sich schmeichelt. Ihnen verschwindet vorweg das Entscheidende, die Bedingungen, welche die Menschen an ihren Platz bannen und sie zu dem verhexen, als was sie agieren und was sie auch für sich selber werden. Die gesicherten Beobachtungen fügen sich zur Mauer vor dem Wesen, das im Beobachteten bloß erscheint; der Empirismus erfährt nicht, was er erfahren zu wollen behauptet.

In den Sphären von Distribution und Konsum freilich, in denen Musik selbst gesellschaftliches Objekt, Ware wird, bereitet die Frage nach der Vermittlung von Musik und Gesellschaft so wenig Schwierigkeiten wie Freude. Sie wäre teils mit Methoden der beschreibenden Analyse von Institutionen, teils, bei der Hörersoziologie, mit solchen statistischer Erhebung zu behandeln. Allerdings müßte die spezifische Beschaffenheit des Verteilten und Rezipierten die Problemstellungen determinieren, an denen der gesellschaftliche Sinn des Ermittelten sich ablesen läßt, während der *administrative research* von jener Relation gern absieht und dadurch um die Fruchtbarkeit seiner Resultate sich bringt. – Die Distribution unterliegt, bis sie die Massen erreicht, zahllosen gesellschaftlichen Selektions- und Steuerungsprozessen durch Mächte wie Industrien, Konzertagenturen, Festspielleitungen und vielerlei Gremien. All das geht ein in die Präferenzen der Hörer; ihre Bedürfnisse werden nur mitgeschleift. Allem vorgeordnet ist die Kontrolle durch die großen Konzerne, in denen in den ökonomisch fortgeschrittensten Ländern die Elektroindustrie, die Schallplattenindustrie und das Radio offen oder verdeckt fusioniert sind. Mit zunehmender Konzentration der Verteilungsinstanzen und ihrer Macht nimmt die Freiheit in der Wahl des zu Hörenden tendenziell ab; darin unterscheidet sich die eingegliederte Musik nicht länger von irgendwelchen anderen Konsumgütern. Die Steuerung wird von Irrationalität begleitet. Ganz wenige Musiker werden als Prominente auserwählt; schwerlich die objektiv Qualifiziertesten. Zu Zwecken des *build-up* zu einer Warenmarke werden in sie so große Beträge investiert, daß sie selber monopolähnliche Positionen erlangen, denen sie zugleich willentlich zustreben. Im musikalischen Distributionsapparat verwandeln sich die Produktivkräfte der ausübenden Künstler, nach dem Vorbild der Filmstars, in Produktionsmittel. Das verändert sie qualitativ in sich. Die Prominenten haben ihre Monopolstellung, selbst ein Stück ökonomischen Scheins, teuer zu bezahlen. Ohnmächtig sind sie in die Programmpolitik eingespannt. Ihren Darstellungsstil müssen sie auf Hochglanz polieren, wenn sie ihre Position behaupten wollen, noch als Weltberühmte verängstigt von der Möglichkeit, von einem Tag zum anderen ausgeschaltet zu werden. Versuche, durch Spontaneität und konzessionslose künstlerische Leistung die Monopole zu brechen, haben immer nur die ausübenden Künstler gebrochen; das System mag Ausnahmen machen und zur Abwechslung auch einmal tolerieren, was ihm nicht gleicht, im Ernst läßt es nicht mit sich scherzen. Seine Macht wächst dem, was lanciert wird, als Prestige und Autorität zu. Zumal die Schallplatte, die wie ein Schriftwerk geronnene Aufführung, erlangt das durch ihre pure Form. Sie gestattet es, noch erweislichen Unsinn in der Wiedergabe zeitgenössischer wie älterer Werke den Käufern als vorbildlich aufzureden; davon werden dann die Kriterien musikalischer Aufführung herabgedrückt und der Markt mit peinlichen Doubletten der arrivierten Stars überschwemmt.

Bei der Auswahl des Verteilten und der Hochdruckreklame dafür beruft man sich auf den Geschmack der Abnehmer, um das Niveau zu senken und das nicht Konformierende zu eliminieren. Das objektive Interesse der Verfügenden bedient sich des Willens der Hörer. Diesen passen, dem subjektiven Bewußtsein nach, die Verfügenden sich an. Man darf nicht sich einbilden, die Hörer würden vergewaltigt und wären an sich, gleichwie in einem glücklichen musikalischen Naturzustand, auch fürs andere ohne weiteres aufgeschlossen, wenn es das System nur an sie heranließe. Vielmehr schließt sich der gesellschaftliche Verblendungszusammenhang zum circulus vitiosus. Die oktroyierten Standards sind die, welche im Bewußtsein der Hörer selbst sich ausgeformt haben oder wenigstens ihnen zur zweiten Natur wurden: der Hinweis der Manipulatoren auf die Manipulierten ist empirisch unwiderleglich. Das Unheil liegt nicht in einer ursprünglichen Erzeugung falschen Bewußtseins, sondern in seiner Fixierung. Statisch wird reproduziert, was ohnehin ist, auch das vorhandene Bewußtsein; der status quo wird zum Fetisch. Symptome einer ökonomischen Rückbildung auf die Phase der einfachen Reproduktion sind auch in der Gestalt des objektiven Geistes unverkennbar. Die Anpassung an einen Markt, der unterdessen zum Pseudomarkt herunterkam, hat dessen Ideologie verselbständigt: das falsche Bewußtsein der Hörer ist zur Ideologie geworden für die Ideologie, mit der man sie füttert. Die Kontrolleure brauchen diese Ideologie. Schon die leiseste Lockerung der geistigen Kontrolle enthält heute ein wie immer auch entferntes sprengendes Potential, das mit dem Schreckensruf der Unverkäuflichkeit abgewürgt wird.

Der Fortschritt der Kontrolle durch die distribuierenden Agenturen blitzt auf an geringfügigen Einzelheiten. Vor vierzig Jahren wurden Schallplatten zur Ansicht ins Haus geliefert, nach den Usancen eines Liberalismus, der wenigstens formell den Geschmack des Kunden respektierte. Heute finden sich auf kostspieligeren Plattenwerken, unter Hinweis auf den rechtlichen Autorenschutz und ähnliches, Vermerke, welche den Plattengeschäften Auswahlsendungen verbieten: »Abgabe-Bedingungen für Deutschland: Die Überspielung unserer Schallplatten sowie die Übertragung von Rundfunksendungen unserer Schallplatten auf Band oder Draht, auch zu privatem Gebrauch, sind verboten. Zur Vermeidung unerlaubter Überspielungen sind den Händlern Verleih, Vermietung und Auswahlsendungen nicht erlaubt.« Die Möglichkeit des Mißbrauchs ist nicht einmal zu bestreiten: noch das Abscheulichste heute kann stets fast unwiderlegliche Gründe anführen, sie sind das Medium, in dem das Böse sich realisiert. Jedenfalls muß man die Katze im Sack kaufen; das Abhören von Platten in den mangelhaft isolierten Zellen der Ladengeschäfte ist eine Farce. Das Komplement dazu ist der Grundsatz, der Kunde sei König, der die ganze Siebente Symphonie von Bruckner in seiner Privatwohnung genießen kann. Ob derlei Tendenzen mit der Konjunktur sich ändern, bleibt abzuwarten.

Was in der Musik, in der Kunst überhaupt Produktion heißt, bestimmt sich vorab durch den Gegensatz zum kulturellen Konsumgut. Desto weniger ist es unmittelbar der materiellen Produktion gleichzusetzen. Von ihr unterscheidet das ästhetische Gebilde sich konstitutiv: was an ihm Kunst ist, ist nicht dinghaft. Die kritische Theorie der Gesellschaft rechnet die Kunstwerke dem Überbau zu und hebt sie dadurch von der materiellen Produktion ab. Allein schon das antithetische, kritische Element, das dem Gehalt bedeutender Kunstwerke essentiell ist und sie in Gegensatz wie zu den Verhältnissen materieller Produktion so zur herrschenden Praxis insgesamt rückt, verbietet es, unreflektiert von Produktion hier wie dort zu reden, wofern man Konfusion vermeiden will. Aber wie meist bei Äquivokationen sind den differentiellen Momenten identische gesellt. Die Produktivkräfte, schließlich die der Menschen, sind doch auch in allen Bereichen identisch. Die historisch konkreten, vom Inbegriff der Gesellschaft ihrer Zeit wiederum geformten Subjekte, von deren Fähigkeiten die materielle Gestalt der Produktion jeweils abhängt, sind nicht absolut andere als die, welche Kunstwerke verfertigen; nicht umsonst spielte beides über lange Epochen hin, bei handwerklichen Verfahren, ineinander. So sehr die Arbeitsteilung die Gruppen einander entfremdet, so sehr sind doch alle in jeder Phase woran auch immer arbeitenden Individuen gesellschaftlich zusammengeschlossen. Ihre Arbeit, selbst die dem eigenen Bewußtsein nach individuellste des Künstlers, ist stets

»gesellschaftliche Arbeit«; das Subjekt, das sie bestimmt, ist weit mehr gesellschaftliches Gesamtsubjekt, als dem individualistischen Wahn und Hochmut der durch geistige Arbeit Privilegierten lieb ist. In diesem kollektiven Moment, dem jeweils objektiv vorgezeichneten Verhältnis von Verfahrungsweisen und Materialien kommunizieren trotz allem der künstlerische und materielle Stand der Epoche. Darum tritt, nachdem einmal die aktuellen Spannungen zwischen einer Gesellschaft und der Kunst ihrer Tage vergessen sind, die Einheit zwischen beiden so zwingend hervor; für die gegenwärtige Erfahrung hat Berlioz mehr mit den früheren Weltausstellungen gemein als mit dem Byronschen Weltschmerz. Wie aber auch in der realen Gesellschaft die Produktivkräfte den Vorrang haben vor den Produktionsverhältnissen, die sie fesseln und an denen sie sich steigern, so entscheidet sich das musikalische Bewußtsein der Gesellschaft schließlich doch von der musikalischen Produktion her, die in den Kompositionen geronnene Arbeit, ohne daß die Unendlichkeit der Vermittlungen ganz durchsichtig wäre. In der Neigung der empirischen Kultursoziologie, von Reaktionen und nicht von dem, worauf reagiert wird, auszugehen, ist der ordo rerum ideologisch in den ordo idearum umgebogen: in der Kunst geht Sein dem Bewußtsein darin voraus, daß die Gebilde, in denen die gesellschaftliche Kraft sich vergegenständlicht hat, näher dem Wesen sind als die Reflexe darauf, die unmittelbaren sozialen Verhaltensweisen der Rezipierenden. Der vielfach verdeckte, historisch verzögerte und gebrochene Primat der Produktion ist zu verdeutlichen durch die Besinnung auf die Konsumenten- und Unterhaltungsmusik, die ja der vulgärsoziologischen Betrachtung als vordringlicher Gegenstand sich darbietet. So sehr sie auch in negativer Ewigkeit gegen die Dynamik des Komponierens sich abzuschirmen trachtet, so sehr ist sie immer noch die Resultante aus dem verdinglichten Bewußtsein der Konsumenten, der versteinerten Invarianz der Tonalität, und fortschreitenden Momenten. Widmete man ihr einmal die mikrologische Aufmerskamkeit, deren sie mehr bedarf als die autonome Kunst, die es dadurch wird, daß sie das Wesen in die Erscheinung setzt, so entdeckte man in ihrem Idiom Niederschläge der geschichtlichen Evolution der Produktivkräfte. In den sogenannten Moden wird diese Evolution herabgesetzt zum Schein des Immerneuen im Immergleichen. Das Paradoxe an der Mode ist nicht, wie das Vorurteil meint, der abrupte Wechsel, sondern die zum Kleinsten gemilderten Vibrationen des geschichtlich sich Entfaltenden inmitten des Verhärteten; Mode ist das unendlich Langsame, vorgestellt als jäher Wechsel. Über lange Zeitstrecken offenbart sich die sprunghafte Laune getarnter Unveränderlichkeit doch als retardiertes Nachbild der Dynamik. Die chromatischen Nebennoten der Unterhaltungsmusik des späteren neunzehnten Jahrhunderts etwa eignen die kompositorische Chromatisierungstendenz einem dahinter zurückgebliebenen Bewußtsein zu, indem das Essentielle buchstäblich zum Akzidens wird. Solche Tiefenprozesse sind mehr als bloß Anleihen bei der hohen Musik: minimale Siege der Produktion über Distribution und Konsum. Gerade in der leichten Musik dürfte im übrigen der Primat der Produktivkräfte bis auf die materielle Basis hinab zu verfolgen sein. Wie immer auch der Jazz gesteuert wird, er spräche kaum so sehr an, wenn er nicht einem gesellschaftlichen Bedürfnis antwortete. Das aber wird seinerseits gezeitigt vom Stand des technischen Fortschritts. Der Zwang, der Mechanisierung der Produktion sich anzupassen, verlangt offenbar, den Konflikt zwischen dieser und dem lebendigen Körper in der Freizeit, nachbildend neutralisiert, zu wiederholen. Symbolisch wird etwas wie eine Versöhnung zwischen dem hilflosen Körper und der Maschinerie, dem menschlichen Atom und der kollektiven Gewalt gefeiert. Formen und Tendenzen der materiellen Produktion strahlen weit über diese und ihre buchstäblichen Notwendigkeiten hinaus. Freilich ist diese Abhängigkeit vom Stand der Technik unablöslich von den gesellschaftlichen Produktionsverhältnissen. Die soziale Übermacht der materiellen Bedingungen der Arbeit über die Individuen ist so groß, die Chance ihrer Selbstbehauptung dagegen so hoffnungslos, daß sie regredieren und in einer Art von Mimikry dem Unentrinnbaren sich gleichmachen. Der Kitt von einst, die Ideologien, welche die Massen bei der Stange hielten, sind zusammengeschrumpft zur Imitation dessen, was ohnehin ist, unter Verzicht darauf, es zu überhöhen, zu rechtfertigen, selbst es zu verleugnen. Das Echo der Kulturindustrie in subjektiver Massenkultur ist eine Art Monopoly-Spiel.

Die Abstraktheit und Inadäquanz im Verhältnis des soziologischen und musikalischen Aspekts ist selber zu erklären. Die Gesellschaft setzt nicht, wie die verhärtete Doktrin des Diamat ihren Untertanen einbleut, direkt, handfest, nach dem Jargon jener Doktrin: realistisch in den Kunstwerken sich fort, wird nicht geradenwegs sichtbar in ihnen. Sonst wäre kein Unterschied zwischen Kunst und empirischem Dasein; ihn müssen schließlich auch die Ideologen des Diamat machen, indem sie Kunst und Kultur Sonderressorts ihrer Verwaltung überantworten. Zwar haben noch die sublimsten ästhetischen Qualitäten ihren gesellschaftlichen Stellenwert; ihr Geschichtliches ist zugleich ein Soziales. Aber die Gesellschaft geht in sie doch nur vermittelt ein, oft nur in recht verborgenen Formkonstituentien. Diese haben ihre eigene Dialektik, in der dann freilich die reale widerscheint. Umgekehrt ist aber auch die Theorie daran zu erinnern, daß gesellschaftliche Rezeption nicht eins ist mit dem musikalischen Gehalt, nicht einmal mit dem gesellschaftlichen, der in diesem sich verschlüsselt. Wer das unterschlägt, bleibt musiksoziologisch so nüchtern, daß er eben dadurch in dekretorische Phantasterei gerät. Eine zulängliche gesellschaftliche Lehre vom Überbau dürfte nicht mit dem thema probandum von dessen Abhängigkeit sich begnügen, sondern müßte die Komplexität des Verhältnisses, ja die Verselbständigung des Geistes selbst noch begreifen aus der Gesellschaft, schließlich der Scheidung zwischen niedriger und sogenannter geistiger Arbeit. Während auch autonome Musik, kraft jener Scheidung, ihren Ort in der gesellschaftlichen Totalität hat und deren Kainszeichen trägt, wohnt ihr zugleich die Idee von Freiheit inne. Und zwar nicht bloß als Ausdruck, sondern im Habitus des Widerstandes gegen das bloß äußerlich von Gesellschaft Auferlegte. Wohl hat die Freiheitsidee, Medium der bürgerlichen Emanzipationsbewegung, über die sie geschichtlich hinausweist, ihre Basis im Unterbau. Aber die Strukturen dessen, worin sie der Gesellschaft gleicht und worin sie, gesellschaftlich, ihr sich entgegensetzt, sind so komplex, daß bündige Zuordnungen unrettbar der Willkür politischer Parolen verfallen. An der autonomen Musik ist, wie an aller neueren Kunst, gesellschaftlich vorab ihre Distanz von der Gesellschaft; sie gilt es zu erkennen und womöglich zu deduzieren, nicht soziologistisch falsche Nähe des Entfernten, falsche Unmittelbarkeit des Vermittelten vorzutäuschen. Das ist die Grenze, welche die gesellschaftliche Theorie der Musiksoziologie an ihren eigentlichen Gegenständen, den großen Kompositionen, vorschreibt. In der voll autonomen Musik wird der Gesellschaft in ihrer bestehenden Gestalt opponiert durch die Wendung gegen die Zumutung der Herrschaft, die in Produktionsverhältnissen sich vermummt. Was die Gesellschaft bedeutender Musik als ihr Negatives ankreiden könnte, ihre Unverwertbarkeit, ist zugleich Negation der Gesellschaft und als solche konkret nach dem Stand des Negierten. Darum ist es der Musiksoziologie verwehrt, Musik so zu interpretieren, als wäre sie nichts als eine Fortsetzung der Gesellschaft mit anderen Mitteln. Am ehesten wird man den gesellschaftlichen Charakter jener Negation daran sich verdeutlichen, daß der Inbegriff dessen, was an gesellschaftlich Nützlichem und Angenehmem von der Autonomie der Musik verworfen wird, einen normativen Kanon hervorbringt und dadurch, auf jeder Stufe, auch etwas wie Positivität. Derlei Normen aber sind, in ihrer überindividuellen Dignität, auch, sei's noch so verkappt, soziale. Die Analyse der Verschränkung von Überbau und Unterbau erweiterte nicht nur die Einsicht in den Überbau, sondern tangierte die Lehre vom Überbau selbst. Wäre etwa der Nachweis eines falschen Konsums gelungen – falsch, insofern er in sich der objektiven Bestimmung dessen widerspricht, was konsumiert wird –, so hätte das theoretische Konsequenzen für den Begriff der Ideologie. Konsum, sozusagen die Gebrauchswertseite von Musik, könnte in der gesellschaftlichen Totalität zur Ideologie degenerieren, und das ließe wohl auch auf den materiellen Konsum sich ausdehnen. Die ins Ungemessene gestiegene Quantität der Güter ist unterm Zwang, die Überproduktion an den Mann zu bringen, in eine neue Qualität umgeschlagen. Was scheinbar den Menschen zugute kommt und ihnen früher bloß vorenthalten war, ist zu einer Gestalt des Betrugs an ihnen geworden. Ideologie und Überbau wären demnach weit energischer zu unterscheiden als bisher. Wohl zehrt aller Geist vom Unterbau und ist als dessen Derivat verunstaltet vom gesellschaftlichen Schuldzusammenhang. Aber er erschöpft sich nicht in seinen im prägnanten Sinn ideologischen Momenten, sondern ragt auch über den Schuldzusammenhang hinaus; ja er allein erlaubt es, diesen beim Namen zu nennen. Danach obliegt der Musiksoziologie ebenso die soziale Verteidigung antisozialen Geistes wie umgekehrt die Entwicklung von Kriterien ideologischer Musik, anstatt daß Etiketten von außen aufgeheftet würden.

Auswendig-gesellschaftliche und innere, rein kompositorische Entwicklungszüge divergieren in der Geschichte der Musik. Was unmittelbar nach Bach geschah, ist weder als produktive Kritik seines Werkes zu begreifen noch als Ausdruck dessen, daß die Bachschen Impulse, die von den Musikern seiner Zeit kaum nur rezipiert waren, sich erschöpft hätten. Vielmehr war der Umschlag bewirkt von der – gewiß längst vorher sich anmeldenden, aber um die Mitte des achtzehnten Jahrhunderts überaus gesteigerten – Verbürgerlichung der Musik, analog etwa zu Tendenzen der gleichzeitigen englischen Literatur. Trotzdem finden die äußeren und inwendigen Determinanten sich verhältnismäßig rasch zusammen, fünfundzwanzig oder dreißig Jahre nach Bachs Tod. Die Dynamisierung der von Bach zur Universalität erhobenen motivisch-thematischen Arbeit, die als ›Arbeit‹ bereits das statische Wesen des sogenannten musikalischen Barocks übersteigt, ist die kompositorische Konsequenz aus Bach ebenso wie die aus dem galanten, auf Abwechslung bedachten Stil nach ihm; so als hätten die äußeren Determinanten, tatsächlich vielleicht ein Publikumsbedürfnis, bloß verstärkt und beschleunigt, was im Inneren der Komposition an Produktivkräften heranreifte. Erklärt werden könnte die Parallelität durch die Einheit des Geistes der Epoche. Ihre Produktivkräfte entfalten sich gleichermaßen, und als dieselben, in Bereichen, die nicht unmittelbar voneinander abhängen. Die Vermittlung von Musik und Gesellschaft dürfte in der Substruktur der Arbeitsprozesse unterhalb beider Bereiche sich zutragen. Dem nachzugehen, wäre die Aufgabe einer Musikgeschichte, die ernsthaft den technologischen und den soziologischen Gesichtspunkt vereinigte. Musiksoziologisch gilt der Hegelsche Satz, daß das Wesen erscheinen muß: in den manifesten gesellschaftlichen Phänomenen ebenso wie in den künstlerischen Formen.

Soziologen und Ästhetiker so konträrer Richtung wie Karl Mannheim und Walter Benjamin haben jeglichen autonomen, quasi-logischen Problemzusammenhang in der sogenannten Geistesgeschichte bestritten. Ihre Kritik war heilsam angesichts der Hypostasis der Sphäre Geist, die in der Annahme einer in sich geschlossenen, mit Notwendigkeit verlaufenden Sinnesgeschichte von einem Gebilde zum anderen steckt. Sie läuft auf die Behauptung einer von der Gesellschaft unabhängigen Sondersphäre des Geistes hinaus. So legitim jedoch jene Polemik die Wechselwirkung von Geist und Gesellschaft hervorhebt, ihr bleibt ein Rest problematischer Vereinfachung. Nicht ist zu übersehen, daß die Kunst trotz allem, ähnlich wie die Philosophie, eine sei's auch prekäre Logik des Fortgangs kennt; Hegel hat sie fälschlich verabsolutiert. Aber es gibt, von den Forderungen der Sache her, etwas wie ›Einheit des Problems‹. Sie ist nicht undurchbrochen, wirkt bloß intermittierend; die Gesellschaft, der die Kunst nicht weniger zugehört, als sie ihr entragt, bricht stets wieder mehr oder minder brutal in den Vollzug des Problemzusammenhangs ein mit ihm heterogenen Desideraten. Zuweilen erzwingt Gesellschaft, durch Anpassung an ihre eigene Zurückgebliebenheit, eine Regression von Musik hinter das ihrem Problemstand nach Fällige; das Umgekehrte, die Versteinerung selbstgenügsamer musikalischer Praktiken und deren gesellschaftliche Korrektur, ist bekannt. Unerklärt bleibt, warum, zumindest aus der Distanz, doch die immanente Logik des Problemzusammenhangs und die auswendigen Determinanten schließlich wieder zusammenzufließen scheinen. Aristoteles bot eine immanente und weithin stringente Kritik des Platon, war aber gleichzeitig, und in dieser Kritik, philosophischer Exponent des gesellschaftlichen Übergangs von der kurzen attischen Restaurationsepoche und dem Zerfall der Polis zum universalen, quasibürgerlichen Hellenismus. Die Frage nach der Vermittlung von Geist und Gesellschaft reicht weit über die Musik hinaus, wo man sie allzu leicht auf die nach dem Verhältnis von Produktion und Rezeption einengt. Gelten dürfte, daß jene Vermittlung nicht äußerlich, in einem dritten Medium zwischen Sache und Gesellschaft stattfinde, sondern innerhalb der Sache. Und zwar nach ihrer objektiven und subjektiven Seite. Die gesellschaftliche Totalität hat in der Gestalt des Problems und der Einheit der künstlerischen Lösungen sich sedimentiert, ist darin verschwunden. Weil in ihr Gesellschaft sich verkapselt hat, folgt sie, indem sie autonom sich entfaltet, auch der gesellschaftlichen Dynamik, ohne auf sie hinzublicken, ohne direkt mit ihr zu kommunizieren.

Was den Geist in der Musik weitertreibt, das von Max Weber mit Recht als zentral erkannte Rationalitätsprinzip, ist kein anderes als die Entfaltung der außerkünstlerischen, gesellschaftlichen Rationalität. Diese ›erscheint‹ in jener. Das allerdings ist einzusehen nur durch Reflexion auf die gesellschaftliche Totalität, die in den Sondersparten des Geistes sich ausdrückt wie in allen arbeitsteilig voneinander getrennten Bereichen. Keineswegs ist je die Gestalt des Problems eindeutig; die philosophische nach Platon etwa fragt nach einer möglichen Rettung von Ontologie und verlangt umgekehrt den Fortgang von deren Kritik. Man wird aus der Musik nicht bloß Analoges, sondern wahrhaft denselben Doppelcharakter heraushören dürfen: so aus Beethoven eine Rekonstruktion des Daseins als sinnvoll nicht minder als den Protest des mündig gewordenen Subjekts gegen jeden diesem heteronom vorgeordneten Sinn. – Die Hohlräume der Sache, welche die Gestalt des Problems enthalten, erleichtern es der Gesellschaft, in die Autonomie der Verfahrungsweise einzudringen. Spezifische gesellschaftliche Bedürfnisse vermögen in rein musikalische Problemstellungen sich umzusetzen. Nochmals sei von der Mitte des achtzehnten Jahrhunderts die Rede. »Verwiesen werden mag auf einen Zusammenhang, der, soviel mir bekannt, der Aufmerksamkeit der Musikhistorie wie der Musiksoziologie bislang entging. Die Wendung zum galanten Stil hing, wie öfters hervorgehoben wurde, mit den Ansprüchen einer sich formierenden, bürgerlichen Publikumsschicht zusammen, die in Oper und Konzert unterhalten sein wollte. Die Komponisten wurden erstmals dem anonymen Markt konfrontiert. Ungedeckt durch Zunft oder fürstliche Protektion, mußten sie wittern, was gefragt war, anstatt nach ihnen durchsichtigen orders sich zu richten. Sie mußten sich bis ins Innerste zu Organen des Marktes machen; dadurch drangen dessen Desiderate ins Zentrum ihrer Produktion. Was dadurch, etwa Bach gegenüber, an Verflachung sich zutrug, ist unverkennbar. Nicht ebenso jedoch, wenngleich nicht minder wahr: daß kraft solcher Verinnerlichung das Bedürfnis nach Unterhaltung sich umsetzte in eines nach Mannigfaltigkeit des

Komponierten, zum Unterschied von der relativ ungebrochenen Einheit des fälschlich so genannten musikalischen Barocks. Eben diese auf Divertissement zielende Abwechslung innerhalb der einzelnen Sätze wurde zur Voraussetzung jener dynamischen Relation von Einheit und Mannigfaltigkeit, die das Gesetz des Wiener Klassizismus darstellt. Sie markiert einen immanenten Fortschritt des Komponierens, der nach zwei Generationen für die Verluste kompensierte, welche die Stilwendung anfangs bedeutete. Die bis heute lebendigen Problemstellungen der Musik haben darin ihren Ursprung. Die üblichen Invektiven gegen das kommerzielle Unwesen in der Musik sind oberflächlich. Sie täuschen darüber, wie sehr Phänomene, die den Kommerz, den Appell an ein bereits als Kundschaft eingeschätztes Publikum voraussetzen, in kompositorische Qualitäten umzuschlagen vermögen, durch welche die kompositorische Produktivkraft entfesselt und gesteigert wird. Man mag das in Gestalt einer umfassenderen Gesetzmäßigkeit formulieren: gesellschaftliche Zwänge, die anscheinend der Musik äußerlich widerfahren, werden von deren autonomer Logik und dem kompositorischen Ausdrucksbedürfnis absorbiert und verwandelt in künstlerische Notwendigkeit: in Stufen richtigen Bewußtseins.«[1] Geistesgeschichte, und damit auch die der Musik, ist soweit ein autarkischer Motivationszusammenhang, als das gesellschaftliche Gesetz die Bildung gegeneinander abgeblendeter Sphären produziert und andererseits, als das der Totalität, in jeglicher doch als das gleiche wiederum zutage kommt; seine konkrete Dechiffrierung in der Musik ist eine wesentliche Aufgabe von deren Soziologie. Während, kraft solcher Verselbständigung der musikalischen Sphäre, die Probleme ihres objektiven Gehalts sich nicht unmittelbar in solche ihrer gesellschaftlichen Genese verwandeln lassen, wandert die Gesellschaft als Problem – als Inbegriff ihrer Antagonismen – in die Probleme, die Logik des Geistes ein.

Reflektiert sei weiter auf Beethoven. Ist er schon der musikalische Prototyp des revolutionären Bürgertums, so ist er zugleich der einer ihrer gesellschaftlichen Bevormundung entronnenen, ästhetisch voll autonomen, nicht länger bediensteten Musik. Sein Werk sprengt das Schema willfähriger Adäquanz von Musik und Gesellschaft. In ihm wird, bei allem

Idealismus von Ton und Haltung, das Wesen der Gesellschaft, die aus ihm als dem Statthalter des Gesamtsubjekts spricht, zum Wesen von Musik selbst. Beides ist bloß im Innern der Werke zu begreifen, nicht in bloßer Abbildlichkeit. Die zentralen Kategorien der künstlerischen Konstruktion sind übersetzbar in gesellschaftliche. Seine Verwandtschaft mit jener bürgerlichen Freiheitsbewegung, die seine Musik durchrauscht, ist die der dynamisch sich entfaltenden Totalität. Indem seine Sätze nach ihrem eigenen Gesetz als werdende, negierende, sich und das Ganze bestätigende sich fügen, ohne nach außen zu blicken, werden sie der Welt ähnlich, deren Kräfte sie bewegen; nicht dadurch, daß sie jene Welt nachahmen. Insofern ist Beethovens Stellung zur gesellschaftlichen Objektivität eher die der Philosophie – der Kantischen in manchem und im Entscheidenden der Hegelschen – als die ominöse der Spiegelung: Gesellschaft wird in Beethoven begriffslos erkannt, nicht abgepinselt. Was bei ihm thematische Arbeit heißt, ist das sich Abarbeiten der Gegensätze aneinander, der Einzelinteressen; die Totalität, das Ganze, das den Chemismus seines Werks beherrscht, ist kein Oberbegriff, der die Momente schematisch subsumiert, sondern der Inbegriff jener thematischen Arbeit und deren Resultat, das Komponierte, in eins. Tendenziell wird dabei das Naturmaterial, an dem die Arbeit sich betätigt, so weit wie nur möglich entqualifiziert; die Motivkerne, das Besondere, an das jeder Satz sich bindet, sind selbst identisch mit dem Allgemeinen, sind Formeln der Tonalität, als Eigenes bis zum Nichts herabgesetzt und so sehr präformiert von der Totale wie das Individuum in der individualistischen Gesellschaft. Die entwickelnde Variation, Nachbild gesellschaftlicher Arbeit, ist bestimmte Negation: unablässig bringt sie das Neue und Gesteigerte aus dem einmal Gesetzten hervor, indem sie es, in seiner quasinaturalen Gestalt, seiner Unmittelbarkeit, vernichtet. Insgesamt aber sollen diese Negationen – wie in der liberalistischen Theorie, der freilich die gesellschaftliche Praxis nie entsprach – Affirmation bewirken. Das Beschneiden, sich aneinander Abschleifen der Einzelmomente, Leiden und Untergang, wird gleichgesetzt einer Integration, die jedem Einzelmoment Sinn verleihe durch seine Aufhebung hindurch. Deshalb ist das prima vista auffälligste formalistische Residuum in Beethoven die trotz aller strukturellen Dynamik unerschütterte Reprise, die Wiederkehr des Aufgehobenen, nicht bloß äußerlich und konventionell. Sie will den Prozeß als sein eigenes Resultat bestätigen, wie es bewußtlos in der gesellschaftlichen Praxis geschieht. Nicht umsonst sind einige der belastetesten Konzeptionen Beethovens auf den Augenblick der Reprise angelegt als den der Wiederkehr des Gleichen. Sie rechtfertigen, was einmal war, als Resultat des Prozesses. Überaus erhellend, daß die Hegelsche Philosophie, deren Kategorien ohne Gewalt bis ins einzelne auf eine Musik sich anwenden lassen, bei der jeder geistesgeschichtliche »Einfluß« Hegels unbedingt ausscheidet, die Reprise kennt wie Beethoven: das letzte Kapitel der Phänomenologie, das absolute Wissen, hat keinen anderen Inhalt als die Zusammenfassung des Gesamtwerks, nach dem die Identität von Subjekt und Objekt bereits in der Religion gewonnen sein soll. Daß aber der affirmative Gestus der Reprise in einigen der größten symphonischen Sätze Beethovens die Gewalt des repressiv Niederschmetternden, des autoritäten »So ist es« annimmt und gestisch dekorativ über das musikalisch Geschehende hinausschießt, ist Beethovens erzwungener Tribut ans ideologische Wesen, dessen Bann noch die oberste Musik verfällt, die je Freiheit unter der fortdauernden Unfreiheit meinte. Die sich selbst übertreibende Versicherung, die Wiederkehr des Ersten sei der Sinn, die Selbstenthüllung von Immanenz als das Transzendente, ist das Kryptogramm dafür, daß die bloß sich reproduzierende, zum System zusammengeschweißte Realität des Sinns enträt: an seiner Statt unterschiebt sie ihr lückenloses Funktionieren. All diese Implikate Beethovens ergeben sich der musikalischen Analyse ohne waghalsige Analogieschlüsse, bewahrheiten sich aber dem gesellschaftlichen Wissen als die gleichen wie die der Gesellschaft selbst. In großer Musik kehrt diese wieder: verklärt, kritisiert und versöhnt, ohne daß diese Aspekte mit der Sonde sich trennen ließen; sie entragt ebenso dem Betrieb selbsterhaltender Rationalität, wie sie zur Vernebelung dieses Betriebs sich schickt. Als dynamische Totalität, nicht als Reihung von Bildern wird große Musik zum inwendigen Welttheater. Das zeigt die Richtung an, in der eine volle Theorie des Verhältnisses von Musik und Gesellschaft aufzusuchen wäre.

Geist ist gesellschaftlichen Wesens, eine menschliche Verhaltensweise, die aus gesellschaftlichem Grund von der gesellschaftlichen Unmittelbarkeit sich gesondert und verselbständigt hat. Durch ihn setzt das gesellschaftlich Essentielle in der ästhetischen Produktion sich durch, ebenso als das der je produzierenden Individuen wie als das der Materialien und Formen, die dem Subjekt gegenüberstehen, an denen es sich abmüht, die es bestimmt und die es wiederum bestimmen. Das Verhältnis der Kunstwerke zur Gesellschaft ist der Leibnizschen Monade zu vergleichen. Fensterlos, also ohne der Gesellschaft sich bewußt zu sein, jedenfalls ohne daß dies Bewußtsein stets und notwendig sie begleitet, stellen die Werke, und die begriffsferne Musik zumal, die Gesellschaft vor; man möchte glauben: desto tiefer, je weniger sie auf die Gesellschaft blinzelt. Subjektivität ist auch ästhetisch nicht zu verabsolutieren. Die Komponisten sind immer auch zoon politikon, und zwar desto mehr, je emphatischer ihr rein musikalischer Anspruch ist. Keiner ist tabula rasa. In der frühen Kindheit haben sie sich angepaßt an das, was rings vorgeht, später sind sie bewegt von Ideen, die ihre eigene, selber bereits sozialisierte Reaktionsform aussprechen. Selbst individualistische Komponisten aus der Blütezeit des Privaten wie Schumann und Chopin sind darin keine Ausnahmen; bei Beethoven rumort, in Schumanns Marseillaisezitaten hallt abgeschwächt der Lärm der bürgerlichen Revolution wider wie in Träumen. Die subjektive Vermittlung, das Gesellschaftliche an den komponierenden Individuen und den Verhaltensschemata, die ihre Arbeit so und nicht anders dirigieren, besteht darin, daß das kompositorische Subjekt, wie notwendig es sich auch als bloßes Fürsichsein verkennt, selber ein Moment der gesellschaftlichen Produktivkräfte bildet. Eine durchs Innen hindurchgegangene, sublimierte Kunst wie die Musik bedarf der Kristallisation des Subjekts, eines kräftigen, widerstehenden Ichs, um sich zu objektivieren zum gesellschaftlichen Losungswort, um die Zufälligkeit seiner Herkunft im Subjekt unter sich zu lassen. Was Seele heißt und was der je Einzelne gegen den Druck der bürgerlichen Gesellschaft verteidigt, als wäre es sein Eigentum, ist selbst die gegen jenen Druck gewandte Essenz sozialer Reaktionsformen; noch die antisozialen rechnen zu diesen. Die Opposition gegen die Gesellschaft, die individuelle Substanz, die insgeheim schon darin waltet, daß ein Kunstwerk überhaupt aus dem Zirkel der sozialen Nezessitäten sich löst, ist als Gesellschaftskritik immer auch Stimme der Gesellschaft. Darum sind die Versuche, das sozial nicht Rezipierte abzuwerten, gleich töricht und ideologisch, ob sie nun in der Musik diffamieren wollen, was keiner Gemeinschaft dient, oder bloß aus der soziologischen Betrachtung ausschließen, was keine Massenbasis hat. Daß die Musik Beethovens strukturiert ist wie jene Gesellschaft, die man – mit fragwürdigem Recht – aufsteigendes Bürgertum nennt, oder wenigstens wie ihr Selbstbewußtsein und ihre Konflikte, hat zur Bedingung, daß seine primär-musikalische Anschauungsform in sich vermittelt war durch den Geist seiner Klasse in der Periode um 1800. Er war nicht der Sprecher oder Advokat dieser Klasse, obwohl es an rhetorischen Zügen solcher Art bei ihm nicht mangelt, sondern ihr eingeborener Sohn. Wie es im einzelnen zur Harmonie zwischen menschlichen Produktivkräften und historischer Tendenz kommt, wird schwer auszumachen sein; das ist der blinde Fleck der Erkenntnis. Stets hat sie ihre Not, wieder zusammenzubringen, was an sich eines ist und was sie selbst erst mit Hilfe so dubioser Kategorien wie der des Einflusses auseinanderlegte. Vermutlich aktualisiert sich jene Einheit in mimetischen Vorgängen, frühkindlichen Angleichungen an soziale Muster, eben den »objektiven Geist« der Epoche. Außer überaus tiefliegenden, unbewußten Identifikationen – die Differenz Beethovens und Mozarts wird erläutert von der ihrer Väter – sind von sozialer Relevanz Mechanismen der Selektion. Selbst wenn man, gegenüber den gesellschaftlichen Determinanten, eine gewisse geschichtslose Konstanz der menschlichen Anlagen annehmen wollte – eine Annahme, die auf ein bloßes X hinausliefe –, werden von jenem objektiven Geist je nach dem Stand der Gesellschaft die einen oder anderen Momente in den Subjekten herausgeholt, honoriert. In Beethovens Jugend galt es etwas, Genie zu sein. So heftig der Gestus seiner Musik gegen die gesellschaftliche Politur des Rokoko aufbegehrt, so sehr hat er doch auch ein sozial Approbiertes hinter sich. In der Ära der Französischen Revolution hatte das Bürgertum entscheidende Positionen in Wirtschaft und Verwaltung bereits bezogen, ehe es die politische

Macht ergriff; das verleiht dem Pathos seiner Freiheitsbewegung[2] das Drapierte, Fiktive, von dem auch Beethoven nicht frei war, der sich zum »Hirnbesitzer« gegen den Gutsbesitzer ernannte. Daß er, der Urbürgerliche, von Aristokraten protegiert wurde, stimmt ebensogut zum Sozialcharakter seines œuvres wie die aus Goethes Biographie bekannte Szene, da er die Hofgesellschaft brüskierte. Berichte über Beethovens Person lassen an seinem sansculottenhaften, antikonventionellen, zugleich fichtisch auftrumpfenden Wesen wenig Zweifel; es kehrt wieder im plebejischen Habitus seiner Humanität. Diese leidet und protestiert. Sie fühlt den Riß ihrer Einsamkeit. Zu dieser ist das emanzipierte Individuum in einer Gesellschaft verurteilt, deren Sitten noch die des absolutistischen Zeitalters sind, und mit ihnen der Stil, an dem die sich selbst setzende Subjektivität sich mißt. Wie sozial ist ästhetisch das Individuum nur ein Teilmoment; fraglos unterm Bann des geistesgeschichtlichen Persönlichkeitsbegriffs weit überschätzt. Während es, zur Veränderung der dem Künstler gegenüberstehenden Objektivitäten, eines Überschusses an Subjektivität bedarf, die in jene Objektivitäten nicht rein sich auflösen läßt, ist der Künstler unvergleichlich viel mehr, als der bürgerliche Aberglaube konzediert, Funktionär der je ihm sich stellenden Aufgaben. In diesen aber steckt die ganze Gesellschaft; durch sie wird Gesellschaft zum Agens auch der autonomen ästhetischen Prozesse. Was die geistesgeschichtliche Phrase als Schöpfertum verherrlicht – der theologische Name gebührt strikt überhaupt keinem Kunstwerk –, konkretisiert sich in der künstlerischen Erfahrung als Gegenteil der Freiheit, die am Begriff des schöpferischen Akts haftet. Versucht wird die Lösung von Problemen. Widersprüche, die als Resistenz des selber in sich geschichtlichen Materials erscheinen, wollen bis zur Versöhnung ausgetragen werden. Vermöge der Objektivität der Aufgaben, auch derer, die sie vermeintlich sich selbst stellen, hören die Künstler auf, private Individuen zu sein, und werden gesellschaftliches Subjekt oder dessen Statthalter. Hegel schon wußte, daß sie desto mehr taugen, je mehr ihnen diese Selbstentäußerung glückt. Das, was man den obligaten Stil genannt hat, der rudimentär bereits im siebzehnten Jahrhundert sich abzeichnet, enthält teleologisch in sich die Forderung gänzlich durchgebildeter, nach Analogie zur Philosophie: systematischer Komposition. Ihr Ideal ist Musik als deduktive Einheit; was aus dieser beziehungslos und gleichgültig herausfällt, bestimmt sich zunächst als Bruch und Fehler. Das ist der ästhetische Aspekt der Grundthese von Webers Musiksoziologie, der von der fortschreitenden Rationalität. Dieser Idee hing Beethoven objektiv nach, ob er es wußte oder nicht. Er erzeugt die totale Einheit des obligaten Stils durch Dynamisierung. Die einzelnen Elemente reihen sich nicht länger in diskreter Folge aneinander, sondern gehen über in rationale Einheit durch einen lückenlosen, von ihnen selbst bewirkten Prozeß. Die Konzeption liegt gleichsam bereit, vorgezeichnet im Stand des Problems, das ihm die Sonatenform Haydns und Mozarts darbot, in der die Mannigfaltigkeit zur Einheit sich ausglich, aber stets noch von ihr divergiert, während die Form dem Mannigfaltigen abstrakt übergestülpt blieb. Das Genialische, Irreduzible von Beethovens Leistung birgt sich vielleicht in dem Blick der Versenkung, der es ihm gestattete, aus der fortgeschrittensten Produktion seiner Zeit, aus den meisterlichen Stücken der beiden anderen Wiener Klassizisten, die Frage herauszulesen, in der ihre Vollkommenheit sich selbst transzendierte und ein anderes wollte. So verhielt er sich zur crux der dynamischen Form, der Reprise, der Beschwörung eines statisch Gleichen inmitten eines ganz und gar Werdenden. Indem er sie konservierte, hat er sie als Problem gefaßt. Er trachtet, den entmächtigten objektiven Formkanon zu erretten, wie Kant die Kategorien, indem er ihn aus der befreiten Subjektivität nochmals deduziert. Die Reprise wird ebensowohl durch den dynamischen Verlauf herbeigeführt, wie sie ihn als sein Resultat nachträglich gleichsam rechtfertigt. In dieser Rechtfertigung hat er tradiert, was dann unaufhaltsam über ihn selbst hinaustrieb. Der Einstand des dynamischen und statischen Moments aber koinzidiert mit dem geschichtlichen Augenblick einer Klasse, welche die statische Ordnung aufhebt, ohne doch selbst der eigenen Dynamik fessellos sich überlassen zu können, wenn sie nicht sich selbst aufheben will; die großen gesellschaftlichen Konzeptionen seiner eigenen Zeit, die Hegelsche Rechtsphilosophie und der Comtesche Positivismus, haben das ausgesprochen. Daß aber die immanente Dynamik der bürgerlichen Gesellschaft diese sprengt, ist in Beethovens Musik, die höchste, als Zug ästhetischer Unwahrheit eingeprägt: was ihm als Kunstwerk gelang, setzt durch seine Gewalt auch als real gelungen, was real mißlang, und das affiziert wiederum das Kunstwerk in seinen deklamatorischen Momenten. Im Wahrheitsgehalt, oder in dessen Abwesenheit, fallen ästhetische und soziale Kritik zusammen. So wenig ist die Beziehung von Musik und Gesellschaft auf einen vagen und trivialen Zeitgeist abzuziehen, an dem beide irgend teilhätten. Musik wird auch gesellschaftlich um so wahrer und substantieller, je weiter sie vom offiziellen Zeitgeist sich entfernt; der von Beethovens Epoche repräsentierte sich eher in Rossini als in ihm. Gesellschaftlich ist die Objektivität der Sache selbst, nicht ihre Affinität zu den Wünschen der jeweils etablierten Gesellschaft; darin sind Kunst und Erkenntnis einig.

Man wird daraus einiges über das Verhältnis von Soziologie und Ästhetik folgern dürfen. Beide sind nicht unmittelbar eins: kein Kunstwerk vermag den Graben zum Dasein, auch zu dem der Gesellschaft, zu überspringen, der es als Kunstwerk definiert. Ebensowenig aber ist beides durch wissenschaftliche Demarkationslinien zu trennen. Was zur Komplexion des Kunstwerks zusammentritt, sind die wie sehr auch unerkennbaren membra disiecta der Gesellschaft. In ihrem Wahrheitsgehalt versammelt sich all ihre Gewalt, all ihr Widerspruch und all ihre Not. Das Gesellschaftliche in Kunstwerken, dem die Anstrengung von Erkenntnis gilt, ist nicht nur ihre Anpassung an auswendige Desiderate von Auftraggebern oder vom Markt, sondern gerade ihre Autonomie und immanente Logik. Wohl erwachsen ihre Probleme und Lösungen nicht jenseits der gesellschaftlichen Normsysteme. Aber sie erringen gesellschaftliche Dignität erst, indem sie von diesen sich entfernen; die höchsten Produktionen negieren sie. Die ästhetische Qualität der Werke, ihr Wahrheitsgehalt, der mit irgendeiner empirisch abbildlichen Wahrheit, selbst dem Seelenleben, nur wenig zu tun hat, konvergiert mit dem gesellschaftlich Wahren. Er ist mehr als nur die begriffslose Erscheinung des Sozialprozesses in den Werken, die er immer auch ist. Als Totalität bezieht jedes Werk Stellung zur Gesellschaft und antezipiert, durch seine Synthesis, die Versöhnung. Das Organisierte der Werke ist gesellschaftlicher Organisation entliehen; worin sie diese transzendieren, ist ihr Einspruch gegen das Organisationsprinzip selbst, gegen Herrschaft über innere und auswendige Natur. – Soziale Kritik an Musik, auch an ihrer Wirkung, setzt Einsicht in den spezifisch ästhetischen Gehalt voraus. Sonst schaltet sie banausisch, differenzlos die Gebilde dem bloß Seienden als soziale Agenten gleich. Führen große Kunstwerke von bedeutendem Wahrheitsgehalt den Mißbrauch des Ideologiebegriffs ad absurdum, so sympathisiert dafür stets das ästhetisch Schlechte mit der Ideologie. Immanente Mängel von Kunst sind Male gesellschaftlich falschen Bewußtseins. Der gemeinsame Äther aber von Ästhetik und Soziologie ist Kritik.

Evident wird die Vermittlung von Musik und Gesellschaft in der Technik. Ihre Entfaltung ist das tertium comparationis zwischen Überbau und Unterbau. In ihr verkörpert sich in der Kunst, als ein den menschlichen Subjekten Kommensurables und zugleich ihnen gegenüber Selbständiges, der gesellschaftliche Stand der Produktivkräfte einer Epoche, wie das griechische Wort es anzeigt. Solange die öffentliche Meinung einigermaßen in Gleichgewicht war mit dem kompositorischen Stand, mußten die Komponisten auf dem fortgeschrittenen Niveau der Technik ihrer Zeit sich bewegen. Sibelius wurde wohl, zum Zeugnis des Bruchs zwischen Produktion und Rezeption, in neueren Zeiten als erster anspruchsvollerer Komponist tief unterhalb jenes Niveaus weltberühmt. In der neudeutschen Periode hätte kaum einer Chancen gehabt, der nicht über die Errungenschaften des Wagnerschen Orchesters verfügte. Das System der musikalischen Kommunikation ist zu umfassend, als daß die Komponisten den technischen Standards leicht sich entziehen könnten; nur bei heftigem Ressentiment schlägt die gêne zurückzubleiben in ihr Gegenteil um; freilich mag jene gêne geringer werden, je mehr der Ruhm von Komponisten monopolistisch angekurbelt werden kann. Auffällig war der technische Rückschritt in Frankreich bei der Generation nach Debussy; erst die nächstfolgende hat sich wieder auf das Ideal des Metiers besonnen; kaum kann man des Gedankens an Parallelen der industriellen Entwicklung dort sich entschlagen. Technik verkörpert aber stets einen gesamtgesellschaftlichen Standard. Sie vergesellschaftet auch den vermeintlich einsamen Komponisten; er muß den objektiven Stand der Produktivkräfte achten. Indem er zu den technischen Standards sich erhebt, verschmelzen diese mit seiner eigenen Produktivkraft; meist durchdringt beides schon in der Lehrzeit sich so sehr, daß es nicht auseinanderzuklauben ist. Diese Standards konfrontieren aber den Komponisten immer auch mit dem objektiven Problem; die Technik, auf die er als eine gleichwie fertige stößt, ist dadurch immer auch verdinglicht, ihm wie sich selbst entfremdet. Kompositorische Selbstkritik reibt sich daran, scheidet eben dies Verdinglichte aus der Technik wieder aus und treibt diese dadurch weiter. Wie in der individuellen Psychologie zeitigt ein Mechanismus der Identifikation, der mit Technik als gesellschaftlichem Ichideal, den Widerstand; dieser erst schafft Originalität, sie ist durch und durch vermittelt. Beethoven hat das mit einer Wahrheit, die seiner würdig ist, in dem unerschöpflichen Satz ausgesprochen, vieles, was dem Originalgenie des Komponisten zugeschrieben werde, sei dem geschickten Gebrauch des verminderten Septimakkords zu verdanken. Die Aneignung etablierter Techniken durchs spontane Subjekt fördert meist Unzulängliches an ihnen zutage. Der Komponist, der es vermöge technologisch genau definierter Problemstellungen zu korrigieren versucht, wird vermöge des Neuen, Originalen seiner Lösung zugleich Exekutor der gesellschaftlichen Tendenz. Sie wartet in jenen Problemen darauf, die Hülle des schon Seienden zu durchschlagen. Individuelle musikalische Produktivität verwirklicht ein objektives Potential. Der heute arg unterschätzte August Halm hat, in seiner Lehre von den musikalischen Formen als solchen des objektiven Geistes, fast als einziger dafür Sinn gehabt, wie fragwürdig auch seine statische Hypostasis von Fugen- und Sonatenform sonst war. Die dynamische Sonatenform an sich zitierte ihre subjektive Erfüllung herbei, der sie doch auch als tektonisches Schema im Wege war. Beethovens technisches flair hat die widersprechenden Postulate vereint, eines durchs andere hindurch befolgt. Geburtshelfer solcher Objektivität der Form, sprach er für die gesellschaftliche Emanzipation des Subjekts, schließlich für die Idee einer einigen Gesellschaft autonom Tätiger. Im ästhetischen Bild eines Vereins freier Menschen ging er über die bürgerliche Gesellschaft hinaus. Wodurch Kunst, als Schein, von der gesellschaftlichen Realität Lügen gestraft werden kann, die in ihr erscheint, das gestattet ihr umgekehrt, die

Grenzen einer Realität zu überschreiten, von deren leidender Unvollkommenheit die Kunst beschworen wird.

Das Verhältnis zwischen Gesellschaft und Technik ist auch musikalisch nicht als konstant vorzustellen. Lange hat die Gesellschaft in der Technik nicht anders sich ausgedrückt als durch deren Adaptation an soziale Desiderate. Schwerlich haben die Forderungen und Kriterien der musikalischen Technik vor den durchgebildeten Kompositionen Bachs prinzipiell sich verselbständigt; wie es darin um die niederländische Polyphonie bestellt war, bliebe zu erforschen. Erst nachdem die Technik nicht mehr unmittelbar am gesellschaftlichen Gebrauch sich maß, wurde sie recht zur Produktivkraft: ihre arbeitsteilige, methodische Trennung von der Gesamtgesellschaft war die Bedingung ihrer gesellschaftlichen Entwicklung nicht anders als in der materiellen Produktion. Der Doppelcharakter der Technik dort, als eines autonom, nach dem Kanon rationaler Wissenschaft sich Bewegenden, und einer sozialen Kraft, ist auch der der musikalischen. Manche technischen Errungenschaften wie die Erfindung der begleiteten Monodie im ausgehenden sechzehnten Jahrhundert verdanken sich, wie man beschönigend genug sagt, einem »neuen Lebensgefühl«, nämlich Strukturveränderungen der Gesellschaft unmittelbar, ohne daß sie auf technische Probleme der spätmittelalterlichen Polyphonie sichtbar zurückdatierten; eher ist im stile rappresentativo ein kollektiver Unterstrom hinaufgelangt, den die polyphone Kunstmusik unterdrückte. Dagegen hat Bach seine technischen Neuerungen, die nicht breit rezipiert wurden und selbst vom Wiener Klassizismus nicht in all ihrem Verpflichtenden, rein durch den Zwang des Ohrs zur reinen Durchbildung dessen errungen, was einerseits ein Fugenthema, andererseits die harmonisch sinnvolle Führung des Generalbasses von sich aus wollen. Die Kongruenz jener technischen Entwicklung mit der fortschreitenden rationalen Vergesellschaftung der Gesellschaft ist sichtbar geworden erst am Ende einer Phase, die in ihren Anfängen nichts davon sich träumen ließ. Technik differenziert sich nach dem Stand des Materials und dem der Verfahrungsweisen. Jener wäre grob vergleichbar den Produktionsverhältnissen, in die ein Komponist hineingerät; diese dem Inbegriff ausgebildeter Produktivkräfte, an dem er die eigene kontrolliert. Beides jedoch gehorcht der Wechselwirkung; das Material ist selber stets schon ein von den Verfahrungsweisen Gezeitigtes, durchwachsen von subjektiven Momenten; die Verfahrungsweisen befinden sich notwendig in bestimmter Proportion zu ihrem Material, wenn sie diesem gerecht werden wollen. All diese Sachverhalte haben ihre innermusikalische wie ihre gesellschaftliche Seite und sind nicht in billiger Kausalität nach dieser oder jener aufzulösen. Die genetischen Zusammenhänge sind zuweilen so komplex, daß der Versuch ihrer Entwirrung müßig bleibt und für unzählige andere Deutungen daneben Raum läßt. Wesentlicher aber, als was woher kommt, ist der Gehalt: wie Gesellschaft in Musik erscheint, wie sie aus deren Textur herauszulesen ist.

Anmerkungen

1 Theodor W. Adorno, Soziologische Anmerkungen zum deutschen Musikleben, in: Deutscher Musikrat, Referate Informationen 5, Februar 1967, S. 2 ff.

2 Vgl. Max Horkheimer, Egoismus und Freiheitsbewegung, in: Zeitschrift für Sozialforschung 5 (1936), S. 161 ff.

9. Alphons Silbermann
Kunstsoziologie

Unter dem Titel *Kunstsoziologie* werden heute Betrachtungen über Kunst (schöne, Gebrauchs-, Volks-, alte, moderne, zeitgenössische, religiöse, mythologische Kunst, aber auch über Musik, Malerei, Theater, Tanz, Literatur, Film) betrieben, die entweder vom Kunstwerk oder vom schaffenden Künstler ausgehen und damit einerseits den Schaffensprozeß (*J. Bahle* 1936; *G. Brelet* 1947) beleuchten, andererseits das Kunstwerk und seine Entwicklung auf die Art und das Maß ihrer sozialen Bedingtheiten hin untersuchen (*A. von Martin* 1956). Die meisten dieser Betrachtungen bedienen sich eines Gemischs psychologischer, historischer, soziologischer, psychoanalytischer, anthropologischer, philosophischer, ästhetischer, metaphysischer und politisch-ideologischer Erkenntnisse und fallen daher nur in den seltensten Fällen in den Bereich einer methodologisch einwandfreien Soziologie der Kunst. Ihre Schwäche liegt darin, daß sie entweder versuchen, künstlerische Normen und Werte zu formulieren oder aber Natur und Essenz der diversen Kunstformen selbst zu klären (→ Geschichts- und Sozialphilosophie).

Es ist das erste Ziel der Kunstsoziologie, den dynamischen Charakter des sozialen Phänomens ›Kunst‹ in seinen diversen Ausdrucksformen (Drama, Lustspiel, Roman, Novelle, Folklore, Kunsttanz, Volkstanz, klassische Musik, Kirchenmusik, Unterhaltungsmusik, Jazz, geistliche Malerei, profane Malerei, Bildhauerei usw.) zu veranschaulichen. Hierzu bedarf es einer Analyse der in ihrem Zusammenhang gesehenen Formen des Lebens der Kunst, die allerdings nicht nach den spezifischen Werturteilen ausgerichtet sein kann, welche die Mitglieder jeder Gesellschaft ihrer besonderen Lebensform unterstellen, sondern nach der Konzeption der strukturell-funktionalen Analyse (→ Struktur). Hierdurch erreicht die Kunstsozio-

Abdruck mit freundlicher Genehmigung des Fischer Taschenbuch Verlags aus: *Das Fischer Lexikon. Soziologie,* hrsg. v. R. König. [2]Frankfurt 1967 (303.-332. Taus. 1971), 164-174. Titel vom Herausgeber.

logie ihr zweites Ziel: einen allgemeinverständlichen, überzeugenden und gültigen Annäherungsweg an das Kunstwerk; denn es wird aufgezeigt, wie die Dinge zu dem wurden, was sie sind, und es werden die Veränderungen erkannt, welche stattfinden und stattgefunden haben. Hiernach kann sich die Kunstsoziologie ihrem dritten, dem einer jeden Wissenschaft zukommenden Ziel zuwenden: Gesetze der Vorhersage zu entwickeln, die es ermöglichen zu sagen, daß, wenn dieses oder jenes geschieht, wahrscheinlich dies oder das folgen wird.

Eine der Hauptursachen für die Unklarheiten gewisser kunstsoziologischer Betrachtungen und für ihre Verdünnung zu bloßer Sozialphilosophie oder gar Pseudosoziologie liegt im Übersehen der ersten Regel für jede soziologische Betrachtungsweise, wie sie schon von Emile *Durkheim* (1858-1917) unterstrichen wurde, nach dem im Mittelpunkt ein ›spezifischer Gegenstand‹ stehen muß. Denn wenn erst die Beobachtung des Tatsächlichen die Kunstsoziologie überhaupt zu einer Wissenschaft macht, dann ist es die Erforschung eines spezifischen Gegenstandes, der ihr das Recht gibt, sich als eigene Wissenschaft zu betätigen. So ist es denn für den gewissenhaften Soziologen eine Unmöglichkeit, die Kunst als Vision soziologisch zu analysieren. Skulptur als innere Angelegenheit eines Bildhauers, Musik als innere Angelegenheit eines Musikers hat nicht den geringsten Realitätswert. Erst wenn sie sich objektiviert, wenn sie einen konkreten Ausdruck annimmt, erst dann hat sie soziologischen Realitätswert. Dann nämlich entsteht jene spezifisch soziale Interaktion zwischen zwei Einzelwesen, sagen wir Dichter und Leser, die so oft als ›Verstanden-sein-Wollen‹ umschrieben wird, und der dynamisch darüber hinausgehende soziale Effekt sowie die damit verbundenen sozialen Interaktionen. Außer in Ausnahmefällen mystischen Einswerdens können solche Interaktionen zwischen zwei Einzelwesen einzig dadurch entstehen, daß sich in ihnen das gleiche Erlebnis entfaltet. Erst wenn sich dieses spontan in einer Geste, einem Wort, einem Ton konkretisiert und überträgt, kann das angeblich gleiche Erlebnis nachgewiesen und geprüft werden. Von hier aus gesehen, werden Kreation und Rekreation zur Sprache der Aktivität jeglicher Kunstform; sie verfestigen solche für den Soziologen verschwommenen Begriffe wie Musik, Malerei,

Dichtung usw. und schaffen soziales Handeln, einen begrifflich ›greifbaren‹ *sozialen Prozeß*, eine soziale *Situation*. Gesamtheiten sozialer Praxis, Prozesse und Muster menschlicher Beziehungen, Massen- und Einzelaktionen sind aber Fakten, die beobachtet werden können, sind sozio-künstlerische Aktionen und Interaktionen, um deren Erkenntnis und Analyse sich die Kunstsoziologie dreht. Da sich das Hauptinteresse der Kunstsoziologie auf den sozialen Prozeß, jenen bestimmten Gegenstand, der durch das Kunstwerk in Bewegung gesetzt wird, konzentriert, gehört es auch nicht zu den Aufgaben der Kunstsoziologie, das Verhältnis verschiedenartiger künstlerischer Niveaus zu behandeln, welche soziale Aktionen oder Situationen hervorrufen. Daher bleiben Aussagen über das Kunstwerk selbst und seine Struktur außerhalb kunstsoziologischer Betrachtungen.

Trotz der im Verlauf der Geschichte der Künste immer wieder auftretenden Versuche, ent-emotionalisierte Kunst zu produzieren und zu propagieren, steht im Vordergrund die Auffassung von der Kunst als Gestaltung der Gefühle oder Emotionen einer Person. Obwohl diese Auffassung keineswegs Allgemeingültigkeit besitzt, bleibt es doch für den Kunstsoziologen wesentlich, daß die Schöpfung des Kunstwerkes um einer Aktion willen geschieht, nämlich des Versuchs, ähnliche oder gleiche Emotionen in anderen Menschen zu erwecken. Dies zu unterstreichen ist wichtig, wenn man verstehen will, daß sich die Kunstsoziologie unter keinen Umständen vom Menschen abwendet und daß bei ihr die zwischenmenschlichen → Beziehungen eine zentrale Rolle spielen. Diese Beziehungen verwirklichen sich in den Künsten durch das *Kunsterlebnis*. Einzig das Kunsterlebnis kann *Kulturwirkekreise* herstellen, kann aktiv, kann sozial sein, kann bestimmter Gegenstand, kann als soziale Tatsache Ausgangspunkt und Mittelpunkt kunstsoziologischer Betrachtungen sein.

Am einfachsten ist nun zu erfassen 1. die praktische Ausdrucksweise des Kunsterlebnisses, die unmittelbare *Kunstausübung*. Sie findet sich in jedem künstlerischen Akt, umfaßt alle Aktionen, die vom Kunsterlebnis herkommen oder durch das Kunsterlebnis bestimmt sind. Es sind durchweg menschliche Handlungen, vom Schreiben bis zum Lesen, Malen, Komponieren, Interpretieren, Hören oder Sehen. Sodann erkennen wir 2. die theoretische Ausdrucksweise des Kunsterlebnisses: seine Doktrinen. Hier finden wir Schemata und künstlerische Systeme, symbolisierte Formen, Normungen, Stilvorstellungen und die unmittelbare künstlerische Erkenntnis (›Intuition‹), bevor sie zur Theorie, zur Doktrin und zum Dogma wird. Auch finden sich hier Gestaltung und Vereinfachung, sowie der schon irgendwie geformte Wunsch, das Kunsterlebnis mitzuteilen und zu verbreiten. Schließlich erkennen wir 3. die soziologische Ausdrucksweise des Kunsterlebnisses, die *soziale Interaktion.* Sie ist das Leben und die Lebenskraft jeder Kunst, durch die sie soziale Beziehungen – im weitesten Sinne des Begriffes – schafft und unterhält.

Wenn die Kunstsoziologie das Kunsterlebnis, seine Ausdrucksweise und seine Wirkekreise als soziale Tatsache zum Mittelpunkt ihrer Überlegungen und Forschungen macht, so wendet sie sich völlig ab von allgemein-philosophischen Normen in der Analyse des Wie und Was künstlerischer Materialien. Die Kunstsoziologie zieht eine scharfe Trennungslinie dort, wo es um Malerei, Dichtung oder Musik als solche und wo es um das Kunsterlebnis geht, so wie es sich, verbunden mit der Wahrnehmung von Stil, Farbe, Form, Klang oder Wort, durch Emotionen, Attitüden, Verhaltensweisen und Ideen nach außen hin sichtbar und beobachtungsfähig bemerkbar macht. Es ist dieses ›Nach-außen-Hin‹, welches die Kunstsoziologie in erster Linie interessiert; das schließt keinesfalls aus, wenn wir auf die Soziologie der Musiker, der Maler, der Tänzer usw. blicken, daß die Kunstsoziologie auch von den wertvollen Forschungen der Soziologie der Berufe profitieren kann. Soziologisch kann jedoch die Kunst nur in dem Augenblick erfaßt werden, wo sich die Beziehung zwischen Künstler und Hörer, Leser oder Betrachter entfaltet, wo also das Kunstwerk nach außen hin appelliert, wo es nicht nur spontan zur Evolution des Lebens oder zur Kreation neuer Werte beiträgt, sondern wo es einen bedeutsamen Augenblick, nämlich den des Kunsterlebnisses, hervorbringt. Damit wird auch die Kunst zu einem wesentlichen Medium der *sozialen Spontaneität,* die insbesondere in der → sozialen Kontrolle und bei der Entwicklung sozialer Symbole eine wichtige Rolle spielt.

Unabhängig von der Unterschiedlichkeit gewisser Kunsterlebnisse, je nachdem, ob sie im Raum (Plastik) oder in der Zeit (Musik, Dichtung) ablaufen, ist es für jede kunstsoziologische Betrachtung eine Notwendigkeit, den demonstrativen Seinswert des zu betrachtenden und zu erforschenden spezifischen Kunsterlebnisses im soziologischen Rahmen zu kristallisieren. Das heißt: das jeweils im Mittelpunkt stehende Kunsterlebnis muß auf ein Gegenständliches zurückgeführt werden, bei dem es nicht so sehr darum geht, es indirekt zu erschließen, sondern es in einer direkten, wohl beobachteten und kontrollierten Anschauung darzustellen. Dies geschieht durch die Erforschung seiner Natur, seiner Veränderlichkeit und seiner Abhängigkeit. Denn durch Natur, Veränderlichkeit und Abhängigkeit wird das Kunsterlebnis sozial bestimmt und sozial bestimmend (*A. Silbermann* 1957). Durch den Einfluß des Kunsterlebnisses auf die künstlerische Formation der Person oder der sozialen Gruppe und durch den Einfluß des künstlerischen Individuums oder der Gruppe auf das Kunsterlebnis (unter Hinzufügung außermenschlicher Einflüsse) kann das Kunsterlebnis als ein Ganzes gesehen werden. Die reziproke soziale Aktion, die auf dem Kunsterlebnis lastet und sich eben durch das Kunsterlebnis offenbart, gibt nicht nur die Möglichkeit, die Basis des künstlerischen Lebens zu erkennen, sondern auch eine gewisse Ordnung im Verhältnis der einen Aktion zur anderen zu schaffen. Denn nur diese Ordnung gestattet es, das Kunsterlebnis, das als irrational angeblich nur ›gefühlt‹ werden kann, auch zu sehen, zu interpretieren und dann in der Folge in seinen Zusammenhängen positiv zu analysieren.

Obwohl bei den meisten kunstsoziologischen Betrachtungen und Forschungen die soziale Tatsache ›Kunsterlebnis‹ in der Tat Ausgangs- oder Mittelpunkt bildet, ergibt sich diese Stellung und Bezugnahme allerdings vielfach von selbst oder intuitiv: man nimmt die soziale Tatsache als selbstverständlich hin, ohne sich um ihre genaue Umschreibung, ihre Klärung oder gar ihre Spezifizierung zu kümmern. Natürlicherweise ergeben sich aus diesem naiven Vorgehen Unklarheiten, die zum Übergreifen auf alle möglichen Randgebiete führen. Daher rühren auch die verschiedenen Versuche, die Kunstsoziologie theoretisch und methodisch in den Rahmen größerer soziologischer Arbeitsfelder einzureihen. Nach Georges *Gurvitch* (1894-1965) bildet die Soziologie der Kunst mit der der Sprache, der Erziehung, der Religion u. a. m. eines der Probleme der Soziologie des Geistes. Für *Karl Mannheim* (1893-1947) und viele andere (z. B. *Th. W. Adorno* [1903-1969], *L. Goldmann* [1913 bis 1970]), die sich bemühen, herauszufinden, welcher Typus des Denkens zu dieser oder jener Zeit vom Menschen befolgt wurde (P. Kecskemeti 1952), ist die Kunstsoziologie ein integraler Teil der Soziologie des → Wissens, was nur dazu geführt hat, daß in der Literatur, der Musik oder der Malerei einerseits ein Denken und andererseits ein Handeln gesehen wird – und zwar ohne unmittelbare Abhängigkeit voneinander. Daß dies notwendigerweise zu einer den Prinzipien der Soziologie fremden A-priori-Denkweise führen muß, welche die Analyse konkreter Erscheinungsformen des Wissens oder der Kunst mit allgemein-epistemologischen Problemen oder Fragen nach der ›wahren‹ Kunst vermischt, kann man an vielen Beispielen der heutigen Kunstbetrachtung erkennen.

Sehr häufig wird die Kunstsoziologie als Soziologie der → Kultur betrieben, und zwar insbesondere im amerikanischen Denkkreis, wo die Kunst zusammen mit Sprache, materiellen Kulturbestandteilen, Mythologie, wissenschaftlichem Wissen, religiösen Praktiken, Familie, sozialen Systemen, Eigentum, Staatsform u. a. einen Unterteil der Klassifikation kultureller Fakten bildet. In der deutschen Tradition, beeinflußt von Oswald *Spenglers* (1880-1936) willkürlicher Trennung von Kultur und Zivilisation und Othmar *Spanns* (1878-1950) *Universalismus*, betrachtet man gern die Kunst unter den Aspekten einer allgemeinen Kulturtheorie und widmet, vor allem unter dem Einfluß von Jacob *Burckhardt* (1818 bis 1897), der Beziehung zwischen Gesellschaft und Kunst besondere Aufmerksamkeit, speziell vom historischen Standpunkt aus. Seien dies Alfred *Weber* (1868-1958), Alfred *von Martin* oder Arnold *Hauser*, sie alle versuchen, nicht nur den individuellen künstlerischen Bewegungen die ihnen eigentümliche Stellung zu geben, sondern auch diese Bewegungen aus ihrer speziellen Situation heraus zu entwickeln. Am häufigsten wendet man sich hierbei der darstellenden Kunst zu, die wohl wegen ihrer visuellen Ausrichtung leichter dazu geeignet ist, durch und mit ihren sozialen Hintergründen gesehen zu werden. So werden hier, um von Martins Vergleich zu benutzen, dem Kulturhistoriker und seinem Interesse an einer Physiognomie der Kultur durch den Soziologen gewissermaßen ihre Anatomie und Physiologie hinzugefügt. Die starke Betonung des Geschichtlichen, wie auch bei *A. J. Toynbee* oder *F. Antal* (1947), reduzieren die meisten kultursoziologischen Kunstbetrachtungen auf Beiträge zu einer Kunstsoziologie der Vergangenheit, gelegentlich sogar mit einem betonten Spezialinteresse für die Primitiven (*H. Read* 1956; *D. P. McAllester* 1954). Sie können der doppelten Aufgabe der Kunstsoziologie jedoch nicht gerecht werden, nämlich: auf der einen Seite die Prozesse des menschlichen Verhaltens und insbesondere deren Gleichmäßigkeiten und Veränderungen zu analysieren, und uns, auf der anderen Seite, Normen in solchen Formen und unter solchen Perspektiven zu unterbreiten, daß Möglichkeiten der Handlung bestehen. Für eine solche viel weitergehende Aufgabe sind Begriff und Theorie der Kultursoziologie zu eng, zumal im Bereiche der Künste erst dann das unmittelbar Faßbare, d. h. das Soziale, studiert werden kann, wenn die Wirkekreise, die Wirkezusammenhänge, die Wirkemittel, die Wirkestärken, die Wirkearten und die Wirkerichtungen der diversen Kunstformen – immer vom Kunsterlebnis ausgehend und zu ihm zurückführend – erfaßt werden. Genau präzisiert ist die Kunstsoziologie also eine Soziologie der Kulturwirkekreise und trennt sich hierdurch eindeutig von sozialer Kunstgeschichte, von künstlerischer Sozialgeschichte und von soziologischer Ästhetik ab.

Ebenso wie die soziologische Ästhetik bemühen sich noch andere sozio-ästhetische Erwägungen um das ›individu socialisé‹ (Ch. Lalo) im Felde der Kunst und zeigen mit Hilfe soziologischer Erkenntnisse auf, daß das Individuum schon lange vor der Gestaltung des Kunstwerkes einen Kollektivgeist in sich trägt, mit dem es sich äußert und durch den es sich an die empfangenden Gruppen wendet. So z. B. die ›Naturalistische Ästhetik‹, die sich – von John *Dewey* (1859-1952) und seinem Begriff von der immanenten Bedeutung (›immanent meaning‹) ausgehend – gegen die Unterstellung verwahrt, nach welcher die das ästhetische Objekt auszeichnenden Züge ohne Rücksicht auf das ästhetische Erlebnis durch Betrachtungen über das Objekt selbst erkannt werden könnten (E. Vivas 1946). Eine genaue Trennung zwischen bloßem Erkennen und Reaktionsmustern führt hier ins Soziologische und wendet sich in gewissem Maße von den ästhetischen Gedankengängen eines *G. W. F. Hegel* (1770 bis 1831), diesem ›Künder der Welt vom Geiste her‹, ab. Denn nach Hegel erlangt der Geist erst auf der Ebene des absoluten Geistes (als Synthese von objektivem und subjektivem Geist) Besitz seiner selbst, ist nicht nur ›an sich‹, sondern auch ›für sich‹. Zu diesem Wissen um sich kommt er – nach Hegel – u. a. auch in der Kunst und ist dort ›der sein Wesen anschauende‹. Dementsprechend erscheint z. B. die Musik alle denen, die der Hegelschen Denkweise folgen, als eine menschliche Kunst, die den Gesetzesn des menschlichen Gewissens gehorcht (*M. Bukofzer* 1937; *Th. W. Adorno* 1933, 1949, 1952). Die reichhaltige marxistische kunstsoziologische Literatur (*G. Lukács* 1914, 1920, 1948, 1950; *E. Siegmeister* 1938; *G. Thompson* 1945; *K. Blaukopf* 1950; *Z. Lissa* 1954) versucht auf ihre Weise die Kunstwissenschaft aus dem Stadium des rein Beschreibenden auf das des kausal Verbindenden zu bringen. Sie bezieht sie in den Bereich der Gesellschaftswissenschaften ein und betrachtet alle Kunstformen als ›Ausdruck objektiver Gesetzmäßigkeit‹. Als Ausgangspunkt gelten die Ausführungen von Karl *Marx* (1818-1883) und Friedrich *Engels* (1820 bis 1895). ›Über Kunst und Literatur‹ und *W. I. Lenins* ›Materialismus und Empiriokritizismus‹ (1909). »Die Tendenz« (eines Kunstwerks) »muß aus der Situation der Handlung selbst hervorspringen, ohne daß ausdrücklich darauf hingewiesen wird«, heißt es bei Marx-Engels, und bei Lenin wird unterstrichen, daß beim dialektischen und historischen Materialismus irgendein ›Ding an sich‹ nicht von einem ›Ding für uns‹ getrennt werden kann. Wenn wir daher z. B. lesen, »daß die sozialistische Parteilichkeit eine neue Qualität des Ideengehalts der volksdemokratischen und sozialistischen Musik ist« (*A. Sychra* 1953), so wird sofort der Ausspruch von Georg *Simmel* (1858-1918) klar, der gesagt hat: »Am entschiedensten wird der Einfluß ästhetischer Kräfte auf soziale Tatsachen in dem modernen Konflikt zwischen sozialistischer und individualistischer Tendenz sichtbar.«

Abgesehen von dem Unterschied zwischen engagierter und

degagierter Kunst, der in diesem Zusammenhang nicht interessiert, muß zum Verständnis aller marxistischen Kunstsoziologie notwendig auf das an 15. Stelle stehende Element der 16 Elemente, die Lenin der Dialektik als wesentlich zuordnet, hingewiesen werden: der Kampf des Inhaltes mit der Form und umgekehrt. Lenin selbst hat Form und Inhalt begrifflich nicht umschrieben. *M. A. Leonov* (1948), einer seiner grundlegenden Kommentatoren, versteht unter Inhalt die Gesamtheit der Elemente, die einen Gegenstand, eine Erscheinung bilden; Inhalt der Ware ist ihr Wert, Inhalt der Kunst: bestimmte gesellschaftliche, politische, moralische Ideen usw. Unter Form wird die Ausdrucksweise des Inhaltes oder auch die innere Struktur, die Organisation des Inhaltes verstanden. So ist die Form eines literarischen Kunstwerkes die Sprache, die Darstellungsweise (Prosa, Poesie) und der Stil.

Die durch die Konstellation: Künstler-Kunsterlebnis-Publikum, oder: Produzent- Kunsterlebnis-Konsument, gemeinsam mit den Zwischenfiguren, wie Mittler (Mäzen, Kritiker), Vorbereiter (Erzieher, Wissenschaftler) und Kunstkaufleute, bedingte Reziprozität einer jeden kunstsoziologischen Betrachtung führt dazu, daß die einzelnen Betrachtungen ihren soziologischen Hebel dort ansetzen, wo sie glauben, am besten eine gewisse Facette der Gesamtkonstellation beleuchten zu können. Sie alle zusammen bilden das große Feld der Kunstsoziologie, wenn sie auch oft – je nach dem Schwergewicht der Überlegungen – unter gänzlich anderen Überschriften in Erscheinung treten und recht oft nur dazu dienen, Künstler, Kunstform und Kunstwerk definitorisch zu erfassen. Im Anschluß an Hippolyte *Taine* (1828-1893), Jean Marie *Guyau* (1854-1888) und Henri *Bergson* (1859 bis 1941) finden sich in Frankreich die Arbeiten von Charles *Lalo* (1877-1953), Etienne *Souriau,* André *Malraux,* Lucien *Lévy-Bruhl* (1857-1939) u. a., denen es darum geht, den Sinn der Künste, besonders vom moralischen Gesichtspunkt aus, zu erfassen, um von hier aus zu einer Umschreibung ihrer sozialen Funktionen vorzudringen. Im englischen kunstsoziologischen Denkkreis macht sich vorwiegend eine Beschäftigung mit den Beziehungen zwischen Kunst, Magie, Ritual, Tabu und Mythos bemerkbar, wobei versucht wird, ihre Ursprünge sowie auch ihre Beziehungen zu sozialen Prozessen, d. h. wie sie

›funktioniert‹ haben, aufzuzeigen (A. R. Radcliffe-Brown 1922; Lord Raglan 1937; L. Spence 1947; H. Read 1952, 1955, 1956). Ausgehend von Max *Webers* (1864 – 1920) Studie über ›Die rationalen und soziologischen Grundlagen der Musik‹ (1921) und Oswald *Spenglers* Kunstbetrachtungen als Anzeichen sozio-kultureller Veränderungen auf der anderen, befassen sich viele deutsche Soziologen mehr und mehr mit der Erforschung derjenigen Elemente in Kunst und Gesellschaft, die in Beziehung gebracht werden können (J. Bab 1931; L. L. Schücking 1931; P. Honigsheim [1885-1963] 1928, 1955; A. von Martin 1949; A. Hauser 1953). Vielfach wird hier ein Einfluß der gegen den Comteschen Positivismus gerichteten ›geisteswissenschaftlichen‹ Tendenzen von Wilhelm *Dilthey* (1833-1911) spürbar und das Studium der Kunst als ein Studium des ›Verstehens‹ menschlicher Beziehungen durch das Medium der Kunst betrieben. Im Anschluß an die Kunstauffassung von Marx-Engels, als eine der Formen von Besitz und Produktion, zeigen sich die orthodox marxistischen Kunstanalysen bei *G. W. Plechanow,* die geistreichen frühen Schriften von *G. Lukács* (1914, 1920) zur Soziologie des Dramas und der Novelle, *Ch. Caudwells* (1937) Studien über die Ursprünge der Dichtkunst, *F. Antals* (1947) Abhandlungen über florentinische Malerei, sowie auch *K. Blaukopfs* (1950) ›Musiksoziologie‹ (eine Tonsystemsoziologie) und die geistvollen sozio-ästhetischen Überlegungen *Th. W. Adornos.*

Obwohl in der amerikanischen soziologischen Literatur nirgends bestritten wird, daß die Kunstformen sozial sind und sozial hervorgebracht sind, gibt es doch Ansichten, für welche die Künste selbst wenig direkten Einfluß auf andere Aspekte des sozialen Lebens haben. »Zusammengefaßt«, so heißt es z. B., »sind die Künste die unwichtigsten und veränderlichsten Elemente, die in die soziale Struktur eindringen« (R. T. LaPierre 1946). Solchen Ansichten entgegen stehen vor allem die kunstsoziologischen Arbeiten der amerikanischen Pragmatiker Charles *Peirce* (1839-1914), George H. *Mead* (1863-1931) und J. *Dewey,* die eine Theorie der Sozialisierung auf dem Begriff der Kunst als *Kommunikation* in der Gesellschaft zu begründen suchten. Dazu kommt noch das Unternehmen von Pitirim A. *Sorokin,* Gesetze kultureller Veränderungen aus Entwicklungsprozessen in den reziproken Beziehungen zwischen Kunst und Gesellschaft zu abstrahieren. Von Robert M. *MacIver* (1942) wurden insbesondere A. S. Tomars (1940) und R. Mukerjee (1954) in ihren kunstsoziologischen Schriften beeinflußt. Dazu kommen schließlich noch die zahlreichen amerikanischen Soziologen (F. P. Keppel 1933; F. Znaniecki 1940; J. H. Mueller 1942, 1952; H. S. Becker 1951; H. T. David 1951), denen es darum geht, über Einzelarbeiten zu einer Synthese der vielseitigen kunstsoziologischen Betrachtungsweisen vorzudringen. Sie versuchen, die Brücke von Spezifizierung zu Spezifizierung zu bauen, um, gemeinsam mit ihren europäischen Kollegen, die Kunst zu ihrer doppelten Beziehung zum Objekt und zum Subjekt zurückzubringen. Dementsprechend untersuchen die einen die Konstellation Produzent-Kunsterlebnis-Konsument unter dem Blickwinkel der Soziologie der → *Masse* oder der des ›*Publikums*‹, die anderen als ein Teilgebiet der Soziologie der *Freizeit* und wieder andere, die in der Kunst einen institutionellen Bereich sehen, der durch seine höchst wichtigen traditionellen Funktionen in der Lage ist, Gruppensolidarität zu erzeugen, Kunst also als eine soziale → Institution ansehen, analysieren die Struktur der Kunst und die des Kunstlebens mit einem Blick auf die Funktion der Kunst selbst, wie z. B. H. D. Duncan (1953). Mit dem Aufkommen der Mittel der → Massenkommunikation (Presse, Rundfunk, Fernsehen, Schallplatte, Film, Taschenbuch) konzentrieren sich zahlreiche Schriften und Forschungen (P. E. Lazarsfeld 1940, 1941, 1944, 1946, 1948; W. Hagemann 1951, 1954; W. Schramm 1954; A. Silbermann 1954, 1957) auf die Künste vom Blickpunkt der Mitteilung, der Verteilung, der Propaganda, des Kommunikationsprozesses, des eingeschalteten Aussagemittels, um festzustellen, »wer sagt was zu wem und mit welcher Wirkung«.

Zusammenfassend kann gesagt werden, daß die heutigen Bestrebungen der Kunstsoziologie mit all ihren Varianten nicht länger nur dahin gehen, die Künste und das Kunstwerk als solche zu umschreiben, Kunstphilosophie oder soziale Kunstgeschichte zu betreiben, sondern es unternehmen, wesentliche Zusammenhänge für das Leben der Kunst durch Einzel- und Gesamtstudien mit den Mitteln strukturell-funktionaler oder behavioristischer Analyse zu klären, um sowohl sozial-kritisch zu wirken als auch der Gesellschaft planend in ihren Annäherungswegen an das Kunstwerk zur Seite zu stehen. Dementsprechend läßt sich beim augenblicklichen Stand der Kunstsoziologie eine dreifache Perspektive ihrer Gesamtarbeit erkennen: 1. das dynamische Studium, das die Bedingungen und Formen der Evolution gewisser sozio-künstlerischer Muster über einen gewissen Zeitablauf hin betrachtet; 2. das funktionale und beschreibende Studium, das darin besteht, die Existenz und die Verschiedenheit sozio-künstlerischer Muster festzustellen, sie in ihrem sozio-psychischen Zusammenhang unterzubringen und ihre Bedeutungen in bezug auf die Totalkultur zu erkennen; 3. das vergleichende Studium, das darin besteht, die diversen sozio-künstlerischen Muster einander gegenüberzustellen und zu vergleichen, um ihre Wirksamkeit in bezug auf soziale Anpassung in Gegenwart und Zukunft zu erkennen.

So gesehen befaßt sich die Kunstsoziologie damit: 1. die Kunst als einen Aspekt des menschlichen und sozialen Lebens nach innen und nach außen, individuell oder verbindend wirkend, symbolisch und praktisch, einzelfällig oder wiederholend, kausal und zweckgerichtet zu verstehen. Sie befaßt sich 2. damit, festzustellen, welches die wesentlichen Formen künstlerischer Aktivität sind und welches die spezifischen sozialen Gruppen sind, die sich um das von einer spezifischen Kunstform ausgehende Kunsterlebnis scharen. Hier werden die Funktionen einer Kunstform erforscht und auch gleichzeitig die Natur des Prozesses, durch den sie sich entwickelt. 3. Da die Kunst im Mittelpunkt der Beziehungen von Menschen zu Menschen steht oder stehen kann, also ein Verhalten von Menschen zu Menschen hervorruft oder hervorrufen kann, befaßt sich die Kunstsoziologie mit: a) dem Studium der Wirkungen der Kunst auf das soziale Leben der Menschen; b) dem Studium des Einflusses der Kunst auf Gruppenbildung, Gruppenberührung, Gruppenkonflikt usw.; c) dem Studium der Entwicklung und Verschiedenheit der durch die Kunst bedingten sozialen Attitüden und Muster; d) dem Studium der Bildung, des Wachstums und Niedergangs sozio-künstlerischer Institutionen und e) dem Studium typischer Faktoren und Formen sozialer Organisationen, welche die Künste beeinflussen. Die Kunstsoziologie befaßt sich schließlich 4. mit dem Studium des sich fortwährend verändernden Prozesses des Werdens der sozialen Aktivität ›Kunst‹ als Interrelation zwischen Kunst und Gesellschaft, unter spezieller Beachtung der durch diese Interrelation hervorgerufenen diversen Formen zwischenmenschlichen Verhaltens.

Bibliographie

Adorno, Th. W. Einleitung in die Musiksoziologie. Frankfurt 1962

Descotes, M. Le public de théatre et son histoire. Paris 1964

Duvignaud, J. La sociologie de l'art. Paris 1968

Escarpit, R. Sociologie de la littérature. Paris 1958; dtsch.: Das Buch und der Leser. Köln/Opladen 1961

– La révolution du livre. Paris 1965

Fröhner, R. Das Buch in der Gegenwart. Gütersloh 1961

Fügen, H. N. Die Hauptrichtungen der Literatursoziologie. Bonn 1964

König, R. und A. Silbermann. Der unversorgte selbständige Künstler. Köln/Berlin 1964

Goldmann, L. Pour une sociologie du roman. Paris 1964

Hall, S. und P. Whannel. The Popular Arts. London 1964

Holmes, M. Shakespeare's Public. London 1960

Lowenthal, L. Literature, Popular Culture, and Society. Englewood Cliffs, N. J., 1961; dtsch.: Literatur und Gesellschaft. Neuwied/Berlin 1964

– Das Bild des Menschen in der Literatur. Neuwied 1966

Lukács, G. Literatursoziologie. Neuwied/Berlin [3]1968

Martin, A. v. Soziologie der Renaissance. Frankfurt [2]1949, zuerst 1932

Mueller, J. H. Fragen des musikalischen Geschmacks. Köln/Opladen 1963

Nutz, W. Der Trivialroman. Köln/Opladen 1962

Ravar, R. und P. Anrieu. Le spectateur au theâtre. Brüssel 1964

Read, H. Art and Society. 3. Aufl. London 1956, zuerst 1937

Schücking, L. L. Soziologie der literarischen Geschmacksbildung. 3. Aufl. Bern/München 1961, zuerst 1923

Silbermann, A. Introduction à une sociologie de la musique. Paris 1955; Wovon lebt die Musik? Regensburg 1957; Musik, Rundfunk und Hörer. Köln 1959

Watson, B. A. Kunst, Künstler und soziale Kontrolle. Köln/Opladen 1961

Winter, L. Heinrich Mann und sein Publikum. Köln/Opladen 1965

10. Theodor W. Adorno
Thesen zur Kunstsoziologie

Rolf Tiedemann gewidmet

I

Kunstsoziologie umfaßt, dem Wortsinn nach, alle Aspekte im Verhältnis von Kunst und Gesellschaft. Unmöglich, sie auf irgendeinen, etwa auf die gesellschaftliche Wirkung von Kunstwerken, einzuschränken. Denn diese Wirkung ist selbst nur ein Moment in der Totalität jenes Verhältnisses. Sie herauszulösen und für den einzig würdigen Gegenstand von Kunstsoziologie zu erklären, hieße das sachliche Interesse der Kunstsoziologie, das jeder vorgreifenden Definition sich entzieht, durch methodologische Präferenz zu ersetzen, nämlich die für die Verfahrungsweisen der empirischen Sozialforschung, mit denen man die Rezeption von Werken feststellen und quantifizieren zu können beansprucht. Die dogmatische Beschränkung auf diesen Sektor würde aber deshalb die objektive Erkenntnis gefährden, in deren Zeichen man ihr Monopol anmeldet, weil die Wirkungen von Kunstwerken, überhaupt von geistigen Gebilden, kein Absolutes und Letztes sind, das durch den Rekurs auf die Rezipierenden hinlänglich bestimmt würde. Vielmehr hängen die Wirkungen von zahllosen Mechanismen der Verbreitung, der sozialen Kontrolle und Autorität, schließlich der gesellschaftlichen Struktur ab, innerhalb deren Wirkungszusammenhänge sich konstatieren lassen; auch vom gesellschaftlich bedingten Bewußtseins- und Unbewußtseinsstand derer, auf welche die Wirkung ausgeübt wird. In Amerika erkennt die empirische Sozialforschung das längst an. So hat Paul F. Lazarsfeld, einer ihrer renommiertesten und entschiedensten Vertreter, in das Buch ›Radio Research 1941‹ zwei Studien aufgenommen, die ausdrücklich Fragen der Determination jener Massenwirkungen behandeln, die, wenn ich die polemische Ansicht von Alphons Silbermann recht verstehe, das einzige legitime Gebiet von Musiksoziologie bilden sollen, nämlich das ›plugging‹, also die Hochdruckreklame, durch die Schlager zu solchen gemacht werden, und gewisse Strukturprobleme der Musik selbst, die in einer komplexen und dem historischen Wandel unterstehenden Beziehung zur Wirkung stehen. Die einschlägigen Erwägungen habe ich jetzt in das Kapitel ›Über die musikalische Verwendung des Radios‹ aus dem ›Getreuen Korrepetitor‹ aufgenommen. Musiksoziologie fiele hinter den bereits erreichten Standard gerade auch der amerikanischen Forschung zurück, wenn sie derlei Fragestellungen nicht als gleichberechtigt anerkennte.

2

Ich fühle mich durchaus mißverstanden, wenn meine musiksoziologischen Publikationen seit der Rückkehr aus der Emigration als der empirischen Sozialforschung entgegengesetzt betrachtet werden. Nachdrücklich möchte ich unterstreichen, daß ich innerhalb ihres Sektors diese Verfahrungsarten nicht nur für wichtig sondern auch für angemesen halte. Die gesamte Produktion der sogenannten Massenmedien ist a priori schon den empirischen Methoden auf den Leib geschrieben, deren Resultate dann wieder die Massenmedien benutzen. Die enge Verbindung zwischen diesen und der empirischen Sozialforschung ist bekannt: der gegenwärtige Präsident eines der größten amerikanischen kommerziellen Radio-Unternehmen, der CBS, war, ehe er seine jetzige Position erlangte, Researchdirektor seiner Firma. Ich meine jedoch, daß es die einfachste Menschenvernunft, keineswegs erst die philosophische Reflexion, gebietet, Erhebungen des Umfragetypus in den richtigen Zusammenhang zu rücken, wenn sie tatsächlich der gesellschaftlichen Erkenntnis dienen und nicht nur Informationen für Interessenten beistellen sollen. Auch Silbermann verlangt das und redet, im Anschluß an René König, von der analytischen Funktion der Kunstsoziologie. Lazarsfeld bezeichnete das seinerzeit, zustimmend, mit dem Begriff eines critical communication research, im Gegensatz zu einem lediglich administrativen. Der Begriff des ›Kunsterlebnisses‹, mit dem Silbermann zufolge die Kunstsoziologie ausschließlich sich beschäftigen soll, bietet Probleme, die einzig durch Untersuchungen über die je zu ›erlebende‹ Sache und die Bedingungen ihrer Verbreitung gelöst werden können; allein in einem solchen Kontext gewinnen Erhebungen ihren Stellenwert. Das sogenannte Kunsterlebnis, das kaum Schlüsselcharakter für den Kulturkonsumenten hat, ist äußerst schwer dingfest zu machen. Außer bei streng Sachverständigen dürfte es überaus diffus sein. Bei vielen Menschen widerstrebt es der Verbalisierung. Angesichts der Massenkommunikationen, die ein ganzes System von Reizen bilden, handelt es sich überdies weniger um einzelne Erlebnisse als um den kumulativen Effekt. ›Kunsterlebnisse‹ gelten überhaupt nur relativ auf ihr Objekt; nur in der Konfrontation mit diesem ist ihre Bedeutung festzustellen. Bloß scheinbar sind sie ein Erstes, in Wahrheit ein Resultat; unendlich viel steht hinter ihnen. Probleme wie das der Adäquanz oder Inadäquanz von ›Kunsterlebnissen‹ an ihren Gegenstand, wie sie etwa durch die Massenrezeption als klassisch eingereihter Kunstwerke aufgeworfen werden: Probleme von offensichtlich höchster soziologischer Relevanz können durch bloß subjektiv gerichtete Methoden überhaupt nicht erfaßt werden. Das kunstsoziologische Ideal wäre, objektive Analysen – das heißt, solche der Werke –, Analysen der strukturellen und spezifischen Wirkungsmechanismen und solche der registrierbaren subjektiven Befunde aufeinander abzustimmen. Sie müßten sich wechselseitig erhellen.

3

Die Frage, ob Kunst und alles, was auf sie sich bezieht, soziales Phänomen sei, ist selbst ein soziologisches Problem. Es gibt Kunstwerke höchster Dignität, die zumindest nach den Kriterien ihrer quantitativen Wirkung sozial keine erhebliche Rolle spielen und die darum Silbermann zufolge aus der Betrachtung auszuscheiden hätten. Dadurch aber würde die Kunstsoziologie verarmen: Kunstwerke obersten Ranges fielen durch ihre Maschen. Wenn sie, trotz ihrer Qualität, *nicht* zu erheblicher sozialer Wirkung gelangen, ist das ebenso ein fait social wie das Gegenteil. Soll die Kunstsoziologie davor einfach verstummen? Der soziale Gehalt von Kunstwerken selbst liegt zuweilen, etwa konventionellen und verhärteten Bewußtseinsformen gegenüber, gerade im *Protest* gegen soziale Rezeption; von einer historischen Schwelle an, die in der Mitte des neunzehnten Jahrhunderts zu suchen wäre, ist das bei autonomen Gebilden geradezu die Regel. Kunstsoziologie, die das vernachlässigte, machte sich zu einer bloßen Technik zugunsten der Agenturen, die berechnen wollen, womit sie eine Chance haben, Kunden zu werben, und womit nicht.

4

Das latente Axiom der Auffassung, welche Kunstsoziologie auf die Erhebung von Wirkungen vereidigen möchte, ist, daß Kunstwerke in den subjektiven Reflexen auf sie sich erschöpfen. Sie sind dieser wissenschaftlichen Haltung nichts als Stimuli. Das Modell paßt in weitestem Maß auf die Massenmedien, die auf Wirkungen kalkuliert und nach präsumtiven Wirkungen, und zwar im Sinn der ideologischen Ziele der Planenden, gemodelt sind. Es gilt aber nicht generell. Autonome Kunstwerke richten sich nach ihrer immanenten Gesetzlichkeit, nach dem, was sie als sinnvoll und stimmig organisiert. Die Intention der Wirkung mag beiher spielen. Ihr Verhältnis zu jenen objektiven Momenten ist komplex und variiert vielfach. Es ist aber gewiß nicht das ein und alles der Kunstwerke. Diese sind selbst ein Geistiges, ihrer geistigen Zusammensetzung nach erkennbar und bestimmbar; nicht unqualifizierte, gleichsam unbekannte und der Analyse entzogene Ursachen von Reflexbündeln. Unvergleichlich viel mehr ist an ihnen auszumachen, als ein Verfahren sich beikommen läßt, das Objektivität und Gehalt der Werke, wie man neudeutsch sagt, ausklammern möchte. Eben dies Ausgeklammerte hat soziale Implikate. Daher ist die geistige Bestimmung der Werke, positiv oder negativ, in die Behandlung der Wirkungszusammenhänge hineinzunehmen. Da Kunstwerke einer anderen Logik als der von Begriff, Urteil und Schluß unterliegen, haftet der Erkenntnis objektiven künstlerischen Gehalts ein Schatten des Relativen an. Aber von dieser Relativität im Höchsten bis zu der prinzipiellen Leugnung eines objektiven Gehaltes überhaupt ist ein so weiter Weg, daß man den Unterschied als einen ums Ganze betrachten darf. Schließlich mag es sehr große Schwierigkeiten bereiten, den objektiven Gehalt eines späten Quartetts von Beethoven denkend zu entfalten; aber die Differenz zwischen diesem Gehalt und dem eines Schlagers ist, und zwar in sehr bündigen, weithin technischen Kategorien, anzugeben. Die Irrationalität der Kunstwerke wird im allgemeinen von Kunstfremden viel höher angeschlagen als von denen, die in die Disziplin der Werke selbst sich begeben und von ihnen etwas verstehen. Zu dem Bestimmbaren gehört auch der den Kunstwerken immanente soziale Gehalt, etwa das Verhältnis Beethovens zu bürgerlicher Autonomie, Freiheit, Subjektivität, bis in seine kompositorische Verfahrungsweise hinein. Dieser soziale Gehalt ist, ob auch unbewußt, ein Ferment der Wirkung. Desinteressiert Kunstsoziologie sich daran, so verfehlt sie die tiefsten Beziehungen zwischen der Kunst und der Gesellschaft: die, welche in den Kunstwerken selbst sich kristallisieren.

5

Das berührt auch die Frage nach der künstlerischen Qualität. Diese ist zunächst einmal ganz schlicht als eine der Angemessenheit ästhetischer Mittel an ästhetische Zwecke, der Stimmigkeit, dann aber auch als die der Zwecke selbst – ob es sich etwa um die Manipulation von Kunden oder um ein geistig Objektives handelt – der soziologischen Untersuchung offen. Wofern diese nicht unmittelbar auf solche kritische Analyse sich einläßt, bedarf sie deren doch als ihrer eigenen Bedingung. Das Postulat der sogenannten Wertfreiheit kann davon nicht dispensieren. Die gesamte Diskussion über Wertfreiheit, die man neuerdings wieder zu beleben und sogar zum entscheidenden Kontroverspunkt der Soziologie zu machen sucht, ist überholt. Auf der einen Seite kann nicht nach freischwebenden, gleichsam jenseits der sozialen Verflechtungen, oder jenseits der Manifestationen des Geistes etablierten Werten geblickt werden. Das wäre dogmatisch und naiv. Der Wertbegriff selbst ist bereits Ausdruck einer Situation, in der das Bewußtsein geistiger Objektivität aufgeweicht ward. Als Gegenschlag gegen den kruden Relativismus hat man ihn willkürlich verdinglicht. Andererseits aber setzt jede künstlerische Erfahrung, in Wahrheit sogar jedes einfache Urteil der prädikativen Logik, so sehr Kritik voraus, daß davon zu abstrahieren eben so willkürlich und abstrakt wäre wie die Hypostasis der Werte. Die Scheidung von Werten und Wertfreiheit ist von oben her ausgedacht. Beide Begriffe tragen die Male eines falschen Bewußtseins, die irrationale, dogmatische Hypostase ebenso wie das neutralisierende, in seiner Urteilslosigkeit gleichfalls irrationale Hinnehmen dessen, was der Fall sei. Kunstsoziologie, welche von dem Max Weberschen Postulat sich gängeln ließe, das jener, sobald er Soziologe und nicht Methodologe war, sehr qualifizierte, würde bei allem Pragmatismus unfruchtbar. Gerade durch ihre Neutralität geriete sie in überaus fragwürdige Wirkungszusammenhänge, den bewußtlosen Dienst für jeweils mächtige Interessen, denen dann die Entscheidung zufällt, was gut sei und was schlecht.

6

Silbermann ist mit mir der Ansicht, daß es eine der Aufgaben der Kunstsoziologie sei, sozialkritisch zu wirken[1]. Es scheint mir aber nicht möglich, diesem Desiderat gerecht zu werden, wenn der Gehalt der Werke, und ihre Qualität, ausgeschaltet würden. Wertfreiheit und sozialkritische Funktion sind unvereinbar. Weder kann man dann vernünftige Sätze über zu erwartende, und zur Kritik stehende, soziale Folgen spezifischer Kommunikationen aussprechen, noch überhaupt entscheiden, was etwa zu verbreiten und nicht zu verbreiten wäre. Zum einzigen Kriterium wird die soziale Wirksamkeit der Werke, eine simple Tautologie. Zwingend schließt sie ein, daß Kunstsoziologie in ihren Empfehlungen nach dem status quo sich zu richten und eben jener Sozialkritik sich zu enthalten habe, deren Notwendigkeit Silbermann doch keineswegs bestreitet. Die Aufstellung sogenannter ›Kulturtabellen‹ für die Programmgestaltung des Rundfunks etwa liefe, wenn ich recht sehe, lediglich auf eine Beschreibung geltender Kommunikationsrelationen hinaus, ohne irgend kritische Möglichkeiten zu eröffnen. Ob im übrigen der Begriff der Kultur selbst diesem Typus von Analyse zugänglich ist, muß bezweifelt werden. Kultur ist der Zustand, welcher Versuche, ihn zu messen, ausschließt. Die gemessene Kultur ist bereits etwas ganz anderes, ein Inbegriff von Reizen und Informationen, dem Kulturbegriff selbst inkompatibel. Daran wird deutlich, wie wenig die von Silbermann wie vielen anderen geforderte Eliminierung der philosophischen Dimension aus der Soziologie angängig ist. Soziologie entsprang in der Philosophie; sie bedarf auch heute noch, wenn sie nicht gänzlich begriffslos bleiben will, des Typus von Reflexion und Spekulation, der in der Philosophie entstanden war. Schließlich sind die quantitativen Resultate sogar statistischer Erhebungen, wie die statistische Wissenschaft mittlerweile unterstreicht, nicht Selbstzweck, sondern dazu da, daß einem an ihnen soziologisch etwas aufgeht. Dies ›Aufgehen‹ fiele aber, im Sinn von Silbermanns Distinktion, durchaus unter die Kategorie des Philosophischen. Die Arbeitsteilung zwischen Disziplinen wie Philosophie, Soziologie, Psychologie und Geschichte liegt nicht in ihrem Gegenstand, sondern ist diesem von außen aufgezwungen. Wissenschaft, die wirklich eine ist, nicht naiv geradehin gerichtet, vielmehr in sich selbst reflektiert, kann dem Objekt gegenüber zufällige Arbeitsteilung nicht respektieren: auch daraus zieht man in Amerika die Konsequenz. Die Forderung interdisziplinärer Methoden gilt für die Soziologie, die in gewissem Sinn auf alle überhaupt möglichen Gegenstände sich erstreckt, in besonderem Maß. Sie müßte, als gesellschaftliches Bewußtsein, trachten, etwas von dem gesellschaftlichen Unrecht wiedergutzumachen, das Arbeitsteilung dem Bewußtsein angetan hat. Kein Zufall, daß in Deutschland fast alle heute sichtbar tätigen Soziologen von der Philosophie herkommen, auch die der Philosophie am heftigsten Opponierenden. Just in der jüngsten soziologischen Positivismusdebatte wird die philosophische Dimension in die Soziologie hineingezogen.

7

Schließlich zur Terminologie: was ich in der ›Einleitung in die Musiksoziologie‹ Vermittlung genannt habe, ist nicht, wie Silbermann annimmt, dasselbe wie Kommunikation. Den Begriff der Vermittlung habe ich dort, ohne dies Philosophische im mindesten verleugnen zu wollen, streng im Hegelschen Sinn gebraucht. Vermittlung ist ihm zufolge die in der Sache selbst, nicht eine zwischen der Sache und denen, an welche sie herangebracht wird. Das letztere allein jedoch wird unter Kommunikation verstanden. Ich meine, mit anderen Worten, die sehr spezifische, auf die Produkte des Geistes zielende Frage, in welcher Weise gesellschaftliche Strukturmomente, Positionen, Ideologien und was immer in den Kunstwerken selbst sich durchsetzen. Die außerordentliche Schwierigkeit des Problems habe ich ungemildert hervorgehoben und damit die einer Musiksoziologie, die nicht mit äußerlichen Zuordnungen sich begnügt; nicht damit, zu fragen, wie die Kunst in der Gesellschaft steht, wie sie in ihr wirkt, sondern die erkennen will, wie Gesellschaft in den Kunstwerken sich objektiviert. Die Frage nach der Kommunikation, die ich, und zwar als kritische, für ebenso relevant halte wie Silbermann, ist davon sehr verschieden. Bei der Kommunikation ist aber nicht nur zu bedenken, was jeweils offeriert und was nicht kommuniziert wird; auch nicht nur, wie die Rezeption erfolgt, übrigens ein Problem qualitativer Differenzierung, von dessen Schwierigkeiten einzig der sich eine Vorstellung macht, der einmal im Ernst versucht hat, Hörerreaktionen genau zu beschreiben. Es gehört dazu wesentlich, *was* kommuniziert wird. Vielleicht darf ich, um das zu erläutern, an meine Frage erinnern, ob eine durchs Radio verbreitete und womöglich ad nauseam wiederholte Symphonie überhaupt nocht die Symphonie ist, von der die herrschende Vorstellung annimmt, daß das Radio sie Millionen schenkte. Das hat dann weittragende bildungssoziologische Konsequenzen; etwa, ob die massenhafte Verbreitung irgendwelcher Kunstwerke tatsächlich jene Bildungsfunktion besitze, die ihr zugesprochen wird; ob es unter den gegenwärtigen Kommunikationsbedingungen irgend zu jenem Typus von Erfahrung kommt, den künstlerische Bildung stillschweigend meint. Der Streit um die Kunstsoziologie ist für die Bildungssoziologie unmittelbar relevant.

Anmerkung

1 *Fischer-Lexikon,* S. 165.

11. Günther K. Lehmann
Grundfragen einer marxistischen Soziologie der Kunst

Es ist längst ein offenes Geheimnis, daß die deutsche marxistische Ästhetik gegenwärtig noch nicht auf dem Niveau ihrer objektiven Aufgaben steht. Freilich blieben die Ästhetiker nicht müßig, als es galt, revisionistische Angriffe auf die marxistischen Positionen abzuwehren und dogmatische Vorurteile zu korrigieren; es genügt, an das gleichermaßen bedeutsame wie umfangreiche Buch »Marxismus und Ästhetik« von Hans Koch zu erinnern. Aber die Künstler und die Kulturpolitiker, die natürlich ein besonderes Interesse an der Ästhetik haben, werden selten befriedigende Auskünfte erhalten, wenn sie sich erwartungsvoll mit *praktischen* Anliegen an die Ästhetiker wenden. Diese blicken dann wohl neidvoll zu den Vertretern der exakten Wissenschaften hinüber, die mit experimentell erprobten, an handfesten Fakten überprüften Erkenntnissen aufwarten können. Die Ästhetiker, sie gestehen es, verspüren ein großes Unbehagen, müssen sie doch wiederholt erfahren, daß die Kategorien, die zum traditionellen Begriffsinventar der Ästhetik gehören, viel zu verschwommen und zu weitmaschig sind, als daß man mit ihnen etwa die Spezifik der sozialistischen Gegenwartskunst erfassen könnte. Die endlosen und letztlich doch unergiebigen Debatten über *das* »Typische«, *das* »Schöne«, *das* »Tragische« und so fort waren, so könnte man meinen, nur ein Ausdruck dieser Ratlosigkeit, obschon das ernsthafte und erfreuliche Bemühen dahinterstand, die eingebürgerten Begriffe und Urteilsschemata den neuen Realitäten anzupassen.

Doch dürfte man auf diesem Wege kaum zu der erstrebten Verbindung von Ästhetik und Praxis kommen, sondern bestenfalls zu mehr oder weniger genauen kategorialen *Beschreibungen* der ästhetischen Sachverhalte. Zur Zeit sucht der

Abdruck mit freundlicher Genehmigung des VEB Deutscher Verlag der Wissenschaften (Berlin/DDR) aus: Deutsche Zeitschrift für Philosophie 13 (1965), 933-947. Um den Schlußabschnitt (Kritik an Max Bense) gekürzt.

Theoretiker die praktische Anwendbarkeit seiner Kategorien und Wertungen dadurch nachzuweisen, daß er sie an »aktuellen Beispielen« abhandelt. Gerade hier tritt die Achillesferse der ästhetischen Argumentation zutage: Es fehlen durchweg wissenschaftlich begründete, d. h. jederzeit objektiv nachprüfbare Kriterien der ästhetischen Bewertung. Die Berufung auf einzelne Bemerkungen der marxistischen Klassiker – man denke nur an die arg strapazierte Äußerung von Engels zum Typischen in der Literatur! – ist oft nur ein unredlicher Versuch, dieses leidige Problem ohne Anstrengung des Begriffs zu »lösen«.

Die Ästhetiker mußten sich daher den Vorwurf gefallen lassen, daß sie z. B. Werke der sozialistischen Gegenwartskunst an willkürlich konstruierten Maßstäben zu messen pflegen, die zwar »logisch« aus allgemeinen Grundsätzen hergeleitet werden, aber in krassem Gegensatz zu der Resonanz stehen, die diese Werke im gesellschaftlichen Leben finden. Es geschah nicht selten, daß Bücher gepriesen wurden, die so gut wie keine Leser fanden, weil sie langweilig, unrealistisch, lebensfremd waren. Zwar ist eine publikumslose Kunst als Kunst praktisch nicht da, aber diese Bücher besaßen häufig einen »Vorzug«: Sie kamen der abstrakt-idealen Vorstellung nahe, die einige Kritiker von Form und Inhalt eines realistischen Romans, einer Erzählung oder einer Novelle hatten. Wohl ebenso oft passierte es, daß frische und unkonventionelle Werke, die den Leser packten und seinem Denken neue Impulse gaben, bei den Kritikern auf Ablehnung stießen, weil sie entweder die angebliche Reinheit der Gattung verletzten oder weil die Logik ihrer Fabel, die Typik des Helden oder die Tragik der Konfliktlösung den dafür als Normen bereitgehaltenen Begriffen bzw. theoretischen Modellen widersprach.

1. Die methodologische Problematik

Der Kunstkritiker sieht sich einer heiklen Alternative gegenüber. Beharrt er auf seiner wie auch immer begründeten Bewertung, so kann sein aprioriches Urteil sehr leicht in einen Widerspruch zu dem Urteil geraten, das die Leserschaft bzw. das Publikum über das betreffende Werk gefällt hat und das in der Regel auf anderen, meist naiv-untheoretischen Voraussetzungen beruht. Gleicht er hingegen sein Urteil der Meinung eines höchst fraglichen »Durchschnittspublikums« an, urteilt er, wie »man« urteilt, so ist der Erkenntniswert seiner Betrachtungen gleich Null, auch wenn er diese in eine anspruchsvolle Terminologie kleidet.

Die Diskrepanz zwischen der ästhetischen Bewertung, die einem Kunstwerk von theoretischer Seite zuteil wird, und seinem praktischen Effekt ist in der Tat ein höchst beunruhigendes Symptom, das weniger die subjektiven Fehlleistungen der Kunstkritiker als vielmehr die Unzulänglichkeit gewisser Methoden und Konzepte der ästhetischen Kritik signalisiert. Es gibt keineswegs nur in der Literaturkritik eine »Entfremdung« zwischen Kritiker und Publikum. Man kann dieses Phänomen nicht mit der Bemerkung abtun, daß Kritik und Publikumsgunst zwei grundverschiedene Dinge sind. Hinter dieser doppelten Buchführung verbirgt sich nur zu häufig ein bürgerlicher Intellektualismus, für den das Publikum vorwiegend aus Banausen und rückständigen Kleinbürgern besteht. Eher muß nach der wissenschaftlichen Beweiskraft der bei uns praktizierten Kunstkritik gefragt werden. Hier kann zunächst nur die methodologische Seite des Problems erörtert werden.

Die Kunstwissenschaften arbeiten hauptsächlich mit vergleichenden Analysen. Natürlich ist es möglich und zulässig, verschiedene Kunstwerke miteinander zu vergleichen, unter bestimmten Voraussetzungen sogar unabhängig von ihren historischen Standorten. Die vergleichende Analyse kann Gemeinsamkeiten in der Komposition, im Stil, in der künstlerischen Auffassung erhellen und aus dem analysierten Material den Typus einer künstlerischen Richtung abstrahieren. Problematisch wird dieses Verfahren erst, wenn der so gewonnene Typus eines durch Stilmerkmale und bestimmte Kompositionsweise charakterisierten Kunstgebildes zur Norm erhoben wird. Strenggenommen kann eine an dieser Norm orientierte Betrachtung nur konstatieren, ob und inwieweit ein Werk von seinem hypothetischen Modellfall abweicht; sie stellt also den Grad der Ähnlichkeit und Zugehörigkeit zu einer Stilrichtung oder künstlerischen Kategorie fest. Sobald aber dieses abstrahierte Modell zum ästhetischen Ideal aufgewertet wird, müssen alle aus gänzlich anderen nationalen, sozialen und historischen Bedingungen hervorgegangenen Kunstwerke als unvollkommene, unreife Macharten erscheinen, da sie objektiv-historisch gar nicht dieses Ideal reproduzieren können. So glaubte auch Hegel, im Sinne des klaren und strengen Kunstideals der griechischen Klassik urteilend, in den Künsten der asiatischen Völker nur eine verworrene, ideenarme Symbolik zu erkennen. Wie engherzig und amusisch solche normative Ästhetik ist, läßt sich an Lukács' Theorie des historischen Romans studieren, die an der – wie Lukács meint – »nicht mehr übertroffenen Vollendung« der Kompositionsweise Walter Scotts orientiert ist[1]; alle davon abweichenden Kompositionsweisen, etwa die eines Alexej Tolstoi oder eines Lion Feuchtwanger, sind damit a priori disqualifiziert. Man könnte, um in der Malerei zu ähnlichen »vollendeten« Maßstäben zu gelangen, die kunsthistorischen »Gipfel« Raffael oder Rembrandt, Dürer oder van Gogh für schlechthin exemplarisch halten. Die bedenkliche Konsequenz bliebe dieselbe: Wenn an der anderen Art eines Vorbildes gemessen wird, muß die Eigenart eines danach beurteilten Werkes verkannt, als eine unerfreuliche Abweichung von der Norm abgelehnt werden. Diese Methode der Kritik, die sich gern historische Kritik nennt, in Wahrheit aber unhistorisch verfährt, fördert – gewollt oder ungewollt – die unschöpferische Nachahmung und den Konventionalismus in der Kunst, und sie hemmt die Entfaltung der künstlerischen Individualität und Originalität, die platterdings niemals normgerecht sein kann.

Wie schon gesagt, es soll nicht gegen die vergleichende Kunstbetrachtung polemisiert werden, wohl aber sei nachdrücklich gewarnt vor dem Irrtum, ein Kunstwerk wäre mit seiner Eingliederung in historische Stil- und Formgemeinschaften bereits ästhetisch bewertet; ganz abgesehen davon, daß damit noch nichts über die Entbehrlichkeit oder Unentbehrlichkeit dieses Werkes im Hier und Heute einer Gesellschaft gesagt ist.

Es wäre zu fragen, ob unter sozialistischen Verhältnissen, die eine Vielfalt an Talenten und künstlerischen Individualitäten hervorbringen, die Ästhetik bzw. Kunstwissenschaften überhaupt noch normativ sein können. Natürlich wird jeder marxistische Ästhetiker – bis auf wenige Ausnahmen – gegen eine normative Ästhetik sein. Doch scheint mir diese häufig gefühlsmäßige Ablehnung zu wenig durchdacht. Denn was wäre, wenn auf eine ästhetische Wertordnung der Künste verzichtet und das einzelne Kunstwerk nicht in ein möglichst gesichertes (objektives) logisch-kategoriales System ästhetischer Werte und Beziehungen eingegliedert wird? Was bliebe von der Ästhetik, die bisher hauptsächlich brauchbare, der jeweiligen Gesellschaftsordnung angepaßte Wertsysteme zu formulieren hatte, dann noch übrig? Wäre überdies nicht ein standpunktloser Relativismus die unausbleibliche Folge?

Offenbar muß zunächst geklärt werden, was heute die Ästhetik zu leisten imstande sein muß, um als Wissenschaft anerkannt zu werden. Es gibt – wir begnügen uns mit einer summarischen Darstellung – zwei diametrale Wissenschaftskonzepte.[2] Man kann eine Theorie für wissenschaftlich halten, sobald sie es vermag, unter einer durchgehenden, zentralen Idee eine Totalität von Erkenntnissen und Erfahrungen zu vereinen; sie wäre in sich stimmig, da jedes Gedankenglied mit einem anderen zusammenhängt, jedes Faktum durch ein anderes ergänzt, gestützt und begründet wird. Der logische Aufbau ist lückenlos, er bildet ein geschlossenes System. Eine solche Wissenschaftskonzeption, die für die sogenannten Geisteswissenschaften und für die deutsche klassische Philosophie (Fichte, Schelling, Hegel) kennzeichnend ist, zwingt zum Denken in Zusammenhängen, erleichtert das Auffinden verwandter Sachverhalte, fördert das analytische und generalisierende Denken. Doch kann dieses Denken faktenblind werden, da es leicht nur Fakten für wesentlich und erkenntniswürdig hält, die in das vorweggenommene System hineinpassen.

Ein völlig anderes Prinzip wissenschaftlicher Erkenntnisarbeit gilt in den Naturwissenschaften, und man kann es mit Steenbeck so definieren: »Primat der Beobachtung, der Erfahrung, des Experiments gegenüber jedem noch so geistreichen Gedankengebäude, das seine Bedeutung unbedingt verliert, wenn es auch nur mit einer einzigen gesicherten Tatsache in Widerspruch gerät«.[3] Dieser strenge Empirismus betrachtet die Tatsachen sozusagen unvoreingenommen und wertfrei, er beschreibt sie umfassender und genauer als das konzeptabhängige Denken. Die Offenheit der Faktenwelt gegenüber ist allerdings nur bei dem Verzicht auf eine geordnete Überschau möglich. Fällt aber der Systemzwang fort, so kann sehr schnell die Zielsetzung einer wissenschaftlichen Untersuchung und ihre Auswertung unter übergeordneten Gesichtspunkten verlorengehen; das Denken wird pragmatisch, es entstehen Theorien geringer Reichweite.

Beide Wissenschaftskonzepte haben ihren jeweils besonderen heuristischen Wert. Für welches Prinzip man sich entscheidet, dürfte weitgehend von dem Stadium abhängen, in welchem sich die wissenschaftliche Arbeit befindet, ob sie zunächst auf den spekulativen Entwurf eines hypothetischen Ansatzes konzentriert ist oder auf die experimentelle Überprüfung und Verifikation einer Hypothese. Es bedarf keines besonderen Nachweises, daß die Ästhetik bisher fast ausschließlich logisch geschlossene Systeme bevorzugte. Auch ihre marxistischen Vertreter haben diese Tradition nicht durchbrochen, sondern sie begnügten sich mit mehr oder weniger spekulativen Kunstbetrachtungen und Wertungen, ohne sie einer exakten empirischen Überprüfung zu unterziehen, abgesehen davon, daß die hierfür erforderlichen Verfahren den Ästhetikern gänzlich unbekannt sind. Doch die empirische Ausrichtung der Ästhetik und, damit verbunden, die Nutzung quantitativer und diagnostischer Methoden ist, glaube ich, heutzutage unumgänglich; andernfalls gerät die Ästhetik nicht nur hoffnungslos in das Hintertreffen der wissenschaftlichen Entwicklung, sondern sie wird auch keine Möglichkeit finden, die ihr von der gesellschaftlichen Praxis gestellten Aufgaben zu lösen, die am allerwenigsten spekulativ bewältigt werden können.

Die methodologische Umstellung der Ästhetik hängt hauptsächlich mit dem besonders in den sozialistischen Ländern sichtbar hervorgetretenen Funktionswandel der Kunst zusammen. Solange nämlich die Kunst nur geistig schaubare Bilder und Wesenheiten einer in sich gekehrten Betrachtung anbieten wollte, also ein »Allgemeines für die Anschauung gestaltete« (Hegel), durfte und mußte sich die Ästhetik und Kunstwissenschaft diese von der Kunstgeforderte Haltung des Betrachters zu eigen machen und den in bildliche Form gefaßten ideellen Inhalt eines Kunstwerkes beschreiben und ausdeuten. Unter sozialistischen Bedingungen hat sich die Kunst zunehmend aus einem Gegenstand der Vorstellung zu einer sozialen Realität und Macht entwickelt, die bildend und lenkend in das

Leben eines jeden Menschen eingreift. Sie ist nicht mehr bloß eine Bewußtseinstatsache, sondern eine Lebenstatsache; kein geistiger Luxus, sondern ein unentbehrliches Lebensmittel, das dem Menschen hilft, sich in seiner Welt zu orientieren und die Wirklichkeit zu verändern. Diese praktischen oder, wenn man will, »existentiellen« Fähigkeiten der Kunst sind mit einer immanenten Ausdeutung ihres inneren Sinns und ideellen Gehalts nicht zu erfassen. Hier steht vielmehr die reale funktionelle Beziehung von Kunst und Gesellschaft, der wichtigste Gegenstand der marxistischen Ästhetik, zur Diskussion. Zu erforschen ist demnach der soziale Wirkungsgrad von Kunstwerken, die Tendenzen ihrer Einflußnahme auf die soziale Psyche und gruppenbedingten Verhaltensweisen und Einstellungen. Über Ausmaß und Intensität der Wirkung, die von der sozialistischen Gegenwartskunst auf die verschiedenen Schichten der Bevölkerung ausgeht, wissen wir recht wenig; darüber gibt es meistens nur Vermutungen, die sich auf zufällige Beobachtungen gründen.

Exakte diagnostische und prognostische Aussagen über die tatsächlichen – und nicht bloß theoretisch deduzierten und postulierten – Funktionen und Wirkungen der Kunstwerke im Leben der Gesellschaft setzen voraus, daß die ästhetischen Gegenstände, zu denen vornehmlich die Kunst gehört, von ihren beobachtbaren und statistisch meßbaren Realisationen anstatt von ihrer vorstellungsmäßigen Erscheinungsform her untersucht werden. Anders gesagt, Kunstwerke werden als reale Kommunikationsmittel aufgefaßt, die innerhalb eines konkreten Kommunikationssystems zirkulieren und die – durch dieses System definierten – Verhaltensweisen der Individuen in einer vom Zustand des Systems abhängigen Richtung beeinflussen.

Die Ästhetiker werden folglich nicht umhinkönnen, die Erkenntnisse und Methoden der Soziologen und Sozialpsychologen zu studieren und für die eigene Arbeit zu nutzen. Das ist nicht damit getan, daß das moderne Instrumentarium der Forschung – etwa die mathematische Statistik, die Informationstheorie und Kybernetik – formal übernommen wird oder die herkömmlichen Kategorien der Ästhetik per analogiam in die moderne Wissenschaftssprache übersetzt werden, sondern man muß zuvor alte Denkgewohnheiten, einen gewissen verstaubten Kategorienfetischismus überwinden, also näher an die Realitäten heranrücken, sie oftmals hinter lebensfremd gewordenen, aber fest eingebürgerten Abstraktionen entdecken, empirisch sicherstellen und mit exakten Methoden analysieren.

2. Die Prämisse: die Realität des Kunstwerkes

Es war das Anliegen von Marx, das Denken und alle Ideologie als einen »Naturprozeß« oder »naturwissenschaftlich getreu zu konstatierenden Prozeß« aufgefaßt zu sehen.[4] Hierin ist der Springpunkt der Marxschen Kritik an der deutschen klassischen Philosophie des Geistes zu suchen. Marx wies nach, daß das Ideelle nie in seiner reinen Wesensart existent und faßbar ist, sondern stets an soziale, materielle Bedingungen gebunden ist und nur in diesem seinem *wirklichen* Lebenselement vorgefunden und erforscht werden kann. Das »allgemeine Bewußtsein« erscheint bei Marx nicht als ein frei über der Realität schwebendes Phänomen, eben deshalb auch nicht als ein innerlich schaubarer Gegenstand, sondern es manifestiert sich fortwährend in seiner empirischen Faktizität: in sozial determinierten und realisierten Verhaltensweisen, Einstellungen und Aktivitäten.

Damit wird eine neue methodologische Ausgangsposition der Ästhetik vorgezeichnet. Während die geistphilosophische Auffassung darauf ausgeht, sozusagen von innen, auf dem Wege einer theoretischen Interpretation (Hegel) oder eines »Verstehens« (Dilthey) oder intuitiven Erkennens (Croce) den geistigen »Inhalt« eines Kunstwerkes einsichtig zu machen, wird nunmehr umgekehrt von außen das faktische, soziale Dasein eines Werkes bemerkt und zum Gegenstand der Forschung erhoben.

Ich meine, daß man unbedingt die Frage nach der Realität von Kunstwerken, nachdrücklich und zugespitzt, in den Mittelpunkt rücken muß, um sich von der phänomenologischen Ästhetik klar genug abgrenzen zu können. Denn aus phänomenologischer Sicht, die alle künstlerischen Objekte in der Form ihrer Vorstellung erschaut, mutet die These von einer faktisch-empirischen Seinsweise der Kunst wie ein platter, »geistloser« Empirismus an, der unfähig ist, zum eigentlichen ideellen »Kern« eines Kunstwerkes vorzudringen, ja, der diesen geistigen Gehalt leugnet und im Kunstwerk nur einen »seelenlosen«, toten Gegenstand sieht. Aber die materialistische Auffassung von der Kunst bezweifelt nicht den geistigen Wert ästhetischer Gebilde; es geht ihr indessen nicht um die gedankliche Rekonstruktion und Würdigung eines Werkes, sondern einzig und allein darum, zu erkennen, was Kunst im Leben der Gesellschaft ist und wie sie sich dort verwirklicht. Daher ist Kunst, wenigstens in dieser Beziehung, weder als Begriff noch als Anschauung da, sondern nur relevant als eine feststellbare soziale Tatsache, die in ihrer Wirkung ihre diesseitige Realität beweist.[5]

Doch steckt nicht in der Realität des Kunstwerkes ein erkenntnistheoretisches Paradoxon? In der Tat, das berühmte Marxsche Erkenntnisprinzip lautet: Das Sein bestimmt das Bewußtsein, womit auf das Vorhandensein von zwei gegensätzlichen Sphären hingewiesen wird; es ist folglich nicht einzusehen, wie der Kunst, als einer »Form des Bewußtseins«, Sein zukommen kann. Aber schon Lenin machte darauf aufmerksam, wie grundfalsch es ist, das Sein dem Bewußtsein abstrakt und generell entgegenzusetzen.[6] Tatsächlich hebt der Marxsche Satz die materielle Bedingtheit des Bewußtseins hervor – nicht weniger und nicht mehr. Es wäre völlig widersinnig, der Marxschen Formel die geistphilosophische Vorstellung eines eigenständigen, freischwebenden Bewußtseins zu unterschieben, das zwar ein vom »Sein« schlechthin bestimmtes, aber doch von ihm abgeschiedenes Dasein führt. Eine solche Deutung rechtfertigt – jedenfalls in der Ästhetik – das Weiterleben der introspektiven Wesensschau, die höchstens insofern eine materialistische Variante erhält, als nun nicht ein *Ideen*gehalt aus dem Werk abstrahiert, sondern das »Sein« oder die »Realität« für den semantischen Inhalt des Kunstwerkes genommen wird. An der phänomenologischen Methode hat sich damit nichts geändert, nach wie vor werden künstlerische *Bilder* von Realitäten untersucht. Es ist, notiert Marx, viel leichter, durch eine immanente Analyse den »irdischen Kern« der Ideologie zu erkennen, als umgekehrt den einzig wissenschaftlichen Weg zu gehen, nämlich »aus den jedesmaligen wirklichen Lebensverhältnissen ihre verhimmelten Formen zu *entwickeln*«[7].

Was Marx hier zur Religionskritik anmerkt, trifft – in methodologischer Hinsicht – auf die häufig praktizierte Methode der Literaturkritik zu, sofern sich diese beinahe ausschließlich der Aufgabe widmet, den im künstlerischen Sujet enthaltenen »irdischen Kern« zutage zu fördern, um aus ihm die Realistik der betreffenden Gestaltung herzuleiten. Als Kriterien dienen dem Analytiker bei diesem phänomenologischen Ermittlungsverfahren entweder Eigenerfahrungen, die er für typisch oder allgemein hält, oder gewisse eingebürgerte Begriffe vom Leben und von der Realität. Das Mißliche daran ist nur, daß ein anderer Kritiker sich auf gleiche Weise mindestens ebensoviele Gegenbeispiele beschaffen kann, so daß ein unfruchtbarer Streit über den Realismus oder Nichtrealismus eines Kunstwerkes entbrennen kann, während das umstrittene Werk seine Lebensverbundenheit, Diesseitigkeit und Volkstümlichkeit längst schon durch die Tat, nämlich durch seine positive Wirkung im Leben der Gesellschaft, überzeugend bewiesen hat.

Bei der Realität von Kunstwerken handelt es sich weder um eine geistige noch um eine stoffliche Realität, die etwa im Material ästhetischer Darstellung wie Leinwand, Farbe, Papier, Marmor usw. gegeben wäre. Die Realität eines Kunstwerkes liegt, kurz gesagt, in seiner kommunikativen Funktion begründet. Krenzlin hat vollkommen recht, wenn er meint, daß die »ontische Stelle« des literarischen Kunstwerkes nicht bestimmt werden kann, wenn der Rezeptionsprozeß des Lesers ausgeklammert wird.[8] Allerdings ist die von Krenzlin anvisierte »ontische Stelle« ebensowenig mit der Formel »Kunst ist eine Form des gesellschaftlichen Bewußtseins« zu fassen; die bloße Anerkennung der Kunst als Bewußtsein beruht auf einer phänomenologischen Fiktion, woran das Adjektiv »gesellschaftlich« nichts ändert. Den Fangstricken der Spekulation entgeht man nur, wenn die Realität der Kunst jedesmal konkret in einem vielverzweigten, komplizierten Netzwerk von effektiven Bezügen erkannt wird; innerhalb desselben wird die kommunikative Funktion eines künstlerischen Werkes ablesbar, und diese Funktion wird realisiert in einer Vielzahl individueller Aktionen und Reaktionen, Verhaltensweisen und Einstellungen, ästhetischer Wahrnehmungen und Wertungen.

Gerade diese sozialen Objektivationen, die sich im Spannungsfeld sozialer Klassen und Schichten entwickeln und von der gesellschaftlichen Gesamtsituation beeinflußt werden, enthüllen mehr als jede noch so subtile Kunstbetrachtung das »innere Wesen« eines Werkes: Die Wirkungsgeschichte bringt sein inneres Anliegen an den Tag. Freilich interessiert bei einer so angelegten empirischen und soziologischen Untersuchung nicht der Erlebnis- oder Gefühlswert eines Kunstwerkes, da dieser nur nacherlebend erfahren werden kann, obwohl es denkbar wäre, daß der Untersuchende gleichzeitig die Rolle des Rezeptiven und die des äußeren Beobachters annimmt. Das eigentliche Forschungsobjekt ist der Funktionsmechanismus, der die Übertragung ästhetischer Informationen ermöglicht und reguliert. Es werden dabei, was naheläge, keine Sinndeutungen der Vorgänge versucht, die während der Rezeption in den Köpfen der Kommunikanten ablaufen. Dem Beobachter bietet sich die Kunst, ganz im Sinne materialistischer Methodik, als ein objektiv-realer Prozeß dar, an dem er selbst nicht beteiligt ist, der also unabhängig von seinem Bewußtsein vonstatten geht. Er beobachtet die Reaktion des Publikums, das der Wirkung eines Kunstwerks ausgesetzt ist, und sucht die Gesetze der funktionellen Koppelung von Kunstgestalt und Rezeption auf. Ziel seiner Bemühungen ist eine sachlich-objektive Diagnose des Übertragungsvorganges, die Ermittlung der darin wirksamen Regler und der Kapazität der Informationskanäle, die Feststellung der Stabilität bzw. Störanfälligkeit dieses Kommunikationssystems. Für ihn ist die Innenwelt des Rezeptiven, auf den ästhetische Inhalte übertragen werden, eine sogenannte »black box«, um einen Terminus Ashbys zu gebrauchen. Er registriert, grob vereinfacht, die »Inputs« (ästhetische Informationen) und die »Outputs« (Reaktionen des Publikums), während das Publikum, so gesehen, eine Art Datenwandler darstellt, der die Dekodierung der ästhetischen Informationen, die stets kodiert (in traditionelle Zeichensysteme übersetzt) sind, besorgt. Diese Analogie zur kybernetischen Theorie soll lediglich verdeutlichen, wie weit der Standpunkt des Kunstsoziologen von dem des introspektiv verfahrenden Analytikers entfernt ist.

Natürlich kann die qualitativ beschreibende Kunstbetrachtung wertvolle Ergänzungen oder Indizien zur empirischen Diagnose liefern. Doch darf nicht übersehen werden, daß mit der Übersetzung subjektiver Kunsterfahrungen und -deutungen in eine normierte und »allgemeine« Begriffssprache – darin besteht ja im Grunde das Prinzip der phänomenologischen Interpretation – noch lange nicht die reale Kommunikation zwischen Kunstwerk und Publikum begriffen ist. Die Aussagen des Interpreten unterliegen nämlich dem Einfluß der Regelgrößen, die den Kommunikationsvorgang bestimmen, sie werden diesem Kommunikationssystem entsprechend verformt, so daß sie selbst Gegenstand einer semiotischen und soziologischen Analyse werden müssen und keineswegs schlechthin Geltung beanspruchen können. Insofern ist der diagnostische Standpunkt umfassender und objektiver, exakter und in seinen Aussagen zuverlässiger als der Standpunkt der ästhetischen Interpretation.

Das bedeutet nicht, daß der Standort des »äußeren Beobachters«, der sogenannte »Metastandpunkt«, außerhalb *jeder* Kommunikation angesiedelt und damit jeder sozialen Determination und systembedingten Regelung entzogen wäre. Die bürgerlichen Soziologen und Sozialpsychologen, die von der Möglichkeit eines absoluten Überstandpunktes in der Wissenschaft reden, vergessen, daß auch der sogenannte »äußere Beobachter« einer sozial vorgeschriebenen, mit Verhaltensvorschriften versehenen Rolle gehorcht, die ihm von der betreffenden Gesellschaft angeboten wird. Damit ist er bereits in ein Kommunikationssystem eingegliedert, und die Vorstellung eines sozial indifferenten, ungebundenen Standorts entpuppt sich als eine Selbsttäuschung. Der »Metastandpunkt« ist ein solcher nur relativ, d. h. nur in bezug auf ein bestimmtes Funktionssystem, das soziologisch diagnostiziert werden soll. Auf ihn kann man sich nicht berufen, um die »Unparteilichkeit« der Soziologie zu begründen. Es versteht sich, daß die marxistische Soziologie, erst recht in ihrer ästhetischen Anwendung, einen konkreten gesellschaftlichen Auftrag zu erfüllen hat.

Die empirische Untersuchung des realen Faktums Kunst konzentriert sich vor allem auf zwei Komplexe. Erstens müssen jene Faktoren ermittelt werden, die das Entstehen eines

Werkes fördern oder hemmen; dazu gehören Ereignisse, die tief und nachhaltig das Denken, Fühlen und Verhalten der Individuen, mithin den vielzitierten »Zeitgeist« prägen und insofern Bezugs-Ereignisse genannt werden können; dazu gehören aber auch Geschmacks- und Moderichtungen, die Erwartungen und Neigungen bestimmter sozialer Schichten oder Gruppen, die direkt oder indirekt die Entfaltung künstlerischer Aktivitäten stimulieren oder drosseln.[9] Zweitens muß die vom Werk ausgelöste Resonanz, sein soziales Wirkungsdiagramm, ermittelt werden, in Korrelation gesetzt zu verschiedenen soziologischen Variablen, beispielsweise zu Lagebefindlichkeit und Lagebewußtsein des Publikums. Das erfordert eine ausreichende Menge statistischer Daten, die über eine repräsentative Anzahl individueller Reaktionsweisen Aufschluß geben. Mit Hilfe mathematischer Verfahren, die in der Marxistischen Sozialpsychologie bereits mit gutem Erfolg angewendet werden (Faktorenanalyse, Polaritätsspektren u. a.), lassen sich die invarianten Faktoren der ästhetischen Kommunikation, also gewisse gruppenspezifische Standardwerte oder Stereotypen der Rezeption herausfinden, in denen sich der Grad der Sozialisierung fixiert hat. Dabei ist der bereits vorgegebene Grad der Sozialisierung von dem durch die Wirkung eines Werkes erzielten Effekt zu unterscheiden.

Es kommt bei diesen sozialpsychologischen Untersuchungen darauf an zu erkennen, wie weit und tief die Einflußsphäre eines Kunstwerkes reicht, wie stark es das Bewußtsein verschiedenartiger Individuen zu normieren vermag. Die für gesellschaftliche Organismen so wichtige Fähigkeit der Kunst, »typische« Formeln zu entwerfen und anzubieten, in die eine chaotische Vielheit individueller Gefühle, Vorstellungen, Hoffnungen usw. projiziert werden kann, die somit einen generellen, sozial mitteilbaren und anerkannten Ausdruck erhält, die Fähigkeit zur kollektiven Synchronisation individueller Verhaltensweisen also, ist zwar von Kulturhistorikern und Anthropologen längst festgestellt, aber noch kaum empirisch exakt und am Modell nachgewiesen worden. Eine Schwierigkeit bereitet allerdings die Tatsache, daß die vom Autor eines Kunstwerkes angebotene Formel für bisher kollektiv noch nicht bewältigte und daher noch nicht normierte Erlebnis- und Gefühlsinhalte durchaus nicht widerspruchslos und unverändert vom Publikum angenommen wird. Vielmehr erfolgt während der Rezeption eine auf die jeweilige Lagebefindlichkeit (Lebenssituation, Einstellung) des Rezeptiven (Gruppe, Schicht u. a.) abgestimmte »Korrektur« oder Umdeutung; erst dieses durchaus mögliche Mißverstehen der ursprünglichen Autorenansicht oder -haltung macht die ästhetische Information annehmbar und praktikabel für den »Kunstkonsumenten«. Die Diagnose verhilft jedoch zu wichtigen Einsichten, sofern sie das Wirkungsprofil einer Kunstgestalt – in quantitativer und qualitativer Hinsicht – ermittelt, also feststellt, ob und welche ästhetischen Eigenschaften eines Werkes von der Publikumspsyche umgeformt und assimiliert, welche Formeln des Verhaltens, Fühlens und Denkens ihm tatsächlich entnommen werden.

Das Kunstwerk als ein Kommunikationsmittel auffassen schließt demnach ein, seine ästhetischen Qualitäten nicht an sich zu bewerten, sondern das Werk in der ganzen Breite seiner kommunikativen Beziehungen zu studieren. In diesem umfassenden System der Kommunikationen, dessen Schema modellierbar sein dürfte, womit der ästhetische Informationsfluß auf seine optimalen Bedingungen hin exakt untersucht werden könnte, entfaltet sich das reale Dasein eines Werkes, seine effektive, tatsächliche Psychologie.

Damit wird der funktionale Zusammenhang zwischen Werk und Publikum in das Zentrum wissenschaftlicher Diagnosen gerückt, das ist jenes Wirkungsfeld, in welchem ein Werk in Form und Inhalt tatsächlich sichtbar wird und das ihm gemäße Publikum sich als eine soziologisch konstatierbare Funktionalgruppe formiert. Jedes ästhetische Gebilde tritt mit seiner Veröffentlichung aus einem potentiellen in ein aktuelles Dasein für eine auf sein Anliegen eingestellte oder sich darauf einstellende Leser- oder Hörerschaft. So erfaßt zwangsläufig jede Analyse einer künstlerischen Gestaltung auch die Psychologie eines Publikums, für welches die analysierten Form- und Inhaltselemente angemessene ästhetische Mitteilungsformen und Sinnträger sind.

Als letzter Grund jeder ästhetischen Realität tritt uns mithin ein durch historische, nationale und soziale Faktoren definiertes konkretes Bezugssystem entgegen, in welchem jeweils eine gegebene ästhetische Information wirksam werden kann. Die materialen oder dinglichen Eigenschaften eines Werkes sind »an sich« bedeutungslos; sie erhalten ihren Sinn erst durch die Koppelung mit einem bestimmten System von Kommunikationen, dessen Regeln und Normen dem Werk gleichsam eingeformt sind und es kommunikationsfähig machen.[10]

Anmerkungen

1 G. Lukács: Der historische Roman. Berlin 1955. S. 28 ff.

2 M. Steenbeck hat diese beiden Varianten in seinem »Essay eines Naturwissenschaftlers« diskutiert in: DZfPh. Heft 12/1963. S. 1472 ff.

3 Ebenda: S. 1473.

4 Siehe Marx' Brief an Kugelmann vom 11. Juli 1868 und sein Vorwort zur Kritik der politischen Ökonomie.

5 Es ist kein Zufall, daß diese Fragestellung heute ein besonderes theoretisches Interesse vorfindet, davon zeugen z. B. auch die Überlegungen N. Krenzlins zum Thema »Seinsweise des literarischen Werkes«, im Anschluß an den von Roman Ingarden unternommenen Versuch einer Ontologie der Kunst. (Für die Erforschung der formalen Seite in der Schönen Literatur. Siehe: DZfPh. Heft 9/1964. S. 1118 f.)

6 Vgl.: W. I. Lenin: Materialismus und Empiriokritizismus. Berlin 1952. S. 235 f.

7 K. Marx: Das Kapital. Erster Band. Berlin 1953. S. 389 (Fußnote).

8 N. Krenzlin: Für die Erforschung der formalen Seite in der Schönen Literatur. In: DZfPh. Heft 9/1964. S. 1120.

9 Interessantes Material hierzu hat Levin L. Schücking in seiner Studie »Soziologie der literarischen Geschmacksbildung«, Bern und München 1961 (3. Aufl.), vorgelegt.

10 Ähnlich äußert sich der sowjetische Verfasser L. N. Stolowitsch: »Mir scheint, die Objektivität aller Werteigenschaften, besonders der ästhetischen und ethischen, wird durch ihr Verhältnis zur Gesellschaft berührt.« (Die ästhetischen Beziehungen des Menschen zur Wirklichkeit. In: Kunst und Literatur. Heft 9/1964. S. 925) Diese These zielt auf eine Soziologie der Kunst, obgleich noch ein weiter Weg von einer begrifflichen Hypothese bis zur empirischen Diagnostik und Modelluntersuchung zurückzulegen ist.

IV
Ideologiekritische Ansätze

Peter Bürger
Einleitung

Da bereits mehrere Darstellungen einer ideologiekritisch verfahrenden Literaturwissenschaft vorliegen[1] und der Beitrag von Peter Hahn (Text 12) als Einführung in den Gegenstand gelten kann, sollen im folgenden kurz die wichtigsten Einwände gegen diesen Ansatz erörtert werden. Wird die dialektische Kunstsoziologie Adornos von den Vertretern einer positivistischen nicht zuletzt deshalb angegriffen, weil sie das ästhetische Gebilde mit zum Gegenstand ihrer Bemühung macht, so lautet der Hauptvorwurf traditioneller Literaturwissenschaft und Ästhetik gegen die Ideologiekritik, sie vermöchte Kunstwerke als ästhetische nicht zu erfassen. Die Widersprüche zwischen den Argumenten der verschiedenen Gegner einer dialektischen Literatur- und Kunstwissenschaft sind das Resultat einer arbeitsteiligen Zerlegung des Gegenstands in Einzelaspekte, die, gesondert zum Objekt von Einzelwissenschaften gemacht, sich nicht mehr zu einem Ganzen zusammenfassen lassen.

Mit diesem Hinweis ist das Hauptargument gegen eine ideologiekritisch verfahrende Literatur- und Kunstwissenschaft noch nicht entkräftet, das besagt, diese verfehle gerade das spezifisch Ästhetische am Kunstwerk. Sie erfasse es als Träger von Normen und Weltanschauungen, nicht aber als ästhetisches Gebilde. Zwar würden im Kunstwerk auch Normen und Wertvorstellungen verhandelt, als ästhetisches Gebilde bliebe es davon jedoch unberührt, da die betreffenden Normen und Wertvorstellungen auch auf anderem Wege vermittelt werden könnten (Ter Nedden *164*, 251 ff.). Der Anschein der Plausibilität dieses Arguments beruht auf einer folgenschweren Vorentscheidung: der Trennung »praktisch-theoretischer Sinnbestände« von dem, was Gegenstand des »ästhetischen Interesses« ist (ebd.). Diese Trennung ermöglicht es, die »praktisch-theoretischen Sinnbestände« als etwas dem Kunstwerk Äußerliches zu behandeln und aus der Analyse auszuklammern. Deren Gegenstand ist dann nicht mehr das Kunstwerk als Form-Inhalts-Totalität, sondern ein Teilmoment: die ästhetische Dimension des Kunstwerks. Daß im Kunstwerk soziale Normen und Wertvorstellungen gerade Gegenstand ästhetischen Interesses werden können – dieses Problem kann innerhalb eines solchen Ansatzes gar nicht erörtert werden. Denn der Kritiker verfügt nicht über Kategorien, die ihm erlauben, den Zusammenhang zwischen »praktisch-theoretischen Sinnbeständen« und einem rein formal gefaßten »ästhetischen Interesse« wiederherzustellen. Dem Argument, Ideologiekritik vermöchte das spezifisch Ästhetische nicht zu erfassen, liegt also ein ästhetizistisch verkürzter Begriff der Kunstautonomie zugrunde, in dem die für die Kunst in der bürgerlichen Gesellschaft charakteristische Spannung zwischen gesellschaftlichem Gehalt der Einzelwerke und dem Autonomiestatus der Kunst getilgt ist (vgl. Bürger *170*, 31 ff.). Erst die Dogmatisierung dieses Kunstbegriffs, seine Verwandlung in eine überhistorische Wesensbestimmung des Kunstwerks macht es möglich, die ideologiekritische Bemühung, die sich auf die Form-Inhalts-Totalität ästhetischer Gebilde richtet, als »unzulässige Liquidierung des ästhetischen Sinnbezirks« zu denunzieren (Ter Nedden *164*, 263)[2].

Gegen den immer wieder vorgebrachten Einwand, der Ideologiebegriff erlaube nicht, das Spezifische der Kunst zu erkennen[3], ist daran zu erinnern, daß in der Nachfolge der Analysen von Adorno seit längerem Arbeiten vorliegen, die das Ideologische eines Textes gerade auch an der Form ausmachen[4]. Hier ein Beispiel: Lukács hat seine ideologiekritische Analyse von Eichendorffs *Taugenichts* vorwiegend am Inhalt der Novelle festgemacht. Den Widerspruch zwischen der Kritik an den Entfremdungserscheinungen der entstehenden kapitalistischen Gesellschaft und der rückwärts gewandten Idealisierung einer vorkapitalistischen Arbeits- und Lebenswelt bei den Romantikern erklärt er daraus, daß die romantische Opposition gegen den Kapitalismus nur die Oberflächenerscheinungen, nicht aber dessen Wesen erfassen könne (Lukács, *Eichendorff*, in: *46*, 59 ff.). Eine Analyse der Märchennovellen Tiecks kann nicht von deren manifestem Inhalt ausgehen, sondern muß die Verwandlung des künstlerischen Materials (hier vor allem traditioneller Märchenmotive) untersuchen (zum folgenden vgl. Ch. Bürger, *Romantische Gesellschaftskritik*, in: Bredella/Bürger/Kreis *143*, 9-30). Wenn Tieck aus Motiven, die im Volksmärchen Chiffren der Befreiung sind (z. B. das Tier als Helfer des Menschen), Vergegenständlichungen der Ängste des Protagonisten macht, so entspricht das Darstellungsmittel einem Sujetaufbau, in dem der Aufbruch des Helden ihn nicht wie im Märchen zur Wunscherfüllung, sondern in notwendige (weil über ihn verhängte) Schuldverstrickung führt. Der Widerspruch zwischen befreienden Märchenmotiven und ihrer Remythisierung in der Tieckschen Novelle ist der verrätselte Ausdruck der Selbstwertkrise einer bürgerlichen Intelligenz, die, weil sie eine gesellschaftliche Zukunftsperspektive nicht zu entwickeln vermag, ihren Protest gegen die bürgerliche Gesellschaft als Schuld erfahren muß. Das Beispiel zeigt, daß eine spezifische Verwendung von Märchenmotiven und ein bestimmter Sujetbau – mithin formale Elemente – ideologisch sein können, insofern in ihnen die Sehnsucht nach humanen zwischenmenschlichen Beziehungen sich in zwanghafte Wiederholung einer mythischen Schuldsituation verkehrt. In vergleichbarer Weise ist Heinz Schlaffer dem Widerspruch nachgegangen, daß die klassische bürgerliche Literatur sich an heroisch-aristokratischen Werten und Formen orientiert, und er hat diesen Widerspruch als Kritik der bürgerlichen Autoren an der durch Arbeitsteilung und Entfremdung geprägten Wirklichkeit der entstehenden kapitalistischen Gesellschaft erklärt (vgl. Schlaffer *162*).

Was der dialektische Ideologiebegriff für die Kunstsoziologie leistet, läßt sich folgendermaßen umreißen: er erlaubt, die Widersprüchlichkeit künstlerischer Objektivationen zu erfassen und aus gesellschaftlichen Widersprüchen zu erklären. Wie Protest gegen und Unterwerfung unter gesellschaftliche Zwänge sich im bürgerlichen Kunstwerk verschlingen, hat Adorno in einem schwierigen Satz formuliert, der zugleich als Muster dialektischer Ideologiekritik gelten kann.

> Im Ideal der Geschlossenheit des Kunstwerks vermischt sich Ungleichnamiges: die unabdingbare Nötigung zur Kohärenz, die stets zerbrechliche Utopie der Versöhnung im Bilde, und die Sehnsucht des objektiv geschwächten Subjekts nach heteronomer Ordnung, ein Hauptstück deutscher Ideologie (Adorno *129*, 239).

Gegenstand der Adornoschen Kritik ist ein bestimmtes Form-Ideal, das des geschlossenen (organischen) Kunstwerks, das durch eine vollkommene Harmonie von Teilen und Ganzem charakterisiert ist. Adorno macht nun in diesem Form-Ideal einen Widerspruch aus, der aus den Widersprüchen der bürgerlichen Gesellschaft sich erklärt. Die Rede von der »Utopie der Versöhnung« verweist kritisch auf einen Gesellschaftszustand, in dem weder die Beziehungen zwischen den Menschen, noch die zwischen Mensch und Natur herrschaftsfrei sind. Auf diesem utopischen Moment der Kunst hat Ernst Bloch immer wieder insistiert (vgl. Bloch *142*). »Objektiv geschwächt« ist das Subjekt, insofern die kapitalistische Gesellschaft ihm immer weniger jene Möglichkeiten der Entfaltung gibt, die die liberale Gesellschaftstheorie ihm zuspricht. In dem Maße, wie aufgrund objektiver Zwänge das bürgerliche Subjekt nicht mehr fähig ist, die gesellschaftliche Wirklichkeit zu gestalten, neigt es zur Unterwerfung unter eine bloß von außen gesetzte, nicht von ihm selbst geschaffene Ordnung. Diese hier nur angedeuteten Aspekte der Kritik der bürgerlichen Gesellschaft gehen in Adornos Ideologiekritik des »Ideals der Geschlossenheit des Kunstwerks« ein. Dieses Ideal ist ideologisch, weil in ihm widersprüchliche Funktionen (»Ungleichnamiges«) sich vermischen, nämlich ein Moment des utopischen Protests gegen die Gesellschaft und ein Moment der Unterwerfung unter eine von außen gesetzte Ordnung. Das erste wäre das Wahrheitsmoment, das letzte dagegen das im engeren Sinne ideologische Moment an der Geschlossenheit des Kunstwerks. Die Leistung des dialektischen Ideologiebegriffs besteht also darin, den in der Sache aufweisbaren Widerspruch erkennbar zu machen.

Von hier aus dürfte auch der Unterschied zu den oben unter dem Begriff der Zurechnung behandelten Ansätzen deutlich werden. Zwar wäre es verfehlt, Ideologiekritik diesen Ansätzen global entgegensetzen zu wollen, zumal besonders die Arbeitsweise von Lukács dem dialektischen Ideologiebegriff verpflichtet ist, doch läßt sie sich klar abgrenzen von der Vorgehensweise von Mannheim und Goldmann. Während bei einem Zurechnungsverfahren stets die Gefahr besteht, sich mit einer bloßen Zuweisung von künstlerischen Objektivationen zu sozialen Standorten zufriedenzugeben, insistiert Ideologiekritik auf der Widersprüchlichkeit der Gebilde und sucht diese gerade auch an den formalen Strukturen aufzuweisen. Der Ideologiebegriff ist kein klassifikatorischer Begriff, unter den eine Anzahl von Phänomenen subsumiert werden kann, sondern ein Begriff, der Instrument der Erkenntnis ist. Seine Leistung besteht gerade darin, eine Subsumtionslogik, ein Denken in Zuordnungen zu überwinden und die Frage nach der gesellschaftlichen Funktion künstlerischer Gebilde zu stellen. Ideologiekritik fragt zugleich nach den gesellschaftlichen Bedingungen, denen geistige Objektivationen sich verdanken, *und* nach der Funktion, die sie, sei es im geschichtlichen Kontext ihres Entstehens, sei es von diesem abgelöst, als Traditionsgut übernehmen.

Als ein wesentliches Ergebnis der Brecht-Benjamin-Adorno-Debatte der 30er Jahre haben wir die Einsicht festgehalten, daß die gesellschaftliche Funktion der Kunst bzw. einzelner Gattungen epochal institutionalisiert ist (vgl. Text 1). Eine ideologiekritisch verfahrende Literaturwissenschaft, die die gesellschaftliche Funktion von Einzelwerken thematisiert, mußte in dem Augenblick erneut auf das Phänomen der epochalen Institutionalisierung der gesellschaftlichen Funktion von Kunst stoßen, als die Geschichtlichkeit der literaturtheoretischen Ansätze von Adorno und Lukács (d. h. deren positive bzw. negative Ausrichtung an der Kunst der Avantgardebewegungen) erkennbar geworden war (Bürger *170*). Dem damit angesprochenen Problem geht mein Beitrag nach (Text 13). Insofern er auch nach der Institutionalisierung von Kunst in einer vorbürgerlichen Gesellschaftsformation fragt, geht er über Ideologiekritik hinaus (vgl. Einleitung von H. Sanders zu Abschnitt V).

Während der skizzierte Ansatz das Ideologische eines Werks gerade auch in dessen ästhetischer Struktur aufzuweisen sucht, wird von andern Wissenschaftlern aus methodischen Gründen eine stärkere Trennung zwischen Ideologie und Kunstwerk befürwortet. Mit dem Begriff Ideologie werden dann meist die expliziten politischen Anschauungen (Sautermeister) bzw. die Intention des Autors (Macherey) verstanden. Es läßt sich dann fragen, wie diese im Produktionsprozeß gebrochen werden. Die Fragestellung ist vor allem bei Werken relevant, deren Gehalt der Intention ihrer Autoren bzw. deren expliziten politischen Anschauungen widerstreitet. Den Widerspruch zwischen der legitimistischen politischen Einstellung Balzacs und der kritischen Darstellung der bürgerlich-kapitalistischen Gesellschaft in seinen Romanen hat im Anschluß an Äußerungen von Engels Georg Lukács erörtert (vgl. z. B. *Balzac*, in: ders., *47*, 340 f.). Macherey nun sucht zu zeigen, daß der literarische Produktionsprozeß Balzac zu einer Darstellungsweise zwinge, die seinen politischen Intentionen entgegensteht. »Wenn man gegen das Volk redet, muß man, um überzeugend zu reden, *von ihm* reden; man muß es zeigen, es gestalten, *ihm* also selbst *das Wort erteilen*« (Macherey *155*, 185). In seiner Analyse von Kellers *Romeo und Julia auf dem Dorfe* geht Gert Sautermeister dem gleichen Problem nach. Er kommt dabei zu dem Ergebnis, daß die Auseinandersetzung mit einem bestimmten Stoff und der Zwang zu glaubwürdiger Darstellung Keller dazu veranlassen, an dieser Novelle seine eigenen liberalen politischen Anschauungen durch eine radikale Entlarvung der Eigentumsideologie zu widerlegen (Sautermeister, in: *156*).

Die Frage, wie die Intentionen bzw. die politischen Anschauungen eines Autors sich im Produktionsprozeß verwandeln, ist legitim. Die Gefahren, die in dieser Problemstellung stecken, lassen sich an den Arbeiten der Gruppen Tel Quel und Nouvelle Critique erkennen, wo in polemischer Absage an die Hypostasierung schöpferischer Subjektivität der Text nun seinerseits zu einer Art Pseudo-Subjekt[5] avanciert, dem Selbsttätigkeit zugesprochen wird *(travail du texte)*. Weiterhin gilt es zu bedenken: Wo die politische Position des Produzenten als »Ideologie« bezeichnet wird, kann unschwer die Vorstellung sich einschleichen, Kunstwerke – zumindest gelungene – seien notwendig nicht-ideologisch. Da auch Adorno gelegentlich Formulierungen gebraucht hat, die in diese Richtung weisen, sei noch einmal daran erinnert, daß im dialektischen Ideologiebegriff das Wahrheitsmoment stets mitgedacht ist. »Ideologie und Wahrheit der Kunst verhalten sich zueinander nicht wie Schafe und Böcke. Sie hat das eine nicht ohne das andere« (Adorno *129*, 347).

Anmerkungen

1 Außer meinen diesbezüglichen Arbeiten (*8; Vorüberlegungen zu einer kritischen Literaturwissenschaft*, in: *170*, 8-19; *Ideologiekritik*

und Literaturwissenschaft, in: *146*, 1-22) vgl. N. Mecklenburg, *Dichtung und Ideologie*, in: ders., *159*, 114-134 und Ch. Bürger, *Ideologiekritik und Textanalyse*, in: *144*, 55-64 und 157-165, sowie J. Schulte-Sasse, *Literarische Wertung*. 2. völlig neu bearbeitete Auflage (Sammlung Metzler, 98). Stuttgart 1976, 171-211. Zur Ideologiekritik allgemein vgl. K. Lenk (Hrsg.), *Ideologie, Ideologiekritik und Wissensoziologie* (Soz. Texte, 4). [3]Neuwied/Berlin 1967 [mit ausführlicher Bibliographie], sowie *Hermeneutik und Ideologiekritik* (Theorie-Diskussion). Frankfurt 1971.

2 Daß es Arbeiten gibt, die Werke der Literatur als sozialgeschichtliche Dokumente auffassen, ist unbestritten (vgl. z. B. J. Rockwell, *Fact in Fiction. The Use of Literature in the Systematic Study of Society*. London 1974). Mit einer ideologiekritisch verfahrenden dialektischen Literatursoziologie haben dergleichen Arbeiten nichts zu tun.

3 Vgl. auch R. Bubner, *Über einige Bedingungen gegenwärtiger Ästhetik*, in: Neue Hefte für Philosophie, 5 (1973), 38-73; hier: 53.

4 Vgl. dazu P. Bürger *145* (Prévost, Marivaux), N. Mecklenburg *159*, 145-163 (Ballade), Ch. Bürger, in: *152*, 76-86 (Rilke), H. Sanders, in: *152*, 86-95 (Musil), H. Schlaffer *163* (Jean Paul, Goethe, Lessing), E. Fischer-Lichte *149* (Goethe). Für die bildende Kunst vgl. z. B. Hinz *151 a*, 75 ff.

5 Vgl. A. Übersfeld, [Hugo], in: *154*, 162-167; sowie andere Beiträge des Sammelbandes.

12. Peter Hahn
Kunst als Ideologie und Utopie

Über die theoretischen Möglichkeiten eines gesellschaftsbezogenen Kunstbegriffs

I. Probleme und Möglichkeiten gesellschaftsbezogener Ästhetik

Wenn diese Arbeit nach theoretischen Möglichkeiten eines durch seine Beziehung auf Gesellschaft und Geschichte wesentlich mitkonstituierten Kunstbegriffs fragt, so ist ihr Rahmen abgesteckt durch kritische Ideologietheorie einerseits, philosophische Ästhetik andererseits. Ihr theoretischer Ausgangspunkt ist das Marxsche Ideologiekonzept und das Problem seiner Anwendung auf die Kunst. Die Themenstellung deutet die äußersten Möglichkeiten einer Interpretation der Kunst als Ideologie und als Utopie an. In diesem Zusammenhang ist sowohl nach der Bedeutung der Gesellschaft für die Kunst wie umgekehrt nach der Bedeutung der Kunst für die Gesellschaft zu fragen.

Ein theoretischer Klärungsversuch kann eine ontologisch präjudizierte Scheidung von Sachgebieten ebensowenig als gegeben hinnehmen wie die übliche Arbeitsteilung der bezogenen Wissenschaften. Diese Arbeitsteilung hat es mit sich gebracht, daß die Kontakte der idealistisch als heteronom, seins- oder wesensverschieden gedachten Bereiche der Kunst einerseits, der Gesellschaft und Geschichte andererseits lange Zeit nur schwach entwickelt waren. Hier hat offenbar nicht zuletzt die Diskussion materialistischer Positionen in den letzten Jahren eine Änderung erzwungen. Traditionell orientierte Geisteswissenschaft jedoch stand und steht weithin noch heute kunstsoziologischen oder sozialgeschichtlichen Bestrebungen gleich welcher Provenienz eher skeptisch gegenüber; wobei sie nicht einfach die gesellschaftliche Relevanz

Abdruck mit freundlicher Genehmigung des Metzler Verlags aus: *Literaturwissenschaft und Sozialwissenschaften 1. Grundlagen und Modellanalysen.* [2]Stuttgart 1973, 151-234. Abgedruckt ist die Einleitung der Arbeit, 151-165.

ihres Gegenstandes abstreitet, vielmehr dessen Profanierung durch Funktionalisierung fürchtet.[1] Zwar wird man L. Löwenthals 1932 in bezug auf die Literaturwissenschaft ausgesprochenem Verdikt heute nur noch bedingt zustimmen können, deren Abwehrtendenzen seien so sehr auf die Spitze getrieben, daß »die metaphysische Verzauberung ihrer Gegenstände ... sie an der sauberen Betrachtung ihrer wissenschaftlichen Aufgaben« hindere[2], wohl aber spürt man auch heute noch die Reserve, »das Werk in Bezüge zu außerdichterischen Phänomenen« zu stellen: »Es stellt sich die Frage«, schreibt W. Kayser in seiner vielbenützten Einführung in die Literaturwissenschaft *Das sprachliche Kunstwerk*, »ob damit nicht das Wesen des sprachlichen Kunstwerks vernachlässigt und die eigentliche Aufgabe literarischer Forschung übersehen wird. Eine Dichtung lebt und entsteht nicht als Abglanz von irgend etwas anderem, sondern als in sich geschlossenes sprachliches Gefüge.« Anliegen der Forschung solle es demnach sein, »die schaffenden sprachlichen Kräfte« in ihrem Zusammenwirken zu verstehen und »die Ganzheit des einzelnen Werkes durchsichtig zu machen«[3]. E. Staiger zufolge kommt alle Funktionalisierung nur bis zur Pforte der Dichtung und verhält sich blind gegenüber dem ästhetischen Ausdruck: das Schöne sei soziologisch nicht zu erfassen.[4]

Dieser weit verbreiteten Tendenz seitens der Literaturwissenschaft, ihren Gegenstand zu isolieren und gegenüber äußeren Einflüssen zu immunisieren, steht eine positivistische Kunst- und Literatursoziologie gegenüber, die, im Kreise der etablierten Sozialwissenschaften ohnehin marginal, sich ästhetischer Stellungnahme methodisch enthält. Nur soziale Kategorien sind ihr relevant.[5] Damit freilich scheint sie eben das Verdikt der Kunstwissenschaften, die Soziologie bleibe dem ästhetischen Gegenstand äußerlich, zu bestätigen. Zutreffen würde darauf die polemische Frage L. Strauss', ob man »einen Menschen nicht auslachen würde, der eine Soziologie der Kunst geschrieben zu haben beansprucht, in Wirklichkeit aber eine Soziologie des Kitsches geschrieben hat?«[6]

Der hier nur grob umrissenen Hauptlinie eher idealistischer Kunst- und Literaturwissenschaft stehen einige weitschauende Wissenschaftler und Künstler gegenüber, die sich von dieser durchaus vorherrschenden Tradition den Blick für die materialistische Seite ihres Gegenstandes nicht verbauen ließen.[7] Vor allem aber sind es die im weitesten Sinne von Marx und darüber hinaus von Hegel beeinflußten Denkansätze, die, schon vermöge ihres Totalitätsprinzips, die reinliche Abscheidung von Wissenschaftsgebieten negieren und damit auch für unsere interdisziplinäre Fragestellung relevant sind. Wenn man freilich erwägt, welch breites Spektrum ›marxistischen‹ Denkens sich etwa zwischen Stalin und Adorno auftut – um nur zwei krasse Antipoden zu nennen –, so ergibt sich zwingend die Notwendigkeit, auf Marx selbst zurückzugehen. Es muß dies für unsere Problematik vor allem ein Rekurs auf den Marxschen Ideologiebegriff und die Frage seiner Anwendbarkeit auf Kunst sein. Dem dient ein zweiter Abschnitt dieser Einleitung.

In den Marxschen Frühschriften findet sich – um dies vorwegzunehmen – die Möglichkeit einer kritischen Entwicklung seiner kunsttheoretischen Ansätze ebenso angelegt wie die Möglichkeit ihrer Dogmatisierung; und es scheint, neben der Möglichkeit, Kunst als Ideologie aufzufassen, auch die einer Interpretation der Kunst als Utopie vorbereitet. Dafür ist es bezeichnend, daß Marx selbst offenbar gewisse Zweifel an einer zu rigiden Fixierung der Kunst an ihren klassenmäßigen Ursprung hegt, wenn er auch von diesem Ursprung überzeugt ist. »Aber die Schwierigkeit liegt nicht darin, zu verstehn, daß griechische Kunst und Epos an gewisse gesellschaftliche Entwicklungsformen geknüpft sind. Die Schwierigkeit ist, daß sie für uns noch Kunstgenuß gewähren und in gewisser Beziehung als Norm und unerreichbare Muster gelten.[8] Wenn ein Teil des Überbaus nicht nur vorübergehend – was etwa durch Ungleichzeitigkeit noch im Rahmen dieser Stelle zu erklären wäre[9] – sondern schlechthin vom Umwälzungsprozeß der Basis ausgenommen ist, so scheinen die Folgerungen der hier angelegten Eigendynamik für die Differenz von ideologischer Genesis und nicht prinzipiell überhistorischer, aber doch den historischen Augenblick überdauernder Geltung äußerst weittragend. Die zitierte Passage aus der Einleitung zur Kritik der politischen Ökonomie wurde denn auch immer wieder zum Schlüsseltext marxistischer Ästhetik.[10]

Freilich wurden Marxens Skrupel erst 1902 wiederentdeckt[11] und konnten demnach auf die erste Phase marxistischer Ästhetik keinen Einfluß ausüben, die man, was ihr theoretisches Instrumentarium angeht – und nur das steht hier wie in der gesamten Arbeit in Frage –, als eine Phase relativ unkritischer Anwendung des Ideologiebegriffs auf die Kunst bezeichnen kann. So überträgt etwa F. Mehring das Basis-Überbau-Schema unproblematisiert auf die Literatur, die dergestalt etwas zu bündig zur ideellen Spiegelung der Klassenkämpfe gerät.[12] Geradezu naiv klingt heute W. Hausensteins Überzeugung, daß »der positive Stil . . . immer den Zeiten positiver Gesellschaftsorganisation« entsprach.[13] Plechanow schließlich schwankt zwischen einer Auffassung der Kunst als Widerspiegelung des Lebens und deren utilitaristischer Interpretation, die, zur ›Parteilichkeit‹ gewendet, eine so bedeutsame Zukunft haben sollte.[14]

In der Folge, will es scheinen, sind es vor allem zwei Wege, welche die extremen Möglichkeiten marxistischer Ästhetik markieren: Deren einer führt zur allmählichen Dogmatisierung der Marxschen Theorie, insbesondere zur Ontologisierung des Basis-Überbau-Schemas und der Ausarbeitung der Widerspiegelungsthese auch für die Kunst; an seinem stalinistischen Ende wird, im Rahmen des Prozesses, in dem die Marxsche Theorie zum Herrschaftsinstrument degeneriert, auch die Kunst schließlich zum epiphänomenalen Reflex der durch die Partei kontrollierten Politik und zu deren Propagandawerkzeug.[15]

Der entgegengesetzte Weg führt auf dem Gebiet der Ästhetik über die Revision gewisser Marxscher Positionen zur Anerkennung einer Eigendynamik des Überbaus bis hin zur Anerkennung der Kunst als autonomer Wahrheit oder als Antizipation der Wahrheit. So scheint für die kritische Theorie der Gesellschaft – und in anderer Weise für Bloch – die Basis-Überbau-Theorie hinsichtlich der Kunst im Grunde aufgehoben. »Die kritische Theorie der Gesellschaft rechnet die Kunstwerke dem Überbau zu und hebt sie dadurch von der materiellen Produktion ab. Allein schon das antithetische, kritische Element, das dem Gehalt bedeutender Kunstwerke essentiell ist und sie in Gegensatz wie zu den Verhältnissen materieller Produktion so zur herrschenden Praxis insgesamt rückt, verbietet es, unreflektiert von Produktion hier wie dort zu reden . . .«[16] Das antithetisch-kritische Element der Kunst kommt freilich bei Adorno, von dem die Bestimmung stammt, in anderer Weise zum Zuge als bei Benjamin und vollends bei Bloch. Während für Adorno Kunst nicht heißt, »Alternativen pointieren, sondern, durch nichts anderes als ihre Gestalt, dem Weltlauf widerstehen«[17], während ihm »die ästhetische Qualität der Werke, ihr Wahrheitsgehalt ... mit dem gesellschaftlichen Wahren« konvergiert[18], während also die Wahrheit der Kunst einen zum Verhängnis treibenden Prozeß mittels dessen Darstellung allenfalls zu hemmen vermag, enthalten für Benjamin authentische Kunstwerke ein Moment vorweggenommener Freiheit[19]: »Indem sie perennierend die immanente Teleologie der Geschichte durchbrechen, sind die Kunstwerke zugleich auch über Geschichte hinaus, markieren die Gebilde des Überbaus im Geist einen Zustand, der von den materiellen Verhältnissen erst noch einzuholen wäre«.[20] Kunst also kann, gegenüber der materiellen Welt, wahreres, wenngleich immaterielles Dynamisches sein, jedoch ist ihre Wahrheit Utopie[21]. Auch für Bloch schließlich ist Kunst, als Utopie, wahrer Vorschein des Kommenden. Offenkundig weist der hier relevante, auf Kunst bezogene Wahrheitsbegriff vor Marx zurück auf Hegel. Wir werden dem im Rahmen eines Rekurses Rechnung tragen.

Von dem weiten Feld marxistischen Denkens über Kunst konnten hier nur die äußersten Begrenzungslinien gegeben werden. Einen mittleren Weg würde etwa Lukács mit seiner Theorie der ästhetischen Widerspiegelung repräsentieren[22]; einen anderen A. Hauser mit seiner Anwendung des Ideologiebegriffs auf die gesamte Kunstgeschichte bei gleichzeitiger Anerkennung der Eigenvitalität der Kunst. Was vorab die Anwendung des Ideologiebegriffs auf Kunst angeht, so scheinen uns folgende Probleme relevant:

Wenn es die Aufgabe einer umfassenden Sozialgeschichte der Kunst ist, »die künstlerischen Formen mit allen Vermittlungen und in aller Differenziertheit aus sozialen Bedingungen, und zwar denen der Arbeit ebenso wie denen der Herrschaftsverhältnisse auf verschiedenen historischen Stufen«[23] zu entwickeln, so verbirgt sich darin – außer der Schwierigkeit einer kaum zu bewältigenden Materialfülle – das Problem der historischen Immanenz von Kategorien. Zwar mag man Löwenthals Aussage zustimmen, »die Aufgabe der Literaturgeschichte« sei »zu einem großen Teil Ideologienforschung«[24], nicht jedoch, ohne zuvor darauf zu reflektieren, ob der Ideologiebegriff überhaupt sinnvoll auf alle Epochen der Literaturgeschichte anwendbar sei.

Während sich Dialektiker wie Adorno oder Lukács, auf der anderen Seite Sozialhistoriker wie O. Brunner in ihren ideologiekritischen wie in ihren ästhetischen Analysen zumeist auf das bürgerliche Zeitalter beschränken[25], muß A. Hauser, auf dessen umfassenden sozialgeschichtlichen Ansatz sich der obige Hinweis der *Soziologischen Exkurse* bezog, über dieses bürgerliche Zeitalter notwendig hinausgreifen. Einer umfassenden Anwendung des Ideologiebegriffs inhäriert aber die Gefahr eines Anachronistisch-Werdens dieser an und für sich ebenso konkret historischen wie kritischen Kategorie; ihr inhäriert damit die Gefahr, entweder die gesamte Geschichte über den kategorialen Leisten der bürgerlichen Klassengesellschaft zu schlagen, oder das Verhältnis von Kunst und sozialer Wirklichkeit soweit zu enthistorisieren, daß es, zur Leerformel erstarrt, mit nahezu beliebigen inhaltlichen Variationen gefüllt werden kann. Nicht daß der historische Materialismus an den Kapitalismus gebunden wäre und in dieser Bindung seine objektive Grenze fände, soll damit behauptet werden[26], wohl aber die Notwendigkeit, die Relation einer Kunst zu einer gesellschaftlichen Realität historisch konkret herauszuarbeiten. Es liegt auf der Hand, daß sich diese Relation auf den geschichtlichen Stufen einer primitiven, theokratischen, despotisch managerialen, feudalen usw. Gesellschaft äußerst verschiedenartig gestaltet. Kunst mag Praxis sein, Herrschaftsmittel oder bewußte gesellschaftliche Fiktion, Instrument der Rechtfertigung oder Waffe der Kritik, verklärender Schein oder autonome Produktion, schließlich Wahrheit oder Moment vorweggenommener Freiheit: kaum dürften diese Relationen zureichend auf den Nenner von Basis und Überbau zu bringen sein. Solange etwa Kunst von unmittelbar und unverschleiert praktischer Bedeutung ist – was für den überwiegenden Teil der Kunstgeschichte zutreffen dürfte –, solange ferner Herrschaft unverklärt auftritt, muß die Anwendung des Ideologiebegriffs problematisch erscheinen. Wohl ließe sich post festum im Hinblick auf sehr verschiedenartige politische Organisationsformen die eminent praktische Funktion der Kunst

z. B. für die Aufrechterhaltung und Legitimation von Herrschaft erhärten. Ihren eigentlich kritischen Sinn gewinnt die Ideologiekategorie, also auch die Rede von einer ideologischen Funktion der Kunst hingegen erst dann, wenn die Notwendigkeit der Verschleierung das Vorhandensein einer Krise indiziert. Ideologie setzt ja »ebenso die Erfahrung eines bereits problematischen gesellschaftlichen Zustandes voraus, den es zu verteidigen gilt, wie andererseits die Idee der Gerechtigkeit selbst, ohne die eine solche apologetische Notwendigkeit nicht bestünde . . .«[27] Das Bewußtsein aber der Differenz von Norm und Realität, von Politik und Moral, oder gar das Bewußtsein von der Veränderbarkeit einer Gesellschaftsordnung ist keineswegs universal, sondern, zumindest in seiner radikalen Ausprägung, ein charakteristisches Phänomen der europäischen Neuzeit seit der zweiten Hälfte des 18. Jahrhunderts.

Hinzu kommt als für unseren Zusammenhang relevante Überlegung, daß sich ungefähr gleichzeitig mit der allmählichen Herausbildung des Ideologiekonzepts auch ein neuer Kunstbegriff durchsetzt. Kunst ist bis zum 17. Jahrhundert in einer Bedeutung gebräuchlich, die Wissen und weltliche Wissenschaft ebenso umfaßt wie Können, Fertigkeiten und Geschicklichkeiten aller, wenn auch zumeist höherer Art. Erst später kommt die allmähliche Trennung von ›Kunst‹ und ›Wissenschaft‹ einerseits, von ›gebundener‹ und ›freier‹ Kunst andererseits auf; und erst seit der zweiten Hälfte des 18. Jahrhunderts, seit Lessing, Winckelmann, Herder, Schiller und Goethe, bedeutet Kunst in dem bis fast in die Gegenwart hinein gebräuchlichen Sinne schöne Kunst.[28] Etwa um diese Zeit etabliert sich auch eine Ästhetik als Philosophie der Kunst[29]; von autonomer Kunst im vollen Wortsinn kann offenbar erst spät die Rede sein. Gadamer zufolge wird erst mit der ästhetischen Abstraktion »Kunst als Kunst des schönen Scheins der praktischen Wirklichkeit entgegengesetzt und aus diesem Gegensatz verstanden. An die Stelle des Verhältnisses positiver Ergänzung . . . tritt jetzt der Gegensatz von Schein und Wirklichkeit.«[30] Einen Gegensatz von Schein und Wirklichkeit unterstellt aber auch der seit der Aufklärung entwickelte Ideologieverdacht. Kaum zufällig, so will es scheinen, tritt die theoretische Formulierung der Verselbständigung des ›Ästhetischen‹ – Inbegriff des Wesens der Kunst – gegenüber einer ›Wirklichkeit‹ in eben dem historischen Augenblick hervor wie die theoretische Formulierung einer ›Verselbständigung‹ ideologischer Gebilde gegenüber ihrem materiellen Ursprung. »Wie die Kunst des ›schönen Scheins‹ der Wirklichkeit entgegengesetzt ist, so schließt das ästhetische Bewußtsein eine Entfremdung von der Wirklichkeit ein – es ist eine Gestalt des ›entfremdeten Geistes‹, als den Hegel die Bildung erkannt hat.«[31] Damit sind, so scheint uns, beide Probleme, das ideologietheoretische wie das ästhetische, in ihren philosophischen Kontext gestellt: Ohne Bezug auf die Entfremdungskategorie wird weder die eine noch die andere Problematik einer Lösung näherzuführen sein.

Dies alles legt den Gedanken nahe, daß ein Rekurs auf die klassische deutsche Ästhetik die hier thematisierten ästhetisch-soziologischen Überlegungen klären helfen kann. Wenn wir uns dabei exemplarisch – denn eine ideen- oder gar sozialgeschichtlich vollständige Rekonstruktion kann hier nicht geleistet werden – auf Herder, Schiller und Hegel beziehen, so darum, weil sich bei ihnen schon jene Einheit von Geschichtsphilosophie und Ästhetik präformiert findet, die einen gesellschaftsbezogenen Kunstbegriff allererst ermöglicht, und zwar in eben den klassischen Texten, die der traditionellen Kunstwissenschaft, die sich gegenüber dem marxistischen Totalitätsprinzip von Kunst und Gesellschaft so gerne sperrt, zur Rechtfertigung ihres Immanenzprinzips dienen. Unsere Hinweise sind daher als Korrektiv gemeint: Korrektiv angesichts einer ›reinen‹ Geistes- oder Ideengeschichtsschreibung, welche die ›materialistische‹ Seite ihres Gegenstands methodisch an den Rand ihres Interesses rückte und dergestalt verkennen mußte – eine zweifellos ideologisch bedingte Verdrängung.

Der erste Rekurs gilt Herder, weil hier das historisch-ästhetische Bewußtsein sich erstmals Bahn brach, und zwar, wie sich zeigen soll, mit einem historisch-konkreten Totalitätsprinzip, welches die materiale Bedingtheit von Kunst einschließt, ebenso verknüpft wie mit Elementen utopischer Transzendenz auf die Verwirklichung von Humanität.

Wie Herder eine ›kunst-soziologische‹ Betrachtungsweise begründet, so wird diese bei Schiller gesellschaftskritisch pointiert. Wir finden hier eine Ästhetik in politisch-antizipierender Absicht, die sich auf eine Geschichtsphilosophie zur Aufhebung der Entfremdung gründet und es ermöglicht, Kunst als Utopie zu begreifen.

Im Denken Hegels, hier gleichermaßen relevant als Vollendung der klassischen deutschen Ästhetik wie als Quelle materialistischer Ansätze, finden sich nicht nur Grundlagen eines auf Kunst bezogenen Wahrheitsbegriffs, sondern zugleich der konkrete Zusammenhang von Kunst und Weltformen, mithin zentrale kunstsoziologische Prolegomena.

Die Entwicklungslinien im Hinblick auf einen gesellschaftsbezogenen Kunstbegriff, die man von diesen Autoren über Marx zur neueren marxbeeinflußten Ästhetik ziehen kann und deren äußerste Möglichkeiten oben angedeutet wurden, sollen schließlich an den Positionen Arnold Hausers und Ernst Blochs wieder aufgegriffen werden.

Die theoretischen Arbeiten des Kunst- und Sozialhistorikers A. Hauser stehen unter dem Primat der Anwendung des Ideologiebegriffs auf Kunst und Kunstgeschichte. Gleichsam kontrapunktisch dazu, nämlich unter dem Primat einer Interpretation der Kunst als Utopie, steht die kunstphilosophische Position E. Blochs, wie sie im *Prinzip Hoffnung* ausgeführt ist.

II. Kunsttheoretische Ansätze in der Marxschen Philosophie

Marx hat sich, unter dem unbedingten Primat revolutionärer Theorie und Praxis, mit ästhetischen Problemen im Rahmen seines Denkens nur beiläufig befassen können; die uns überkommenen Äußerungen enthalten keine systematischen Ansätze.[32] Man ist auf seine allgemeine Theorie verwiesen, will man die wichtigsten Aspekte einer Anwendung des Ideologiebegriffs auf die Kunst thematisieren.

Kunst – davon kann in erster Annäherung ausgegangen werden – gehört dem Bereich der Ideologie an, wobei Ideologie einen Komplex von Vorstellungen meint, die sich Individuen »über ihr Verhältnis zur Natur oder über ihr Verhältnis untereinander oder über ihre eigene Beschaffenheit« machen und die »der – wirkliche oder illusorische – bewußte Ausdruck ihrer wirklichen Verhältnisse und Betätigung, ihrer Produktion, ihres Verkehrs, ihres gesellschaftlichen und politischen Verhaltens sind.«[33] Denn es sind »die ihre materielle Produktion und ihren materiellen Verkehr entwickelnden Menschen«, die auch ihre Ideen und Vorstellungen produzieren, Vorstellungen, welche damit den »Schein der Selbständigkeit« verlieren. Es sind die Menschen, die »mit dieser ihrer Wirklichkeit auch ihr Denken und die Produkte ihres Denkens (ändern). Nicht das Bewußtsein bestimmt das Leben, sondern das Leben bestimmt das Bewußtsein.«[34] Oder – in der Sprache des reifen Marx –: Die ökonomische Struktur der Gesellschaft »bedingt den sozialen, politischen und geistigen Lebensprozeß überhaupt«, und mit ihrer Veränderung »wälzt sich der ganze ungeheure Überbau langsamer oder rascher um.«[35]

Aus der bündigen Formulierung des Basis-Überbau-Theorems hat man – unter dem Eindruck eines vulgarisierten Marxismus – nicht selten eine allzu einseitige Abhängigkeit des Geistigen herausgelesen, die dem komplexen Zusammenhang, den das Ideologiekonzept aufschlüsseln soll, schon darum nicht gerecht wird, weil es dessen am Modell der bestimmten Negation gewonnene kritisch-dialektische Konstruktion zu einem strikten Kausalmechanismus vereinfacht.[36]

Zu den Konstituentien Marxschen Denkens gehört das Verfahren der immanenten Kritik, die Forderung, wie er sie schon 1837 im Brief an den Vater ausspricht, »im konkreten Ausdruck lebendiger Gedankenwelt . . . muß das Objekt selbst in seiner Entwicklung belauscht, willkürliche Einteilungen dürfen nicht hineingetragen« werden.[37] Vielmehr gilt es, »im Wirklichen selbst die Idee zu suchen.«[38] Aus dieser Spannung zwischen der Idee und ihrer Realität gewinnt das Marxsche Immanenzprinzip seine Stoßkraft: »Es ist die Kritik, die die einzelne Existenz am Wesen, die besondere Wirklichkeit an der Idee mißt.«[39] Der Kritiker kann »an jede Form des theoretischen und praktischen Bewußtseins anknüpfen und aus den eigenen Formen der existierenden Wirklichkeit die wahre Wirklichkeit als ihr Sollen und ihren Endzweck entwickeln.«[40] Dabei ist es wichtig festzuhalten, daß die Marxsche Kritik nicht primär auf Erkenntnis im Sinne von Interpretation abzielt, sondern auf Veränderung – und man verändert die »versteinerten Verhältnisse« eben dadurch, »daß man ihnen ihre eigene Melodie vorsingt!«[41] »Die Kritik hat die imaginären Blumen an der Kette zerpflückt, nicht damit der Mensch die phantasielose, trostlose Kette trage, sondern damit er die Kette abwerfe und die lebendige Blume breche.«[42] Die Kritik also »ist eine Waffe. Ihr Gegenstand ist ihr Feind, den sie nicht widerlegen, sondern vernichten will«[43] – und sei es mittels der »Kritik der Waffen«.[44]

Wenn es nun um Ideologie geht und um Kunst als Ideologie, so ist im Auge zu behalten, daß Ideologie einen der Kritik im skizzierten Sinne unterworfenen Sachverhalt meint: Sie ist eine im Hinblick auf die praktische Revolutionierung der ideologieproduzierenden Welt entworfene Kategorie, und das kann nicht ohne Folge für eine Auffassung der Kunst als Ideologie bleiben. Es müßte nämlich allen Interpretationen die Berufung auf Marx bestritten werden, die – an seiner Intention vorbei – ein mehr oder weniger friedliches Nebeneinander von Ideologie und Wirklichkeit und mithin auch von Kunst und sozialer Realität – oder gar eine Isoliertheit der Kunst gegenüber dieser Realität – insinuieren.

Hinzu kommt als wichtiges Moment, daß im Ideologiebegriff Wahrheit und Falschheit als vermittelt gedacht sind. Ideologie wird nicht total – etwa als schlichte Lüge – sondern bestimmt negiert: Sie ist, wenn auch verklärender, insofern falscher, so doch notwendiger Ausdruck realer Verhältnisse; sie kann aber auch dem Kritiker die Wahrheit dieser Verhältnisse verraten.

Beispielsweise ist die Religion »die phantastische Verwirklichung des menschlichen Wesens, weil das menschliche Wesen keine wahre Wirklichkeit besitzt ... Das religiöse Elend ist in einem der Ausdruck des wirklichen Elendes und in einem die Protestation gegen das wirkliche Elend.«[45] Religion also ist nicht einfach Illusion, nicht Opium ›fürs‹ Volk – wie das so häufig und charakteristisch mißverstanden wird: etwa im Sinne eines von außen verordneten Betrugs, was dem aufklärerischen Ideologiebegriff näherkäme als dem Marxschen – sondern »Opium des Volks«.[46] Sie ist ›notwendig falsches Bewußtsein‹: falsch, nicht nur weil verklärend und illusionär, sondern zugleich, weil notwendiger Ausdruck eines falschen,

d. h. der Verklärung und Illusion bedürftigen Seins. Daher ist »die Kritik der Religion ... im Keim die Kritik des Jammertales, dessen Heiligenschein die Religion ist.«[47]

Die Philosophie demgegenüber hat schon ein Bewußtsein von der wahren Gesellschaft und der freien Selbstbestimmung des Individuums hervorgebracht, und sie kann damit im Hinblick auf die praktische Herbeiführung dieser wahren Gesellschaft zur geistigen Waffe in der Hand des Proletariats werden.[48] Die Welt nämlich, die der »in sich totalen Philosophie« gegenübertritt, ist – als industrielle Gesellschaft – »eine zerrissene«.[49] In dem dergestalt aufgebrochenen Konflikt wird, »was innerliches Licht war, ... zur verzehrenden Flamme, die sich nach außen wendet. So ergibt sich die Konsequenz, daß das Philosophisch-Werden der Welt zugleich ein Weltlich-Werden der Philosophie, daß ihre Verwirklichung zugleich ihr Verlust« ist.[50] Auch Philosophie wird demnach nicht total verneint, sondern nur in ihrer herkömmlichen Weise als Interpretation, d. h. für Marx »Negation ... der Philosophie als Philosophie«.[51]

Denn, was in der Hegelschen Philosophie als jenseitiger Geist der Menschheit konzipiert war,[53] soll für Marx diesseitige Wirklichkeit werden, und was in der Religion als »Jenseits der Wahrheit« Bedingung bisheriger Geschichte war, ist als »Wahrheit des Diesseits zu etablieren«.[53]

Was diesseits etablierbar ist, hängt freilich in letzter Instanz von den realen Möglichkeiten ab, die bei Marx als ökonomische bestimmt sind. Die Hegelsche Philosophie faßte, und das rühmt Marx als das Große an ihr, »die Selbsterzeugung des Menschen als einen Prozeß, ... als Entäußerung und als Aufhebung dieser Entäußerung«; mithin den wirklichen Menschen »als Resultat seiner eigenen Arbeit«.[54] Die Ökonomie nimmt sie beim Wort, faßt nur Arbeit nicht länger als geistige, sondern als Produktion des realen, praktischen Lebens. Der Akteur der Geschichte ist demnach nicht länger der sein Selbstbewußtsein erzeugende Geist, sondern der sinnlich-praktische, sich entäußernde und d. h. arbeitende Mensch. Seine Arbeit vollzieht sich jedoch – und auf die Schlüsselrolle dieses Konzepts kann nicht eindringlich genug hingewiesen werden – im bisherigen Geschichtsprozeß unter der Bedingung der Selbstentfremdung, deren unmittelbarster Ausdruck die Arbeitsteilung ist [55]. Die Teilung, vor allem die ungleiche Verteilung der Arbeit, wie sie zunächst naturwüchsig entsteht, verselbständigt sich später gegenüber den Individuen, die sie doch hervorgebracht haben [56] und findet schließlich im bürgerlichen Privateigentum ihre umfassendste, schlechthin weltbeherrschende Ausprägung. Dabei wird »die Teilung der Arbeit . . . erst wirklich Teilung von dem Augenblick an, wo eine Teilung der materiellen und geistigen Arbeit eintritt. Von diesem Augenblicke an kann sich das Bewußtsein wirklich einbilden, etwas anderes als das Bewußtsein der bestehenden Praxis zu sein, wirklich etwas vorzustellen, ohne etwas Wirkliches vorzustellen – von diesem Augenblicke an ist das Bewußtsein imstande, sich von der Welt zu emanzipieren und zur Bildung der ›reinen Theorie‹, Theologie, Philosophie, Moral etc. (und man wird sinngemäß ergänzen dürfen: Kunst, P. H.) überzugehen.«[57] In diesem Sinne wären – nebenbei bemerkt – das l'art pour l'art-Prinzip ebenso wie die Abwehrtendenzen der traditionellen Kunstwissenschaften gegenüber soziologischen Relativierungen falsches Bewußtsein. Erst die Aufhebung der Arbeitsteilung, deren ökonomische und philosophische Möglichkeit die bürgerliche Gesellschaft bereitstellt[58], bricht den ideologischen Schein der Selbständigkeit, kann den Menschen wirklich zum Herrn seiner Geschichte machen, befähigt ihn zu allseitiger Produktion wie zu allseitigem Genuß, macht die unterbrochene Rücknahme der Entäußerung im Genuß wieder möglich und emanzipiert alle seine Sinne[59] – auch, wie sich zeigen soll, seine künstlerischen.

Fragt man nun nach den Konsequenzen der hier in groben Zügen skizzierten Überlegungen für die Möglichkeiten eines gesellschaftsbezogenen Kunstbegriffs, so sind deren zumindest folgende bei Marx präformiert:

(1) Kunst als Ideologie

Die wirkliche Geschichtsbewegung verläuft auf der Seite der materiellen Produktion, ihr gegenüber gewinnen die ideologischen Sphären nur den Schein von Selbständigkeit: Diese Bestimmung muß sinngemäß auch für eine Interpretation der Kunst als Ideologie Anwendung finden. Die Bewegung des Überbaus ist Scheinbewegung; und so hat auch Kunst, konsequenterweise, keine eigene Geschichte.[60] Ihre Produktion ist eine des Scheins; darin mag manches angelegt sein, was in der stalinistischen Epoche zur Einschränkung der Kunst auf Reflex- und Propagandafunktionen führen sollte. Freilich wäre vorab weiterzufragen, welcher Art der künstlerische Schein sei. Sollte man ihn nicht – unter Rekurs auf Hegel und darüber hinaus auf Schiller – als wahren Schein interpretieren können – wobei ihm ›Wahrheit‹ gegenüber einer ›falschen‹, d. h. entfremdeten Realität zukäme?

Zwar steht auch Kunst gegenwärtig unter der Herrschaft der Entfremdung und ist unter den Bedingungen des entfremdeten menschlichen Lebens nur eine besondere Weise der Produktion, fällt mit unter deren allgemeines Gesetz.[61] Auch der Poet wird zum bezahlten Lohnarbeiter[62] und seine Kunst zur Ware. In der entfremdeten Gesellschaft ist daher, wie Marx das am Beispiel Raffaels andeutet, die Kunst »bedingt durch die technischen Fortschritte der Kunst, die vor ihm gemacht waren, durch die Organisation der Gesellschaft und die Teilung der Arbeit in seiner Lokalität, und endlich durch die Teilung der Arbeit in allen Ländern mit denen seine Lokalität im Verkehr stand.«[63] Selbst die »exklusive Konzentration des künstlerischen Talents in Einzelnen und seine damit zusammenhängende Unterdrückung in der großen Masse ist Folge der Teilung der Arbeit.«[64]

Aber – und das wäre vielen zu kurz schließenden kunstsoziologischen Mißverständnissen entgegenzuhalten – diese Bedingtheit kann sowenig als unentrinnbare Kausalität gedacht werden wie die Bedingtheit der politischen und ökonomischen Theorie. Gewiß sind die Individuen und ihre Vorstellungen unter ihre Klasse subsumiert[65]; daß Ideologie jedoch – was wir oben am Beispiel von Religion und Philosophie skizzierten – Wahrheit und Falschheit vermittelt, ermöglicht in der Sphäre der Kunst, etwa ein ›Durchsetzen‹ des Wahren gegenüber den subjektiven Ideologien der künstlerischen Urheber zu denken – was Engels und später Lukács als deren Realismus rühmen.[66]

(2) Aufhebung der Kunst

Während Religion in einer ihrer Verzauberung nicht mehr bedürftigen freien Zukunftsgesellschaft aufhört zu existieren, während Philosophie aufgehoben, weil Realität geworden ist, stellt sich der Zusammenhang von Wahrheit und Falschheit im Bereich der Kunst noch komplexer: Auch sie mag, als Ausdruck trügerischer Verbergung und zugleich Abglanz des Wahren, in doppeltem Sinne scheinhaft für die gegenwärtige, entfremdete Gesellschaft sein – und nichts anderes kann im engeren Sinne ›Kunst als Ideologie‹ heißen. Wie aber verhält es sich mit ihrer Rolle in der Zukunftsgesellschaft? Zwei Möglichkeiten bieten sich hier an:

(2 a) Kunst ist ›aufgehoben‹ im Sinne von beendet.
(2 b) Kunst ist ›aufgehoben‹ im Sinne von aufbewahrt.

(ad 2 a) Eine Aufhebung im ersteren Sinne entspräche etwa der Hegelschen These vom Ende der Kunstperiode: Kunst wäre demnach in der Zukunftsgesellschaft noch reflexiv, d. h. in Beziehung auf schon vorhandene ältere Kunst und deren philosophisch-kritische Aufarbeitung möglich, nicht jedoch als notwendiger Ausdruck dieser Gesellschaft. So etwa könnte man es auffassen, wenn Marx in der Auseinandersetzung mit Hegel davon spricht, daß diesem das Wesen erst im Denken zum Vorschein komme, womit u. a. »mein wahres künstlerisches Dasein das kunstphilosophische Dasein« ist[67]. »Ebenso ist die wahre Existenz von Religion, Staat, Natur, Kunst: die Religions-, Natur-, Staats-, Kunstphilosophie«[68], und Marx führt weiter aus, daß Hegel die Religion dergestalt zwar aufhebt, aber doch zugleich bestätigt. Obwohl für die beiläufig erwähnte Kunst weitere Hinweise fehlen – eine Kalamität, welche diese Stelle mit vielen anderen Belegen teilt – scheint es doch unwahrscheinlich, daß Marx auch der Kunst, wie eben der Religion, die ›Bestätigung‹ – impliziert für die heutige entfremdete wie für die Zukunftsgesellschaft – verweigern möchte. Denn mag auch Kunst eine ideologische Form sein und Ideologie etwas zu Beendendes, so wird doch Kunst auf der anderen Seite in der Zukunftsgesellschaft erst eigentlich befreit.

(ad 2 b) Für die Interpretation der Kunst als Ideologie ist es von außerordentlicher Bedeutung, daß in der befreiten Gesellschaft und gerade in ihr Raum für die Künste ist – während ja Philosophie und Religion in ihrer überkommenen Form aufgehoben sind. Es wird in ihr künstlerische Entäußerung geben – wie übrigens auch andere Arbeit: das Reich der Notwendigkeit bleibt ja Basis des Reichs der Freiheit[69] –, doch ist diese Entäußerung nicht mehr entfremdet; die Künste sind nicht länger arbeitsteilig organisiert, alle Beschränkungen von Produktion und Rezeption fallen weg, »es gibt keine Maler, sondern höchstens Menschen, die unter anderem auch malen«.[70] Vor allem aber ist es die allseitige Emanzipation der Sinne, die auch die künstlerische Produktion und Rezeption voll befreit – und man hat schon die gesamte Produktion der emanzipierten Gesellschaft als künstlerische interpretiert, den ›allsinnigen Menschen‹ als das künstlerische Universalgenie.[71]

Die freie künstlerische Produktion setzt – wie die materielle – die Möglichkeiten der bisherigen menschlichen Entwicklung voraus. »Die Bildung der fünf Sinne ist eine Arbeit der ganzen bisherigen Weltgeschichte.«[72] Dabei sind Produktion und Rezeption vermittelt, »erst die Musik (erweckt) den musikalischen Sinn des Menschen«[73], und erst vermittels solcher Dialektik »produziert die gewordene Gesellschaft den Menschen in diesem ganzen Reichtum seines Wesens, den reichen und tief allsinnigen Menschen als ihre stete Wirklichkeit.«[74] Die Rezeptivität konstituiert das Werk mit: »Der Kunstgegenstand – ebenso jedes andere Produkt – schafft ein kunstsinniges und schönheitsgenußfähiges Publikum. Die Produktion produziert daher nicht nur einen Gegenstand für das Subjekt, sondern auch ein Subjekt für den Gegenstand.«[75]

(3) Kunst und utopische Transzendenz

Sollte man schließlich auch für eine Interpretation der Kunst als Utopie, als Antizipation des wahren menschlichen Wesens im Denken Marxens gewisse Ansätze sehen dürfen? Dem steht freilich nicht nur entgegen, daß Marx, dem es darauf ankommt, »der Welt aus den Prinzipien der Welt neue Prinzipien« zu entwickeln[76], seinen Hohn über abstrakte Utopisten ausgießt, dem steht auch unser eigener Ausgangspunkt einer Interpretation der Kunst als Ideologie, d. h. als Ausdruck wirklicher Verhältnisse entgegen: Totalität stünde hier versus historische Transzendenz. Auf der anderen Seite kommt ja auch Ideologiekritik ohne utopisches Element, ohne einen Begriff von Fortschritt nicht aus.[77] Und auch schöner Schein wäre ja ideologisch im strengen Sinne nur dann, wenn er sich als schon verwirklichter gäbe, nicht aber, wenn er als schöner seine Differenz zur Realität pointierte. Hier nun, so glauben wir, kann man eine Verbindungslinie zur klassischen deutschen Ästhetik ziehen: Die Realität, von der sich z. B. Schillers und Hegels Kunstbegriff absetzt, ist keine abstrakt allgemeine, sondern – wie zu zeigen sein wird – eben entfremdete Realität, genauer: Kunst stellt, wo sie eine nichtentfremdete Realität nicht mehr oder noch nicht abbilden kann, diese im Unterschiede zur entfremdeten dar. Sollte sie von diesem Gedanken her als jener »Traum von einer Sache« Marxens interpretierbar sein, den die Welt längst besitze und von dem sie nur das Bewußtsein besitzen müsse, um sie wirklich zu besitzen?[78] Sollte sie also den Traum einer nichtentfremdeten Gesellschaft anschaubar machen und damit ihre Bindung an eine geschichtliche Totalität transzendieren können? Diese Denkmöglichkeit wurde in der Tat später bei Bloch aktualisiert.

Wir besitzen nun einige Bemerkungen Marxens, die sich auf die damit zusammenhängende ›Ungleichzeitigkeit‹ beziehen: »Ist Achilles möglich mit Pulver und Blei? Oder überhaupt die Iliade mit der Druckerpresse oder gar Druckmaschine? Hört das Singen und Sagen und die Muse mit dem Preßbengel nicht notwendig auf, also verschwinden nicht notwendige Bedingungen der epischen Poesie? Aber die Schwierigkeit liegt nicht darin, zu verstehn, daß griechische Kunst und Epos an gewisse gesellschaftliche Entwicklungsformen geknüpft sind. Die Schwierigkeit ist, daß sie für uns noch Kunstgenuß gewähren und in gewisser Beziehung als Norm und unerreichbare Muster gelten.«[79] Diese ›Vitalität‹, die Kunstwerke, mithin Phänomene des Überbaus, und zwar des Überbaus einer historisch längst überholten Basis, zeigen, verweist auf eine Ungleichzeitigkeit der Kunst, die weit über das hinausgeht, was Marx sonst unter dem ›Anachronismus‹ historischer Gegebenheiten versteht. Wenn die deutschen Zustände von 1843 »unter dem Niveau der Geschichte« sind[80], so gibt es doch noch die deutsche Philosophie als »die einzige mit der offiziellen modernen Gegenwart al pari stehende deutsche Geschichte.«[81] Die Ungleichzeitigkeit der ›deutschen Zustände‹ ist also eine nur relative zur Gegenwart Westeuropas, sie ist zudem eine nur partielle. Hingegen ist die Ungleichzeitigkeit der genießenden und verpflichtenden Aufnahme von Kunst über mehrere historische Schwellen hinweg mit keiner noch so retardierten Umwälzung des Überbaus mehr erklärbar: das macht ja eben für einen Ansatz, der den Überbau durch die

Basis bedingt sein läßt, ›die Schwierigkeit‹ aus, von der Marx oben spricht.

Es ist eine Schwierigkeit, die vielleicht mit der Ausweitung, gleichsam der ›Verräumlichung‹ der kritisch-dynamischen und d. h. doch wohl auch Wahrheit und Falschheit, ideologische Bindung und utopischen Überschuß diskriminierenden Ideologiekategorie zum umfassenden Überbau zusammenhängt,[82] was zugleich eine Ausweitung der an der bürgerlichen Gesellschaft gewonnenen Kategorie auf die Gesamtgeschichte ist.

Prinzipiell sind ja Kategorien für Marx historische Produkte. Der historische Materialismus ist eben kein »Rezept oder Schema, wonach die geschichtlichen Epochen zurecht gestutzt werden können«, vielmehr seien »erst aus dem Studium des wirklichen Lebensprozesses und der Aktion der Individuen jeder Epoche« die Schwierigkeiten zu beseitigen, die sich bei der Darstellung ergeben.[83] Keineswegs darf die Geschichte »nach einem außer ihr liegenden Maßstab geschrieben werden«, wie das Marx für die bisherige Geschichtsauffassung konstatiert, der »die wirkliche Lebensproduktion . . . als ungeschichtlich (erscheint), während das Geschichtliche als das vom gemeinen Leben Getrennte, Extraüberweltliche erscheint.«[84] Der Rekurs auf die ›wirkliche Basis der Geschichte‹ und ihre Bewegung muß denn auch gegen eine vergleichende Geschichte sprechen, die »zwischen dem Buchdrucker von heute und dem Buchdrucker des Mittelalters, zwischen dem Arbeiter der riesigen Hüttenwerke des Creuzot und dem Hufschmied auf dem Lande, zwischen dem Schriftsteller unserer Tage und dem Schriftsteller des Mittelalters« Parallelen zieht.[85]

Freilich hält sich Marx selbst nicht streng an seine eigene Maxime. Durch die letztliche Identifizierung von Entfremdung, Arbeitsteilung und Privateigentum wird expressis verbis die »bürgerliche Gesellschaft der wahre Herd und Schauplatz aller Geschichte«[86] – eine Bemerkung, die zwar, gegen eine Geschichtsschreibung der ›hochtönenden Haupt- und Staatsaktionen‹ polemisierend, sicher zu Recht auf die bewegenden Produktivkräfte verweist, der aber doch, ebenso wie dem Initialsatz des Kommunistischen Manifests, »Die Geschichte aller bisherigen Gesellschaft ist die Geschichte von Klassenkämpfen«[87], eine gewisse Tendenz auf Generalisierung einmal und an einer Gesellschaft analysierter Prozesse inhäriert.[88]

Wir können unsere einleitende Skizze hier abbrechen. Ihr kam es einzig auf den Hinweis an, daß die Auseinanderentwicklung der marxistischen Ästhetik bei Marx schon keimhaft angelegt ist: Ebenso wie ›Ideologie‹, als keineswegs unabänderliches Denkmerkmal, deren Kritik an der utopischen Antizipation einer ihrer nicht mehr bedürftigen Gesellschaft orientiert ist, wurde auch die umfassendere Bedeutung als ›Überbau‹ relevant, der alle Produktionsverhältnisse begleitet; ebenso wie das an eine je historisch-konkrete Totalität gebundene Moment des Ideologischen konnte auch dessen antizipierend-utopisches Moment pointiert und eine Eigendynamik des Überbaus anerkannt werden. Gemeinsamer Nenner des Ideologischen wie des Utopischen und einer Interpretation der Kunst unter diesen Gesichtspunkten bleibt freilich die Beziehung auf Entfremdung und deren Aufhebung. Diese Beziehung spielt aber auch, wie sich zeigen soll, in der klassischen deutschen Ästhetik eine bedeutsame Rolle.

Anmerkungen

1 Die Angst, Kunst könne, wenn mitbestimmt durch soziale Faktoren, ihre Selbständigkeit verlieren, ist offenbar tief verwurzelt. Vgl. dazu die einen älteren Diskussionsstand repräsentierende Arbeit von Clemens Lessing, *Das methodische Problem der Literatursoziologie*, Phil. Diss. Bonn 1950, S. 3. Zur neueren Diskussion vgl. etwa den Sammelband Jürgen Kolbe (Hrsg.), *Ansichten einer künftigen Germanistik*, München 1969, sowie Hans Magnus Enzensberger (Hrsg.), Kursbuch 20, *Über ästhetische Fragen*, Frankfurt/M. 1970.

2 Leo Löwenthal, *Zur gesellschaftlichen Lage der Literatur*, in: Zeitschrift für Sozialforschung, Jg. I/1932, S. 88. – Bei dieser Gelegenheit sei darauf hingewiesen, daß wir im allg. ›Kunst‹ und ›Literatur‹ zu einem etwas laxen Oberbegriff zusammenfassen. Der weitaus überwiegende Teil der relevanten theoretischen Bestimmungen – nicht nur bei den herangezogenen Autoren – bezieht sich allerdings auf Literatur und Literaturwissenschaft.

3 Alle Zitate Wolfgang Kayser, *Das sprachliche Kunstwerk*, 11. Aufl., Bern und München 1965, S. 5.

4 Emil Staiger, *Die Zeit als Einbildungskraft des Dichters,* Zürich-Leipzig 1939, S. 13.

5 Diese Bedingung wird bei H. N. Fügen genannt, *Die Hauptrichtungen der Literatursoziologie und ihre Methoden,* Bonn 1964, S. 14 (Vgl. dazu den Beitrag von Warneken in diesem Band). Ähnlich äußert sich A. Silbermann im Art. ›Kunst‹, Fischer-Lexikon Soziologie, Frankfurt/M. 1958, S. 157 f.

6 Leo Strauss, *Naturrecht und Geschichte,* Stuttgart 1956, S. 52. Vgl. kritisch gegenüber der positivistischen Kunstsoziologie – insbesondere gegenüber A. Silbermann – Th. W. Adorno, *Thesen zur Kunstsoziologie,* in: *Ohne Leitbild,* Frankfurt/M. 1967, S. 94 ff.

7 Im 19. Jahrhundert etwa Semper, Morris, aber auch Burkhardt. Im 20. Jahrhundert sind die Werkbund- und schließlich die Bauhausbewegung der akademischen Selbstisolierung der Künste entgegengetreten. Vgl. H. M. Wingler, *Das Bauhaus,* 2. erw. Aufl., Bramsche 1968.

8 Karl Marx in: Karl Marx, Friedrich Engels, *Werke,* hrsg. v. Institut für Marxismus-Leninismus beim ZK der SED, Bd. 13, Berlin 1961, S. 641.

9 Die Stelle steht im Rahmen von Überlegungen Marxens über »Das unegale Verhältnis der Entwicklung der materiellen Produktion z. B. zur künstlerischen«, a.a.O., S. 640.

10 Hans Barth hat – mit welchem Recht kann hier nicht untersucht werden – die Stelle zum Angelpunkt seiner Kritik des Marxschen Ideologiekonzepts gemacht; *Wahrheit und Ideologie,* Erlenbach-Zürich und Stuttgart, 2. erw. Aufl., 1961, S. 148 ff. Ähnlich äußert sich Peter Demetz, *Marx, Engels und die Dichter,* Stuttgart 1959. Vgl. zur Auseinandersetzung mit dieser Stelle auch Georg Lukács, *Literatur und Kunst als Überbau,* in: *Beiträge zur Geschichte der Ästhetik,* Berlin 1954, S. 424; ders., *Kunst und objektive Wahrheit,* in: *Probleme des Realismus,* Berlin 1955, S. 33 f.; Bertolt Brecht, *Werke,* Bd. 19, Frankfurt/Main, 1967, S. 549 f.; Ernst Bloch, *Das Prinzip Hoffnung,* Frankfurt/Main 1959, S. 176; Arnold Hauser, *Philosophie der Kunstgeschichte,* München 1958, S. 192 f. Michail Lifschitz, *Karl Marx und die Ästhetik,* Dresden 1960, S. 144 f.

11 Die Einleitung *Zur Kritik der politischen Ökonomie,* geschrieben 1857 und unvollendet geblieben, wurde 1902 wieder aufgefunden, 1903 in *Die neue Zeit* veröffentlicht und erst 1939 als *Grundrisse der Kritik der politischen Ökonomie (Rohentwurf)* herausgegeben. Vgl. Anm. 402, Marx, Engels, *Werke,* a.a.O., Bd. 13, S. 707.

12 Franz Mehring, *Zur Literaturgeschichte,* Bd. 1, Berlin 1929, S. 16, vgl. 18 ff.

13 Wilhelm Hausenstein, *Die Kunst und die Gesellschaft,* München o. J., S. 24.

14 G. W. Plechanow, *Kunst und Literatur*, Berlin 1954, S. 195 f.

15 Vgl. zur sowjetischen Entwicklung Herman Ermolaev, *Soviet Literary Theories 1917-1934*, Berkeley und Los Angeles 1963; W. I. Lenin, *Parteiorganisation und Parteiliteratur*, in: *Über Kultur und Kunst*, Berlin 1960, S. 59 ff.; Gleb Struve, *Geschichte der Sowjetliteratur*, München 1957, S. 13, S. 247 ff., E. J. Simmons, *Sowjetliteratur und staatliche Kontrolle*, in: *Der Mensch im Spiegel der Sowjetliteratur*, hrsg. v. E. J. Simmons, Stuttgart 1956, S. 9 ff.

16 Theodor W. Adorno, *Einleitung in die Musiksoziologie*, Frankfurt/Main 1962, S. 211; vgl. ders., *Noten zur Literatur II*, Frankfurt/Main 1961, S. 163. Vgl. zu diesem Zusammenhang auch Herbert Marcuse: »Die Kunst steht gegen die Geschichte, leistet ihr Widerstand, einer Geschichte, welche stets die der Unterdrückung gewesen ist; denn die Kunst unterwirft die Wirklichkeit Gesetzen, die andere als die etablierten sind: den Gesetzen der Form, welche eine andere Wirklichkeit hervorbringt – die Negation der etablierten selbst dort, wo Kunst die etablierte Wirklichkeit abschildert.« (*Repressive Toleranz*, in: R. P. Wolff u. a., *Kritik der reinen Toleranz*, Frankfurt/Main 1966, S. 100). Auch Ernst Fischer vindiziert der Kunst – allerdings nur der Kunst der Moderne – ein kritisches Potential (*Kunst und Koexistenz*, Reinbek bei Hamburg, 1966, S. 165).

17 Th. W. Adorno, *Noten zur Literatur III*, Frankfurt/Main 1965, S. 114.

18 Ders., *Einleitung in die Musiksoziologie*, a.a.O., S. 222.

19 Rolf Tiedemann, *Studien zur Philosophie Walter Benjamins*, Frankfurt/Main 1965, S. 87.

20 A.a.O., S. 106.

21 A.a.O., S. 101.

22 »Die Theorie der Widerspiegelung ist die gemeinsame Grundlage für sämtliche Formen der theoretischen und praktischen Bewältigung der Wirklichkeit durch das menschliche Bewußtsein. Sie ist also die Grundlage auch für die Theorie der künstlerischen Widerspiegelung der Wirklichkeit . . .«, Georg Lukács, *Kunst und objektive Wahrheit*, in: *Probleme des Realismus*, a.a.O., S. 105.

23 *Soziologische Exkurse*, hrsg. v. Institut für Sozialforschung, Frankfurt/Main 1956, S. 94.

24 Löwenthal, a.a.O., S. 94.

25 Vgl. jedoch die Einwände Otto Brunners gegenüber einer die bürgerliche Gesellschaft transzendierenden Anwendung des Ideologiebegriffs: *Das Zeitalter der Ideologien*, in: *Neue Wege der Verfassungs- und Sozialgeschichte*, 2. verm. Aufl. Göttingen 1968, S. 45 ff., insbes. S. 50.

26 Rolf Gutte, *Marxistische Literaturbetrachtung*, Phil. Diss., Marburg 1951, S. 17 f.; H. Althaus hat das ›Angewiesensein marxistischer

Kritik auf Bürgerlichkeit‹ zum Thema eines Essays gemacht: *Georg Lukács oder Bürgerlichkeit als Vorschule einer marxistischen Ästhetik,* Bern 1962, vgl. z. B. S. 43 und 57.

27 *Soziologische Exkurse,* a.a.O., S. 168.

28 Vgl. J. u. W. Grimm, *Deutsches Wörterbuch,* 5. Bd., Leipzig 1873, Art. ›Kunst‹, Sp. 2666-2684.

29 Alexander Baumgartens *Aesthetica* erschien Frankfurt 1750.

30 Hans-Georg Gadamer, *Wahrheit und Methode,* 2. Aufl., Tübingen 1965, S. 78.

31 A.a.O., S. 80.

32 Vgl. den Sammelband Karl Marx, Friedrich Engels, *Über Kunst und Literatur,* hrsg. v. Michail Lifschitz, 2. Aufl., Berlin 1949.

33 Karl Marx, *Die Frühschriften,* hrsg. v. Siegfrid Landshut, Stuttgart 1953, S. 348. Wir zitieren die Marxschen Frühschriften möglichst nach der Ausgabe der Werke, hrsg. v. H.-J. Lieber u. P. Furth, Bd. 1, Stuttgart 1962, sonst nach der Landshutschen Auswahl.

34 Marx (Landshut), a.a.O., S. 349.

35 Marx, Engels, *Werke,* a.a.O., Bd. 13, S. 8 f.

36 Benjamin weist darauf hin, »daß Marx sich nirgends eingehender darüber ausgelassen hat, wie man sich das Verhältnis des Überbaus zum Unterbau im einzelnen zu denken habe. Fest steht nur, daß er eine Folge von Vermittlungen, gleichsam Transmissionen, im Auge hatte, die sich zwischen die materiellen Produktionsverhältnisse und die entfernteren Domänen des Überbaus, zu denen die Kunst zählt, einschalten.« (Anm. zu *Eduard Fuchs, der Sammler und der Historiker,* in: *Das Kunstwerk im Zeitalter seiner technischen Reproduzierbarkeit,* Frankfurt/Main 1963, S. 151). Kritisch gegenüber einer Simplifizierung des Basis-Überbau-Schemas äußert sich auch Georg Lukács, *Die Eigenart des Ästhetischen,* 1. Halbband, Neuwied-Berlin 1963, S. 21; sowie ders., *Einführung in die ästhetischen Schriften von Marx und Engels,* in: *Beiträge zur Geschichte der Ästhetik,* Berlin 1954, S. 193 f.

37 Karl Marx, *Frühe Schriften,* 1. Bd., hrsg. v. Hans-Joachim Lieber u. Peter Furth, Stuttgart 1962, S. 9.

38 A.a.O., S. 13.

39 A.a.O., S. 71.

40 A.a.O., S. 448.

41 A.a.O., S. 492.

42 A.a.O., S. 489.

43 A.a.O., S. 491.

44 A.a.O., S. 497.

45 A.a.O., S. 488.

46 Ebd.

47 A.a.O., S. 489.

48 Vgl. Marx (Landshut), *Manifest der Kommunistischen Partei*, S. 425 ff.
49 Marx (Lieber), a.a.O., S. 103.
50 A.a.O., S. 71.
51 A.a.O., S. 496.
52 A.a.O., S. 767.
53 A.a.O., S. 489.
54 A.a.O., S. 645.
55 Vgl. a.a.O., S. 594 u. 623.
56 Vgl. Marx (Landshut), a.a.O., S. 412 f.
57 A.a.O., S. 358.
58 Vgl. a.a.O., S. 362.
59 Vgl. Marx (Lieber), a.a.O., S. 599.
60 Vgl. Marx (Landshut), a.a.O., S. 349. »Es gibt keine Geschichte der Politik, des Rechts, der Wissenschaft etc., der Kunst, der Religion etc. –«, a.a.O., S. 412.
61 Vgl. Marx (Lieber), a.a.O., S. 594.
62 Vgl. Marx (Landshut), a.a.O., S. 528.
63 A.a.O., S. 474.
64 A.a.O., S. 475. »Die Differenz der natürlichen Talente unter den Individuen ist nicht sowohl die Ursache als der Effekt der Teilung der Arbeit.« Marx (Lieber), a.a.O., S. 624 f.
65 Marx (Landshut), a.a.O., S. 395.
66 »Daß Balzac . . . gezwungen wurde, gegen seine eigenen Klassensympathien und politischen Vorurteile zu handeln . . . betrachte ich als einen der größten Triumphe des Realismus«, Friedrich Engels, Brief an Margaret Harkness, in: Marx, Engels, *Über Kunst und Literatur*, a.a.O., S. 106. Vgl. zu diesem Problem Georg Lukács, *Vorwort zu Balzac und der französische Realismus*, in: *Schriften zur Literatursoziologie*, ausgew. und eingel. v. Peter Ludz, 2. Aufl. Berlin-Neuwied 1963, S. 249.
67 Marx (Lieber), a.a.O., S. 656.
68 Ebd.
69 Marx, Engels, *Werke*, a.a.O., Bd. 25, S. 828.
70 Marx (Landshut), a.a.O., S. 475.
71 Vgl. Ernst Kux, *Karl Marx – die revolutionäre Konfession*, Erlenbach-Zürich und Stuttgart 1967, S. 14.
72 Marx (Lieber), a.a.O., S. 601.
73 Ebd.
74 A.a.O., S. 602.
75 Marx, Engels, *Werke*, a.a.O., Bd. 13, S. 624.
76 Marx (Lieber), a.a.O., S. 449.
77 Vgl. H. J. Lieber, *Philosophie – Soziologie – Gesellschaft*, Berlin 1965, S. 7.

78 Marx (Lieber), a.a.O., S. 450.
79 Marx, Engels, *Werke*, a.a.O., Bd. 13, S. 641.
80 Marx (Lieber), a.a.O., S. 491.
81 A.a.O., S. 495.
82 Vgl. Lieber, a.a.O., S. 42.
83 Marx (Landshut), a.a.O., S. 350.
84 A.a.O., S. 369.
85 A.a.O., S. 515 f.; die Bemerkung bezieht sich auf Proudhon.
86 A.a.O., S. 364.
87 A.a.O., S. 525.
88 Diese Tendenz, wie sie sich bei Marx selbst etwa in der Anwendung des Proletariatbegriffs auf die feudalistische Gesellschaft zeigt (a.a.O., S. 509), hat im Marxismus leider mancherlei Nachfolge gefunden. Es ist aber ebenso unsinnig, den Geltungsbereich von auf die bürgerliche Gesellschaft bezogenen Klassenbegriffen historisch zu sehr auszuweiten, wie, um ein anderes Beispiel zu geben, mit dem Feudalismusbegriff alles abzudecken, was es an gesellschaftlichen Formationen zwischen dem späten Rom und der frz. Revolution gab.

13. Peter Bürger
Institution Kunst als literatursoziologische Kategorie

Die Argumente, die Adorno in seiner Auseinandersetzung mit Silbermann formuliert hat[1], treffen zentrale Mängel einer positivistischen Kunstsoziologie. Es ist jedoch kein Zufall, wenn sie als grundsätzliche Ablehnung empirischer Verfahren mißverstanden worden sind[2]. Denn der kunstsoziologische Ansatz Adornos bietet in der Tat keinen theoretischen Rahmen, der die Einbeziehung empirischer Verfahren anleiten könnte. Wohl fordert Adorno eine Kunstsoziologie, die Analysen der Werke, der »strukturellen und spezifischen Wirkungsmechanismen« und »der registrierbaren subjektiven Befunde« miteinander verknüpft[3], aber er hat keine Theorie formuliert, die eine solche Verknüpfung zu verwirklichen erlaubt. Seine ästhetische Theorie ist eine des gesellschaftlichen Gehalts der Einzelwerke, wobei dieser gerade auch an den formalen Strukturen ausgemacht wird. Warum sowohl Adorno wie Lukács auf die Erfassung der gesellschaftlichen Gehalte von Einzelwerken und Werkgruppen sich beschränken und keine Theorie der Funktion der Kunst in der bürgerlichen Gesellschaft entwerfen, habe ich an anderer Stelle zu zeigen versucht[4]. Es geht dabei um die in der Entwicklung der Kunst in der bürgerlichen Gesellschaft gelegenen Voraussetzungen der *Erkennbarkeit* dessen, was Adorno »strukturelle Wirkungsmechanismen« nennt und was ich als *Institution Kunst* bezeichne. Eine hermeneutische Theorie muß die Bedingung der Möglichkeit ihrer Formulierbarkeit mitreflektieren. Dies kann nur geschehen, indem sie ihre Stellung zur Entwicklung des Gegenstandsbereichs darlegt, auf den sie sich bezieht. Für die Kategorie Institution Kunst habe ich das in der *Theorie der Avantgarde* versucht. Wenn die dort aufgestellte These stimmt, derzufolge die historischen Avantgardebewegungen den Autonomie-Status der Kunst in der bürgerlichen Gesell-

* Die vorliegende Arbeit ist die vor allem um Beispiele gekürzte Fassung eines Aufsatzes gleichen Titels, der erschienen ist in: Romanistische Zeitschrift für Literaturgeschichte 1 (1977), Heft 1, 50-76.

schaft angegriffen und ihn dadurch erkennbar gemacht haben, dann erlaubt das Ende der historischen Avantgardebewegungen die Formulierung einer Kunstsoziologie, die den Autonomie-Status der Kunst als institutionelle Rahmenbedingung der Kunstproduktion und -rezeption in der bürgerlichen Gesellschaft faßt. Ein solcher Ansatz geht weder von den subjektiven Zeugnissen der Wirkung aus und hypostasiert diese als soziale Tatsachen (wie Silbermann), noch beschränkt er sich auf die Deutung des gesellschaftlichen Gehalts von Einzelwerken und Werkgruppen (wie Lukács und Adorno), sondern er sucht die epochalen Rahmenbedingungen von Literaturproduktion und -rezeption zu bestimmen. Wenn die Formulierung einer solchen Theorie des historischen Wandels der gesellschaftlichen Funktion von Kunst/Literatur gelingt, dann müßte es auch möglich sein, Werkanalysen und Rezeptionsforschung so aufeinander zu beziehen, daß sie sich gegenseitig erhellen und nicht bloß *neben* die Deutung von Einzelwerken eine ausufernde Rezeptionsgeschichte einzelner Autoren tritt. Mit andern Worten: Ziel des hier zur Diskussion gestellten Ansatzes ist es, die schlechte Alternative von dialektischer und positivistischer Literatursoziologie zu überwinden, genauer: einen Bezugsrahmen zu entwerfen, der erlaubt, kritische Theoreme an historischem Material zu überprüfen[5].

In der Kunst- und Literatursoziologie wird der Begriff *Institution* gelegentlich verwendet, um gesellschaftliche Einrichtungen zu bezeichnen, die zwischen Einzelwerk und Publikum vermitteln[6]. Nicht in diesem Sinne wird im folgenden von *Institution Kunst* gesprochen; der Begriff meint vielmehr die epochalen Funktionsbestimmungen von Kunst in ihrer sozialen Bedingtheit[7]. Die Möglichkeit einer Soziologie der Vermittlungsinstanzen soll damit nicht bestritten werden; wie es eine Soziologie des Rechts gibt, könnte man eine Soziologie des Theaters entwerfen. Allein, eine solche empirische Soziologie der Vermittlungsinstanzen dürfte kaum Einsichten in die gesellschaftliche Funktion der Kunst und deren historischen Wandel erbringen. Denn die Addition von Untersuchungen über Einzelinstanzen vermag den Theorierahmen nicht zu ersetzen, der allererst die Erforschung der gesellschaftlichen Funktion der Kunst ermöglicht.

Nimmt man den Gedanken der Historizität der Kategorien

ernst, d. h. geht man davon aus, daß die Entwicklung der Kategorien nicht unabhängig ist von dem Gegenstandsbereich, auf den sie sich beziehen, dann werden überhistorische Definitionen in dem Maße problematisch, wie sie mehr sein wollen als bloße Verständigungshilfen. Für eine Theorie des historischen Wandels der Institutionalisierung der Kunst heißt das: sie darf nur von einer formalen Definition des Begriffs Institution Kunst ausgehen, um nicht durch definitorische Feststellungen die Erforschung der historischen Veränderungen der Sache zu blockieren. Wenn man sich der Tatsache bewußt ist, daß bereits die Bezeichnung geistiger Objektivationen aus sehr verschiedenen Tätigkeitsbereichen als ›Kunstwerke‹ einen erst im 18. Jahrhundert entwickelten Kunstbegriff zur Voraussetzung hat[8], wird man unter Institution Kunst die in einer Gesellschaft (bzw. einzelnen Klassen/Schichten) geltenden allgemeinen Vorstellungen über Kunst (Funktionsbestimmungen) in ihrer sozialen Bedingtheit verstehen können. Dabei wird angenommen, daß diese Funktionsbestimmungen an materiellen und ideellen Bedürfnissen der Träger festgemacht sind und in einem bestimmbaren Verhältnis zu den *materiellen Bedingungen der Kunstproduktion und -rezeption* stehen. Die Ausdifferenzierung der Funktionsbestimmungen erfolgt, vermittelt über ästhetische Normen, auf der Produzentenseite durch das *künstlerische Material,* auf der Rezipientenseite durch die Festlegung von *Rezeptionshaltungen.*

Eine Theorie des historischen Wandels der gesellschaftlichen Funktion der Kunst, die der Historizität der Kategorien Rechnung trägt, muß von dem entwickeltsten Stand des Gegenstandsbereichs ausgehen, d. h. von einem voll ausdifferenzierten gesellschaftlichen Teilbereich Kunst, wie er sich in der bürgerlichen Gesellschaft herausgebildet hat. Dementsprechend wird hier zunächst nur von der Institution Kunst in der bürgerlichen Gesellschaft die Rede sein. Erst in einem zweiten Schritt werden wir fragen, wie Kunst bzw. Literatur in einer vorbürgerlichen Gesellschaftsformation institutionalisiert ist.

Wenn ich vorgeschlagen habe, den Status, den die Kunst als autonome in der bürgerlichen Gesellschaft einnimmt, als *Institution Kunst* zu bezeichnen, so deshalb, um damit sowohl auf die *Geschichtlichkeit,* als auch auf die *Wirkmächtigkeit* dieser Kunstauffassung hinzuweisen[9]. Wirkmächtigkeit meint hier den prägenden Einfluß einer institutionalisierten Kunstauffassung sowohl auf die Produktion, als auch auf die Rezeption von Werken. Die Tatsache, daß selbst der Angriff der historischen Avantgardebewegungen auf den Autonomiestatus der Kunst in der bürgerlichen Gesellschaft diesen zwar erschüttert, keineswegs aber zerstört hat, spricht für die Widerstandskraft einer Institution, die innerhalb der bürgerlichen Gesellschaft Funktionen auszuüben scheint, die nicht einfach von andern Institutionen übernommen werden können[10]. Der Singular *Institution Kunst* hebt die Vorherrschaft *einer* Kunstauffassung in der bürgerlichen Gesellschaft hervor. Keineswegs soll damit alternativen Kunstvorstellungen (z. B. dem *art social* oder der Literaturauffassung des Jungen Deutschland) ein institutioneller Status von vornherein abgesprochen werden. Allerdings darf man annehmen, daß die Vorherrschaft der autonomen Kunstauffassung rivalisierende Kunstauffassungen zwingt, sich in bezug auf diese zu definieren. Auch wird man sich vor der liberalistischen Illusion hüten müssen, es gäbe in der entfalteten bürgerlichen Gesellschaft eine ›freie Konkurrenz der Kunstauffassungen‹. Daß vielmehr *ein* Kunstbegriff (der autonome) dominiert, zeigt der auf verschiedenen Ebenen geführte Kampf gegen engagierte Kunst deutlich. Auch der Widerstand gegen eine Literatursoziologie, die sich nicht als Hilfswissenschaft versteht, sondern den Anspruch adäquater Erfassung des Gehalts von Einzelwerken erhebt, kann, wie Kurt Wölfel bemerkt, als Indikator für die Herrschaft des autonomen Kunstbegriffs gelten[11].

Auf den ersten Blick scheint die Charakterisierung der Institution Kunst als autonomer nur das Verhältnis zur Gesamtgesellschaft zu bezeichnen, ein Blick auf die Genesis des Begriffs autonomer Kunst macht deutlich, daß dieser eine Funktionsbestimmung der Kunst in der bürgerlichen Gesellschaft enthält. Die ersten Formulierungen des Autonomiegedankens bei Karl Philipp Moritz und Schiller lassen erkennen, daß die Autonomiesetzung der Kunst auf eine für die Intellektuellen der entstehenden bürgerlichen Gesellschaft charakteristische Erfahrung antwortet, die später als Entfremdung bezeichnet werden sollte. Kritik an der »herrschenden Idee des Nützlichen« bzw. an den Folgen der historisch notwendigen Arbeitsteilung für das Individuum sind bei Moritz und Schiller Ausgangspunkt einer Theorie, in der die Kunst als der einzige Bereich gefaßt ist, in dem die verlorene Ganzheit des Menschen wiedergewonnen werden kann[12]. Nachdem im Verlauf der europäischen Aufklärung die Religion ihre universale Gültigkeit als Versöhnungsparadigma eingebüßt hatte, das jahrhundertelang die Aufgabe erfüllt hat, Kritik an der Gesellschaft zugleich auszusprechen und praktisch folgenlos zu machen, nimmt nun – zumindest für die durch Besitz und Bildung privilegierte Schicht – die Kunst diese Stelle ein. Sie soll die durch ein streng zweckrational geordnetes Alltagsleben zerstörte Harmonie der menschlichen Persönlichkeit wiederherstellen. Dies kann aber nur geschehen, wenn sie, radikal von der Lebenspraxis abgetrennt, dieser als eigenständiger Bereich entgegengesetzt wird. Die Aporien einer Institutionalisierung der Kunst, die deren gesellschaftskritische Funktion nur um den Preis einer Abtrennung von der Lebenspraxis zu verwirklichen vermag, ist von Herbert Marcuse ideologiekritisch auf den Begriff gebracht worden. Insofern die Kritik an der zweckrational geordneten Gesellschaft, institutionalisiert als scheinhafte Erfahrung von Harmonie, zugleich die Möglichkeit ihrer Verwirklichung unterbindet, ist sie Ideologie bzw. – um den Begriff Marcuses zu gebrauchen – affirmativ[13]. Denn der Gegensatz zur Lebenspraxis ist Bedingung dafür, daß die Kunst ihre kritische Funktion zu erfüllen vermag, und verhindert doch zugleich, daß ihre Kritik praktisch folgenreich werden kann[14].

Selbstverständlich kann die ästhetische Theorie Schillers nicht einfach mit der in der bürgerlichen Gesellschaft institutionalisierten Kunst-Ideologie gleichgesetzt werden. Ziel unserer Überlegungen war es, den Zusammenhang von Entfremdungskritik und autonomem Kunstbegriff anzudeuten. Der Zusammenhang wäre weiter zu verfolgen über die romantische Kunstauffassung bis hin zum Ästhetizismus. Wenn im Zentrum von Valérys Kritik am alltäglichen Sehen dessen Orientierung an der Nützlichkeit steht – »l'utile chasse le réel«[15] – und er dem auf vorgegebene Zwecke ausgerichteten Sehen ein reines (künstlerisches) Sehen entgegenstellt, so argumentiert er von einem Kunstbegriff her, demzufolge die Kunst und die ihr zugeordneten Verhaltensweisen in einem Verhältnis des Gegensatzes zur Lebenspraxis der Menschen stehen.

Wir haben bisher den Begriff der Institution Kunst ausschließlich auf die Kunst in der bürgerlichen Gesellschaft bezogen. Das hat seinen Grund darin, daß wir ihn als eine *historische Kategorie* gefaßt haben. Das bedeutet, sowohl das Entstehen, als auch die Erkennbarkeit der Institution Kunst sind durch die Entwicklung der Kunst in der bürgerlichen Gesellschaft bedingt. Die Einsicht, daß Kunst in der bürgerlichen Gesellschaft institutionalisiert ist, daß es Vorstellungen über Kunst gibt, die Produktion und Rezeption der Einzelwerke regeln, legt die Frage nahe, in welcher Weise Kunst in vorbürgerlichen Gesellschaftsformationen institutionalisiert ist. Die Frage ist deshalb bereits schwer zu stellen, weil in die Formulierung ein Begriff von Kunst sich einschleicht, der selbst erst Resultat eines historischen Prozesses ist. Erst die aus den realen Lebensbezügen herausgelösten künstlerischen Aktivitäten sind »Kunst« im modernen Sinn des Wortes.

Wenn es stimmt, daß in den historisch-hermeneutischen Wissenschaften die Kategorien ihre Voraussetzung im realen Entwicklungsstand der Sache haben, dann ist jede isolierte Erörterung von Kategorien problematisch, weil sie notwendig den Schein der Selbständigkeit der Kategorien erzeugen muß. Streng genommen fällt die Entfaltung der Kategorien mit der Darstellung der historischen Entwicklung der Sache selbst zusammen[16]. Wenn hier dennoch der Versuch unternommen wird, die Kategorie Institution Kunst als allgemeine (d. h. nicht auf die Ausprägung in einer bestimmten Gesellschaftsformation bezogene) zu entwickeln, so kann auch dies nur in der Form einer historischen Konstruktion geschehen, die in dem Maße abstrakt bleiben muß, als die Geschichte der gesellschaftlichen Funktion der Kunst noch nicht geschrieben ist. Die historische Konstruktion ist aber nicht nur Vorwegnahme von Ergebnissen der Einzelforschung, sondern der einzig mögliche Garant dafür, daß letztere nicht in positivistischer Fetischisierung des Details versinkt.

Unsere historische Konstruktion beschränkt sich darauf, die Institution Kunst in der bürgerlichen Gesellschaft mit der Institutionalisierung (bzw. den Institutionalisierungen) von Literatur in der höfisch-feudalen Gesellschaft Frankreichs im 17. Jahrhundert gegenüberzustellen. Diese Konstruktion verzichtet bewußt auf die Darlegung von Entwicklungstendenzen, um zunächst einmal den Zusammenhang zwischen einer Gesellschaftsformation und einem bestimmten Typus der Institutionalisierung von Kunst/Literatur herauszuarbeiten. Dabei geht es vor allem darum, die Einsicht in die Geschichtlichkeit der Kategorie Institution Kunst forschungspraktisch anzuwenden. Das wiederum heißt: Die Unterkategorien und ihr Verhältnis zueinander als historisch variabel zu fassen. Ein Beispiel: Wir haben oben Gründe dafür angeführt, daß in der bürgerlichen Gesellschaft die Institution Kunst als Ideologie funktioniert. Die Annahme dürfte auf die Institutionalisierung von Literatur in der höfisch-feudalen Gesellschaft Frankreichs nicht zutreffen. Im Gegensatz zur bürgerlichen beruht die höfisch-feudale Gesellschaft auf dem Prinzip legitimer rechtlicher Ungleichheit. Der Angehörige des Adels hat aufgrund der bloßen Tatsache, daß er ein Adliger ist, bestimmte Privilegien. Eine Gesellschaft, in der das Prinzip der rechtlichen Ungleichheit institutionalisiert ist, wird auch im Bereich der Kunst keine Ideologie entwickeln können, da Ideologien im strengen Wortsinne sich erst auf der Grundlage des bürgerlichen Begriffs formalrechtlicher Gleichheit herausbilden. Man wird vielmehr annehmen können, daß auch die künstlerischen Aktivitäten mehr oder weniger durch die ständischen Grenzen voneinander getrennt sind, die das gesellschaftliche Leben bestimmen. In der Tat lassen sich in der höfisch-feudalen Gesellschaft Frankreichs im 17. Jahrhundert mehrere deutlich voneinander getrennte Institutionalisierungen von Literatur ausmachen, die jeweils durch eine eigene ökonomische Basis, eine spezifische Trägerschicht, ein (mehr oder weniger entwickeltes) System ästhetischer Normen charakterisiert sind, das mit den sozialen Normen in einem bestimmbaren Zusammenhang steht: Eine populäre, eine bürgerlich-gelehrte und eine höfische Institutionalisierung von Literatur. Die gesellschaftliche Bedeutung der verschiedenen Institutionalisierungen ist außerordentlich verschieden und hängt vor allem von der sozialen Stellung der Trägerschicht ab.

Bei der weiteren Skizzierung der Unterschiede zwischen bürgerlicher Institution Kunst und der Institutionalisierung von Literatur in der höfisch-feudalen Gesellschaft beschränken wir uns auf die klassisch-höfische Literatur, weil sie als kanonisierte den Bezugspunkt für die bürgerliche Literaturentwicklung bildet. Wir haben gesehen, daß in der bürgerlichen Gesellschaft die Kunst als von der Lebenspraxis abgehobene institutionalisiert ist. In der höfisch-feudalen Gesellschaft ist die Kunst dagegen Teil der Lebenspraxis des Hofadels. Man denke nur an die Bedeutung der Salons und an die Integration von Kunst und Leben im höfischen Fest. Als Teil höfischer Repräsentation und Selbstdarstellung übernimmt die Kunst politische Funktion; sie dient mittelbar oder unmittelbar der Legitimation absoluter Herrschaft. Selbst dort, wo Kunst, in das höfische *divertissement* eingebunden, als zweckfrei erscheint, ist sie doch zugleich Instrument einer Politik, die den Hochadel seiner politischen Macht beraubt, indem sie ihn ans Zeremoniell bindet[17].

Es wäre jedoch sicher falsch, die bürgerliche und die höfische Institution Kunst einfach auf den Gegensatz von Heteronomie und Autonomie festlegen zu wollen. Die historische Dialektik ist wesentlich komplizierter. Die Abhängigkeit der höfisch-feudalen Literatur von gesellschaftlichen Verwendungszwecken wie *divertissement* und Repräsentation enthält zugleich ein Moment der Befreiung von andern, vor allem moralischen Zweckbindungen. Dafür sprechen allein schon die heftigen Angriffe von kirchlicher Seite gegen die Literatur und besonders gegen das Theater. Man wird also sehen müssen, daß mit der Unterwerfung unter höfische Zwecksetzungen zugleich Momente künstlerischer Autonomie verbunden sind, die der späteren bürgerlichen Literaturkritik es um so leichter machten, die Werke der höfischen Literatur als autonome zu verstehen. Gerade insofern der Autonomiebegriff eine Distanz zu unmittelbar moralerzieherischen Zwecksetzungen enthält, war es möglich, die höfische Literatur, die diese Distanz aus ganz anderen Gründen entwickelt hatte (nämlich aufgrund ihrer Orientierung an einem aristokratischen Lebensideal), als unvergänglichen ästhetischen Wert zu kanonisieren.

Was die *materiellen Bedingungen der Kunstproduktion* in der entwickelten bürgerlichen Gesellschaft von denen vorbürgerlicher Gesellschaftsformationen unterscheidet, ist nicht nur die Tatsache, daß der Markt zur entscheidenden Basis der Kunstproduktion wird (im Gegensatz etwa zum Mäzenat als

Basis der künstlerischen Produktion in der höfisch-feudalen Gesellschaft), sondern vor allem auch die andere Stellung der materiellen Basis der Kunstproduktion zur Gesamtheit wirtschaftlicher Aktivitäten. Das Mäzenat ist ein Verhältnis zwischen Gönner und Künstler, das nur als besonderes existiert. Als ein solches steht das Mäzenat völlig außerhalb der ökonomischen Mechanismen, die die Reproduktion der höfisch-feudalen Gesellschaft leisten. Der Markt dagegen ist keineswegs nur ein den Bezug von Kunstproduzenten und -rezipienten regelndes Verhältnis, sondern der zentrale ökonomische Mechanismus der bürgerlichen Gesellschaft. Die materielle Basis der Kunstproduktion ist also in der bürgerlichen Gesellschaft kein besonderes Verhältnis, sondern eine allgemeine ökonomische Instanz. Die unterschiedliche Verankerung der materiellen Basis der Kunstproduktion innerhalb der ökonomischen Beziehungen der verschiedenen Gesellschaftsformationen legt den Gedanken nahe, daß auch das *Verhältnis* der materiellen Bedingungen der Kunstproduktion zu den allgemeinen Vorstellungen über Kunst jeweils ein anderes ist. Solange die Abhängigkeit des Kunstproduzenten von seinem Gönner als Faktizität allgemein akzeptiert ist, wird auch die Ausrichtung der Produktion der Einzelwerke an den Vorstellungen derer, in deren Dienst der einzelne Produzent steht, eine Selbstverständlichkeit sein. Die noch unentwickelten Verhältnisse, in denen noch nicht eine verabsolutierte schöpferische Subjektivität einem ihr fremden Publikum gegenübertritt, sondern Kunstproduktion noch als Arbeit für einen Auftraggeber begriffen wird, kennen noch nicht den Gegensatz zwischen materieller Basis der Kunstproduktion und Idealität des Kunstgebildes. Die Auffassung der Kunst als *divertissement*, die ihr Entstehen einer aristokratischen Lebensform verdankt, wird aufgrund des mäzenatischen Verhältnisses auch vom Künstler akzeptiert, d. h. das Mäzenat sichert die gesellschaftliche Geltung einer partikulären Kunstauffassung ab. Erst als mit dem Entstehen der bürgerlichen Gesellschaft die Kunst von den Bereichen zweckrationalen Handelns abgekoppelt, und d. h. als autonome institutionalisiert wird, werden die materiellen Bedingungen der Kunstproduktion zu etwas Kunstfremdem. Der Bezug der Kunst zu den materiellen Bedingungen ihrer Produktion hat sich radikal verändert.

Während in der höfisch-feudalen Gesellschaft die Auffassung der Kunst als *divertissement* inhaltlich auf die Abhängigkeit des Kunstproduzenten vom fürstlichen Gönner verweist, gilt das nicht in gleicher Weise von der in der bürgerlichen Gesellschaft institutionalisierten Vorstellung über Kunst. Autonome Kunst kann sich nur negativ auf die materiellen Bedingungen ihrer Produktion beziehen, weil sich die Autonomie der Kunst überhaupt erst im Gegensatz zum Bereich zweckrationalen Handelns konstituiert hat.

Gegenüber dem bisher über die Institution Kunst Ausgeführten ließe sich ein gewichtiger Einwand erheben: Die erörterten Kategorien (epochale Funktionsbestimmung der Kunst und materielle Bedingungen der Kunstproduktion) betreffen die Rahmenbedingungen der Kunstproduktion und -rezeption, bleiben aber als solche dem einzelnen Kunstwerk äußerlich. Das Kunstwerk hat sich nach den jeweils gegebenen Rahmenbedingungen zu richten, vermag aber in keiner Weise auf diese zurückzuwirken. Damit wäre auf der Theorieebene eine folgenschwere Vorentscheidung getroffen: die Eliminierung der Dialektik von Institution und Einzelwerk. Will man der angedeuteten Gefahr begegnen, so wird man im Begriff der Institution Kunst diejenigen Kategorien aufsuchen müssen, die jene Dialektik von Institution und Einzelwerk zu erfassen erlauben. Das soll im folgenden geschehen. Als Leitsatz dürfte dabei gelten: Die Institution ist ebenso im Einzelwerk, wie das Einzelwerk innerhalb der Institution funktioniert.

Der *Begriff der Norm* ebenso wie der des künstlerischen Materials gehört zu denjenigen Kategorien, die eine solche Vermittlung zwischen Institution und Einzelwerk leisten. Während die institutionalisierte Funktion von Kunst und die materiellen Bedingungen der Kunstproduktion zwar Produktion und Rezeption des Einzelwerks bestimmen, sind sie in diesem doch nicht auffindbar. Anders verhält es sich sowohl mit dem künstlerischen Material, das durch die Subjektivität des Künstlers bearbeitet in das Werk eingeht, als auch mit den Normen, die als soziale Gegenstand des literarischen Werks sind, während sie als ästhetische dessen Gestalt auch dort noch prägen, wo jenes dagegen aufbegehrt. Ästhetische und soziale Normen stehen in einer spannungsreichen Beziehung, deren

Dialektik hier nur ansatzweise entfaltet werden kann. Dabei geht es nicht um die von Mukařovský thematisierte Antinomie zwischen dem »Anspruch der Norm auf allgemeine Verbindlichkeit, ohne die es keine Norm gäbe, und ihrer faktischen Begrenztheit und Wandelbarkeit«[18], sondern um die Historisierung der Normeninstanz selbst.

In der höfisch-feudalen Gesellschaft gehen die ästhetischen Normen entweder unmittelbar auf soziale Normen zurück (man denke an die *bienséances* und an die Ständeklausel), oder sie treten doch mittelbar in den Dienst gesellschaftlicher Interessen (dies wäre an den dramatischen Einheiten zu zeigen). Die ästhetischen Normen vermitteln den Gehalt des Einzelwerks mit den herrschenden sozialen Normen und sichern dessen relative Konformität. Daß damit Konflikte zwischen dem Kunstwerk und den herrschenden Moralvorstellungen keineswegs ausgeschlossen sind, zeigt das Beispiel der »Querelle du Tartuffe«. Im Begriff des autonomen Kunstwerks dagegen ist der Begriff der Norm tendenziell negiert. Autonom ist das Werk gerade in dem Maße, wie es keiner ihm von außen auferlegten Regel mehr folgt. Der für die bürgerliche Gesellschaft charakteristische allgemeine Kunstbegriff, der Kunst im Gegensatz zur Lebenspraxis faßt, hat nicht den Charakter einer Norm, er enthält keine Regeln, die es bei der Produktion von Werken zu befolgen gilt. Im Gegenteil, seit der romantischen Kritik ist das autonome Kunstwerk eines, das nach den Regeln beurteilt sein will, die es selber setzt; das bedeutet aber, daß es keiner institutionalisierten ästhetischen Norm mehr unterworfen ist[19]. Mit dem Fortfallen einer verpflichtenden ästhetischen Norm fällt zugleich auch die Instanz aus, die in der höfisch-feudalen Gesellschaft die relative soziale Konformität der gesellschaftlichen Gehalte der Einzelwerke sichergestellt hat. Ein durch keine ästhetische (implizit oder explizit sozial bestimmte) Norm mehr reglementiertes Kunstwerk müßte den Bereich sozialer Normen als Gegenstand frei verarbeiten können; das wiederum müßte bald zu einem für die Kunst existenzgefährdenden Konflikt führen. Eine Gesellschaft pflegt jedoch Kritik nur in dem Maße zuzulassen, wie ihre relative Folgenlosigkeit garantiert ist. Dies leistet der Autonomie-Status der Kunst in der bürgerlichen Gesellschaft. Er sichert der Kunst einen Freiheitsspielraum in der Erörterung sozialer Normen, aber um den Preis relativer Folgenlosigkeit. Während in der Literaturkritik der höfisch-feudalen Gesellschaft die im Kunstwerk verhandelten sozialen Normen als solche erörtert werden, erlaubt der autonome Kunstbegriff, diese als Teil des Kunstwerks zu erörtern. Das hat deren Entschärfung zur Folge, erweitert jedoch zugleich den Freiheitsspielraum des Kunstwerks gegenüber geltenden Normenvorstellungen. Mit andern Worten: Der Mechanismus, mit dessen Hilfe die relative Konformität der Kunstwerke gesichert wird, ist in den beiden Gesellschaftsformationen jeweils ein anderer. Was in der höfisch-feudalen Gesellschaft die Institutionalisierung ästhetischer Normen leistet, übernimmt in der bürgerlichen der Autonomie-Status. Auch in der höfisch-feudalen Gesellschaft werden soziale Normen zum Gegenstand des Kunstwerks. Da aber das Kunstwerk selbst ästhetischen Normen gehorcht, die zugleich soziale sind, kommt es nicht zu dem die Kunst in der bürgerlichen Gesellschaft tendenziell charakterisierenden Spannungsverhältnis zwischen Gehalten der Einzelwerke und der sozialen Normen. Anders formuliert: Vor der Institutionalisierung der autonomen Kunst gibt es kein Engagementproblem. Erst die Institutionalisierung der autonomen Kunst macht die Politisierung der Werkgehalte in einem vorher nicht gekannten Sinne problematisch.

Eine andere Kategorie, die die Beziehung zwischen Einzelwerk und Institution Kunst zu erfassen erlaubt, ist die des künstlerischen *Materials*. Verdeutlichen wir uns zunächst noch einmal, was der Materialbegriff bei Eisler und Adorno leistet[20]: Indem die beiden Musiktheoretiker (als solche führen sie den Begriff ein) zwischen verschiedenen Materialbereichen unterscheiden (Melodik, Harmonik, architektonische Formen wie die Sonate), können sie als einen Typus der Entwicklung des musikalischen Materials dessen immanente Dialektik ausmachen. Wenn ein Materialbereich sich entwickelt, entstehen gegenüber anderen Materialbereichen Widersprüche, die zum Motor der *immanenten Entwicklung des Materials* werden. Immanent darf diese Entwicklung deshalb heißen, weil ihr keine Veränderung der gesellschaftlichen Funktion der Musik entspricht. Mit andern Worten, Eisler und Adorno gehen davon aus, daß es im Bereich der Veränderung des musikalischen Materials eine »eigenständige, musikalisch-historische Entwicklung« gibt[21]. Damit ist aber erst ein Typus der Materialveränderung skizziert, von ihm unterscheidet sich ein anderer, für den Adorno meist die Entwicklung von der Bachschen Polyphonie zum galanten Stil der Bachsöhne und der Mannheimer anführt. »Der galante Stil im frühen achtzehnten Jahrhundert, der Bach und den von ihm erreichten Stand musikalischer Materialbeherrschung verdrängte, ist nicht aus der musikalischen Logik zu begründen, sondern vom Konsum her, den Bedürfnissen einer bürgerlichen Kundenschicht«[22]. Hier verdankt sich also die Veränderung des musikalischen Materials nicht einer immanenten Dialektik, sondern ergibt sich aus veränderten gesellschaftlichen Bedingungen, in denen Musik produziert und rezipiert wird.

Bei dem Versuch, einen musikalischen Begriff auf die Literatur zu übertragen, wird man die Besonderheit der beiden Medien in Rechnung zu stellen haben. Ein allein an formalen Beziehungen orientierter Materialbegriff würde in der Literatur die Sache verfehlen. Wie immer man die kleinste Einheit des literarischen Werks bezeichnen mag, feststeht, daß sie bereits semantisch bestimmt ist, daß sie Träger von Bedeutung ist. Als literarisches Material wird man neben Formen und Gattungen auch Motive und Themen anzusehen haben.

Hat man sich diesen wesentlichen Unterschied zwischen musikalischem und literarischem Material deutlich gemacht, wird man zu fragen haben, was der Begriff innerhalb der hier entwickelten Theorie der Institution Kunst zu leisten vermag. Das läßt sich vielleicht am ehesten zeigen, indem man den Begriff mit dem rezeptionsästhetischen des Erwartungshorizonts konfrontiert. Auch im Begriff des Erwartungshorizonts sind formale und inhaltliche Momente als Einheit gedacht, da er sich »aus dem Vorverständnis der Gattung, aus der Form und Thematik zuvor bekannter Werke und aus dem Gegensatz von poetischer und praktischer Sprache« ergibt[23]. Durch folgende Momente jedoch unterscheidet sich der Materialbegriff von dem des Erwartungshorizonts: 1. Der Begriff Erwartungshorizont ist nicht aus der geschichtlichen Entwicklung der Kunst abgeleitet, sondern wird als Kategorie von überhistorischer Gültigkeit eingeführt. Im Materialbegriff dagegen, wie er hier vorgeschlagen wird, ist die Tatsache mitgedacht, daß er sich einem bestimmten Entwicklungsstand der Kunst in der bürgerlichen Gesellschaft verdankt, nämlich der mit den historischen Avantgardebewegungen eingetretenen totalen Freisetzung von Motiven und Verfahrensweisen vom Zwang epochaler Konventionen. 2. In der Rezeptionsästhetik wird das literarische Werk als Ereignis gefaßt, Einmaligkeit und Unvorhersehbarkeit sind dessen Merkmale[24]. Als Ereignis sprengt es einen gegebenen Erwartungshorizont. Das neue literarische Werk, das Motor der literarischen Evolution ist, wird damit der rationalen Analyse entzogen. Der Materialbegriff erlaubt dagegen, das neue Werk als rationale Auseinandersetzung mit einem vorgegebenen Material zu analysieren. Das positive Moment des formalistischen Impulses, die Forderung rationaler Analyse der literarischen Techniken, ist hier im Hegelschen Wortsinne aufgehoben. 3. Die Rezeptionsästhetik kennt nur eine immanente literarische Entwicklung: Der Erwartungshorizont des Publikums wird durch das ereignishafte neue Werk gesprengt, wodurch sich ein neuer Erwartungshorizont konstituiert. Außerliterarische Instanzen greifen in diesen Prozeß nicht ein; allenfalls vermag das literarische Werk auf die Erfahrung der Leser zu wirken. Der Materialbegriff erlaubt dagegen, zwei Typen literarischer Evolution zu unterscheiden: die immanente und die durch gesellschaftliche Anforderungen hervorgerufene. Paradoxerweise reduziert die Wirkungsästhetik, die auf der Bedeutung des Publikums für den Entwicklungsprozeß der Literatur emphatisch insistiert, den Rezipienten dann doch zu einer Instanz, die die Entwicklung im Bereich der Produktion nur nachvollzieht, während die Theoretiker des Materialbegriffs, die auf dem Primat der Produktion gegenüber der Rezeption beharren, eine Veränderung des Materials durch historisch bedingte Veränderungen in der Publikumsstruktur als Möglichkeit ansetzen.

Ein bloßes Nebeneinander von Alternativen (immanente vs. extern determinierte Materialentwicklung) wäre theoretisch unbefriedigend, wenn damit tatsächlich zwei vollkommen verschiedene Entwicklungsmodi angegeben würden. Das ist aber nicht der Fall. In beiden Typen literarischer Evolution steht die Arbeit des Kunstproduzenten am literarischen Material im Mittelpunkt. Diese wird einmal durch *gesellschaftliche*

Anforderungen gelenkt, die an den Produzenten herangetragen werden (dies scheint mir ein umfassenderer Begriff als der der Publikumsbedürfnisse). Der Anstoß zur Veränderung des Materials kann aber auch dadurch erfolgen, daß der Produzent im vorgefundenen Material Widersprüche entdeckt, die er in seinem Werk zu lösen sucht. Die vom Interpreten auszumachenden Veränderungen am Material lassen sich – unabhängig von der Frage, ob sich dieser Vorgang bewußt oder unbewußt vollzogen hat – als *Werkintention* begreifen[25].

Aus den voraufgegangenen Überlegungen läßt sich eine methodologische Folgerung ziehen: Auch die *Instanz Publikum* ist zu historisieren. Was sich im Laufe der geschichtlichen Entwicklung verändert, sind nicht nur Erwartungshaltungen und soziale Zusammensetzung des Publikums, sondern die Bedeutung der Publikums-Instanz. Anders formuliert: Entgegen der heute vorherrschenden Auffassung, daß sich zwar das Publikum und mit ihm die Erwartungshaltung gegenüber der Literatur wandeln, nicht aber die Beziehung zwischen Literatur und Publikum, wäre gerade dies als historische Variable zu denken[26].

Für die Kunstproduktion in der höfisch-feudalen Gesellschaft ist tendenziell eine Einheit von Produzent und Rezipient anzunehmen. Wichtiger als die dem Mäzen gegebene Möglichkeit, direkt auf die Kunstproduktion einzuwirken, ist etwas anderes: die Tatsache, daß der Produzent sich noch nicht als schöpferisches Subjekt in einer wie immer ideologischen Unabhängigkeit gegenüber der Gesellschaft begreift. Die Art, in der Corneille den Versuch der Schaffung einer bürgerlichen Komödie abbricht, und die Tatsache, daß Racine seine dramatische Produktion aufgibt, als Ludwig XIV. ihn zum *historiographe du roi* ernennt, lassen erkennen, daß selbst die größten Schriftsteller in der höfisch-feudalen Gesellschaft sich (noch) nicht als schöpferische Subjekte begreifen. Wie der Produzent sich noch nicht zum Selbstbewußtsein schöpferischer Individualität erhoben hat, so wird man annehmen können, daß auch der Publikumsinstanz jene Selbständigkeit fehlt, die ihr im Rahmen bürgerlicher Kunstproduktion zukommt.

In der bürgerlichen Gesellschaft hat die marktvermittelte Kunstproduktion Produzenten und Rezipienten einander entfremdet. Dieses Auseinandertreten von Produzent und Rezipient wird früh im Geniekult ideologisiert, der das neue Selbstbewußtsein schöpferischer Individualität reflektiert und zugleich deren realgeschichtliche Bedingungen verschleiert. Die Trennung von Produzent und Rezipient findet ihre schlechte Aufhebung in der Trivialliteratur, und zwar durch Negation beider Instanzen: Im serienmäßig hergestellten Produkt ist schöpferische Individualität des Produzenten negiert, in der totalen Identifikation mit dem Werk die Distanz, die die Eigenständigkeit des Rezipienten gegenüber dem Werk ausmacht. Der Ästhetizismus ist unter anderem auch eine Antwort auf die für die Trivialliteratur charakteristische totale Anpassung des Produkts an die gesellschaftlich produzierten, »falschen« Bedürfnisse der Rezipienten. Er sucht die Einheit von Produzent und Rezipient zu realisieren, ohne den Anspruch auf Verwirklichung der schöpferischen Individualität aufzugeben. Dadurch schrumpft aber notwendig das erreichbare Publikum auf einen kleinen Kreis von Kennern zusammen, die gegenwärtige Wirkungslosigkeit wird geradezu zum Wertmaßstab der Werke. Der Ästhetizismus vermag die Einheit von Produzent und Rezipient nur herzustellen, indem er das potentiell alle umfassende Publikum auf die Dimension eines nur wenige Individuen zählenden *cercle* reduziert. Damit wird aber die Kunst zur Privatsache weniger, was ihre Authentizität bedroht, um deren Rettung es den Künstlern des Ästhetizismus gerade ging. Die Avantgardebewegungen ziehen aus dieser Situation die Konsequenz. Für die Avantgardisten wird der Rezipient entweder zum einzigen Ziel der künstlerischen Aktion (so in den dadaistischen Veranstaltungen), oder er wird gänzlich eliminiert (so in der *écriture automatique*, wo das Einzelprodukt streng genommen keinen Adressaten mehr hat). Hypostasierung und Eliminierung des Rezipienten sind nur zwei Seiten ein und derselben Sache: nämlich der Negation des Publikums als eines kunstverständigen. Zwar ist die dadaistische Manifestation ausschließlich auf Wirkung ausgerichtet, aber visiert wird dabei nicht mehr ein an literarischen Vorbildern geschultes Publikum, sondern die Masse der Kleinbürger als Objekt einer Schocktherapie. Im Schock ist das Prinzip der Wirkung auf die einfachste Formel gebracht, und damit zugleich die Wirkung als besondere zerstört. Durch Reduktion der Wirkung auf den Schock wird das Publikum als eines, das Kunstwerke zu genießen und zu beurteilen vermag, negiert. An seine Stelle tritt der abstrakte Rezipient. Die Negation des Publikums ist die Voraussetzung für die Verwirklichung der avantgardistischen Intention, die Kunst zum organisierenden Mittelpunkt des Lebens zu machen. Der Bruch mit dem Publikum als einem kunstverständigen führte jedoch nicht die Kunst in die Lebenspraxis zurück, sondern erzeugte nur den abstrakten Rezipienten, der Schocks registriert. Die Automatisierungstheorie des russischen Formalismus hat dann diesen Entwicklungsstand der Kunst in der bürgerlichen Gesellschaft auf Begriffe gebracht. (Indem der Formalismus das neue Konstruktionsprinzip abstrakt als Negation des jeweils herrschenden faßt, formuliert er im Bereich der Literaturwissenschaft eine Entsprechung zum Schockprinzip).

Während die Automatisierungsthese des russischen Formalismus und die ihr entsprechende rezeptionsästhetische These vom Wandel des Erwartungshorizonts durch das neue Werk einen bestimmten Entwicklungsstand der Kunst in der bürgerlichen Gesellschaft dogmatisieren, indem sie aus ihm ein überhistorisches Entwicklungsprinzip der Kunst zu gewinnen sucht, ist hier der Versuch unternommen worden, im Rahmen einer Theorie des geschichtlichen Wandels der gesellschaftlichen Funktion der Kunst auch die epochalen Veränderungen der Bedeutung der Rezipienteninstanz zu skizzieren.

Anmerkungen

1 Th. W. Adorno, *Thesen zur Kunstsoziologie*, in: ders., *Ohne Leitbild. Parva Aesthetica* (ed. suhrkamp, 201). Frankfurt 1967, 94-103.

2 Vgl. Th. W. Adorno, *Wissenschaftliche Erfahrungen in Amerika*, in: ders., *Stichworte. Kritische Modelle 2* (ed. suhrkamp, 347). Frankfurt 1969, 129.

3 Th. W. Adorno, *Thesen zur Kunstsoziologie*, 96.

4 *Theorie der Avantgarde* (ed. suhrkamp, 727). Frankfurt 1974; Kap. I und IV.

5 Vgl. dazu Ch. Bürger, *Der Ursprung der bürgerlichen Institution*

Kunst im höfischen Weimar. Literatursoziologische Untersuchungen zum klassischen Goethe, Frankfurt 1977. Die Arbeit erprobt das hier vorgeschlagene begriffliche Instrumentarium an einem konkreten Gegenstand.

6 Als Beispiel für eine positivistische Fassung des Begriffs sei auf die Ausführungen von N. Fügen verwiesen, der die literarische Kritik, den Buchhandel, die Bibliotheken, sowie Autor und Publikum als »literarische Institutionen« bezeichnet (*Einleitung*, in: ders. (Hrsg.), *Wege der Literatursoziologie* [Soz. Texte, 46]. [2]Neuwied/Berlin 1971, 19 f.). Die »Beziehungen der literarischen Institutionen untereinander« will er als System begreifen (ebd., 24). Abgesehen von einigen Hinweisen zur Stellung der literarischen Kritik, kommt Fügen jedoch über Einzelbemerkungen kaum hinaus. Eine systematische Erfassung des Gegenstandsbereichs kann ihm unter anderem deshalb nicht gelingen, weil er dessen Geschichtlichkeit nicht reflektiert. Das zeigt sich bereits daran, daß er »den fiktionalen Charakter der Literatur« (ebd., 21) und damit eine bestimmte historische Auffassung von Literatur als Wesensbestimmung seinem Ansatz zugrunde legt.

7 Wenn im folgenden auf eine Erörterung soziologischer Institutionsbegriffe verzichtet wird, so nicht nur deshalb, weil eine solche Erörterung den Rahmen der vorliegenden Skizze gesprengt hätte, sondern vor allem auch deshalb, weil die soziologischen Institutionsbegriffe, soviel ich sehe, für den hier intendierten *historischen* Ansatz kaum hilfreich sind. Damit soll nicht ausgeschlossen werden, daß z. B. die Parsonsche Theorie als Beschreibungsrahmen für einen historisch bestimmten Typus normengeleiteten Verhaltens brauchbar sein kann.

8 Vgl. H. Kuhn, *Ästhetik*, in: *Das Fischer Lexikon. Literatur 2/I*, hrsg. v. W.-H. Friedrich/W. Killy. Frankfurt 1965, 53.

9 Vgl. *Theorie der Avantgarde*, bes. Kap. I und II. Auf die dort erörterten neueren Arbeiten zum Autonomieproblem gehe ich im folgenden nicht nochmals ein. Vgl. außerdem folgende seitdem erschienene Arbeiten: K. Wölfel, *Zur Geschichtlichkeit des Autonomiebegriffs*, in: *Historizität in Sprach- und Literaturwissenschaft*. Vorträge und Berichte der Stuttgarter Germanistentagung 1972, hrsg. v. W. Müller-Seidel. München 1974, 563-577. R. Grimminger, *Die ästhetische Versöhnung. Ideologiekritische Aspekte zum Autonomiebegriff am Beispiel Schillers*, in: ebd., 579-597. H. Freier, *Ästhetik und Autonomie. Ein Beitrag zur idealistischen Entfremdungskritik*, in: *Deutsches Bürgertum und literarische Intelligenz 1750-1800*, hrsg. v. B. Lutz, (Literaturwissenschaft und Sozialwissenschaften, 3). Stuttgart 1974, 329-383. W. Kaiser / G. Mattenklott, *Ästhetik als Geschichtsphilosophie. Die Theorie der Kunstautonomie in den*

Schriften Karl Philipp Moritzens, in: G. Mattenklott / K. R. Scherpe (Hrsg.), *Westberliner Projekt: Grundkurs 18. Jahrhundert [. . .]* (Literatur im historischen Prozeß, 4/1; Scriptor Taschenbücher, 27). Kronberg 1974, 243-271.

10 Vgl. dazu die These von J. Habermas, die Kunst in der bürgerlichen Gesellschaft befriedige »residuale Bedürfnisse«, d. h. solche, »die im materiellen Lebensprozeß der bürgerlichen Gesellschaft gleichsam illegal werden« (J. Habermas, *Bewußtmachende oder rettende Kritik – die Aktualität Walter Benjamins,* in: *Zur Aktualität Walter Benjamins,* hrsg. v. S. Unseld [Suhrkamp Taschenbuch, 150]. Frankfurt 1972, 192 f.).

11 K. Wölfel, *Zur Geschichtlichkeit des Autonomiebegriffs,* 564.

12 K. Ph. Moritz, *Das Edelste in der Natur [1786],* in: ders., *Werke* in zwei Bänden, hrsg. v. J. Jahn. Berlin/Weimar 1973. Bd. I, 231-237; hier: 236. F. Schiller, *Über die ästhetische Erziehung des Menschen [. . .],* in: ders., *Sämtliche Werke,* hrsg. v. G. Fricke/G. H. Göpfert. Bd. V, [4]München 1967, 584 (6. Brief).

13 Vgl. H. Marcuse, *Über den affirmativen Charakter der Kultur,* in: ders., *Kultur und Gesellschaft I* (ed. suhrkamp, 101). Frankfurt 1965, 56-101. Zur Diskussion um den Ansatz von Marcuse vgl. vor allem J. Habermas, *Bewußtmachende oder rettende Kritik,* 177 ff. und P. Gorsen, *Transformierte Alltäglichkeit oder Transzendenz der Kunst? [. . .],* in: *Das Unvermögen der Realität [. . .]* (Politik, 55). Berlin 1974, 129-154. sowie Verf., *Benjamins »rettende Kritik«. Vorüberlegungen zum Entwurf einer kritischen Hermeneutik,* in: Germanisch-romansiche Monatsschrift, N.F. 23 (Juni 1973), 198-210. Verf., *Ideologiekritik und Literaturwissenschaft,* in: ders., (Hrsg.), *Vom Ästhetizismus zum Nouveau Roman [. . .]* (FAT 2090). Frankfurt 1975, 1-22.

14 Vgl. auch die in Anmerkung 7 genannten Arbeiten zum Autonomieproblem, besonders die Arbeit von H. Freier, der gleichfalls auf dem institutionellen Status der Kunstautonomie insistiert (*Ästhetik und Autonomie,* besonders 330 und 340).

15 Vgl. P. Valéry, *Berthe Morisot,* in: ders., *Œuvres,* hrsg. v. J. Hytier (Bibl. de la Pléiade). Bd. II. Paris 1960, 1303.

16 Zu erinnern ist in diesem Zusammenhang an die Ausführungen Hegels in der Vorrede der *Phänomenologie des Geistes* über die Unmöglichkeit der Formulierung philosophischer Programmatik, da diese immer schon die Darstellung der Sache selbst enthalten müßte.

17 Vgl. dazu N. Elias, *Die höfische Gesellschaft [. . .]* (Soz. Texte, 54). Neuwied/Berlin 1969, bes. Kap. V sowie F. Nies, *Gattungspoetik und Publikumsstruktur. Zur Geschichte der Sévignébriefe* (Theorie u. Geschichte der Literatur und der Schönen Künste, 21). München 1972, 80 ff. (über *divertissement).* Die Arbeit von Nies ist darüber

hinaus in dem hier erörterten Zusammenhang deshalb von Bedeutung, weil in ihr die epochale gesellschaftliche Funktion eines literarischen Genus publikumssoziologisch erforscht wird.

18 J. Mukařovský, *Ästhetische Funktion, Norm und ästhetischer Wert als soziale Fakten,* in: ders., *Kapitel aus der Ästhetik* (ed. suhrkamp, 428). Frankfurt 1970, 7-112; hier: 36.

19 Vgl. dazu W. Benjamin, *Der Begriff der Kunstkritik in der deutschen Romantik,* in: ders., *Gesammelte Schriften I/1,* hrsg. v. R. Tiedemann / H. Schweppenhäuser. Frankfurt 1974, 7-122; hier: 71 f.

20 Zum folgenden vgl. den wichtigen Aufsatz von G. Mayer, *Zur Dialektik des musikalischen Materials,* in: Alternative, Nr. 69 (Dezember 1969), 239-258.

21 Th. W. Adorno / H. Eisler, *Komposition für den Film,* zit. nach G. Mayer, *Zur Dialektik des musikalischen Materials,* 245.

22 Th. W. Adorno, *Ideen zur Musiksoziologie,* in: ders., *Klangfiguren. Musikalische Schriften I.* Berlin/Frankfurt 1959, 27.

23 H. R. Jauß, *Literaturgeschichte als Provokation der Literaturwissenschaft,* in: ders., *Literaturgeschichte als Provokation* (ed. suhrkamp, 418). Frankfurt 1970, 173 f.

24 Ebd., 172 f.

25 Zum Begriff der Werk- bzw. Textintention vgl. Ch. Bürger, *Textanalyse als Ideologiekritik [. . .]* (FAT, 2063). Frankfurt 1973, 55 ff.

26 Einen bedeutsamen Schritt zur Einlösung dieser Forderung macht V. Klotz in den Einzelanalysen seines Buches *Dramaturgie des Publikums überhaupt und bei Raimund, Büchner, Wedekind, Horváth Gatti, sowie im politischen Agitationstheater.* München 1976.

V.
Kommunikationssoziologische und systemtheoretische Ansätze

Hans Sanders
Einleitung

Verglichen mit der verwirrenden Vielzahl zur Zeit erprobter kommunikationssoziologischer Ansätze erscheint das Forschungsparadigma »Zurechnung« als relativ geschlossen und überschaubar. Bei den meisten Arbeiten dieses Typs steht im Vordergrund die Frage nach der Genese mentaler bzw. künstlerischer Strukturen. Die Problematik dieser Forschungsrichtung besteht zum einen darin, daß Bedeutungspotentiale, die die Interessen partikularer Gruppen überschreiten, kaum erfaßt werden können (vgl. die Einleitung zu Abschnitt II). Zum anderen liegt ein durchgängiger Mangel der zurechnungsorientierten Arbeiten in der Schwierigkeit, die Frage nach der spezifischen Funktion künstlerischer Objektivationen überhaupt angemessen stellen zu können. Dieser Gesichtspunkt wird aber zu Recht von Althusser und seinen Schülern in den Vordergrund gestellt. Althusser zeigt, daß die Entwicklung des spezifischen Funktionsaspekts kultureller »Suprastrukturen« theoretisch die Orientierung am Konzept ihrer relativen Autonomie voraussetzt. Mit anderen Worten: Die Funktion kultureller Strukturen ist der Untersuchung überhaupt nur dann zugänglich, wenn man sie nicht als Verdopplungen eines im ökonomischen System angenommenen »Wesens« auffaßt (Althusser *69*, 52 ff.). Andererseits führt die theoretische Orientierung am Zusammenhang spezifische Funktion/Autonomie leicht zur Hypostasierung letzterer. Diese Tendenz ist im Althusserschen Ansatz vermieden durch den Bezug auf den Bedingungsrahmen der Gesellschaftsformation[1].

Das Problem der Funktion steht im Zentrum aller kommunikationssoziologischen Ansätze und ist somit ein gemeinsamer Bezugspunkt einer Vielzahl divergierender und im Experimentierstadium befindlicher Versuche. Ein weiteres gemeinsames Merkmal ist ihre Orientierung an jeweils verschiedenen Elementen und Bezugsproblemen der soziologischen Theorie; so etwa den Konzepten »Rolle«, »Handeln«, »Sinn«, »Institution«. Als oberste Bezugsprobleme werden geführt die Alternativen der »Bestandserhaltung« und der »Legitimation« bzw.

der »Ideologie«. Die folgende Charakterisierung benutzt die jeweils verwendeten soziologischen Konzepte und Problemdefinitionen als Differenzierungskriterium.

Durch Zentralstellung des Rollenbegriffs zeichnet sich eine Untersuchung aus über die Entwicklung der ästhetischen Theorie im 18. Jahrhundert (Böhler, *191*). Rolle wird bestimmt als Schnittpunkt »von Gesellschaft und einer Systemeinheit irgendwelcher Art« (ebd., 54). In der soziologischen Theorie bezeichnet der Rollenbegriff die Orientierung des Verhaltens von Trägern sozialer Positionen an durch diese definierte Normen. Böhlers weite Definition des Terminus versucht die Anwendung des Rollenbegriffs sowohl auf Schriftsteller und Publikum, also die personalen Träger des literarischen Prozesses, als auch auf das literarische Werk zu legitimieren. Untersucht wird der Prozeß der Subjektivierung künstlerischer Produktion, die Entstehung des autonomen Kunstwerks, deren umfassende gesellschaftliche Rahmenbedingungen in der Abkoppelung des kulturellen vom ökonomischen und politischen System gesehen worden sind (Habermas *9*, 190). Böhler beschränkt sich auf die Reflexion dieses Strukturwandels in der ästhetischen Theorie Baumgartens, Lessings, Herders und Schillers. Die Ausgangsthese der Arbeit ist diese: Der Horazsche Satz »Aut prodesse volunt, aut delectare poetae« (Die Dichter wollen entweder nützen oder erfreuen) formuliere eine grundlegende Alternative literarischen Handelns, die ausgehend von den Parsonsschen Pattern-Variabeln gedeutet werden könne. Pattern-Variablen sind alternative Grundorientierungen des Handelns wie etwa die Dominanz kognitiver über affektive Einstellungen (Universalism – Particularism), die Dominanz von aktiver Beherrschung und Leistung über erworbene Qualitäten (Ascription – Achievement) und z. B. die Unterordnung diffuser Beziehungen zu sozialen Objekten zugunsten spezifischer (d. h. die durch Differenzierung der Rollen gegebene Ausrichtung von Interaktionen auf eng umgrenzte Ziele, Aspekte oder Funktionen) (Specificity – Diffuseness)[2].

Ausgehend von diesem Katalog alternativer Orientierungen des Handelns beschreibt Böhler die in der ästhetischen Theorie reflektierte zunehmende Eigenlogik des kulturellen Bereichs als Akzentuierung partikular-affektiver Handlungsmuster im Gegensatz zur instrumentellen und spezifischen Orientierung der Frühaufklärung. Bei Baumgarten werde zum ersten Mal das Prinzip künstlerischer Individualität herausgearbeitet, Herders Ästhetik weise eine Spaltung auf in eine affektiv-partikularistisch ausgerichtete produktionsästhetische und eine universalistische rezeptionsästhetische Dimension. Schiller versuche die krisenhafte Zuspitzung künstlerischer Subjektivität (Anomie) im ästhetischen Rollenspiel aufzuheben, das die instrumentalistische Handlungsorientierung des entfremdeten Menschen mit der affektiv-partikularistischen des Künstlers vermittelt (ebd., 316).

Man kann zugestehen, daß Böhlers Analysen im einzelnen von beträchtlicher konzeptueller Schärfe sind. Die Tragweite seines Versuchs wird aber durch zwei Mängel erheblich eingeschränkt. Zum einen überzeugt die unterschiedslose Anwendung des Rollenbegriffs auf die personale (Autor/Publikum) und die nichtpersonale Werkebene nicht. Hier wird das Konzept überdehnt und damit unscharf. Der Versuch, die Anwendung des Rollenbegriffs auf das Werk zu begründen, verfängt sich denn auch in der Konstruktion fragwürdiger Analogien von Werk- und Rollenbegriff. Wie das Werk, so weise auch die soziale Rolle eine Doppelstruktur auf. Das Werk wird in Anlehnung an Gadamers Unterscheidung von Gebilde und Spiel[3] in eine gesellschaftliche (Spiel) und eine gesellschaftslose »eigentliche« (Gebilde) Ebene unterteilt. Ebenso erfasse die Rolle, wird in Anlehnung an Dahrendorf[4] gesagt, nicht den eigentlichen, jedem Rollendasein entzogenen Menschen. Auf die literaturwissenschaftliche Problematik dieser Unterscheidung von eigentlichem Werk und sozial relevantem Spiel sei hier nur hingewiesen. Nicht weniger fragwürdig ist die ontologisierende Verwendung der Parsonsschen Kategorien, die als geschichtliche, etwa den Wandel dominanter Einstellungen im Übergang von der feudalen zur bürgerlichen Gesellschaft bezeichnende, durchaus sinnvoll verwendet werden könnten (vgl. Habermas *72*, 60 f.). Parsons selbst entwickelt den geschichtlichen Gehalt seiner Orientierungsalternativen nicht. Er begreift sie als Universalien: »This dilemma (d. h. der Zwang der Wahl zwischen den Handlungsalternativen, H.S.) is inherent in any system of action«[5]. Böhlers Untersuchung zeigt, daß die Übernahme dieser Wertuniversalismusthese[6] forschungspraktisch wenig ergiebig ist. Wenn wie durchgängig in dieser Arbeit der gesellschaftliche Kontext des untersuchten Prozesses nur vage als »soziale Systeme« bezeichnet wird, wenn wie besonders störend im Schiller-Kapitel auf *den* Menschen abgehoben wird, kommt es zu bloß begrifflich verfremdeter Reformulierung der älteren Forschungsergebnisse[7].

Am Bezugsproblem der Bestandserhaltung oder Stabilisierung von Systemen orientiert sich die theoretische Einleitung der Arbeit von Thomas Neumann (vgl. Text 15). Neumann untersucht am Beispiel Schillers den »Zusammenhang der problematischen künstlerischen Subjektivität mit der autonomen Kunst« (ebd., 1). Damit teilt er die Fragestellung Böhlers. Im Gegensatz zu diesem verneint er aber in seiner 1968 erschienenen Arbeit die methodische Brauchbarkeit des Rollenkonzepts und geht aus vom systemtheoretischen Ansatz, der »Handlungen [. . .] als Funktionen in bezug auf Stabilisierungsprobleme des Systems« (ebd., 5) auffaßt. Der Mangel des Rollenbegriffs liege darin, daß er auf »Interaktionsformen im Rahmen anderer Systeme« (ebd., 19) gerichtet sei. Neumann deutet aber den Prozeß der Autonomisierung der Kunst als Entwicklung eines ›Aktionssystems mit eigenen Stabilisierungsproblemen‹ (ebd., 20).

Zu diskutieren wäre zunächst Neumanns problematische Auffassung des Autonomiebegriffs. Sie ist global, indem sie keine Scheidung zwischen institutionellem Status (Autonomie) und Einzelwerk vornimmt. Die Gehalte des letzteren können bis zum Ästhetizismus durchaus politisch und damit auf gesellschaftliche Praxis bezogen sein. Erst im Ästhetizismus werden institutioneller Status und Gehalt des Einzelwerks kongruent (Bürger *170*, 32 ff.). Die Unterscheidung also zwischen der autonomen, aber gleichwohl in den Gehalten der Einzelwerke politischen Kunst der bürgerlichen Gesellschaft und ästhetizistischer Kunst, die auf private Erfahrungen ausschließlich abhebt, ist durch Neumanns globale Interpretation der Ausdifferenzierung autonomer Kunst ausgeschlossen. Darüber hinaus wird Autonomie als Bezugslosigkeit hypostasiert[8]. Weiterführender ist es, Autonomie als ideologische Kategorie im Marxschen Sinne zu verstehen (Bürger *170*, 69). Sie beschreibt die Ausdifferenzierung von

Kunst aus dem Zusammenhang zweckrationaler Tätigkeit (Habermas *72*, 62 ff.), deutet diesen Vorgang aber als Bezugslosigkeit. Demgegenüber wäre Autonomie als derjenige Modus gesellschaftlicher Verflechtung aufzufassen, durch den sich die Institution Kunst in der bürgerlichen Gesellschaft von ihrer Institutionalisierung in der Feudalgesellschaft unterscheidet. Bei Neumann wird aber die ideologische Dimension des Konzepts Ausgangspunkt der Fragestellung. Seine differenzierte Analyse der Schillerschen Ästhetik und ihrer Entwicklung führt indessen zu Ergebnissen, die teilweise eigentümlich quer zum systemtheoretisch gedeuteten Ausgangspunkt stehen. Herausgearbeitet werden die Loslösung von der normativen Poetik, an deren Stelle die Künstlerästhetik tritt; weiterhin die Abgrenzung gegenüber den Erwartungen des Publikums, die Herausbildung eines »marginalen« Handlungssystems als krisenhafte Vorgänge. Dabei wird das Dilemma der klassisch-bürgerlichen Kunst, zugleich utopische Gehalte zu bewahren und als Apologie des status quo zu fungieren, eher kritisch im Marcuseschen Sinne aufgefaßt.

Der funktionalistische Ansatz schließt immerhin die Möglichkeit nicht aus, Handlungszusammenhänge unter dem doppelten Gesichtspunkt des subjektiv vermeinten Sinns und seiner nicht-normativen Bedingungen[9] zu untersuchen. Die an den symbolischen Interaktionismus (Mead) und die phänomenologische Konstitutionsanalyse (Schütz) anknüpfenden Entwürfe vermögen indessen beide Ebenen nicht stringent zu verknüpfen. H. U. Gumbrecht hat versucht, ausgehend von Alfred Schütz, Literaturwissenschaft in den umfassenden Rahmen einer Soziologie der Kommunikation zu integrieren. Bemerkenswert ist, daß sein Aufsatz mit einer Neubestimmung des literaturwissenschaftlichen Erkenntnisinteresses versucht, Grundmängel der älteren rezeptionsästhetischen Entwürfe zu korrigieren. Nicht der Leser stehe an oberster Stelle literaturwissenschaftlicher Fragestellung, sondern die Rekonstruktion der »Bedingungen verschiedener Sinnbildungen über jeweils einen Text durch Leser mit verschiedenen geschichtlich und sozial vermittelten Rezeptionsdispositionen« (Gumbrecht *197*, 4). Im Vordergrund dieses Versuchs stehen die nicht systemtheoretisch gefaßten, d. h. nicht auf das Bezugsproblem der Reduktion von Komplexität bezogenen

Begriffe des Sinns und des Handelns. Der Text erscheint als Handlung, in »der Perspektive des Verstehens subjektiven Sinns« (ebd., 11), indem der Leser die Intention des Autors rekonstruiert. Gumbrecht versucht, Produktion und Rezeption in einem kategorialen Rahmen zu verorten und damit die in den älteren rezeptionsästhetischen Ansätzen mit der Eliminierung der genetischen Dimension verbundene Hypostasierung der intentionalen Ebene[10] des literarischen Prozesses zu vermeiden. In diesem Sinne wird eine Rückkoppelung an den umfassenden gesellschaftlichen Bezugsrahmen mit Hilfe der Begriffe »kausal-funktional« und »Gesellschaftsstruktur« unternommen. Die Übernahme des Schützschen Begriffsrahmens, der die normative Dimension gesellschaftlichen Handelns nicht auf ihren objektiven nicht-normativen Zusammenhang überschreitet, setzt diesem Versuch indessen Grenzen. Das wird deutlich in der Uminterpretation und Überdehnung der Schützschen Begriffe des »Um-Zu-« und des »Weil-Motivs«, der Reduktion des produktionsästhetischen Gesichtspunkts auf die individuellen Intentionen des Autors und signifikant in der unscharfen Explikation des Begriffs »Bedingungen der Sinnbildung«.

Schütz geht aus von der Weberschen Definition des Motivs als »ein[em] Sinnzusammenhang, welcher dem Handelnden selbst oder dem Beobachtenden als sinnhafter »Grund« eines Verhaltens erscheint«[12]. Schütz unterscheidet nun zwischen der Konstituierung eines Handlungs*entwurfs* – darauf zielt der Begriff des Weil-Motivs – und der Konstituierung der *Handlung* im Bewußtsein des ›einsamen Ich‹ – darauf zielt der Begriff des Um-Zu-Motivs[12]. Beide Begriffe betreffen die Ebene subjektiv vermeinten Sinns, in Weberscher Terminologie. Gumbrecht bezieht nun aber den Begriff des Weil-Motivs auf die nicht-intentionalen Voraussetzungen, die ›sozialhistorischen Rahmenbedingungen‹ (Gumbrecht *197*, 13). Mit anderen Worten: Das stillschweigend uminterpretierte Schützsche Konzept ist die Hintertür, durch die die in den früheren rezeptionsästhetischen Ansätzen einer radikalen Kritik unterzogene genetische Fragestellung wieder eingeführt wird. Nicht dagegen richtet sich aber der Haupteinwand, sondern gegen die durchgängige Vermischung normativ-intentionaler und objektiver Aspekte des literarischen Handlungszusammenhangs. Wie mit dem Abheben auf die individuellen Absichten des Autors die produktionsästhetische Dimension auf ihre intentionale Ebene verkürzt wird, so unterscheidet auch der Begriff der »Bedingungen« nicht genügend präzise zwischen objektiven (Text, Bezugsrahmen der Gesellschaftsstruktur) und subjektiven Voraussetzungen (etwa Leserdispositionen) (Gumbrecht *197*, 5 f., 12, 15 f.). Gumbrecht hat eine Schwäche der Rezeptionsästhetik erkannt, reproduziert und unterstreicht sie aber in seiner Schütz-Rezeption[13].

Die Arbeiten von Hugh Dalziel Duncan (Duncan *192*, *193*) knüpfen in erster Linie an H. G. Mead und Max Weber an. Mit ersterem teilen sie die Beschränkung auf die Ebene subjektiv vermeinten Sinns. Im Vordergrund stehen der Meadsche Begriff des signifikanten Symbols und Max Webers Legitimationsbegriff. Mead bezeichnet mit dem Begriff des signifikanten Symbols eine spezifische Differenz menschlicher Kommunikation gegenüber instinktgesteuerten Beziehungen. Und zwar löst Mead zufolge das Setzen von Gesten beim Menschen im Partner A dieselbe Bedeutung aus wie im Partner B. Dadurch kann A die Haltung des anderen antizipieren, eine wesentliche Voraussetzung des Rollenverhaltens. Die Gesamtheit gesellschaftlich geteilter Bedeutungen nennt Mead »logisches Universum«[14]. Der Webersche Legitimationsbegriff zielt auf die subjektiven Bestandsvoraussetzungen gesellschaftlicher Ordnung, ihre Geltung; d. h. eine gegebene Ordnung muß von ihren Mitgliedern immer auch als sinnvoll, gerecht usw. normativ gedeutet werden können. Das Anknüpfen an den Legitimationsbegriff bezeichnet einen wesentlichen Unterschied zum funktionalistischen Konzept: Das Problem der Herrschaft wird einbezogen. So kann Duncan immerhin die Möglichkeit einer kritischen Funktion von Kunst einräumen. Freilich wird dieser kritische Ansatz nicht durchgehalten. Daneben erscheint das funktionalistische Bezugsproblem »maintenance of social order«. Duncan hat das Verdienst, auf Möglichkeiten aufmerksam gemacht zu haben, die sich einer kommunikationssoziologisch orientierten Literaturwissenschaft mit der Einbeziehung Meads und Max Webers eröffnen. Ästhetische Erfahrung wird als eine der Bedingungen kommunikativen Handelns gefaßt, indem sie an der Konstitution solcher Bedeutungskomplexe beteiligt ist, die

Mead nicht sehr glücklich »logisches Universum« nennt, d. h. die Gesamtheit der in einer gegebenen Gesellschaft dominanten verhaltensrelevanten Normen und Werte. Ein solches Konzept betont weniger die kognitive Funktion von Kunst als ihre Affinität zu handlungsrelevanten Einstellungen. Freilich wäre es auf der Grundlage einer die kognitiven und verhaltensregulierenden Funktionen alternativ behandelnden Auffassung schwierig, die ideologische Dimension ästhetischer Erfahrung einzubeziehen, insofern diese immer auch kognitiv relevante Elemente enthält. Problematisch ist in diesem Zusammenhang auch, daß Duncan ein Kontinuum von ästhetischer und lebenspraktischer Erfahrung unterstellt und damit den Gesichtspunkt der Ausdifferenzierung (Autonomie) kultureller Institutionen nicht genügend reflektiert.

Im folgenden sollen Arbeiten diskutiert werden, die mit dem Begriff der Institution eine der umfassendsten aber auch schwer definierbaren Kategorien der Soziologie in den Vordergrund stellen. Duncans Versuch (Duncan *194*) teilt die ahistorische Tendenz mit Böhler und folgt in der Vermischung normativer und nicht-normativer Zusammenhänge der Tendenz seiner übrigen Arbeiten. Er unterscheidet Autor, Kritiker und Publikum als universale Strukturelemente der Institution Literatur (ebd., 329). Davon ausgehend entwickelt er eine Typologie, in der fünf Varianten nach dem Kriterium verschiedener Stärkegrade in der Beziehung zwischen je zwei Elementen unterschieden werden. Die Schwächen dieser Typologie liegen einmal in der Vermischung historischer und nomologischer Gesichtspunkte. Einerseits wird auf historische Epochen wie die der Feudalgesellschaft abgehoben, andererseits werden Gesetzesaussagen (Wenn-dann-Sätze) formuliert, ohne daß das Problem des unterschiedlichen Status historischer und nomologischer Aussagen thematisiert würde. Darüber hinaus wird nicht unterschieden die subjektiv-intentionale und die objektiv-strukturelle Funktion der Institution Literatur[15]. So ist nebeneinander vom Fühlen und Glauben der personalen Träger der Institution und der objektiven Funktion letzterer etwa in bezug auf die Interessen einer gesellschaftlichen Gruppe die Rede. Schließlich weist die Typologie eine Lücke auf zwischen dem globalen Differenzierungskriterium (Stärke bzw. Schwäche der Beziehung zwischen jeweils zwei Elementen) und der Fülle disparater Einzelaussagen.

Weiterführender ist Albrechts (Text 14) kritische und scharfsinnige Diskussion vor allem amerikanischer Versuche, Status, Struktur und Funktion der Institution Kunst zu bestimmen. Hervorgehoben werden muß zunächst sein berechtigter Einwand gegen das vor allem bei Duncan verwendete globale Paradigma der Interaktion, das den spezifischen Charakter ästhetischer Kommunikationsprozesse kaum erfaßt und damit keine genügende Trennschärfe besitzt. Albrechts Vorschlag aber, das »feedback« von Werk/Publikum an objektiven Indizes wie Verkaufsziffern festzumachen und den gesamten Prozeß eher als »chain« oder »series of process« aufzufassen denn als Interaktion, ist kaum befriedigend. Anzumerken ist auch, daß seine Einschränkung des Interaktionsbegriffs auf sogenannte »face-to-face-interaction« mit der Bedingung personaler Präsenz der Handelnden nicht zwingend ist. Zutreffend ist dagegen auch Albrechts Einwand gegen die Ausklammerung des Werks im Duncanschen Modell. Er schlägt vor, schärfer zwischen ästhetischer und sozialer Erfahrung zu unterscheiden. Aber auch hier gelangt er von berechtigter Kritik zur problematischen Schlußfolgerung, Kunst als nicht-sozialen Komplex aufzufassen. Dagegen wäre zu betonen, daß das Verhältnis von ästhetischen und sozialen Normen historisch variabel ist (vgl. Text 13). Was die Frage der Funktion der Institution Kunst angeht, so vermag Albrecht zwar verkürzte Konzeptionen, wie etwa die Arbeit-Freizeit-These, derzufolge ästhetische Erfahrung die Disziplinierungen und Rationalitätszwänge des Arbeitsbereichs durch unmittelbare affektive Befriedigung kompensiert, zu kritisieren. Andererseits gelangt er aber nicht über einen Katalog durchaus beliebig zusammengestellter Funktionsalternativen hinaus. Das hat seinen Grund auch darin, daß Albrecht wie auch Duncan die Historizität soziologischer Konzepte wenig berücksichtigt.

Die Aporien der bisher diskutierten Arbeiten lassen sich im Rahmen der Logik der Sozialwissenschaften erörtern. Habermas nennt drei wissenschaftslogische Bedingungen der Möglichkeit von Theorien kommunikativen Handelns, an denen sich die kritische Darstellung dieser Einleitung orientiert hat: 1. Die Berücksichtigung der Historizität von Wertsystemen,

Normen und Rollenkonstellationen. 2. Die Berücksichtigung der spezifischen Merkmale sozialen Handelns als sinnvermittelte, d. h. im Rahmen von Normen subjektiv gedeutete Prozesse. Diese Dimension ist in Max Webers Bestimmung des Gegenstands der Soziologie als »subjektiv vermeinter Sinn« gefaßt[16]. Zu Recht wird dieser Aspekt bei Schütz und Mead und den an diese anschließenden literatursoziologischen Konzeptionen etwa gegenüber der Übertragung behavioristischer Modelle reizgesteuerten Verhaltens auf Kommunikationsprozesse betont. 3. Die Berücksichtigung des für kritische Soziologie und kritische Literaturwissenschaft fundamentalen Gesichtspunkts, daß gesellschaftliche bzw. kulturelle Vorgänge zugleich intentional-normativ und in nicht-normative Zusammenhänge integriert sind. Als solche nennt Habermas die Dimensionen von Arbeit und Herrschaft[17]. Auf diese nicht-normative Dimension zielt auch Althusser in seiner Analyse der Marxschen Begriffe Produktionsweise/Produktionsverhältnisse[18].

Abschließend kann man festhalten, daß die Problematik der hier diskutierten Arbeiten weder in der Reduktion sozialen bzw. kulturellen Handelns auf reizstimuliertes Verhalten noch in der auf nicht-normative Bedingungsverhältnisse liegt. Durchgängig ist aber dies eine Folge der unkritischen Rezeption soziologischer Kategorien, die Tendenz zu ahistorischer Konstruktion. Besonders die Untersuchung Böhlers bestätigt, daß Soziologie ohne Geschichte leer ist. Ungelöst ist auch, das zeigt die Analyse der Versuche Duncans und Gumbrechts, das Problem der präzisen Unterscheidung *und* Vermittlung der normativen und objektiven Dimension des literarischen Prozesses. Gumbrecht sieht im Gegensatz zu Duncan durchaus die Notwendigkeit einer Verknüpfung, bleibt aber noch an die Grenzen des Schützschen Verfahrens und an die Denkverbote der Rezeptionsästhetik gebunden. Diese hat mit der genetischen Fragestellung den Bezug zum gesamtgesellschaftlichen Bedingungsrahmen überhaupt eliminiert. Was die funktionalistischen Konzeptionen angeht, so bleibt anzumerken, daß sie zwar – wenn auch verkürzt – den Steuerungsaspekt (Bestandserhaltung) kommunikativer Prozesse in den Blick nehmen, aber notwendig mit der Ausklammerung des Konzepts Herrschaft das Phänomen der Ideologie nicht fassen können[19].

Gegenüber den bisher besprochenen Arbeiten geht Bürger von der Voraussetzung der Historizität der Kategorien aus (Text 13). In diesem Zusammenhang ist es konsequent, die Theorie der Institution Kunst/Literatur als Theorie ihres historischen Wandels in Angriff zu nehmen. Das leitende Prinzip der Historizität der Kategorien wird dahingehend eingelöst, daß der Begriff der Institution auf den Bedingungsrahmen der Gesamtgesellschaft bezogen wird. Dieser ist mit dem *Konzept der Gesellschaftsformation*[20] bezeichnet. So gelingt es, Funktionsalternativen systematisch mit historischen »Gesetzmäßigkeiten« der jeweiligen Epoche zu verknüpfen. In der Feudalgesellschaft funktioniert Kunst in erster Linie als Legitimation absoluter Herrschaft. Bürger begründet diese Funktion stringent unter Rekurs auf die ökonomische Grundlage der Kunstproduktion bzw. ihrem im Gegensatz zur bürgerlichen Gesellschaft besonderen Verhältnis zur Gesamtheit der wirtschaftlichen Aktivitäten. Vor dem Hintergrund dieser notwendig beim jetzigen Forschungsstand skizzenhaften Bestimmungen gelingt es Bürger, den historischen Wandel der Funktion der Kunst im Zuge der Ausdifferenzierung des autonomen Kunstwerks herauszuarbeiten. Er zeigt, daß mit der Lösung der engen Verflechtung sozialer und ästhetischer Normen das autonome Kunstwerk einen Möglichkeitsspielraum von Kritik gewinnt, der freilich dadurch neutralisiert wird, daß das Kontinuum von ästhetischer und lebenspraktischer Erfahrung unterbrochen wird.

Auch dadurch zeichnet sich Bürgers Entwurf aus, daß er die Frage nach der Dialektik von Einzelwerk und institutionellem Rahmen stellt. Mit den Begriffen der Norm und des Materials gelingt es, erste und sicher zu erweiternde Vermittlungskategorien zu benennen, die den Vorteil aufweisen, forschungspraktisch im Sinne der Verknüpfung von Werkanalyse und Analyse der strukturellen Wirkungsmechanismen relevant zu sein.

Schließlich ist gegenüber den Aporien des stabilisationstheoretischen Ansatzes auf die Zentralstellung des Ideologiebegriffs hinzuweisen. Dadurch ist die Möglichkeit gegeben, eine Theorie und historische Soziologie der Institution Literatur mit Bezug auf die normtranszendierende Dimension von Arbeit und Herrschaft zu entwickeln.

Im Vorgriff auf die weitere Entwicklung des Ansatzes wäre vor allem aber die enge Auslegung des Prinzips der Historizität infrage zu stellen. Aus der berechtigten Kritik an der scholastischen Leere der Parsonsschen Kategorien etwa zieht Bürger die Konsequenz, sich auf eine »formale Definition« von Institution Kunst im Sinne von epochal geltenden Funktionsbestimmungen zu beschränken. Damit bleiben aber die in der soziologischen Theorie mit dem Institutionsbegriff verknüpften Konzepte des »Handelns«, des »Sinns« und der »Identität« etwa außerhalb der Theorie der Institution Literatur. Das wissenschaftslogische Problem, das sich hier stellt, ist das des legitimen Anwendungsbereichs kategorialer Verallgemeinerung. Bürger selbst sieht diesen Aspekt durchaus, wenn er den Institutionsbegriff nicht auf eine Gesellschaftsformation begrenzt wissen will und damit von der Voraussetzung ihrer relativen Universalität ausgeht. Dreitzel[21] kritisiert zu Recht die Aufgabe methodischer Möglichkeiten der Soziologie bei C. W. Mills, der kategorisch soziologische Generalisierungen über den Rahmen einer Gesellschaftsformation hinaus ablehnt und sich auf das Prinzip der historischen Besonderheit[22] zurückzieht. Auch Habermas, der in der *Logik der Sozialwissenschaften* Mills zu folgen scheint, erörtert in seiner Auseinandersetzung mit Luhmann die Frage der kulturellen Universalien[23] und nennt an Marx anknüpfend[24] Produktion, Verkehrsform (Institutionen), Kommunikation und Ideologie. Eine der in Zukunft zu lösenden Aufgaben wird darin bestehen, nicht kulturelle Universalien und historische Besonderheit alternativ zu behandeln, sondern den jeweiligen Anwendungsbereich kategorialer Verallgemeinerung im Sinne der Möglichkeit theoretischer Konstruktion zu bestimmen und mit dem Prinzip historischer Besonderheit zu vermitteln. Damit erscheint die formale Definition der Institution Literatur legitim als Ausgangspunkt weiterer theoretischer und historischer Forschung.

Die hier geführte Auseinandersetzung mit Ansätzen einer kommunikationssoziologisch orientierten Literaturwissenschaft würde mißverstanden, wollte man sie als Absage verstehen. Im Gegenteil. Es wurde vielmehr versucht, auf wissenschafts- und literaturtheoretische Probleme aufmerksam zu machen, die mit diesem Forschungsansatz sich stellen. Deutlich ist jedenfalls folgendes: Eine bloße Soziologisierung werkimmanenter Grundpositionen führt nicht weiter. Damit werden lediglich Aporien gegenwärtiger soziologischer Theorie importiert. Vielmehr muß das Theorieangebot der Soziologie auf seine forschungspraktische Tragfähigkeit überprüft werden. Als bedeutsamstes Konzept könnte sich das der Institution erweisen. Das kann hier nur andeutungsweise begründet werden. Die Konsequenzen einer Orientierung am Institutionsbegriff wären sowohl literaturtheoretische, werkanalytische wie historische. Auf eine extrem schematisierte Formulierung gebracht, sind Institutionen Systeme von Normen und Werten, die das Handeln von gesellschaftlichen Klassen und Gruppen unter angebbaren ökonomischen, politischen und kulturellen Bedingungen orientieren. Die Untersuchung von Genese, Struktur und spezifischer Funktion ästhetischer Kommunikationsmedien stände damit unter der mit dieser Bestimmung abgegrenzten und freilich zu differenzierenden Fragestellung. Ausgehend von diesem Ansatz würde sich etwa die Analyse von Texten (und anderen Medien) an der Frage orientieren, welche Handlungspotentiale sie enthalten und wie in ihrer immanenten Struktur (etwa des Romans, des Dramas, Films oder Fernsehspiels) Kommunikation organisiert wird.

Handlungstheoretische Ansätze der Soziologie, Psychoanalyse und der Linguistik würden also Instrumente interdisziplinärer Werkanalyse. Was die Theorie der Gattungen betrifft, so wäre etwa, um ein Beispiel zu geben, im Falle des Romans an der spezifischen Form anzusetzen, in der der klassische Typus Kommunikation organisiert, nämlich im Sinne des biografischen Prinzips als Herausbildung kohärenter individueller Identität.[25] Im Hinblick schließlich auf historische literaturwissenschaftliche Forschung liegt die Bedeutung des kommunikationstheoretischen Ansatzes, insbesondere der Orientierung am Institutionsbegriff, in der Differenzierung des Zurechnungsparadigmas. Die Zurechnung von Werkstrukturen zu gesellschaftlichen Gruppen wäre zu entwickeln im Hinblick auf die Frage nach der spezifischen Funktion von ästhetischen Kommunikationsmedien innerhalb einer gegebenen Sozialstruktur. Wenn auch die bedeutenden Vertreter dieses Ansatzes immer auch diese Frage gestellt haben (vgl. Einleitung zu Abschnitt II), so könnte die Einbeziehung der soziologischen Unterkategorien des Institutionsbegriffs (Legitimation, Identität, Norm) zur Weiterentwicklung des Instrumentariums führen. So verstanden könnte die Orientierung am Institutionsbegriff zu sinnvoller (d. h. die Leere ahistorisch entworfener Begriffsgebäude vermeidender) Theoretisierung historischer Forschung im Bereich der Literatur- und Medienwissenschaft beitragen.

Anmerkungen

1 L. Althusser/E. Balibar, *Das Kapital lesen II* (rowohlts deutsche enzyklopädie, 337). Reinbeck bei Hamburg 1972.

2 Vgl. E. Parsons/A. Shils (Hrsg.), *Toward a General Theory of Action*. Cambridge (Massachusetts) 1967, 76 ff.

3 H. G. Gadamer, *Wahrheit und Methode*. [2]Tübingen 1965.

4 R. Dahrendorf, *Homo Sociologicus. Ein Versuch zur Geschichte, Bedeutung und Kritik der Kategorie der sozialen Rolle*. [9]Köln/Opladen 1970.

5 E. Parsons / A. Shils, *Theory of Action*, 84.

6 J. Habermas, *Zur Logik der Sozialwissenschaften. Materialien* (ed. suhrkamp, 481). Frankfurt 1970, 180.

7 Ebenfalls an Parsons knüpfen P. Forster / C. Kenneford *(195)* an. Der Aufsatz beschränkt sich auf den Hinweis auf Parsons Skizze einer Theorie des »expressiven Symbolismus«. Zentrales Forschungsfeld der Literatursoziologie sei »The relationship between expressive symbolism and value orientations« (363). T. Parsons, *The Social System*. [2]New York 1952, Kap. IX, versteht unter expressiven Handlungen solche mit dem Primat unmittelbarer Befriedigung gegenüber dem an Werten (Evaluation) oder der Erreichung von technischen Zielen (Instrumentalität) orientierten Handeln. Der auf Affektivität abhebende Ansatz ist kunsttheoretisch verkürzt. Immerhin enthält das Kapitel einige anregende Bemerkungen, so etwa die über den unterschiedlichen Institutionalisierungsmodus ästhetizistischer und engagierter Kunst, der in einem differenzierteren Bezugsrahmen nachzugehen wäre.

8 Luhmanns neuerlich unternommener Entwurf einer Theorie der Kunst als Kommunikationsmedium deutet Autonomie hingegen als »Beeinflußbarkeit nach systemeigenen Regeln« und als Bedingung der Möglichkeit spezifischer Funktionen im gesamtgesellschaftlichen

Kontext: Niklas Luhmann, *Ist Kunst codierbar?* Oktober 1974 (Manuskript). Die Problematik dieses Versuchs, auf den hier nicht ausführlich eingegangen werden kann, liegt in der Verallgemeinerung epochal begrenzter Phänomene, wie etwa der Disjunktion schön/häßlich, die Luhmann als für Kunst überhaupt geltenden »Code« auffaßt, und dem abstrakten Operieren mit den Begriffen »Kontingenz« (= Vielzahl offener Möglichkeiten im Gegensatz zu Notwendigkeit und Unmöglichkeit) und »Selektion«, die ohne Bezug auf gesellschaftliche Subjekte verwendet werden (Wer erfährt Kontingenz, wer wählt unter welchen Umständen zu welchen Zwecken welche Alternativen?).

9 Darunter sind die gesellschaftlichen Verhältnisse verstanden, die als Determinanten gesellschaftlicher Praxis einen anderen Status haben als Intentionen, Meinungen, Bewertungen, d. h. die historisch variablen Formen der Güterproduktion, Herrschaftsverhältnisse etc.

10 Dazu gehören etwa die Erwartungen, Meinungen usw. von Autoren und Publikum, kurz das, was Adorno »subjektive Befunde« nennt (vgl. Th. W. Adorno, Text 10, These 2). Diese werden von der kritischen Literatursoziologie nicht als »letzte Fakten« aufgefaßt, sondern auf den objektiven Bezugsrahmen der Gesellschaft bezogen. Vgl. zum theoretischen Problemkontext: Th. W. Adorno u. a., *Der Positivismusstreit in der deutschen Soziologie* (Soz. Texte, 58). Neuwied/Berlin [2]1970.

11 A. Schütz, *Der sinnhafte Aufbau der sozialen Welt. Eine Einleitung in die verstehende Soziologie* (suhrkamp taschenbuch wissenschaft, 92). Frankfurt 1974, 115.

12 Ebd., 123 f.

13 H. P. Thurn versucht ebenfalls genetische und funktionale Fragestellungen im kommunikationssoziologischen Bezugsrahmen zusammenzufassen. Auch hier wird das »Kunstwerk als Ergebnis eines Handlungsablaufs« (*128*, 90) verstanden und insgesamt als symbolische Handlung gedeutet. Die Arbeit enthält interessante Erörterungen zur spezifischen Funktionsweise künstlerischer Kommunikationsmedien.

14 G. H. Mead, *Geist, Identität und Gesellschaft* (suhrkamp taschenbuch wissenschaft, 28). Frankfurt 1973, 85 ff., 129 f.

15 Vgl. dazu die scharfsinnige Analyse von: R. K. Merton, *Funktionale Analyse,* in: H. Hartmann (Hrsg.), *Moderne amerikanische Soziologie* (dtv Wissenschaftliche Reihe, 4131). [3]Stuttgart 1973, 176 f., 195.

16 M. Weber, *Wirtschaft und Gesellschaft.* [3]Tübingen 1947, 1.

17 J. Habermas, *Zur Logik der Sozialwissenschaften,* 289, 305; ders.: Zu *Gadamers Wahrheit und Methode,* in: *Hermeneutik und Ideologiekritik,* Frankfurt/M. 1971, 53 ff.

18 L. Althusser / E. Balibar, *Das Kapital lesen II,* 234, 242.

19 Vgl. zur Bedeutung eines kommunikationstheoretisch gefaßten Ideologiebegriffs G. Waldmann (199 a). Waldmann folgt Luhmann in der Abgrenzung gegenüber dem informationstechnischen Ansatz, der die Elemente der Kommunikation isoliere. Ein kommunikatives Zeichensystem übermittele nicht nur einzelne Nachrichten, sondern mit jeder Nachricht einen übergreifenden Sinnzusammenhang (ebd. 18 f.). Im Gegensatz zu Luhmann aber, der »Herrschaft« als agrargesellschaftliche und mithin anachronistische Kategorie auffaßt, betont Waldmann die Bedeutung des Ideologiebegriffs als Instrument zur Erfassung von »Zusammenhängen, die jedwede – z. B. eine literarische – Kommunikation als konkrete Praxis konstituieren bzw. als ideologische Praxis pervertieren« (ebd., 23).

20 Zur theoretischen Bestimmung und forschungspraktischen Operationalisierung des Konzepts vgl. H. G. Haupt, *Nationalismus und Demokratie. Zur Geschichte der Bourgeoisie im Frankreich der Restauration* (Fischer Athenäum Taschenbücher, 4053). Frankfurt 1974. »Mit dem Konzept der Gesellschaftsformation soll gleichsam ein Querschnitt durch die Gesellschaft einer Zeit anvisiert und neben Wirtschaftsentwicklung und Gesellschaftsstruktur die politischen und ideologischen Kämpfe erfaßt werden [. . .]« (16). Haupt versteht es hervorragend, sozialwissenschaftliche Theorie und empirisch-historische Forschung zu verbinden.

21 H. P. Dreitzel, *Theorielose Geschichte und geschichtslose Soziologie*, in: H.-U. Wehler (Hrsg.), *Geschichte und Soziologie* (Neue wissenschaftliche Bibliothek, 53). Köln 1972, 45.

22 C. W. Mills, *Vom Nutzen der Geschichte für die Sozialwissenschaften*, in: H.-U. Wehler (Hrsg.), *Geschichte und Soziologie*, 95.

23 In J. Habermas / N. Luhmann, *Theorie der Gesellschaft oder Sozialtechnologie [. . .]*. Frankfurt 1971, 270 ff., 276 ff.

24 Vgl. die Entfaltung der universalen und historischen Dimension des Arbeitsbegriffs: K. Marx, *Das Kapital I* (Marx Engels Werke, 23). Berlin (DDR) 1970, 192 ff., 198 ff.

25 Zur Verwendung des kommunikationstheoretischen Ansatzes im Zusammenhang der Theorie und Analyse des Romans vgl. M. Waltz, *Handlung als Kommunikation. Zur Soziologie des Romans* (Unveröffentlichtes Manuskript).

14. Milton C. Albrecht
Kunst als Institution

Dieser Artikel untersucht Kunst als eine Institution, wobei »Kunst« als ein Sammelbegriff für eine Vielzahl ästhetischer Erzeugnisse verstanden wird, einschließlich Literatur, bildender Künste und Musik und auch der kombinierten Formen wie Schauspiel und Oper. Die zu untersuchenden Aspekte umfassen einige allgemeine Klassifizierungen und deren Implikationen für den Rang von Kunst innerhalb der sozialen Struktur, die Frage nach der Struktur von Kunst als sozialer Institution, das Problem »menschlicher Elementarbedürfnisse«, die durch Kunst befriedigt werden, und schließlich die Frage nach der Allgemeinheit von Kunst. Diese Aspekte stellen wichtige Gebiete dar, die es nahelegen, Kunst als eine Institution zu betrachten, gleichzeitig illustrieren sie jedoch einige der wichtigsten Unklarheiten und Meinungsverschiedenheiten sowohl unter Soziologen als auch unter anderen Sozialwissenschaftlern und Philosophen. Es soll versucht werden, Schwierigkeiten und Meinungsverschiedenheiten aufzuzeigen, die größtenteils unbemerkt geblieben sind, und einige wichtige Streitpunkte zu klären. Soweit dies möglich ist, soll die Richtung angezeigt werden, in der befriedigendere Ergebnisse erzielt werden könnten, wobei nicht verkannt wird, daß eine verstärkte Unterstützung durch die empirische Forschung not tut und daß auch diese Untersuchung verfeinert werden muß und einer ausgedehnten Analyse bedarf, bevor all ihre Aspekte ausreichend beschrieben sind.

Klassifizierung von Kunst

Soziale Institutionen werden gewöhnlich als eins der »Kerngebiete der Soziologie«[1] betrachtet. Obwohl die meisten Arbei-

Abdruck mit freundlicher Genehmigung des Verfassers aus: Milton C. Albrecht u. a., *The Sociology of Art and Literature.* A Reader. New York/Washington (Praeger Publishers) 1970, 1-26. Erstdruck: Art as an Institution, in: American Sociological Review 33 (1968), 383-397. Aus dem Englischen übersetzt von Reta Zimmermann.

ten speziell über Institutionen zwischen den späten 20er und den frühen 40er Jahren erschienen sind, gab es dennoch in den späten 50er und frühen 60er Jahren einige Neuerscheinungen, wobei die letzte Arbeit von Hertzler auf diesem Gebiet die bisher vollständigste und ausführlichste ist.[2] Sicherlich, das Thema wurde im Rahmen allgemeiner Theorie immer wieder behandelt, jedoch war das wissenschaftliche Interesse hieran eher sporadisch, wodurch Unterschiede aufgedeckt wurden, die die Konzeption von Kunst als einer sozialen Institution, ihren Ort und ihre Bedeutung innerhalb der sozialen Struktur direkt berühren.

Soziale Institutionen werden allgemein von Soziologen und anderen Sozialwissenschaftlern definiert als die grundlegenden Strukturen, durch die menschliche Tätigkeit organisiert und aufgebaut wird, um menschlichen Elementarbedürfnissen zu dienen.[3] Sie unterscheiden sich gewöhnlich von »Vereinen« durch ihre weitere Verbreitung und größere Komplexität, Zeichen für ihre Existenz sind nicht Mitgliedschaft und ein bestimmter Standort, sondern charakteristische Verhaltensmuster in der Gesellschaft. Diese Muster werden strukturiert durch auf sie spezialisierte Kräfte, durch besondere Rollen- und Handlungstypen und durch spezielle Gruppierungen und Organisationen, und sie werden durch besondere Normen, Werte und Überzeugungen geregelt, die ihren Ausdruck in geeigneten Symbolen finden und die durch bestimmte physische Einrichtungen wirksam werden. Da diese Aspekte einen beträchtlichen Spielraum zulassen hinsichtlich ihrer Akzentsetzung und Interpretation, können sie natürlich nicht von allen Autoren systematisch oder ausreichend behandelt werden.[4]

Eine Schwierigkeit ergibt sich gleich zu Anfang bei der Klassifizierung von Institutionen und dem angegebenen oder implizit angenommenen Ort, den die Kunst einnimmt im Verhältnis zu anderen sozialen Institutionen. Im allgemeinen unterteilen sich diese Klassifikationen in zwei Hauptgruppen: die eine betont den Entwicklungsgrad von Institutionen und infolgedessen ihre Bedeutung für die Erhaltung der Gesellschaft, die andere ihre Funktion und ihre Bedeutung als Träger von kulturellen Werten. Die erste Gruppe bezeichnet Institutionen als natürlich gewachsene oder geschaffene Phänomene, als primär oder sekundär (oder sogar tertiär), über- oder untergeordnet, entwickelt oder unentwickelt.[5] Obwohl einige Autoren, die diesen Typus von Klassifikation wählen, Kunst unter die übergeordneten Institutionen einreihen, schreiben ihr die meisten nur zweitrangige Bedeutung zu. Sie behaupten oder gehen stillschweigend davon aus, daß Kunst für die Erhaltung der Gesellschaft nicht so grundlegend ist wie die Familie oder die wirtschaftlichen und politischen Institutionen. So gibt es in der Tat, wie Sumner und Keller als einige der ersten bemerken, in der Kunst und in anderen Formen der »Selbstbefriedigung« »keine Struktur der Realisierung [...], die der des Besitzes für die Selbsterhaltung oder der der Ehe für die Fortpflanzung entspräche; keine Ablagerung von Verhaltensweisen um einen Kern herum, dessen Form von einem Tabu gebildet worden ist.« Folglich stellen sie keine »wirkliche« Institution dar, obwohl sie häufig anzutreffen sind und beharrlich fortdauern.[6] Einige spätere Autoren folgten dieser Unterteilung, besonders Barnes und Panunzio, die beide die Institution Kunst als zweitrangig in ihrer Bedeutung für die Erhaltung der Gesellschaft ansahen.[7]

Diejenigen Autoren, die den zweiten Typus der Klassifizierung bevorzugen, neigen entweder dazu, diese Beurteilung der Kunst umzukehren, oder aber sie zeigen beträchtliche Unsicherheit bei der Zuordnung. MacIver und später der Philosoph Feibleman zum Beispiel ordnen Kunst dem Bereich der Primärwerte zu, der sich unterscheidet von dem Herrschaftsbereich praktischer, aber zweitrangiger Interessen, dem zweckrationalen Bereich.[8] Laut Feibleman gehört die Kunst zu den »höheren« Institutionen.[9] Obwohl Werturteile in diesen Kategorien nicht besonders hervorgehoben werden, spiegeln sie doch christliche Haltungen oder diejenigen idealistischer Philosophie wider in ihrer Ablehnung materieller Werte zugunsten »geistiger«. Von einem eher soziologischen Gesichtspunkt aus nehmen sie eine Bedeutungshierarchie an, wobei den allgemeineren, nicht-empirischen Werten eine Vorrangstellung eingeräumt wird vor den eher instrumentellen. Innerhalb dieser Kategorien erhält die Kunst vorrangige Bedeutung: für MacIver zusammen mit der Religion; für Feibleman zusammen mit der Religion, der Philosophie und den Wissenschaften.[10]

Unter den Funktionalisten zeigt Parsons eine erhebliche Unsicherheit bezüglich der Funktion von Kunst, teilweise wegen seines Interesses an »Handlung«. Hertzler weist darauf hin, daß Parsons frühe Formulierungen institutioneller Typen in den »Essays« situationsbezogene, instrumentelle und integrative Muster beinhalten, jedoch fehlt den Konzeptionen jede klare Anwendung auf Kunst.[11] In »The Social System« verfeinert und erweitert er jedoch seine Kategorien so, daß sie die Kunst enthalten, eingereiht unter Systeme expressiver Symbole, getrennt von Glaubenssystemen. Allerdings hält er »reine« Kunst für Künstler, Cliquen und andere Vereinigungen für eine »zweitrangige Basis«, die niemals »eine primäre Grundlage der Institutionalisierung einer Gesellschaft«[12] werden kann. So stimmt Parsons also im wesentlichen mit der ersten Gruppe überein, obwohl er zugibt, daß »der Bereich des expressiven Symbolismus in einem theoretischen Sinne eines der am wenigsten entwickelten Teile der Handlungstheorie ist.«[13]

Kurz gesagt unterscheiden sich also die Klassifikationen in erster Linie in ihrer Akzentuierung, die einmal auf der Erhaltung der Gesellschaft, einmal auf den kulturellen Werten liegt, und die Bedeutung der Kunst verlagert sich entsprechend. Beide Standpunkte können »richtig« sein und bestimmte signifikante Charakteristiken von Kunst als einer Institution beleuchten. Zum einen, wenn Kunst lediglich von »zweitrangiger« Bedeutung ist für wesentliche Teile des zweckrationalen Bereichs und für die Integration der Gesellschaft, so steht Kunst wahrscheinlich in keiner sehr engen Wechselbeziehung zu diesem Bereich, d. h. sie ist zumindest teilweise autonom. Diese theoretische Möglichkeit bezieht sich besonders auf die schönen Künste[14], die in dieser Hinsicht eine Parallele zur Wissenschaft darzustellen scheinen.[15] Zweitens legt – was die meisten Soziologen nicht deutlich machen – die Verbindung von Kunst und Religion nahe, daß diese Bereiche gemeinsame Werte haben, die sich weitgehend beschränken auf den kulturellen Herrschaftsbereich. Solche Wertvorstellungen können unterschiedliche Glaubensarten und Glaubenskodifizierungen sein, wie zum Beispiel in der Theologie und in der Ästhetik, die in relativer Autonomie vom sozialen System zu existieren scheinen.[16] Folglich weisen beide Wege offenbar in die gleiche

Richtung, wobei implizit gesagt ist, daß Kunst als Institution kaum integriert ist und zumindest in gewisser Hinsicht ein halbautonomes Dasein in der Gesellschaft führt.

Institutionelle Struktur der Kunst

Eine weitere grundlegende Schwierigkeit ergibt sich, wenn Soziologen die Struktur der Kunst direkt als Institution behandeln. Es ist wohl unvermeidlich, daß sie sie für ähnlich der Struktur anderer sozialer Institutionen, wenn nicht gar für identisch mit ihr, halten, d. h. sie als ein System sozialer Interaktion betrachten. Parsons zum Beispiel hält es in seiner Analyse der Beziehung von Systemen expressiven Symbolismus zum sozialen System für »das beste, mit dem Paradigma sozialer Interaktion [...] zu beginnen.«[17] Wenn er die Rolle untersucht, die der Künstler im Verhältnis zum Publikum spielt, geht er von einer direkt reziproken Interaktion aus: »Er (der Künstler) befriedigt ein Bedürfnis seines Publikums, und auf der expressiven Ebene erhält er dafür ‹Zustimmung› und Bewunderung.«[18]

Obwohl Duncan größtenteils in der Tradition symbolischer Interaktion bleibt, weist er einen ähnlichen Typus der strukturellen Analyse auf von Literatur als einer sozialen Institution.[19] Er erstellt eine Reihe von Modellen, die Interaktionsmuster illustrieren zwischen Autor, Kritiker und Publikum. Er nimmt an, daß jeder im Verhältnis zu den anderen agiert, jedoch in unterschiedlichen Stärkegraden, und daß dies Wechselverhältnis »das gemeinsame Element ist in der Struktur literarischer Tätigkeit in jeder anderen Gesellschaft.«[20] Obgleich er anerkennt, daß sich in komplexen Gesellschaften diese »Handlungsträger« niemals treffen, bleibt seine Idealvorstellung »eine starke, reziproke Wechselbeziehung zwischen allen Elementen der Autor-Kritiker-Publikum-Triade.«[21]

Duncan nimmt offenbar an, daß das literarische Werk eine Art von Kommunikation zwischen Personen ist – so als sei es eine Sprache – daß es als ein Medium für soziale Interaktion dient. Die Form und andere Charakteristika des Werks werden als gegeben vorausgesetzt, während die Betonung auf die Interaktion zusammen mit der darin enthaltenen sozialen Solidarität verlegt wird. Diese Solidarität impliziert außerdem einen hochgradigen Isomorphismus zwischen den interagierenden Parteien und dem Kunstwerk.

Der Versuch, ein Modell für das zu erstellen, was man die künstlerische Transaktion nennen könnte, ist bewundernswert. Er dient der Präzision und der Betonung von bestimmten Wesenszügen. Das Modell umfaßt in der Transaktion sowohl den Kritiker als auch den Autor und das Publikum – eine wünschenswerte Ergänzung. Das Schema ist klar, überzeugend. Jedoch bestehen die Bedingungen für seine Realisierung nur sehr selten, z. B. bei bestimmten primitiven Stämmen, in denen direkte kritische Kommentare unter Umständen den Charakter eines Werkes ändern können,[22] oder heute in Situationen, in denen Schauspieler oder Musiker die Qualität ihrer Darbietung verbessern oder verschlechtern als Antwort auf die Reaktion des Publikums. Ganz ähnlich kann ein Schauspieldichter sich veranlaßt sehen, den Inhalt seines Stükkes zu ändern, um dessen Bühnenwirksamkeit zu erhöhen, wobei er teilweise durch die Reaktion des Publikums beeinflußt worden sein kann. Dieser Prozeß ist bewunderswert dargestellt in »The See-Saw Log«[23]. Diese Situationen stellen jedoch lediglich ausgewählte Bereiche dar und vermitteln kaum ein ausführliches Bild von der Kunst als Institution. Die Konzeption einer Interaktion, die auf die Triade von Autor, Kritiker und Publikum beschränkt bleibt, ist begrenzt und zu stark vereinfacht; sie ist jedoch bedeutsam im Hinblick auf einige Aspekte von Kommunikation.

Außerdem verleitet das Modell dazu, einen bestimmten Typus symbolischer mit sozialer Interaktion zu vermischen. Wenn z. B. die »Handlungsträger« in der Transaktion sich niemals treffen, so findet soziale Interaktion im engeren Sinne nicht statt. Selbst wenn die Schauspieler bzw. Musiker und das Publikum zur selben Zeit physisch anwesend sind, wie z. B. bei einem Theaterstück oder im Konzert, so sind die Autoren des Stückes bzw. die Komponisten zumeist abwesend, sie können sogar bereits tot sein. Darüber hinaus ist in vielen Situationen die Stimulation, die von den Darstellern ausgeht und auf das Publikum wirkt, weitgehend einseitig und nicht gegenseitig[24]. Am Ende der Darstellung findet soziale Interaktion wiederum statt, jedoch unterscheidet sich der Vorgang dann in seinem Charakter offensichtlich von der voraufgegangenen künstlerischen Darbietung und der Erfahrung des Publikums. Beide Prozesse zu vermischen oder gleichzusetzen, ist irreführend.

In der Tat dürfte das Modell in weiten Teilen fehlerhaft sein. Es könnte so sein, daß der symbolische Vorgang überhaupt nicht »interaktiv« ist. Könnte der Prozeß nicht genauer beschrieben werden als eine Kette, eine Serie von Vorgängen, die mit dem Künstler beginnt, dessen literarisches Produkt ihn verbindet mit Verleger, Kritiker und Leser? Das »feed-back«, wenn es ein solches gibt, braucht sich nicht in Formen der Ästhetik auszudrücken, sondern eventuell nur in Form von objektiven Anzeichen wie z. B. in der Anzahl verkaufter Bücher. Solche Antworten können in der Tat zustimmender Natur sein und Qualitätsurteile enthalten oder »good will« zum Ausdruck bringen, so z. B. in einem Leserbrief an den Autor, jedoch ist dieser Typus der Publikumsreaktion weit entfernt von einer direkten sozialen Interaktion und zieht seinerseits nicht notwendig eine Antwort nach sich. Das Modell ist daher unzureichend.

Das Modell, wie vorstehend aufgeführt, ist außerdem inadäquat insofern, als es das Werk selbst nur unzureichend berücksichtigt als eine Objektivation oder als einen Prozeß ästhetischer Erfahrung mit allem, was dies bedeutet für den Künstler, Kritiker und das Publikum, einschließlich künstlerischer Traditionen, sozialer Situationen und allgemeiner kultureller Werte. Es betont eher die sozialen Aspekte und ordnet diesen die kulturellen unter bzw. vernachlässigt sie ganz. Diese Überbetonung findet sich nicht nur bei symbolischen Interaktionisten; in der Vergangenheit haben auch viele Soziologen den Unterschied zwischen dem sozialen und dem kulturellen Bereich nicht berücksichtigt.[25] Anthropologen haben sich natürlich hauptsächlich mit dem kulturellen Bereich befaßt, wobei die Kunst gewöhnlich als Teil materieller Kultur betrachtet wurde, obwohl Wissler in seiner Klassifikation der Kultur die Kunst bereits getrennt hat von materiellen Charakteristiken wie z. B. Werkzeugen und Geräten, Waffen und Kleidung.[26] Murdocks »Outline of Cultural Materials« enthält die schönen Künste als gesonderte Kategorie. Er folgt damit der westlichen Klassifikationsart.[27] Unter den Soziologen war sich Hiller um 1940 herum des Problems bewußt, das die Kunst darstellt, und er führte aus, daß »Kunst, Musik und andere Gebiete mit kulturellem Inhalt [. . .] obwohl sie Kommunikation und Austausch zwischen Personen einschließen, dennoch keine Normen sozialer Beziehungen als wesentliche Aufbauelemente aufweisen«, sie sind folglich »nicht-soziale« Komplexe.[28] Eine weitgehende Erkenntnis der analytischen Unterscheidung zwischen dem sozialen und dem kulturellen Bereich läßt sich entnehmen aus den Ausführungen von Kroeber und Parsons im Jahre 1958.[29] Sicherlich, einige Soziologen, unter ihnen Parsons, haben den Unterschied schon lange vorher erkannt, es dauerte jedoch lange, bis dieser physische Objekte in die Betrachtung einbezog. Wie Gouldner bemerkt, »enthält Parsons Modell des sozialen Systems keine ›materiellen‹ Elemente wie z. B. Werkzeuge und Maschinen.«[30] Er hätte hinzufügen können: Kunst. Möglicherweise als Antwort auf solche Kritik wird sich Parsons in steigendem Maße der »Objekte« bewußt, einschließlich Kunst in ihrer physischen Form im Verhältnis zum sozialen System. In »Theories of Society« führt er aus, daß »menschliche Handlung organisiert ist in Form von sich bildenden Mustern aus den ›Bedeutungen‹ der Objekte und durch diese sowie durch Orientierungen in bezug auf Objekte in der Welt menschlicher Erfahrung.«[31] Eine solche breite Orientierung gibt vielleicht eine vernünftigere Basis ab für die Analyse von Kunst in der Gesellschaft im Gegensatz zur sozialen Interaktion in den früheren Schriften.

Zieht man diese Grenzen und vielversprechenden Möglichkeiten in Betracht, so läßt sich daraus schließen, daß die Struktur von Kunst als einer Institution sich in verschiedener Hinsicht unterscheidet von der der Familie und von der wirtschaftlicher und politischer Institutionen. Die Kunst muß betrachtet werden als ein merkwürdig »gemischtes« System, einen Typus, den Chapin zutreffend die »diffus-symbolischen Institutionen«[32] nennt. Man könnte sie als eine »sozio-kulturelle« Institution bezeichnen, wäre nicht dieser Terminus zu sehr seiner Bedeutung entleert, als daß er noch nützlich sein könnte. Vielleicht deutet Hillers »nicht-sozialer« Komplex in die richtige Richtung, so daß Kunst einfacher und positiv eine »kulturelle« Institution genannt werden kann.

Unabhängig von der Bezeichnung muß Kunst als institutionelle Struktur betrachtet werden im Hinblick auf das Kunstprodukt als Objekt oder als Prozeß ästhetischer Erfahrung und als ein wesentliches Kettenglied in einem ausgedehnten Netz sozialer und kultureller Beziehungen. Der gesamte Komplex kann hier nicht erschöpfend dargestellt werden. Es ist jedoch zu vermuten, daß bestimmte Elemente, wenn sie vollständig entwickelt sind, die Struktur von Kunst als einer Institution abbilden können. Diese Elemente sind nicht gleich gewichtig, und sie wechseln je nach Kunstart. Sie lassen sich jedoch der Einfachheit halber in acht Punkten kurz zusammenfassen wie folgt:

1. Technische Systeme einschließlich Rohmaterial (Farbe, Wörter, Abfall), Spezialwerkzeuge, Techniken und Fertigkeiten, sowohl tradierte als auch neu erfundene.

2. Die traditionellen Kunstformen wie z. B. das Sonett und die Novelle in der Literatur, das Lied und die Symphonie in der Musik, das Staffelei- und das Wandbild in der Malerei oder Kombinationen in Oper und Tanz. Solche Formen nehmen jeweils die Existenz bestimmter Inhalte und Bedeutungen in sich auf, die sich im Laufe der Zeit verändern.[33]

3. Künstler, ihre Sozialisation und Ausbildung, ihre Rollen, Karrieren, Verbindungen und Arten von Kreativität.

4. Vertriebs- und Vergütungssysteme, einschließlich Vertragshändler und Mäzene, Museen mit ihrem Personal und charakteristischen Tätigkeiten, Verteiler, Verleger und Händler mit ihrem speziellen Personal, Ausrüstungen und Organisationen, die besonderen Normen und Wertvorstellungen unterliegen.

5. Rezensenten und Kritiker mit ihren typischen Absatzgebieten und Ausdrucksformen und ihren Berufsverbänden.

6. Publikum und Zuhörer, von »live«-Besuchern in Theater, Musikhalle oder Museum bis zu Millionen Fernsehzuschauern oder dem »unbekannten« Publikum, das privat liest oder Musik hört.

7. Formale Beurteilungsprinzipien, die ästhetische oder außerästhetische Beurteilungsgrundlage für Künstler, Kritiker und Publikum sind.

8. Allgemeine kulturelle Werte, die die Kunst in der Gesellschaft erhalten, wie z. B. die Annahme der zivilisierenden Funktionen von Kunst, ihre Fähigkeit, die Emotionen zu verfeinern, Vorurteile zu überwinden oder soziale Solidarität herzustellen.

Aus diesen kurzen Beschreibungen wird deutlich, daß einige Gebiete primär kulturell, andere sozial sind; einige beziehen psychologische Aspekte mit ein wie z. B. die Persönlichkeit des Künstlers oder des Händlers; viele von ihnen sind gemischt. Sie beinhalten nicht eine vereinfachte Gruppe von Beziehungen, sondern einzelne Beziehungsnetze und Prozesse innerhalb und zwischen Gebieten, die im einzelnen aufgeführt werden müssen als Teil der Gesamtoperation der Institution. Einige dieser Beziehungen sind ausgesprochen harmonisch und miteinander vereinbar, andere jedoch, wie z. B. die zwischen Künstler und Händler oder Verleger, schließen rivalisierende Zwecke und Ziele ein. Einige Aspekte, wie z. B. die Auswahl und Ausbildung von Literaten, sind bisher noch nicht formal organisiert im Gegensatz zu Schulen für Malerei und Architektur. Diese und andere Aspekte müssen genauer beschrieben und analysiert werden, bevor größere Sicherheit erreicht werden kann hinsichtlich des Integrationsgrades von Kunst in ihren verschiedenen Ausprägungsformen und im Hinblick darauf, wie Kunst sich erhält als eine mehr oder weniger unabhängige Institution mit bestimmten, um nicht zu sagen einzigartigen Funktionen in der Gesellschaft.

Institutionelle Funktionen von Kunst

Welches sind nun also die Funktionen von Kunst als einer Institution? Diese Frage zieht unvermeidlich psychologische, soziale und kulturelle Erwägungen nach sich, sie reicht letztlich jedoch bis zur biologischen Ebene. Soziale Institutionen werden gewöhnlich betrachtet als wesentliche Strukturen der Gesellschaft, die »Elementarbedürfnisse« befriedigen, die oftmals interpretiert werden im Sinne von biologischem Überleben. Hunger und Sexualität z. B. sind die »Elementarbedürfnisse«, die letztlich befriedigt werden durch Wirtschaft und Familie, die sowohl für das körperliche, als auch für das soziale Überleben sorgen. Kunst dagegen scheint keine solche physiologische Grundlage zu haben. Feibleman postuliert zwar drei »Elementarbedürfnisse« bzw. -Triebe, wovon zwei Hunger und Sexualität sind, der dritte »Wißbegierde« oder »Neugier«, Eigenschaften, von denen die »höheren« Institutionen einschließlich Kunst abgeleitet werden;[34] er gibt jedoch zu, daß der dritte Trieb nicht wissenschaftlich abgesichert ist.[35] In der Tat hat man keinen »Ästhetik-Trieb« in der Art und Weise lokalisieren können wie Hunger oder Sexualität, und niemand behauptet ernsthaft, daß die Kunst notwendig ist für das körperliche Überleben, trotz Hertzlers Aussage, daß die Kunst eine »harte Lebensnotwendigkeit« sei[36]. Es erscheint wahrscheinlich, wie Stephen Pepper kürzlich aufgezeigt hat, daß ästhetische Befriedigung, die letztlich von den Sinnen abgeleitet wird, sich von den Mechanismen für die Befriedigung von Hunger und Sexualität in der Weise unterscheidet, daß sie nicht wie diese konsumptive Tätigkeiten beinhaltet, die dem Abbau innerer Spannungen dienen: sie ist nicht zyklisch. Sie tritt auf als »unverdiente Befriedigung«, d. h. hier wird kein unmittelbares Verlangen gestillt, und eine instrumentelle Tätigkeit ist nicht erforderlich.[37]

In allgemeiner Form besteht diese Vermutung seit langem. Unter den Soziologen entdeckte Spencer im Jahre 1872 die Quelle des »ästhetischen Gefühls« in den Sinnen, und als Kind seiner Zeit betrachtete er Kunst und Spiel als verwandt in ihren Funktionen.[38] Kunst und Spiel wurden scharf abgesondert, weil sie *nicht* notwendig waren für körperliches Überleben: sie geschehen um ihrer selbst willen. Er glaubte, daß Spiel und Sport, obwohl sie vorgeben, »reale« Aktionen zu sein, wesentlich »nutzlose« Tätigkeiten sind, die ihren Wert in sich selbst tragen.[39] Aufgrund ihrer großen Nähe zu instrumentellem Verhalten stehen sie jedoch am unteren Ende der Skala für »unverdiente Befriedigung«, am oberen Skalenende stehen die schönen Künste. Diese Art von Befriedigung erscheint vor allem in entwickelten Gesellschaften, unter Bedingungen, die es erlauben, den »Nervenzentren« lange Ruhepausen zu gewähren; diese bauen dann Energie auf, die hinausgeht über die Nervenkraft, wie sie für unmittelbare, instrumentelle Tätigkeiten benötigt wird.[40] Auf diese Weise verband Spencer die vorherrschende Spieltheorie der Kunst mit der Theorie der

Überschußenergie, wobei er viele der wissenschaftlichen Probleme unberücksichtigt ließ, die sich ergeben hinsichtlich der Frage, wie Nervenenergie umgeformt wird in sinnliche Wahrnehmung und wie diese transformiert wird in verschiedene Kunstformen. Die Betonung lag auf »Tätigkeiten, die ihren Wert in sich selbst tragen«, die Funktionen dieser Art von Befriedigung bleiben jedoch individuell und psychologisch und dienen dazu, die Kunst von lebenswichtigen – biologischen sowie sozialen – Bedürfnissen zu isolieren.

Diese Orientierung beeinflußte spätere Soziologen, die Spencers Interpretationen abwandelten. Sumner und Keller z. B. verlegten das Prinzip des »um seiner selbst willen« auf »Selbstbefriedigung« als eines von drei Elementarbedürfnissen, wobei die anderen »Selbsterhaltung« und »Fortpflanzung« sind.[41] Leider benutzten sie den Begriff unpräzise und dehnten ihn auf bloße »Eitelkeit« und auf »Vergnügen« aus, so daß nicht nur Spiel, sondern jede Art von Befriedigung – von Betel-Kauen bis zur Siegertrophäe – den gleichen Rang erhielt wie die Kunst. Eine derart weite, dehnbare Kategorie war kaum geeignet, die Grundlage zu bilden für die Herausarbeitung von Kunst als einer Institution.[42] Andere Interpretationen wurden geleistet von Panunzio und Barnes, in denen zum ersten Mal soziale Implikationen berücksichtigt wurden.

Panunzio gab Spencers Überschuß-Energie-Theorie auf zugunsten der »Rest«-Hypothese[43], während Barnes keinen großen Unterschied machte zwischen Kunst und Spiel als Freizeitbeschäftigungen.[44] In der Tat verlegten beide den Akzent von der Befriedigung, die um ihrer selbst willen erfahren wird, auf diejenige, die aus Freizeitaktivitäten entspringt. Auf diese Weise erhält Kunst ihre psychologische und soziale Funktion in erster Linie als »Erholung«, als eine der vielen Formen der »Wiederherstellung«, die notwendig sind, um ein Gegengewicht zu bilden gegen die Auswirkungen von Arbeit. Hier wird die bekannte Arbeit-Freizeit-Dichotomie ganz deutlich sichtbar.

Diese Interpretation war vielleicht nicht zu vermeiden, nachdem Spencer die Kunst abtrennte von den »Funktionen, die dem Leben dienen«. In seinem letzten Werk über soziale Institutionen bezeichnet Hertzler die Kunst noch als eine Form von Erholung, wobei er sich zugleich auf Henry Murrays Konzept vom ästhetischen Bedürfnis stützt.[45] Parsons und Shils schlagen dagegen eine etwas andere Form des Arbeit-Freizeit-Dualismus vor in »General Theory«, wo sie den Gehalt von Rollen im sozialen System abhandeln. Eventuell beeinflußt durch Weber fragen sie sich, ob die Muster, die die Befriedigung expressiver Interessen begünstigen, nicht in Wirklichkeit dazu dienen, die psychischen Anstrengungen »auszugleichen«, die die instrumentellen Rollen mit sich bringen. »Eine Gesellschaft, die für eine weit verbreitete Institutionalisierung instrumenteller Rollen sorgt, muß, wenn sie mehr oder weniger stabil bleiben will, einige kompensatorische Mechanismen besitzen zur Befriedigung von vorhandenen Bedürfnissen nach sofortiger Bedürfnisbefriedigung.«[46] Sie fügen hinzu, daß in der Tat die vorübergehenden Mechanismen eventuell übertrieben werden müssen, um die »Einseitigkeit« instrumenteller Rollen erfolgreich auszugleichen, so daß auf diese Weise stark mit Emotionen aufgeladene Abreaktionen entstehen wie z. B. »die romantische Liebe, kommerzialisierte Unterhaltung, Trinken sowie Bücher und Filme, in denen Gewalt eine große Rolle spielt.«[47]

Eine solche Spekulation sollte vielleicht nicht zu ernst genommen werden. Wenn der Gegenstand sorgfältiger analysiert worden wäre, hätten die Autoren ohne Zweifel untersuchen müssen, ob z. B. in anderen, weniger säkularisierten Gesellschaften mit weniger in instrumentellen Bereichen rationalisierten Rollen weniger »kompensatorische Mechanismen« in Form von emotionaler Gewalt auftreten. Sie hätten ohne Zweifel die Entwicklung abstrakter Tendenzen in Musik, Lyrik und den visuellen Künsten in Betracht ziehen müssen, die kaum als Formen von Gewalt angesehen werden können. Offenbar wurden die Autoren hier durch ihr Interesse an psychischer und sozialer Stabilität zu solch groben Vereinfachungen verleitet, die, wie sie selbst zugeben, einer genaueren Analyse bedürfen.

Die Formulierung eines Aspektes dieses psychischen Prozesses jedoch, wie ihn Parsons und Shils darstellen, führt zu einem anderen, verwandten Bezugsrahmen. Neben der Gleichgewichtskonzeption bezeichnen sie den Prozeß außerdem als einen Vorgang, in dem das expressive Interesse die Anspannung »reduziert«, die durch die instrumentellen Rollen geschaffen wird, wobei von der Möglichkeit ausgegangen wird, daß Spannungen »abgeleitet« werden können.[48] Sie führen diese Möglichkeit nicht weiter aus, die sowohl soziale als auch psychologische Implikationen hat; es handelt sich dabei um genau den Mechanismus, der bei psychoanalytischen Interpretationen angewandt wird, wie sie von Coser in »The Functions of Social Conflict«[49] vorgestellt werden. Es sollte wiederum beachtet werden, daß Coser keine Abhandlung über die Funktionen von Kunst geschrieben hat; er benutzte jedoch bestimmte Kunstformen, um psychologische Prinzipien zu illustrieren, die für die gesellschaftliche Ordnung bedeutsam sind. Seine Beobachtungen sind somit ein Beispiel für eine weitere, verbreitete Interpretation, wie sie von Soziologen und anderen Sozialwissenschaftlern verwandt wird und deren Implikationen für die Funktionen von Kunst in der Gesellschaft Beachtung verdienen.

Bei seiner Untersuchung verschiedener Möglichkeiten, die sozialen Konflikte eventuell nicht nur zu reduzieren, sondern auch zu verhindern, kommt Coser zu dem Schluß, daß Massenkultur, Sport und Unterhaltung in erster Linie Medien darstellen, über die Aggressionen abgelenkt werden von institutionellen Konflikten, die deren ursprüngliche Quelle sind, indem sie stellvertretend dafür »sichere« Abflußkanäle bereitstellen für feindselige Impulse.[50]

Auf diese Weise werden einige Kunstformen, indem sie einen eigenen Typus von Befriedigung gewähren, gleichzeitig zu Möglichkeiten des Spannungsabbaus; sie funktionieren als »Sicherheits-Ventil-Institutionen« und verhindern auf diese Weise offene Konflikte. Sie sind jedoch ein weniger wirksames »Opium« für die Massen als die speziellen Möglichkeiten sozialer Kontrolle, die unter Umständen »von den machthabenden Kräften begrüßt werden.«[51]

Auch das Theater kann, indem es die spannungserzeugenden Punkte eines Systems karikiert, Lachen hervorbringen, das als »verschobener Kanal« zur Ableitung von Feindseligkeit dient, so daß andere soziale Strukturen ungestört bleiben.[52] Innerhalb seiner Konflikttheorie betrachtet daher Coser einige der Künste als Stützen, die den status quo erhalten helfen, indem sie spezielle Möglichkeiten bereitstellen, Feindseligkeit und Aggressionen abzureagieren oder zu verschieben.

Anders als Parsons und Shils erkennt Coser die institutionellen Konfliktquellen nicht. Er berücksichtigt auch nicht, daß außer der Komödie noch andere Kunstarten notwendig die gleichen Funktionen haben. Wie Parsons und Shils ist er primär interessiert an der Frage nach gesellschaftlicher Stabilität. Ebenso wie Freud untersucht er, ob die Kunst und andere Möglichkeiten der Zerstreuung auf Dauer Konflikte vermeiden können und ob diese Arten der Ablenkung, soweit sie wirksam sind, gesellschaftlich disfunktional wirken, ähnlich wie neurotische Systeme dies für individuelle Persönlichkeiten tun. Seiner Ansicht nach kann so wünschenswerte Anpassung an das gesellschaftliche System verzögert, wenn nicht gar verhindert werden.[53]

All diese psychischen Funktionen von Kunst mit ihren gesellschaftlichen Implikationen sind einleuchtend und wahrscheinlich soweit richtig. Sie implizieren, daß die Kunstformen verschiedene Funktionen haben, eine Behauptung, der zuzustimmen ist. Wie Malinowski und andere ausführen, haben Institutionen immer verschiedene Funktionen erfüllt.[54] In unserer Gesellschaft können Individuen die Kunst benutzen zur Entspannung, als Flucht- und Trostmöglichkeit, als Möglichkeit, psychische Spannungen abzubauen etc., und die gesellschaftlichen Folgen können so aussehen, wie hier angenommen wird.[55] Die dennoch entstehende Verwirrung ist darauf zurückzuführen, daß das Grundproblem zugleich weiter und enger ist: weiter, wenn die gesamte Skala ästhetischer Formen in Betracht gezogen, enger, wenn der Akzent primär auf die schönen Künste als Institution verlegt wird.

Insgesamt läßt sich ästhetische Befriedigung vielleicht nicht so sauber von instrumentellen Bereichen trennen wie Spencer und andere annahmen. In seiner Arbeit über zweckgerichtetes Verhalten bemerkt z. B. der Psychologe Tolman, daß ästhetische Äußerungen selten in reiner, isolierter Form auftreten. »Sie sind wahrscheinlich immer als kleinste Elemente eingebettet in den Ausbruch anderer Begierden und Aversionen.«[56] Ganz ähnlich, wenn auch im Kontext von »Interessen«, die offensichtlich kulturgebundener sind, führt der Philosoph R. B. Perry aus, daß das ästhetische Interesse nicht nur bei allen Menschen vorhanden ist, sondern zumindest potentiell allen Interessen innewohnt. Jedes praktische oder kognitive Interesse kann es anreizen, und »die enge Verflechtung des ästhetischen Interesses mit praktischen und kognitiven Interessen ist die Ursache für dessen merkwürdige Universalität und für seine Vorrangstellung.«[57] In seiner Studie über gesellschaftliche Institutionen in Amerika zählt Chapin »symbolische kulturelle Charakteristika«, normalerweise künstlerische Objektivationen, zu den vier wichtigsten Elementen aller größeren gesellschaftlichen Institutionen.[58] Hertzler und Feibleman betrachten Kunst als kulturumgreifendes Phänomen, das Eingang findet in alle wichtigen Kanäle gesellschaftlichen Lebens.[59] Ästhetische Formen können in der Tat in vielen gesellschaftlichen Kontexten Verwendung finden: als Propaganda, als religiöse Ikone, als Reklame, als Andenken an eine Persönlichkeit des öffentlichen Lebens, als Lehrmittel in Psychologie und Soziologie.[60] Kunst kann auf direktem und indirektem Wege die Moral einer Gruppe festigen und die Entwicklung von Gemeinschaftssinn, von gesellschaftlicher Solidarität unterstützen; von Minderheiten eingesetzt, kann Kunst gesellschaftliche Widersprüche bewußt machen und einen Sammelpunkt bilden, der Handlung und gesellschaftlichen Wandel vorantreibt. In unserer Gesellschaft kann sie daher sowohl zur Kritik als auch zur Festigung der bestehenden gesellschaftlichen Ordnung eingesetzt werden, wobei sie im wesentlichen jedesmal die gleiche Funktion erfüllt: Kunst erhöht das Bewußtsein von dem gesellschaftlichen Kontext, in dem sie erscheint, und symbolisiert als Objektivation wesentliche Werte dieses Kontextes. Ihre populärsten Formen können institutionalisiert werden als Teil unserer Wirtschaft, wo sie, wie Coser meint, vor allem den »herrschenden Mächten« dienen. Sie kann außerdem, wie wir bereits angedeutet haben, institutionalisiert werden in Form eines autonomen Systems der schönen Künste.

In »The social System« beweist Parsons, daß er sich des Unterschiedes bewußt ist zwischen ästhetischen Formen, die außerästhetischen Zwecken dienen, und »reiner Kunst«, die zur Grundlage wird nicht nur für die spezialisierte Rolle der Künstler, sondern auch für »eine Reihe von künstlerischen Standards, die selbst zum wichtigsten Symbol werden für die Zugehörigkeit zu einer subkulturellen Gruppe.«[61] Eine solche Gruppe betrachtet er als »direkte Parallele zu ›Sekten‹ von

Intellektuellen, die ein gemeinsames Glaubenssystem haben, das sich unterscheidet von der diffuseren allgemeinen Ideologie der Gesellschaft,«[62] er schreibt ihr jedoch keine allgemeine Bedeutung zu. In dieser Hinsicht ist vielleicht Max Weber überzeugender. In seiner kurzen Abhandlung über den ästhetischen Bereich im Verhältnis zur Religion hat auch Weber darauf hingewiesen, daß verschiedene Kunstarten magischen und religiösen Zwecken gedient haben, gleichzeitig betont er jedoch, daß im Zuge der Entwicklung eines Intellektualismus und der Rationalisierung des Lebens »die Kunst zu einem Kosmos von mehr und mehr bewußt erfaßten, autonomen Werten geworden ist, die aus sich selbst heraus existieren.«[63] In der Tat übernimmt die Kunst als abgegrenzte Institution »die Funktion einer innerweltlichen Erlösung« und tritt in direkte Konkurrenz zur Religion, wobei sie »moralische Werturteile in Geschmacksurteile umwandelt.«[64] Die Kunst bildet eine Alternative zur Religion in dem Sinne, daß sie wie diese ein System höchster Werte bereitstellt, die den in der Gesellschaft vorherrschenden antithetisch entgegenstehen. Diese Werte umfassen, wie Weber vorschlägt, die »Erlösung« von der Routine des Alltagslebens und von »Systemzwängen und deren praktischen Folgen«,[65] Funktionen, die Parsons und Shils ebenfalls nicht entgingen, jedoch dürfte nur Weber hierbei ihre weitergehende Bedeutung erfaßt haben.

Positiver ausgedrückt könnte man die Kunst als eine Institution bezeichnen, die eine Anzahl spezifischer Werte verkörpert, deren Kohärenz ebenso wie die ihnen innewohnende Glaubensintensität sie oftmals in die Nähe der Absolutheit religiöser Glaubenssysteme bringen. Diese Werte, die vielfach und in verschiedenen Formen zusammengestellt worden sind, umfassen in Kürze: die Bedeutung qualitativer Erfahrungen im Gegensatz zum mechanischen, quantitativen Charakter von Wissenschaft und Technologie; das Gefühl der Ganzheit des »Seins« im Gegensatz zu übermäßiger Spezialisierung und Fragmentierung der Rollen; das Gefühl der Gemeinschaft im Gegensatz zur Unpersönlichkeit von vertragsmäßigen Beziehungen und bürokratischen Prozessen; die Verherrlichung der intrinsischen Werte der Kunst im Gegensatz zu Werten wie Reichtum, materieller Erfolg – kurz, zu all den vorherrschenden Werten der bürgerlichen Gesellschaft.[66] Diese Werte bestimmen eine Subkultur, die für Marcuse als »die große Verweigerung« existiert, d. h. die herausfordernde Haltung derjenigen, die ihre grundsätzliche Opposition zu vorherrschenden Werten der gegenwärtigen Gesellschaft zum Ausdruck bringen wollen.[67] Poggioli nennt avantgardistische Kunst eine »negative« Kultur, »die radikale Verneinung einer allgemeinen Kultur durch eine spezifische.«[68] Vielleicht könnte man sie mit Yinger als »Gegenkultur«[69] bezeichnen, wobei eine ihrer extremsten Ausdrucksformen unter Künstlern das Bohèmetum ist.[70]

Positiver ausgedrückt heißt das jedoch, daß Kunst als Institution betrachtet werden kann als Kultur einer Minorität, die sowohl zur Stabilität als auch zum Wandel in unserer komplexen, pluralistischen Gesellschaft beiträgt. Sie kann die Stabilität nicht nur dadurch erhöhen, daß sie einen Ausgleich schafft zwischen emotionalen und instrumentellen Bedürfnissen und so Spannungen abbaut, sondern auch dadurch, daß sie geniale Beschäftigungen und Interessen bereitstellt für »unangepaßte« Persönlichkeiten. Diejenigen z. B., die durch natürliche Veranlagung bzw. durch Sozialisation eher zur Kontemplation neigen, zu Werten des »Seins« statt des »Tuns«[71], finden in der Kunst eine kreative Ausdrucksform, die ihrer Persönlichkeit entspricht; andere finden vielleicht auf verwandten Gebieten die Möglichkeit, die Werte der Kunst in der Gesellschaft zu fördern. Die Institutionalisierung von künstlerischen Aktivitäten wird so nicht nur zu einem stabilisierenden Element in der Gesellschaft, sondern auch zu einer Bereicherung der ihr zugrundeliegenden »Werte«.[72]

Als Alternative zur Religion kann die Kunst als autonomes System nicht nur als bloßer »Ausgleich« für die instrumentellen, rationalisitschen Aspekte der Gesellschaft wirksam werden, sondern sie kann sich ebenso zur Grundlage entwickeln für gesellschaftlichen Wandel, sie unterstützt nicht nur eine unangepaßte soziale Bewegung und gibt dieser Ausdruck, sondern sie stellt ihre Werte als eine alternative Möglichkeit zu leben dar. Jede Institution versucht, wenn sie einmal entstanden ist, ihre Grenzen zu erweitern und die Anerkennung ihrer Wertvorstellungen auf möglichst breiter Ebene zu erreichen, wobei sie mit anderen Institutionen in Konkurrenz tritt hinsichtlich ihrer Anerkennung und Bedeutung. Die Kunst bildet hier keine Ausnahme. Ihre Anerkennung in den USA ging langsam vonstatten, doch sie nimmt stetig zu. Barzun z. B. glaubt, daß »ein Angehöriger der gebildeten Klasse heute keinen direkten oder intensiven Kontakt zu den Künsten benötigt, um unter den Einfluß des ästhetischen Credos und dessen Emotionen zu kommen. (Er) denkt über das Leben, Geschäfte, die Gesellschaft und die westliche Welt so wie die von der Kunst inspirierten Kritiker der letzten 80 Jahre [. . .], deren Haltungen [. . .] haben das breite Publikum tatsächlich erreicht, das mit kulturellen Werten durch die Presse in Berührung kommt, wo die Leser nicht nur die Verehrung der Kunst reflektiert bekommen, sondern auch die ihr innewohnende Verachtung der Welt.«[73] Die Genauigkeit der Behauptung Barzuns ist sicherlich zu bezweifeln, vor allem im Hinblick auf Behauptungen, daß die schönen Künste wenig beachtet werden[74], jedoch mag das seit kurzem zu beobachtende, lebhafte Interesse an der Kunst, sowohl von seiten der Regierung, als auch von seiten des Publikums, einen bedeutsamen Wandel anzeigen.[75]

So befriedigt die Kunst also nicht nur ein, sondern viele »Elementarbedürfnisse«, im psychologischen wie im gesellschaftlichen Sinne. Als Institution erfüllt sie eine Vielzahl von Funktionen in der Gesellschaft, nicht zuletzt die der gesellschaftlichen Stabilisierung und Bereicherung der Kultur. Was vielleicht am wichtigsten ist, Kunst stellt einen weltlichen Ersatz dar für die Religion, indem sie zu den vorherrschenden Werten alternative entwickelt und verbreitet, Werte, die entscheidend werden können für gesellschaftlichen Wandel.[76]

Die Universalität von Kunst

Schließlich hat die Kunst als Institution bestimmte Implikationen für die Kunst in anderen Kulturen, insbesondere die verbreitete Vorstellung von der Universalität der Kunst. U. a. haben die Anthropologen diese Konzeption in Umlauf gebracht; in der etwas älteren Generation z. B. Lowie und Boas, später etwa Herskovits, Belas und Hoijer. Lowie fand Beweise dafür, daß selbst im frühen Steinzeitalter Kunsthandwerker ihren Fischbeilen eine gefällige Form gaben, was nicht zur

Erhöhung der Nützlichkeit beitrug, sondern lediglich das Aussehen verbesserte.[77] Boas behauptete, daß »schon das bloße Vorhandensein von Gesang, Tanz, Malerei und Bildhauerei in allen uns bekannten Stämmen einen Beweis darstellt für die Existenz des Wunsches, Dinge herzustellen, die als befriedigend empfunden werden aufgrund ihrer Form und für die Fähigkeit des Menschen, diese zu genießen.«[78] Beals und Hoijer gehen weniger weit in ihren Schlußfolgerungen, führen jedoch mit Bestimmtheit aus: »Es ist keine Kultur bekannt, in der es keinerlei ästhetischen Ausdruck gibt.«[79]

Zu beachten ist jedoch, daß keiner der Autoren sich auf die »schönen Künste« bezieht. Jeder von ihnen betont ästhetische Aspekte, die sowohl Kunsthandwerk als auch andere Formen einschließen und die vor allem Euro-Amerikanern bekannt sind. Sie interpretieren Kunst ohne Ausnahme weiter, als dies in der westlichen Tradition üblich ist, und die späteren Vertreter sind sich der Unterschiede in kulturellen Traditionen durchaus bewußt. Diese stimmen genau überein mit der an anderer Stelle zitierten Formulierung von Stephen Pepper, daß ästhetische Äußerungen als »unverdiente Befriedigung« auftreten, ebenso wie mit Tolmans und Perrys Beobachtung der engen Verwandtschaft von ästhetischen und praktischen sowie kognitiven Kontexten. Daraus kann man schließen, daß in grauer Vorzeit solche Erfahrungen die Erschaffung von Mustern und Formen bewirkt haben zur Ordnung von Geräuschen und körperlichen Bewegungen, die in dem einen oder anderen praktischen oder gesellschaftlichen Kontext Bedeutung annahmen und allmählich in traditionellen Formen fixiert wurden, die sich von Kultur zu Kultur unterscheiden.

Diejenigen, die sich dieser kulturellen Unterschiede stärker bewußt sind, neigen eher dazu, kulturelle Relativität zu betonen anstelle von kultureller Universalität. E. R. Leach z. B. weist darauf hin, daß »jede lokale Gruppe ihre eigenen ästhetischen Traditionen hat, die dieser Gruppe, und zwar nur dieser Gruppe eigen sind.«[80] Ganz ähnlich zeigt Redfield auf, daß »eine komplexe Welt traditioneller Bedeutungen« durch die Kunst einer bestimmten Kultur dargestellt wird, die ihren eigenen, traditionellen Stil hat, der durch gesellschaftlichen Gebrauch tradiert und sanktioniert worden ist.[81] Diese Bedeutungen sind eigentümlich und für eine Kultur lebenswichtig.

So berichtet Mountford, daß bei den australischen Ureinwohnern die »primitiven Ausdrucksformen, Musik und Schauspiel«, streng kontrolliert werden durch die althergebrachten Gebräuche des Stammes und daß sie »im Leben der Ureinwohner eine äußerst wichtige Rolle spielen, denn mit Hilfe dieser Kunstformen, Gesänge und Rituale erhalten die Ureinwohner ihre Philosophien, die Schöpfungsmythen und die Heldentaten ihrer totemistischen Vorfahren am Leben.«[82]

Auch in der westlichen Tradition wurden die Künste erst in neuerer Zeit aus gesellschaftlichen und kulturellen Kontexten herausgelöst. Die Griechen kannten keine »schönen Künste« im modernen Sinne, sie benutzten diese Bezeichnung für Tätigkeiten, die wir Kunsthandwerk oder Wissenschaft nennen würden. Wie Kristeller ausführt, waren »Schriftsteller und Philosophen des Altertums, obwohl sie mit ausgezeichneten Kunstwerken konfrontiert wurden und deren ästhetischen Reiz durchaus wahrnahmen, weder in der Lage noch willens, die ästhetische Qualität dieser Kunstwerke von ihren intellektuellen, moralischen, religiösen und praktischen Funktionen oder Gehalten abzulösen oder solche ästhetischen Qualitäten als Standard zu benutzen, um die schönen Künste zusammenzufassen oder sie zum Gegenstand einer umfassenden philosophischen Interpretation zu machen.«[83] Während des Mittelalters besaß die Konzeption von Kunst die gleiche umfassende Bedeutung wie im Altertum.[84] Wie an anderer Stelle beschrieben, dient die Kunst selbst in der gegenwärtigen amerikanischen Gesellschaft, ebenso wie in anderen Gesellschaften, noch immer außerästhetischen Zwecken. Sie ist »praktisch-kognitiven Interessen« untergeordnet, sie unterstützt religiöse und andere allgemeine gesellschaftliche Werte und bringt diese zum Ausdruck. In dieser Hinsicht kann Kunst also als universal betrachtet werden. In jeder Gesellschaft in der ganzen Welt steht ästhetischer Ausdruck in einer Wechselbeziehung mit gesellschaftlichen Strukturen und kulturellen Merkmalen, er steigert das Bewußtsein von diesen und erteilt ihnen in symbolischer Form Ausdruck. Eine solche Konzeption von Kunst als universaler schließt jedoch die Möglichkeit von Kunst als autonomer Institution aus.

Eine der Konsequenzen, die sich aus dieser kulturellen Relativität ergaben, war eine Verstärkung der kulturellen

Kurzsichtigkeit, allgemein bekannt als Ethnozentrismus. Formen, die heute Kunst genannt werden, wurden gewöhnlich von den Angehörigen verschiedener Kulturen nicht als solche betrachtet. Sicherlich konnte ein primitiver Stamm von einem anderen unter Umständen eine bestimmte Form oder das Thema eines rituellen Tanzes übernehmen, jedoch nahm diese Form jeweils eine andere gesellschaftliche und kulturelle Bedeutung an.[85] Es ist bezeichnend, daß die Themen »nicht dieselben« waren. Selbst in der westlichen Tradition verstand ein Gebiet das andere nicht. Im 12. Jahrhundert interessierte sich niemand für griechische Kunst. Malraux bemerkt, »daß ein Christ, um eine Statue des klassischen Altertums als Statue und nicht als heidnisches Idol zu erleben, zunächst die Statue einer ›Jungfrau‹ wahrnehmen müßte, bevor er sie als die Jungfrau sehen dürfte.«[86] In ähnlicher Weise nahm das 17. Jahrhundert keine mittelalterliche Kunst wahr. Vorher, im 16. Jahrhundert, als die Entdeckung der neuen Welt den Entdekkungen von Columbus, Cortez und seinen christlichen Vertretern folgte, konnten Leute wie etwa Bischof Landa die Schriften der Mayas und die Gegenstände religiöser Verehrung in ihren Tempeln nicht als »Kunst« wahrnehmen, sondern lediglich als »verabscheuungswürdige Gegenstände«, die es auszurotten galt.[87] Im 19. Jahrhundert waren Entdecker und christliche Missionare in fremden Ländern oftmals über die »Idole« heidnischer Völker verärgert, und sie begegneten diesen mit Feindseligkeit. Wo es ihnen möglich war, zerstörten sie die Heiligtümer der Polynesier und anderer Stämme, und wenn sie, wie Firth ausführt, nach Europa einige der wichtigsten Werke primitiver Kunst mitbrachten, so geschah dies »weniger aus ästhetischen Gründen als vielmehr deshalb, weil diese Dinge erhalten wurden, um sie im Triumph als Siegesbeute in dem Glaubenskrieg heimzusenden.«[88]

Der Wandel vollzog sich mit der Entdeckung einer modernen euro-amerikanischen Konzeption der schönen Künste. Erst zu diesem Zeitpunkt wurde die Wahrnehmung derart umgewandelt, daß Kunstgegenstände, Tänze, Gesänge und Mythen von Menschen in aller Welt, deren Formen ästhetische Qualität besaßen, »sichtbar« wurden. Wie Malraux ausführt, »*sah* vor dem Hereinbrechen der modernen Kunst niemand einen Khmer-Kopf und noch weniger eine polynesische Skulptur aus dem ganz einfachen Grunde, weil niemand sie ansah.«[89] »Niemand sah sie an« bedeutet natürlich eine Unfähigkeit zur Wahrnehmung derjenigen Qualitäten, die sich in den ästhetischen Formen ausdrücken, auf die in modernen Konzeptionen besonderer Wert gelegt wird.

Obwohl zahlreiche Theoretiker zum Thema Ästhetik das neue Credo verkündeten, kann Clive Bell als typischer Vertreter gelten. Er sah das Wesen der »Schönheit« in der »bedeutsamen Form«, eine Konzeption, die ästhetischen Qualitäten den Vorrang gab vor deren Inhalten.[90] Der Inhalt und die an ihn gebundenen Bedeutungen wurden in der Tat in dieser extremen Sicht zunehmend vernachlässigt. Daher behauptete Bell angesichts der Kunst primitiver Völker kategorisch: »In primitiver Kunst findet man keine genaue Repräsentation; man findet nur bedeutsame Form.«[91] »Primitive«, fügte er hinzu, »produzieren Kunst, weil sie dazu getrieben werden; sie haben kein anderes Motiv als den leidenschaftlichen Wunsch, ihrem Formgefühl Ausdruck zu geben.«[92] Außerdem braucht jeder, der ein Kunstwerk genießen will, »keine Kenntnis vom Leben, seinen Ideen und Belangen, keine Vertrautheit mit seinen Gefühlen [. . .], er braucht nur ein Gefühl für Formen und Farben und das Wissen um den dreidimensionalen Raum.«[93]

So interpretiert wird Kunst natürlich zu einer sich selbst genügenden Einheit, die abgelöst ist von gesellschaftlichen und kulturellen Bedeutungen. Gegen diesen extremen Standpunkt verwahren sich Leach, Redfield und andere mehr oder weniger, und einige der späteren Philosophen, die sich mit Fragen der Ästhetik befassen, nehmen eine viel breitere Perspektive ein, insistieren aber zugleich weiterhin darauf, daß die ästhetischen Werte ausschlaggebend seien, damit die Kunst ein Kosmos autonomer Werte werde, die sie als Institution kenntlich mache.[94]

Ohne Notiz zu nehmen von diesen notwendigen Modifikationen und Qualifikationen, hat die Vorstellung von der Kunst als eines getrennten und von allen Nützlichkeitsaspekten abgehobenen Bereiches, unabhängig von allen gesellschaftlichen und kulturellen Bedeutungen, dennoch in der westlichen Hemisphäre unter Künstlern und Kritikern, gebildeten Laien, ja selbst unter interessierten Touristen einen breiten

Raum eingenommen. Eine der Folgen war es, daß Kulturen in aller Welt nach »Kunstschätzen« ausgeplündert wurden. Überall wurden tragbare Objekte aus ihrem Kontext gerissen.[95] Die Masken, Kachinas*, Skulpturen, Totems und andere kulturelle Erzeugnisse der australischen Ureinwohner, der Stämme aus Neu-Guinea, Westafrika u. a. sind als KUNST gesammelt und in unsere Museen geschafft worden, sie hängen an unseren Wänden und stehen auf unseren Kaminsimsen.[96] Chac-mools und steinerne Jaguare sind aus den alten Tempeln der Mayas entfernt worden, »Wasserspeier« wurden von Kathedralen heruntergerissen. Der größte Teil der schönsten Totems und anderer »Kunst«-Objekte aus Alaska findet man nicht in Alaska, sondern in der Sowjet-Union, in europäischen Museen, in Kanada, New York, Portland, Seattle, Denver und anderswo.[97] So ist die Kunst jetzt »universal« geworden in einem Sinne, der sich, ausgehend von der Tradition der schönen Künste in Europa und Amerika, in der ganzen Welt verbreitet hat. Dieser Prozeß stellt keine militärische oder politische Invasion der Welt dar, sondern eine künstlerische.

Es ist vielleicht paradox, daß eine Kultur, die die Welt ihrer Kunstschätze beraubt, diese zugleich rettet, wenn auch zu ihren eigenen Bedingungen. Es sollte jedoch nicht verkannt werden, daß gerade dieser Prozeß unter den spezialisierteren und weitsichtigeren Wissenschaftlern zumindest in steigendem Maße ein Bewußtsein geschaffen hat über die tatsächlichen oder möglichen ursprünglichen Bedeutungen von Kunst in speziellen Gesellschaften und Kulturen. Außerdem hat dieser Prozeß natürlich die westliche Welt um eine breite Skala künstlerischer Formen bereichert. Malraux bemerkt hierzu: »Die durch unsere Metamorphose wiederbelebte Kunst ist ein Gebiet, das so weit und abwechslungsreich ist wie das Leben selbst es war in vergangenen Zeitaltern.«[98] Daher war es unvermeidlich, daß einige der primitiven Formen zu einer wesentlichen Inspirationsquelle für westliche Künstler wurden; so sind z. B. Matisse, Picasso und andere um die Jahrhundertwende herum beeinflußt worden von den

* Oder Katcina: eine Maske, kleine Statue oder ein anderer Gegenstand, der in den Ritualen der Arizona-Hopis und anderer Pueblo-Indianer benutzt wird. (Anmerkung d. Übers.)

Skulpturen Afrikas.[99] Selbst versunkene Zivilisationen, wie z. B. die der Mayas, können eine Wiedergeburt, wenn nicht gar eine Art von Kontinuität erleben durch unsere gegenwärtige Kunst, in der Neuschöpfung der Chac-mool Figur der Mayas, in den abwärtsstrebenden bildhauerischen Formen eines Henry Moore. Kubler führt dazu aus: »Nur durch ihren formalen Ausdruck lebt die Sensibilität einer ausgelöschten Zivilisation in Kunstwerken weiter und formt das Werk lebender Künstler in einer völlig anderen Zivilisation ein halbes Jahrtausend später.«[100]

Daher hat der Versuch unserer heutigen Gesellschaft, den Bereich der Kunst als einen autonomen, in sich abgeschlossenen Kosmos zu errichten, der aus sich selbst heraus existiert, letztlich universelle Bedeutung. Die Konzeption von Kunst als einem Phänomen, das Werte einschließt, die kulturelle Unterschiede transzendieren, deutet die Möglichkeit, wie sie von Firth und anderen vermutet wird, an, daß es möglicherweise universelle ästhetische Normen gibt[101] oder daß sich die westliche Konzeption in der ganzen Welt verbreiten und die ersten universal akzeptierten ästhetischen Normen für die schönen Künste schaffen könnte.

Anmerkungen

1 Arnold Rose, The Institutions of Advanced Societies (Minneapolis, Minn.: University of Minnesota Press, 1958), S. V.

2 Charles H. Judd, The Psychology of Social Institutions (New York: Macmillan, 1927); J. O. Hertzler, Social Institutions, 1. Ausgabe (Lincoln, Nebr.: University of Nebraska Press, 1929); Floyd H. Allport, Institutional Behavior (Chapel Hill, N. C.: University of North Carolina Press, 1933); F. Stuart Chapin, Contemporary American Institutions (New York: Harper + Brothers, 1935); Lloyd V. Ballard, Social Institutions (New York: Appleton-Century-Crofts, 1936); Constantine Panunzio, Major Social Institutions (New York: Macmillan, 1939); Harry Elmer Barnes, Social Institutions (Englewood Cliffs, N. J.: Prentice-Hall, 1942); Hertzler, loc. cit. überarbeitete Ausgabe, 1946; James K. Feibleman, The Institutions of Society (London: George Allen + Unwin, 1956); Arnold M. Rose, op. cit., 1958; Hertzler, American Social Institutions (Boston: Allyn and Bacon, 1961).

3 Zusätzlich zu o. a. Quellen s. z. B. Charles Horton Cooley, Social Organization (New York: Charles Scribners' Sons, 1919), S. 313-314; R. M. MacIver und Charles H. Page, Society (New York: Rinehart, 1949), S. 15; Bronislaw Malinowski, A Scientific Theory of Culture (Chapel Hill, N. C.: University of North Carolina Press, 1944), S. 46-61; Henry A. Murray, Explorations in Personality (New York: Oxford University Press, 1938), S. 139: Institutionen sind erstarrte Bedürfnismuster, an denen viele teilhaben.

4 Hertzlers letzte Definition ist die umfassendste, s. American Social Institutions, S. 84-85.

5 William G. Sumner, Folkways (Boston: Ginn, 1906), S. 54; Barnes, op. cit., S. 31-35; Gerard De Gré, Science as a Social Institution (New York: Random House, 1955), S. 2-3; Ralph B. Perry, Realms of Value, (Cambridge Mass.: Harvard University Press, 1924), S. 154-156; L. L. Bernard, An Introduction to Sociology (New York: Crowell, 1942), S. 878-882. Vergl. allgemeine Abhandlung in Hertzler, American Social Institutions, S. 165-167.

6 William G. Sumner und Albert G. Keller, The Science of Society (New Haven, Conn.: Yale University Press, 1927), III, 2061-2062.

7 Barnes, op. cit., S. ix-xi, 31-35; Panunzio, op. cit., S. 265.

8 MacIver, op. cit., S. 446, 498-506; Feibleman, op. cit., S. 198-214, 218-219.

9 Op. cit., S. 215 ff.; MacIver benutzt die Konzeptionen von »Zivilisation« und »Kultur« in Anlehnung an Alfred Weber, op. cit., S. 498-499. Sein Einfluß ist klar ersichtlich in Adolf S. Tomars, Introduction to the Sociology of Art (Mexico City, 1940).

10 MacIver, op. cit., S. 499; Feibleman, op. cit., S. 215-224.

11 Hertzler, American Social Institutions, S. 169; Talcott Parsons, Essays in Sociological Theory (Glencoe, Ill.: The Free Press, 1949), S. 44-45; in dieser Hinsicht weist die zweite Ausgabe von 1954 keine bedeutsamen Änderungen auf.

12 The Social System (New York: The Free Press of Glencoe, 1951), S. 412 und Kap. 10 über »Expressive Symbols and the Social System«, S. 384-427.

13 Op. cit., S. 384. Ähnliche Ausführungen in: Theories of Society (New York: The Free Press, 1965), S. 984, 1165.

14 Diese Möglichkeit wird unterstützt von Wilbert E. Moore, Social Change (Englewood Cliffs, N. J.: Prentice-Hall, 1963), S. 75-76. Unter den zahlreichen Ausführungen, in denen Kunst als autonom betrachtet wird, vergl. besonders Harry Levin, »Literature as an Institution«, in Mark Schorer, et al., Criticism: The Foundations of Modern Literary Judgement (New York: Harcourt, Brace, 1948), S. 546-553; C. M. Bowra, »Poetry and Tradition«, Diogenes No 22 (Sommer, 1958), S. 16-26; Robert N. Wilson, Man Made Plain

(Cleveland, Ohio: Howard Allen, 1958), S. 138; Clement Greenberg, Art and Culture (Boston: Beacon Press, 1961), S. 5-6, 32-33.

15 Florian Znaniecki, The Social Role of the Man of Knowledge (New York: Columbia University Press, 1940), S. 158, wo theoretisches Wissen betrachtet wird als »ein vollkommen autonomer Bereich objektiver intellektueller Kultur«; Frank E. Hartung, »Science as an Institution«, Philosophy of Science, 18 (Januar 1951), S. 43-45; Robert K. Merton, »Science and the Social Order«, in Bernard Barber und Walter Hirsch (Hrsg.), The Sociology of Science (New York: The Free Press of Glencoe, 1962), S. 19-22. Es sollte jedoch beachtet werden, daß alle gesellschaftlichen Institutionen einen gewissen Grad von Autonomie haben, der allerdings mehr oder minder ausgeprägt sein kann. Vgl. Alvin W. Gouldner, »Reciprocity and Autonomy in Functional Theory«, In Llewellyn Gross (Hrsg.), Symposium on Sociological Theory, (Evanston, Ill.: Row, Peterson, 1959), S. 254-259.

16 s. Moore, op. cit., S. 76; Greenberg, op. cit., S. 5-6.

17 The Social System, S. 385-386.

18 Ibid., S. 409.

19 Hugh D. Duncan, Kap. 4 in Language and Literature in Society (Chicago: University of Chicago Press, 1953), S. 58-74.

20 Ibid., S. 67.

21 Ibid., S. 72.

22 Ein treffendes Beispiel hierfür findet man bei den Tiv in Zentralnigerien – vergl. Paul Bohannan, »Artist and Critic in an African Society«, in Douglas Fraser (Hrsg.), The Many Faces of Primitive Art (Englewood Cliffs, N. J.: Prentice-Hall, 1966), S. 248-249. Vgl. außerdem James W. Fernandez, »Principles of Opposition and Vitality in Fang Aesthetics«, Journal of Aesthetics and Art Criticism, XXV (Herbst 1966), S. 54-55.

23 William Gibson (New York: Alfred A. Knopf, 1959).

24 s. Arnold M. Rose, Theory and Method in the Social Sciences (Minneapolis, Minn.: University of Minnesota Press, 1954), S. 27-29; Colin Cherry, On Human Communication (New York: John Wiley, 1957), S. 17.

25 Vergl. Tomars, op. cit., 28-29. Hier spricht er von »künstlerischen Volksbräuchen und -sitten« und bezeichnet das Sonett und die Fuge als »Institutionen«; das Schreiben von Sonetten nennt er eine »Gewohnheit der Dichter« und den Gebrauch von Fugen in einer Symphonie »eine Gewohnheit der Musiker«.

26 Clark Wissler, Man and Culture (New York: Thomas Y. Crowell, 1923), S. 74. Herskowitz ist nicht zuzustimmen wenn er behauptet, daß Wissler »Kunstarten wie Musik und Tanz« ebenso vernachlässige wie literarische Formen außer Mythologien. Er führt sie in seiner

Klassifizierung auf, es ist jedoch richtig, daß er in seinen Ausführungen nicht im einzelnen auf sie eingeht. – s. S. 230 in Melville J. Herskovits, Man and His Works (New York: Alfred A. Knopf, 1964).

27 George P. Murdoch et al., Outline of Cultural Materials, 3. überarbeitete Ausgabe (New Haven, Conn.: Human Relations Area Files, Inc., 1950), S. 72-74. »Die schönen Künste« bilden eine andere Kategorie als »Erholung« und »Unterhaltung«.

28 E. T. Hiller, Social Relations and Structures (New York: Harper + Brothers, 1947), S. 72, 242-243.

29 A. L. Kroeber und Talcott Parsons, »The Concepts of Culture and of Social System«, American Sociological Review, XXIII (Oktober 1958), S. 582-583. Kommentar von Richard Ogles und Marion J. Levy, Jr. und Erwiderung von Parsons in: American Sociological Review XXIV (April 1959), S. 246-250.

30 Alvin W. Gouldner, »Reciprocity and Autonomy in Functional Theory«, S. 247.

31 S. 963. Bereits im Jahre 1958 betrachtete James H. Barnett das Studium von Kunst als einen Prozeß, der den Künstler, das Kunstwerk und das kunstrezipierende Publikum umfaßt. – s. »Research Areas in the Sociology of Art«, Sociology and Social Research, XLII (Juli-August 1958), S. 401-405. Vergl. seine Ausführungen in Robert Merton et al. (Hrsg.), Sociology Today (New York: Basic Books, 1959), S. 210-211. Im Jahre 1955 bemerkte Stephen Pepper, daß in der Geschichte der Ästhetik hauptsächlich ästhetische Werte oder Erfahrungen Beachtung gefunden haben, wobei der Gegenstand, der diese Erfahrung hervorruft, vernachlässigt wurde. In: »The Work of Art« (Bloomington, Ind.: Indiana University Press); in: »Against Interpretation« (New York: Noonday Press, 1966) bemerkt Susan Sontag, daß »das Kunstwerk seine Existenz als ›Gegenstand‹ wiedergewinnt [. . .] und nicht mehr nur als ›individueller, persönlicher Ausdruck‹ betrachtet wird.« (S. 297).

32 F. Stuart Chapin, op. cit., S. 13.

33 Die Vorherrschaft der Form ist offen ersichtlich in westlicher Kunst- und Literaturgeschichte, findet sich aber auch bei primitiven Stämmen, wo die Übernahme von fremden Formen gewöhnlich eine Übersetzung in »Inhalt« und »Bedeutung« nach sich zieht. – s. Ralph Linton, The Study of Man (New York: Appleton-Century, 1936), S. 405, 419; Dorothy Leadbeater über die Kunst der Mayas in: Marian W. Smith (Hrsg.), The Artist in Tribal Society (New York: The Free Press of Glencoe, 1961), S. 110. Dieser Standpunkt steht nicht notwendig im Gegensatz zu der Konzeption einer organischen Einheit, in der Inhalt und Form im Einzelwerk untrennbar miteinander verbunden sind und ineinander übergehen.

34 Op. cit. S. 26-27.

35 Vergl. die »Kompetenz«-Konzeption, wie sie von R. W. White, »Motivation Reconsidered: the Concept of Competence«, Psychological Review, LXVI (1959), S. 297-333, angewandt wird. S. auch die Erörterung dieser Konzeption in: Susanne K. Langer, Mind: an Essay on Human Feeling (Baltimore, Md.: The John Hopkins Press, 1967), I, S. 277-279. Dennoch muß beachtet werden, daß physischer Hunger im Vergleich zu »Interessen« eine andere Ebene einnimmt.

36 Op. cit., S. 505.

37 The Sources of Value (Berkeley and Los Angeles: University of California Press, 1958), S. 53, 153-154, 158. Vergl. Clyde Kluckhohn und Henry A. Murray, Personality in Nature, Society and Culture (New York: Alfred A. Knopf, 1953), S. 13-16: »Das Kind agiert zumeist nicht als Instrument eines animalischen Triebes [...], sondern es will *sich selbst befriedigen*«.

38 Herbert Spencer, The Principles of Psychology (New York: D. Appleton, 1896), II-2, 632-635. Das Kapitel über »Ästhetische Gefühle« ist 1872 ursprünglich als gesonderter Teil veröffentlicht worden.

39 Ibid., S. 630-631.

40 Ibid., S. 629-630.

41 Sumner und Keller, op. cit., S. 2061-2062.

42 Eine ausführliche Analyse der Grenzen der »Vergnügen«-Konzeption findet sich bei: Stephen Pepper, op. cit., S. 196-198, 359-362, 379-385, 575-579.

43 Op. cit., S. 266.

44 Op. cit., S. 838-839.

45 Op. cit., S. 505, 341-345. Vergl. H. A. Murray, op. cit., S. 106, 111-112, 138-139. Zur Frage »Kann man hinter Elementarbedürfnisse nicht mehr zurückgehen?« s. Dorothy Lee, Journal of Abnormal and Social Psychology, LXIII (1948), S. 391-392. Ihre Arbeit wird zugrundegelegt bei: Clyde Kluckhohn, »Values and Value Orientations in the Theory of Action: An Exploration in Definition and Classification«, in: Talcott Parsons und Edward A. Shils (Hrsg.), Towards a General Theory of Action (Cambridge, Mass.: Harvard University Press, 1951), S. 425-426.

46 Op. cit., S. 218. Auf die Notwendigkeit, durch Spiele, öffentliche Vorstellungen und künstlerische Aktivitäten »Ventile« für Individuen in Gesellschaften zu schaffen, wurde von Linton, op. cit., S. 413-414, hingewiesen.

47 Op. cit., S. 218.

48 Ibid., S. 217.

49 Lewis A. Coser, The Functions of Social Conflict (New York: The Free Press of Glencoe, 1964) (Paperback). Originalausgabe 1956.

50 Ibid., S. 40-41, 45-47.
51 Ibid., S. 44.
52 Ibid., S. 43-44.
53 Ibid., S. 47-48.
54 Op. cit., S. 168-169. Malinowski vertritt jedoch entschieden den Standpunkt, daß Institutionen biologischen Bedürfnissen dienen. Linton ist sich in weit stärkerem Maße der vielfältigen Funktionen bewußt, die komplexe Phänomene ausüben. Op. cit., S. 418-419. Vergl. auch Arnold Rose, Sociology (New York: Alfred A. Knopf, 1957), S. 148.
55 S. Anerkennung dieser Tatsache in: D. G. Gotshalk, Art and the Social Order, 2. Auflage (New York: Dover, 1962), S. 158, 167-168.
56 Edward C. Tolman, Purposive Behavior in Animals and Men (New York: Century, 1932), S. 280.
57 Ralph Barton Perry, Realms of Value (Cambridge, Mass.: Harvard University Press, 1954), S. 236.
58 Op. cit., S. 15-16.
59 Hertzler, op. cit., S. 519-522; Feibleman, op. cit., S. 218.
60 Vergl. Gotshalk, op. cit., S. 163-164.
61 Op. cit., S. 411-412.
62 Ibid., S. 412. Vergl. Parsons und Shils, Towards a General Theory of Action, S. 239-240.
63 In H. H. Gerth und C. Wright Mills, From Max Weber: Essays in Sociology (New York: Oxford University Press, 1946), S. 342. Vergl. Jacques Barzun, The House of Intellect (New York: Harper + Brothers, 1959), S. 17: »Für viele Menschen ist die Kunst, als Ersatz für die Religion, zum Sinn des Lebens geworden«.
64 Op. cit., S. 341-342.
65 Ibid., S. 342.
66 s. z. B. Clement Greenberg, op. cit., S. 5-7, 31-33; Jacques Barzun, op. cit., S. 16-19; Morse Peckham, Man's Rage for Chaos (Philadelphia: Chilton Books, 1965), S. 313-315; César Graña, Bohemianism versus Bourgeois (New York: Basic Books, 1964), passim. Speziell hierzu sind Quellen sehr zahlreich.
67 Herbert Marcuse, One Dimensional Man (Boston: Beacon Press, 1964), S. 62-74.
68 Renato Poggiolo, »The Artist in the Modern World«, The Graduate Journal, VI (Winter 1964), S. 99-100.
69 J. Milton Yinger, »Contraculture and Subculture«, American Sociological Review, XXV (Oktober 1960), S. 625-635.
70 Graña, op. cit., passim.
71 s. Florence Kluckhohn, Variations in Value Orientations (Evanston, Ill.: Row, Peterson, 1961), S. 15-17.
72 Ibid., S. 30-31.

73 Op. cit., S. 18-19, 37-38.

74 S. Ortega y Gasset, The Revolt of the Masses (New York: New American Library, 1950); Dwight MacDonald, »Masscult and Midcult« in: Against the American Grain (New York: Vintage Books, 1965), S. 3-75. S. den Überblick von Daniel Bell, »Modernity and Mass Society: On the Varieties of Cultural Experience«, Studies in Public Communication, IV (Herbst 1962), S. 3-34.

75 The National Foundations on the Arts and the Humanities, gegründet vom 89. Kongreß, 16. Sept. 1965. Eine ausgezeichnete Zusammenfassung findet sich in: Washington Report, XIII (September 23, 1966) der State University von New York, ein allgemeiner Kommentar bei: Meg Greenfield, »The Politics of Art«, The Reporter, 22. Sept. 1966, S. 25-30. Zum New York's Council on the Arts s. Saturday Review, 25. Feb. 1967, S. 68-69.

76 Florence Kluckhohn, op. cit., S. 45: »Diejenigen, die grundlegenden Wandel bewirken, die Neuerer, weichen fast immer vom System ab«. Vergl. H. G. Barnett, Innovation (New York: McGraw-Hill, 1953), S. 378 ff. Außerdem dürfte die Existenz abweichender Werte in der Gesellschaft eine notwendige Bedingung sein für den inneren Wandel, zusammen mit den Spannungen, die erstere in jedem Fall hervorrufen. Sie brauchen allerdings nicht der »Grund« eines solchen Wandels zu sein.

77 Robert H. Lowrie, An Introduction to Cultural Anthropology, 2. Auflage (New York: Rinehart, 1947), S. 177.

78 Franz Boas, Primitive Art (New York: Dover, 1955), S. 9.

79 Ralph L. Beals und Harry Hoijer, An Introduction to Anthropology, 3. Auflage (New York: Macmillan, 1965), S. 643. Vergl. Herskovits, op. cit., S. 378: »Es dürfte hinreichen festzustellen, daß die Suche nach Schönheit ein allgemeines Phänomen menschlicher Erfahrung ist.«; E. Adamson Hoebel, Anthropology: The Study of Man, 3. Auflage (New York: McGraw-Hill, 1966), S. 287: »Die Menschheit könnte ohne Kunst überleben, und doch sind der Mensch und die Kunst untrennbar miteinander verbunden«.

80 »Aesthetics«, in: The Institutions of Primitive Society (Glencoe, Ill.: The Free Press, 1961), S. 33-34.

81 »Art and Icon«, in: Robert Redfield, et al., Aspects of Primitive Art (New York: The Museum of Primitive Art, verl. von University Publishers, 1959), S. 20-21. Vergl. Herskovits, op. cit., S. 378: »Hinsichtlich des komparatistischen Studiums von Kunst muß ein streng relativistischer Standpunkt eingenommen werden [. . .]«.

82 Charles P. Mountford, »The Artist and his Art in an Australian Aboriginal Society«, in: The Artist in Tribal Society, S. 9.

83 Paul Oscar Kristeller, »The Modern System of the Arts«, Teil I, Journal of the History of Ideas, XII (Oktober 1951), S. 506.

84 Ibid., S. 508.

85 Ein Beispiel hierfür sind die Arapesh, die dekorative Gegenstände von ihren Nachbarn beziehen; Margaret Mead, et al., Technique and Personality in Primitive Art (New York: The Museum of Primitive Art, verl. bei: New York Graphic Society, 1963), S. 8-9. Vergl. die Diskussion über Diffusionstheorien in: Paul Wingert, Primitive Art: Its Traditions and Styles (New York: Oxford University Press, 1962), S. 10-11.

86 André Malraux, The Voices of Silence (New York: Doubleday, 1953), S. 53. (Der Titel dieses Werkes lautete ursprünglich: The Psychology of Art).

87 S. Victor W. Von Hagen, World of the Maya (New York: New American Library, 1960), S. 15-16.

88 Raymond Firth, Elements of Social Organization (Boston: Beacon Press, 1963), S. 158-159. Vergl. auch Douglas Fraser, Primitive Art (New York: Doubleday, 1962), S. 11, 35; Katherine Kuh, »Alaska's Vanishing Art, Saturday Review, 22. Okt. 1966, S. 31.

89 Op. cit., S. 608.

90 Art (New York: Frederick A. Stokes, 1913), S. 25. Bell hat offenbar in England die Konzeption des »Formwillens« verbreitet, die in Deutschland von Alois Riegl entwickelt und von Wilhelm Worringer bekanntgemacht wurde. Vergl. hierzu den ausgezeichneten kurzen Überblick zu den sich ändernden Konzeptionen über primitive Kunst von Robert Goldwater, Primitivism in Modern Art, überarbeitete Fassung (New York: Vintage Books, 1967), S. 15-42.

91 Op. cit., S. 22.

92 Ibid., S. 39.

93 Ibid., S. 25, 27.

94 S. z. B. Gotshalk, Art and the Social Order, S. 218 ff; John Dewey, Art as Experience (New York: Capricorn Books, 1958); Eliseo Vivas, The Artistic Transaction (Columbus, Ohio: Ohio State University Press), 1963.

95 Malraux, op. cit., S. 14-15. Zur Geschichte, wie Malraux Tempelskulpturen der Khmer aus dem kambodschanischen Dschungel »rettete« und anschließend verhaftet und abgeurteilt wurde, s. Clara Malraux, Memoirs (New York: Farrar, Straus + Giroux, 1967), S. 245, 261 ff.

96 Die Ignorierung des kulturellen Hintergrundes wird von vielen bedauert – s. z. B. David Crownover, «The Tribal Artist and the Modern Museum«, in: The Artist in Tribal Society, S. 33-35. Museumspraktiken wurden auf der Internationalen Ausstellung der Schönen Künste »Man and His World« im Jahre 1967 illustriert, auf der in einem großen Schaukasten drei Werke ausgestellt wurden: eine Totenmaske von »Pyramid of the Moon« (Metall) aus Peru, 3.-8.

Jahrhundert; eine kleine (steinerne) Figur der Azteken, »Ehecatl«, ca. 1200-1500; ein verzierter Kopf in Form eines phantastischen Dämons (Metall) aus Persien, 19. Jahrhundert. Die allgemeinen »Themen«, unter denen in dieser ausgezeichneten Ausstellung Gegenstände zusammengestellt wurden, machten es unmöglich, die verschiedenen Sektionen zu vereinheitlichen.

97 Katherine Kuh, »Alaska's Vanishing Art«, S. 28.

98 Op. cit., S. 627.

99 R. H. Wilenski, Modern French Painters (New York: Reynal + Hitchcock, 1940), S. 197 (allgem. Ausführungen), S. 201, 215 (Matisse), S. 200, 202 (Picasso), S. 205 (Derain), S. 258 (Modigliani). Eine umfangreiche und ausführliche Darstellung der vielfältigen Einflüsse, die primitive Kunst, einschließlich afrikanischer Bildhauerei, auf europäische Künstler ausgeübt hat, findet sich bei Robert Goldwater, loc. cit.

100 George Kubler, The Shape of Time (New Haven, Conn.: Yale University Press, 1962), S. 108.

101 Firth, op. cit., S. 161; Gotshalk, op. cit., S. 248: »Die Tendenz zur Abstraktion [...] kann auch betrachtet werden als Versuch, das Kunstwerk von allem ihm anhaftenden Lokalen und Besonderen zu befreien und herauszuarbeiten, welche Bedeutung heute dem Weltweiten und Allgemeinen gegeben werden kann«; Harold Rosenberg, The Tradition of the New (New York: Horizon Press, 1959), S. 10: »Die Suche nach fruchtbaren Kräften hat bewirkt, daß afrikanische Dämonenmasken in Musentempeln einen Platz fanden [...]. Durch eine derartige Überwindung von Zeit und Raum wurden die ersten wahrhaft universalen Traditionen sichtbar, deren Hintergrund die Weltgeschichte ist und die zu ihrem Gedeihen die ganze Welt als Schauplatz benötigen«.

15. Thomas Neumann
Der Künstler in der bürgerlichen Gesellschaft

1. Gegenstandsbereich und Thema der Untersuchung

Die vorliegende Arbeit untersucht an einem ausgewählten Beispiel die sozialen Komponenten der autonomen künstlerisch-dichterischen Produktion, die sich im letzten Drittel des achtzehnten Jahrhunderts entfaltete und das europäische Kunstgeschehen seitdem bestimmt. Die Verabsolutierung der Kunst in funktionsindifferenten, nach Ansicht der Künstler und ihrer Interpreten von keinerlei außerkünstlerischen Erwartungen bestimmbaren Kunstwerken ist eine historische Erscheinung und bietet keine generelle Aussage über Kunst[1]. Sie bezeichnet eine unabhängige und aus sich selbst verständliche Kunst, die aus der Verbindlichkeit sozial signifikanter Kompositionsgesetze, wie die Gattungsgesetze und Kunstregeln sie garantierten, gelöst ist und deren als Form eigenwertige Komposition weitgehend auf der subjektiven Entscheidung des Künstlers aufbaut[2]. Die zugrunde liegende künstlerische Subjektivität wird als Grund der Wahrheit der künstlerischen Darstellung vom Künstler selbst autorisiert. Daran knüpft sich die Frage, auf welche Weise und mit welchen Folgen sich diese Autorisation vollzieht? Die Frage richtet sich an das soziale Verhalten des Künstlers, das nicht außerhalb der spezifisch künstlerischen Absicht definiert und untersucht werden kann.

Die Untersuchung ist darauf gerichtet, den Zusammenhang der problematischen künstlerischen Subjektivität mit der autonomen Kunst darzulegen, um damit einerseits die allgemeine kunstsoziologische Analyse näher an die Wirklichkeit derjenigen Kunst heranzuführen, mit der sie es zu tun hat, und sie zum anderen sogleich an einem zentralen Problem zu konkretisieren.

Das hervorragende Kennzeichen der Kunstentwicklung, die

Abdruck mit freundlicher Genehmigung des Autors sowie des Ferdinand Enke Verlags aus: Thomas Neumann, *Der Künstler in der bürgerlichen Gesellschaft. Entwurf einer Kunstsoziologie am Beispiel der Künstlerästhetik Friedrich Schillers* (Soziologische Gegenwartsfragen N. F. 27). Stuttgart 1968, 1-20.

Subjektivierung der Darstellungsprinzipien, mit deren Entfaltung alle überkommenen Kriterien der Kunstdeutung in Frage gestellt wurden und auch tatsächlich ihren Aussagewert verloren, vollzog sich erstmals im achtzehnten Jahrhundert und erscheint seitdem als ein Aspekt der »ununterbrochenen Bewegung . . ., die seit zwei Jahrhunderten läuft und die mit dem Weltprozeß der Industrialisierung gegeben ist«[3]. Das Auftreten des »freien« Schriftstellers ist die erste sichtbare Folge der Veränderungen im Bereich der Dichtkunst[4]. Zu seiner Charakterisierung werden gewöhnlich der Positionsverlust des Künstlers und die absolute Bewertung der Kunstwerke angeführt. Die Kunst- und Literaturgeschichten erkennen in diesem Prozeß die Befreiung der Kunst überhaupt. Beide Ereignisse sind aber deutlich zu unterscheiden. Der Positionsabbau hatte die Umwertung der Kunst nicht notwendig zur Folge, wie die Geschichte der Trivialkunst zeigt, während die absolute Kunst allerdings für den Künstler mit sozialer Unsicherheit verbunden ist.

Außerhalb der Werke kündigte sich von seiten des Künstlers die Subjektivierung zuerst elementar in den Künstlerästhetiken an, die den Träger dieser Kunst, die künstlerische Subjektivität, und die möglichen Publikumserwartungen vom Problem der Kunstproduktion her zu bestimmen suchen[5]. Am Beginn der neuen Orientierung steht Schiller, seine Erörterungen bezeichnen den Wandel. Sie gipfeln in der programmatisch vorgetragenen Absicht, Kunst und Künstler von der Umwelt zu distanzieren. Auf seine kunstkritische Arbeit, über deren exemplarische Stellung noch zu handeln ist, beschränkt sich diese Untersuchung.

Absolute Kunst wird als Ausdruck des künstlerischen Genies vorgestellt, der sich mit und in der Darstellung vollenden soll[6]. Daraus entsteht für den Künstler dieser Kunst, die im folgenden modern genannt wird, ein ganz neues Problem. Nicht der Verlust einer Position, die im Rahmen vorbestimmter Kunsteinschätzung definiert wurde und Bestand hatte, sondern der Anspruch seines Genies wird für sein Handeln problematisch. Das Genie, die vom Künstler behauptete, wie immer abgeleitete, ihm eigentümliche Qualifikation zur Kunst als absoluter Kunst, hat Konsequenzen für sein soziales Handeln.

In Rücksicht auf die historische Entwicklung sind zwei parallellaufende Prozesse zu unterscheiden. Die Wandlung der Bedeutung der Kunst wird nicht allein vom Künstler getragen. Tatsächlich erkennen die bürgerliche und später die industrielle Gesellschaft eine Autonomie der Kunst an, insofern sich ihr jeweiliges Publikum der Kunst als einer für sich bestehenden Aussage zuwendet. Jedoch wird diese Autonomie auch von der Publikumsseite sogleich wieder eingeschränkt, wo das Publikum Form und Inhalt des Werkes trennt und die Inhalte, jede Art von Gegenständlichkeit, in und an seiner eigenen Wertsphäre überprüft[7]. Der innerhalb der Repräsentativkultur[8] anerkannten Geniekunst werden so weiterhin Erwartungen auferlegt, die an außerkünstlerischen Wertsystemen orientiert sind. Die maßgebenden Bewertungen des Publikums bleiben ohne Verbindung mit den ästhetischen Prinzipien der Kunstwerke. Selbst dann, wenn dieses Publikumsverhältnis nur noch in der Form emotionaler Entlastung wirklich sein sollte, ist es der künstlerischen Subjektivität unangemessen. Eine solche Institutionalisierung der Kunst auf der Seite des Publikums[9] gewährt dem Künstler zwar einen relativ breiten Spielraum seiner Ausdrucksvarianten, ersetzt aber nicht die früher mit den Kunstgesetzen festgelegten Verbindlichkeiten. Die sozial anerkannte und in verschiedenen Richtungen stabilisierte Subjektivierung der Kunstproduktion kann das soziale Handeln des Künstlers nicht bzw. nur als abweichendes Verhalten fassen. Und es führt, wie noch zu zeigen ist, zu Mißverständnissen, wenn der Sachverhalt, derart beschrieben, als erklärt gilt. Zumal dann entstehen Mißverständnisse, wenn diese deskriptiven Erklärungen auf Funktionsbestimmungen der Kunst für die Gesellschaft aufbauen, die zugleich auch Kunst definieren sollen. Denn das soziologische Problem »Künstler« entsteht gerade da, wo das behauptete Genie und die empirische Subjektivität sich überlagern; und das ist in der sozialen Wirklichkeit unausweichlich der Fall.

Genie als Wert des einzelnen Werkes hat es auch vor der modernen Kunst gegeben, zu denken ist etwa an die Berichte über italienische Renaissancemaler bei Vasari. Es beschränkte sich aber auf, wenn auch als göttlich inspiriert vermutete, Meisterschaft in der Darstellung[10]. Darum ist es irreführend, den Prozeß der Verabsolutierung der Kunst, ihre immanente Autonomie, mit der Renaissance anzusetzen[11]. Die Renaissance hat zur Anerkennung der Individualität geführt, nicht zur Subjektivität[12]. Der Künstler, der sein Werk absolut setzt, steht in einem gänzlich anderen Zusammenhang. Sein Genie, das die Quelle und Garantie des Werkes sein soll, ist identisch mit sich selbst. Es gibt sich weder durch besondere, im Vergleich meßbare technische Meisterschaft, weder durch prägnante Deutung vorgegebener Gegenstandsbeziehungen und ihre folgende Darstellung noch durch die Darstellung anderer, im Rahmen eines sozialen Systems objektivierter Wertvorstellungen zu erkennen. Es tritt als Postulat des absoluten Werkes auf bzw. tritt das Werk als dieses Postulat in Erscheinung[13]. Die Schwierigkeit, die für den Künstler dabei entsteht, folgt aus der Diskrepanz von empirisch tatsächlicher und behaupteter künstlerischer, werkkonstituierender Subjektivität. Zugrunde liegt ein neues Verhalten bei der künstlerischen Produktion und dessen andere Plazierung. Der Künstler, der innerhalb eines umgrenzten sozialen Systems Kunstwerke schafft, die an sich den Werten dieses Systems nicht widersprechen, handelt in einem durch Erwartungen strukturierten Zusammenhang. Er arbeitet nach dem Maß seiner Meisterschaft und einer von ihm anerkannten, allgemein verbindlichen, legitimen Vorstellung von dem, was in einem Kunstwerk oder als Kunstwerk erreicht und ausgesprochen werden kann. Der Künstler, dessen Werk ausschließlich aus sich selbst Gültigkeit besitzen soll, handelt nicht unter vergleichbaren Voraussetzungen. Er handelt vielmehr innerhalb des weitgehend von ihm selbst gesetzten Bezugsrahmens der Autonomie seiner Subjektivität; wie Obenauer sehr treffend bemerkt, »lebt« er sein »Wertsystem«, das nur »indirekt ... aus einem auffallend negativen Verhalten« zu erschließen ist[14].

2. Methodische Vorüberlegung zur Soziologie der künstlerischen Subjektivität

Dieses Verhalten bei der Kunstproduktion, zu der die dauernde Autorisierung des Künstlers als Künstler gehört, ließe sich hinsichtlich empirischer Untersuchungen auf der Grundlage der Systemtheorie und ihrer funktionalen Methode möglicherweise analysieren[15]. Inwiefern die Methode sinnvoll anzuwenden wäre, wird im folgenden erörtert. Es sei aber hier schon darauf verwiesen, daß an der Stelle der ersten Ausformung dieses Prozesses die Ausdifferenzierung neuer, speziell künstlerischer Erwartungsstrukturen in den Gruppen und Organisationen der Künstler und Kunstinteressierten lediglich in Rücksicht auf die Möglichkeit dieser Methode betont hervorgehoben wird. Unerläßlich bleibt darüber hinaus an dieser Stelle eine umgreifendere Betrachtungsweise. Nach der Systemtheorie Luhmanns werden Handlungen nicht kausalgesetzlich als Wirkungen bestimmter Ursachen, sondern als Funktionen in bezug auf Stabilisierungsprobleme des Systems, das sich gegenüber einer Umwelt bildet und in ihr nicht als Subsystem zu begreifen ist, analysiert. Auf diese Weise werden unter einem invariant gehaltenen Bezugspunkt, dem »Problem«, systemeigene Lösungsmöglichkeiten und Funktionen vergleichbar, und die Analyse gewinnt, anstatt kausale und mechanistische Beziehungen herzustellen, Einsicht in Handlungsalternativen bzw. systemeigene Variationsmöglichkeiten. Luhmann geht davon aus, daß ein Handlungszusammenhang eine Systemstruktur dadurch erhält, daß bestimmte Verhaltenserwartungen garantiert werden[16]. Eine Handlungsordnung wird dann ein System genannt, wenn »sie gegenüber Umweltveränderungen mehrere Reaktionsalternativen bereit hält, die unter abstrakten, systemeigenen Gesichtspunkten äquivalent sind«[17].

Die Schwierigkeit der hier sehr abgekürzt wiedergegebenen funktionalen Methode, die Luhmann aus der strukturell-funktionalen Analyse weiterentwickelte, sind noch keineswegs gelöst. Luhmann beschränkt sie vorläufig auf makrosoziologische Untersuchungen[18]. Um Kunstproduktion und -bewertung in diesem Sinne systematisch zu begreifen, wird vorausgesetzt, daß generalisierte Verhaltenserwartungen im künstlerischen Handeln sichtbar gemacht werden können. Die Annahme eines sozialen Handlungssystems als sinngemäßer Zusammenhang faktischer Handlungen, der in bestimmten Verhaltenserwartungen garantiert wird oder werden kann, widerspricht nun aber der allgemeinen Vorstellung des schöpferischen Vorgangs. Da hier in keiner Weise eine irgendwie organisierte Künstlergruppe, keineswegs aber auch der bloß schöpferische Vorgang untersucht werden soll, sondern vielmehr die spezifischen Veränderungen künstlerischen Verhaltens, die mit der Verabsolutierung der Kunst in Verbindung stehen, und zwar an ihrem geschichtlichen Anfang, genügt es vorerst, einiges über die oft mißverstandene künstlerische Einsamkeit anzumerken. Ob und inwiefern das künstlerische Verhalten unter der Bedingung künstlerischer Subjektivität innerhalb eigens stabilisierter Erwartungsstrukturen eines distanzierten, sich distanzierenden Aktionssystems abläuft und welche Problemlösungen bzw. Reaktionsalternativen darin deutlich werden, könnte erst die Analyse bestimmter Gruppenbildungen ergeben[19]. Jedoch zeigt eine Übersicht über die Literaturgeschichte des 19. und 20. Jahrhunderts bereits, daß Gruppenbildungen jeder Art an der Tagesordnung sind[20]. Die literaturhistorischen Epochenbegriffe und -distanzierungen haben u. a. darin ihren Grund, so fragwürdig sie im einzelnen auch sein mögen.

Das Bestreben in der modernen Kunst, absolute, aus sich selbst wertvolle Darstellungen zu erreichen, führt die Künstler dazu, die subjektive Grundlegung ihrer Werke von Voraussetzungen freizustellen und selbständig zu formalisieren, da Kontinuität und Übernahme feststehender poetischer Regelsätze sich ausschließen bzw. ausgeschlossen werden sollen[21]. Die ununterbrochenen Neudefinitionen der Formen, ein Kennzeichen autonomer Kunst, vollzieht sich in immer neuen Diskussionsgruppen[22]. Das widerspricht keineswegs der Erkenntnis, daß die jeweils neuen Stile gegenüber der gemeinsamen einheitlichen Grundstruktur der Moderne nur von geringer Bedeutung sind, wie Hugo Friedrich[23] z. B. an der Lyrik des 19. Jahrhunderts nachweisen konnte. Im Gegenteil vermag jene Gemeinsamkeit gerade deutlich zu machen, daß die Variationen sich auch auf andere, nämlich soziale Strukturgesetzlichkeiten beziehen.

Die Absolutsetzung der eigenen Subjektivität als Genie entfaltet sich in einer teils imaginierten, weitgehend aber übereinstimmenden Einstellung[24] mehrerer Gleichgesinnter oder sich im gleichen Sinne Orientierender. Diese Struktur der Erwartungen, die ein System der künstlerischen Subjektivität aufbaut, hat zuerst Goethe unter dem Begriff »Weltliteratur«

erfaßt: »Wenn wir eine europäische, ja eine allgemeine Weltliteratur zu verkündigen gewagt haben, so heißt dieses nicht, daß die verschiedenen Nationen voneinander und ihren Erzeugnissen Kenntnis nehmen, denn in diesem Sinne existiert sie schon lange, setzt sich fort und erneuert sich mehr oder weniger. Nein! Hier ist vielmehr davon die Rede, daß die lebendigen und strebenden Literatoren einander kennenlernen und durch Neigung und Gemeinsinn sich veranlaßt finden, gesellschaftlich zu wirken. Dieses wird aber mehr durch Reisende als Korrespondenz bewirkt, indem ja persönliche Gegenwart ganz allein das wahre Verhältnis unter Menschen zu bestimmen und zu befestigen im Stande ist.« Er nannte sie »ambulante, von Ort zu Ort sich bewegende Gesellschaften«[25]. Nur auf der Ebene interner Auseinandersetzung, permanenter Diskussion und wechselseitiger Interpretation bestimmt diese Kunst ihren Selbstwert unter der Voraussetzung der generell behaupteten schöpferischen Subjektivität der Künstler. Die mehr oder weniger lockeren Beziehungen bestehen auf verschiedenste Weise und geben sich z. B. in Zeitschriften, die in der Regel nur für kurze Zeit erscheinen, in Akademien, Vereinen, Freundeskreisen zu erkennen. Aber keine dieser Gruppierungen oder Organisationen findet eine unproblematische Stabilität aus sich selbst. Die dauernde Sezession gehört zu ihnen, ist selbst schon wieder eine Leistungsalternative in bezug auf jene andere Sezession und Distanzierung der künstlerischen Subjektivität, um derentwillen die Gruppierungen entstehen und für die kein Publikumsverhältnis mehr über kanonische Festlegungen herzustellen ist.

Unter den stabilisierenden Systemvariablen scheint die Kritik an der Umwelt, der Gesellschaft als Ganzes, an erster Stelle zu stehen. Sie hat durch das neunzehnte Jahrhundert bis auf den heutigen Tag an Intensität nicht verloren. Fontane formulierte Kritik dieser Art aus der Sicht des Künstlers am Übergang zur zweiten Moderne sehr schlagend als Prinzip. Zur »gesellschaftlichen Stellung des Schriftstellers« bemerkte er 1891: »Das ganze Metier hat einen Knacks weg. Am besten gestellt ist der Schriftsteller, wenn er gefürchtet ist«[26]. Wesentlich aggressiver beschrieb Schiller schon beinahe hundert Jahre früher das Verhältnis zwischen Künstler und Umwelt in

Rücksicht auf sein künstlerisches Selbstbewußtsein. Zur Illustration des Problemzusammenhangs sei dieses Zitat hier vorweggenommen: »So viel ist auch mir bei meinen wenigen Erfahrungen klar geworden, daß man den Leuten, im ganzen genommen, durch die Poesie nicht wohl, hingegen recht übel machen kann, und mir deucht, wo das eine nicht zu erreichen ist, da muß man das andere einschlagen. Man muß sie inkommodieren, ihnen ihre Behaglichkeit verderben, sie in Unruhe und Erstaunen setzen. Eins von beiden, entweder als ein Genius oder als ein Gespenst muß die Poesie ihnen gegenüber stehen. Dadurch allein lernen sie an die Existenz einer Poesie glauben und bekommen *Respekt vor den Poeten*«[27]. Vergleichbare Äußerungen lassen sich durch die gesamte moderne Literatur verfolgen[28].

Die Kunst autonomer Kunstproduktion wird nun zwar, wie schon erwähnt, zum Teil durch die subjektivierten Publikumserwartungen mitstabilisiert, das künstlerische Handeln erfolgt aber davon ganz unabhängig in eigenen Zusammenhängen. Die Künstler distanzieren sich als künstlerische Subjektivitäten von den wechselnden Anforderungen und Erwartungen ihrer Umwelt zum Zweck der Kunstproduktion absoluter Kunst. Die Stabilisierung eines ihr zugeordneten Handlungssystems erscheint dabei als ein Problem gegenüber indifferenten Einstellungen der Umwelt.

Daß auch die hermetische Geschlossenheit der Werke zum Teil der künstlerischen Autonomie und nicht allein ihnen selbst gilt, ist offensichtlich. So könnten sich kunstsoziologische Untersuchungen in diesem Sinne auch auf die Kunstwerke beziehen, wenn hier nicht die Entscheidung dadurch fast unmöglich gemacht würde, daß die Darstellung nie allein als Funktion der Möglichkeit des Darstellens und ihrer Handlungsprobleme isoliert werden kann, obwohl sich dieses Paradox in gewissen Richtungen der gegenwärtigen experimentierenden Kunst abzuzeichnen scheint. Und bereits für Baudelaire konstatierte Friedrich eine Geheimnishaftigkeit um ihrer selbst willen[29].

Als eine weitere Reaktionsalternative wäre auch die Professionalisierung der Kunstbetrachtung zu erwägen, die dazu dient, den totalen Anspruch der modernen Kunst von ihren Verstehensmöglichkeiten zu trennen[30].

Der Künstler, der ein absolutes Kunstwerk aufbaut, stellt es definitiv als Kunstwerk vor. Er meint damit nicht diesen oder jenen Wert, noch ordnet er es einer bestimmten Funktion zu, z. B. der Andacht, sondern er stellt es als an sich existent und ohne jede Rücksicht vor.

3. Die Grenzen der allgemeinen Kunstsoziologie

Diese Voraussetzungen der modernen Kunst und ihre Konsequenzen für das künstlerische Tun, die mit der Einsicht in die Subjektivierung immer schon ausgemacht sind, umgeht die Literatursoziologie im allgemeinen dadurch, daß sie sie ohne Bezug auf ihren Gegenstand als Tatsachen hinnimmt, die sie ausdrücklich nicht erfragt[31]. Und so ist dann von der »Rolle«[32] oder »Rollenvielfalt«[33] der Künstler die Rede, ohne daß auch exakt eine mögliche soziale Position bestimmt würde. Als bestünde das Problem der modernen Kunst zumindest der Gegenwart, ein angemessenes Verständnis zu finden, gar nicht, erkennt diese Kunstsoziologie in aller Naivität eine Wirkung des Genies an[34]. Sie glaubt ein »literaturmäßiges Verhalten« der Leser erkennen zu können, das »kraft einer zur Selbstverständlichkeit gewordenen Regel« als »kulturspezifisches Verhaltensmuster« ganz unproblematisch zu bestehen scheint[35], wobei es dann auch gleichgültig bleibt, von welcher Art Literatur die Rede ist. Aus eben dem Grunde, aus dem die Literatursoziologie mit der Literatur als Kunst nichts zu tun zu haben glaubt, meint sie, sich an ihre tatsächlich vorhandenen Unterschiede nicht halten zu müssen[36]. Dagegen begegnet man gerade in ihren Definitionen so fragwürdig gewordenen Begriffen wie dem »Kunsterlebnis«[37], demzufolge das Kunstwerk als »Ereignis, als Objektivierung eines Geschehens«[38] erscheint, oder Vorstellungen derart, daß jeder Mensch »potentiell fähig (sei, T. N.), Kunst hervorzubringen, zu erleben und zu deuten«[39].

Dergleichen Versuchen liegt zwar die berechtigte Annahme zugrunde, daß es nicht Aufgabe der Soziologen sein kann, Kunstwerke zu interpretieren. Sie reduzieren den Gegenstandsbereich auf das »Studium der sozialen Funktion der Kunst in der Gesellschaft«, die dann z. B. als »nichtrationale

Kommunikation« bestimmt wird[40], oder widmen sich den Determinanten des künstlerischen Schaffens[41], gelegentlich auch dem Entstehen neuer Formen[42]. Völlig außer acht bleibt dabei aber, daß die Annahme einer eindeutigen Beziehung zwischen Künstlern oder Kunst und Gesellschaft Kunst als eine ebenso eindeutige Tatsache voraussetzt. Deshalb kommt es dann ständig zu Definitionen der genannten Art, die einerseits so unverbindlich sind, daß unter ihren Begriff auch ganz andere als nur künstlerische Produktionen subsumiert werden können, und die andererseits die Kunst eben dadurch mystifizieren. Eine derartige Soziologie ist beschränkt auf den Nachweis sekundärer Modifikationen der einzelnen Werke bzw. der Abhängigkeiten von eigentlich historischen gesellschaftlichen Bedingungen. Daß sie damit selten über die Tageskritik hinauskommt, sei nur am Rande bemerkt. Abgesehen davon arbeitete die positivistische Literaturwissenschaft älterer Zeit in dieser Richtung wesentlich erschöpfender, zumal sie ihren Gegenstand genauer kannte[43]. Es ergeben sich nun innerhalb dieser Kunstsoziologie bezeichnende Konsequenzen: erstens beansprucht sie häufig, entgegen ihrer eigentlichen Fragestellung, eine bessere Einsicht in die Kunst zu geben, als die Fachwissenschaft sie bietet[44], und zweitens baut sie sich verschiedentlich eine eigene Fachgeschichte auf, die gewisse Fragestellungen von vornherein ausschließt, indem sie das Verhältnis von »Kunst und Gesellschaft« als einen vorformulierten Gegenstandskomplex von den Dichtern selbst übernimmt[45]. Beide Tendenzen hat Günter Rohrmoser zusammenfassend für seine Literatursoziologie so umschrieben: »Am Beginn der Geschichte des literatursoziologischen Bewußtseins in Deutschland steht ... Lessing, der aus den gesellschaftlichen Veränderungen des ausgehenden 18. Jahrhunderts Konsequenzen für Art und Gehalt der Literatur zieht ... Friedrich Schillers ästhetische Schriften enthalten eine Theorie der Gattungen und Dichtungsformen in ihrem gesellschaftlichen Zusammenhang«[46]. Damit sind Kunstsoziologie und Kunstkritik gleichgesetzt.

Wenn Rohrmoser nun auch ein »dialektisches« Verhältnis von Kunst und Gesellschaft bestimmen will[47] und sich von den genannten Untersuchungen distanziert glaubt, so führt er doch nur eine zusätzliche Definition der Kunst ein, die nicht schon deswegen soziologisch ist, weil sie mit Hegels Kunstbegriff in Übereinstimmung zu sein scheint. Hegels Bemerkung über die neuere Kunst, ihr fehle der Inhalt in einer Welt, in der »das geistige Wissen umd im Geist zu realisierende Einheit« an die »sinnliche Darstellung, als entsprechende«, nicht mehr gebunden sei, derzufolge er das Ende der Kunst als das »Hinausgehen der Kunst über sich selbst, doch innerhalb ihres eigenen Gebiets und in der Form der Kunst selber«, ankündigte[48], ist eine im Hinblick auf Ästhetik formulierte geschichtsphilosophische These. Die soziologische Frage entsteht dagegen erst aus dem Spannungsverhältnis zwischen dem künstlerischen Anspruch – in den Worten Schillers[49] –, im Kunstwerk immer das Allgemeine der Menschheit darzustellen und auszusprechen, und dem für die bürgerliche und später industrielle Gesellschaft konstitutiven Sachverhalt – in den Worten der Sozialphilosophie[50] –, daß das Feld der Erscheinung keine Wahrheit hat und das Feld der Wahrheit nicht in Erscheinung tritt.

Das künstlerische und teilweise auch kunstkritische Verhalten ist nicht schon soziales Handeln, weil die Kunst sozial bedingt oder bedingend ist, wie Silbermann zu glauben scheint[51]. Ein solcher Ansatz würde vielmehr wirkungsästhetische Positionen dogmatisieren, die bestimmten Künstlerästhetiken eigen sind[52].

Wenn nun auch die Soziologie weder direkt noch auf derartig verborgenen Wegen feststellen kann oder soll, ob es sich in einem gegebenen Fall um sogenannte hohe oder triviale Kunst handelt, noch ob bestimmte Interpretationen zu Recht bestehen oder nicht, muß es doch zu den schwerwiegendsten Irrtümern führen, kunstsoziologische Untersuchungen davon völlig unabhängig anzusetzen. Denn tatsächlich gibt es eine Kunst, der es auf absolute Darstellung gar nicht ankommt, die vielmehr die in einem begrenzenden Publikumsbereich bestehenden Erwartungen zu erfüllen sucht. Trivialliteratur ist von der formreflektierenden Literatur durch ihre außerkünstlerische Orientierung zu unterscheiden. Sie ist nicht identisch mit Unterhaltungsliteratur, obwohl sie immer Unterhaltungsliteratur ist[53]. Sehr treffend präzisiert Nutz seine Definition mit dem Hinweis, daß Trivialliteratur »Sekundärliteratur« ist. Sie wiederholt vorgeprägte Themen[54]. Das Problem der künstlerischen Subjektivität besteht für ihre Autoren nicht. Für sie ist die Wahl des Stoffes entscheidend, die für den modernen Künstler dagegen sekundär bleibt. Denn die zentrale Auseinandersetzung der modernen Kunst findet statt, wo, um Schillers Begriffe zu verwenden, die Schönheit der Wahl oder des Stoffes zugunsten der Schönheit der Darstellung aus dem Bereich der Kunst verdrängt wird. Hier ist die Kunst mit dem sozialen Wandel zutiefst verbunden. Das »Gemüt«, wie Schiller es in Übereinstimmung mit der Philosophie seiner Zeit nannte, das innere Element der Subjektivität, wird dieser Kunst zum entscheidenden Ort der Beurteilung, die von den konventionell gebildeten Vorstellungen abweicht. Die zum Gelingen und Bewerten der Kunstwerke derart vorausgesetzte, von der verbindlichen Wertstruktur gelöste Stellung des Künstlers in der Gesellschaft wird, ganz im Gegensatz zur geläufigen kunstsoziologischen Meinung, sie sei mit dem Ziel des Künstlers verbunden, Emotionen zu erregen[55], ein für sich bestehendes Problem.

Zur Kennzeichnung des Spannungsverhältnisses zwischen religiöser und ästhetischer Sphäre hat Max Weber eben diesen Tatbestand hervorgehoben, den er zugleich auf das Verhältnis von Kunst und Ethik übertrug. Nur solange sei die Beziehung ungebrochen oder bleibe zumindest unbefangen, solange sich die Rezeption naiv am Geformten orientiere und sich nicht der Form selbst zuwende: »Indessen die Entfaltung des Intellektualismus und der Rationalisierung des Lebens verschieben diese Lage. Die Kunst konstituiert sich nun als ein Kosmos immer bewußter erfaßter, selbständiger Eigenwerte«. Die ethische Norm, mit der das Geformte in Verbindung steht oder gebracht werden kann, erscheint als »Vergewaltigung des eigentlich Schöpferischen und Persönlichsten«, der Künstler setzt sich in Gegensatz nicht allein zur Religion, sondern zu jeder außerkünstlerischen Erwartung oder Normierung überhaupt[56]. Auch Charles H. Cooley hat, differenzierter als Parsons im Umgang mit »expression«, das Problem der Kunst der Moderne in einer vergleichbaren soziologischen Fragestellung zu umfassen versucht. Der Anspruch der Kunst, die menschliche Natur zu einem angemessenen Ausdruck in der Darstellung zu bringen, führt nach Cooley eben zu jenem künstlerischen Konflikt, den er sehr anschaulich beschreibt:

Der Verlust eines geordneten und zu exemplifizierenden Weltbildes bedeutet auch den Verlust einer Darstellungsmöglichkeit, den sinnlicher Entsprechung. »We may believe, for example, in democracy, but it can hardly be said that we see democracy, as the middle ages, in their art, saw the christian religion«[57].

4. Die Grenzen der »dialektischen« und der »funktionalen« Entfremdungstheorie

Die Beziehungen zwischen der Kunstabsicht im genannten Sinn und einer Umwelt, die diesem Anspruch mit keinen angemessenen Erwartungen begegnet, untersucht auch die sogenannte »dialektische«[58] Soziologie, deren Thesen darum zu betrachten sind.

Anscheinend weitgehend im Anschluß an Walter Benjamin[59] und an die frühen Arbeiten von Georg Lukács hat hier besonders Theodor W. Adorno über Kunst gearbeitet[60]. Seine Untersuchungen[61] können und sollen nicht in jedem Fall als kunstsoziologische verstanden werden, jedoch finden sich die Thesen zur Kunstsoziologie, die im entsprechenden »Soziologischen Exkurs« der Frankfurter Schule aufgestellt wurden, auch in den »Noten zur Literatur«. Heißt es im Exkurs ausdrücklich mit Berufung auf Benjamin, daß die Kunstsoziologie das diskrepante Verhältnis zwischen dem unverständigen Publikum und der besseren Einsicht des Kunstverständigen »selbst als vermittelt zu begreifen, statt automatisch Partei für die gesellschaftlich stärkeren Bataillone (!) zu ergreifen« habe[62], so kehrt eben dieser Zusammenhang deutlich in den »Noten« wieder, in denen vom Ganzen der Gesellschaft die Rede ist, das in der Darstellung erscheint[63], von der artistisch erzwungenen Latenz des Ideals[64], vom gesellschaftlichen Recht des Esoterikers[65] oder vom künstlerischen als dem »gesellschaftlichen Gesamtsubjekt«[66].

Wenngleich in der präzisen Erkenntnis der künstlerischen Subjektivität als dem Prinzip der Moderne die Bedeutung der Schriften Adornos liegt, so ist es dennoch berechtigt, ihre soziologischen Ambitionen eben als »Rechtfertigung der artistischen Subjektivität«[67] aufzudecken. Den Vorwurf, den

Adorno kunstsoziologischen Untersuchungen anderer Richtung macht, wendet sein Kritiker Werckmeister gegen ihn. Statt die moderne Kunst einer ungewollten Ideologiefunktion zu überführen, akzeptiere Adorno diese Funktion vielmehr wissentlich und suche der objektiven Bedeutungsleere der bestätigten Subjektivität dadurch zu begegnen, daß er »einen allgemeinen Gehalt des künstlerischen Subjektes selber affirmiert«[68]. Die einseitig der künstlerischen Subjektivität attestierte, sich aus dem dialektischen Prozeß fortlaufend im Kunstwerk auskristallisierende Wahrheit wird so zur Utopie. Adorno selbst spricht von der »künstlerischen Statthalterschaft für eine kommende Gesellschaft«[69].

Merkwürdigerweise wird nun in der funktionalen[70], von der »dialektischen« fundamental unterschiedenen Soziologie eine ganz ähnliche Spekulation aufweisbar, die ihre Theorie des »abweichenden Verhaltens« ebenso problematisch macht, wollte man sie zur Untersuchung der künstlerischen Subjektivität heranziehen und ihr mehr als die deskriptiven Momente der Marginalität abgewinnen.

Nach dem wenig differenzierten Schema abweichenden Verhaltens, das Merton entwickelt hat[71], in das er allerdings ausdrücklich den Künstler nicht aufnimmt[72], wäre der moderne Künstler, den historischen Voraussetzungen zufolge, unter der Rubrik »retreatism« einzuordnen. Er ist teilweise mindestens mit dieser Verhaltensweise konform, die die allgemeinen kulturellen Ziele und die zu ihrer Verwirklichung institutionalisierten Mittel ablehnt. Gleichzeitig ließe sich das künstlerische Verhalten in der nächsten, nach dem Schema Mertons fünften Stufe einordnen, dem gegenüber Zielen und Mitteln ambivalenten revolutionären Verhalten. Zwischen beiden Möglichkeiten wäre es tatsächlich einigermaßen richtig plaziert. Aber unabhängig davon, in welcher Ebene man den Künstler einzuordnen hätte[73], der Begriff des abweichenden Verhaltens ist erst in bezug auf ein weiteres Moment, das die Theorie dabei berücksichtigt, von Interesse, nämlich den sozialen Wandel[74]. Das von Zielen und/oder Mitteln und/oder Normen abweichende Verhalten, um die Erweiterung Dubins zu berücksichtigen, soll eine Erklärung auch dafür abgeben können, wie sich derartige Bindungen und infolgedessen das gesamtgesellschaftliche Verhalten wandeln. Nimmt man den

Künstler hier mit auf, so verbirgt sich dahinter die alte, soziologisch formulierte These von der künstlerischen Prophetie. Mit Verweis auf Merton und Dubin hat Friedrich Fürstenberg diesen Funktionswert sozialer Randgruppen behauptet und zur Überlegung vorgeschlagen, ob von solchen relativen Randstellen her nicht überhaupt der »Durchbruch« zu neuen Formen sozialen Seins erfolge: »In gewissem (!) Sinn führt erst eine *verfremdete* Umwelt zur weiterführenden Einsicht und Haltung«[75] (Herv. T. N.).

Beide Ansätze, die Entfremdungstheorie Adornos und die Verfremdungstheorie der Funktionalisten, führen nicht sehr weit, denn beide sind nur unter der Annahme eines unkritischen Begriffs moderner Kunst, die Adorno in bezug auf ihre ausschließlich ästhetische und artistische Problematik keineswegs unkritisch betrachtet, zu verwenden.

Diese bemerkenswerte Gemeinsamkeit findet sich gleichfalls in der Diskussion der Rolle des Intellektuellen, die der um den modernen Künstler nicht sehr fern steht[76]. Hier treffen sich ebenfalls positivistisch funktionalistische Theorien mit spekulativ dialektischen in der unkritischen Hinnahme der »Voraussetzungslosigkeit« intellektuellen Verhaltens. Beide insistieren auf einer nicht näher präzisierten, scheinbar a priori feststehenden Funktion der Intellektuellen für die Gesellschaft. Allerdings gibt es auf diesem Gebiet bereits eine Fülle kritischer Distanzierungen, die die soziologische Frage eröffnen[77]. Auch diese Frage scheint in der Richtung formuliert zu werden und formuliert werden zu müssen, wie sie das autonom-künstlerische Verhalten nahelegt[78].

5. Die Grenzen der erweiterten Rollentheorie

So bleibt abschließend die Frage, ob nicht mit Hilfe eines sehr differenzierten Rollenbegriffs das soziale Handeln des Künstlers in bezug auf ein umfassendes soziales System, möglicherweise die Gesamtgesellschaft, zu erklären ist. Wäre vom Künstler aus betrachtet[79] sein Rollenhandeln zunächst durch einen prinzipiellen Widerspruch gegen jede Art spezieller außerkünstlerischer Erwartungen der Gesellschaft oder der publikumstragenden Schichten bestimmt – also dadurch, daß er ihr als Darstellung eine andere Wahrheit vorhält, und sei es die artistische Manifestation eines latenten Ideals –, und wäre von der Gesellschaft bzw. dem Publikum aus gesehen die Künstlerrolle durch den Beruf, Kunstwerke zu schaffen, definiert und näher durch Erwartungen über Sinn und Aufgabe der Werke bestimmt[80], so wäre hier, auf der Ebene anonymer Beziehungen[81], eine permanente Konfliktlage gegeben. Daß dabei überhaupt von einer Beziehung die Rede sein könnte, daß auf seiten des Künstlers tatsächlich nicht der in anderen Bereichen, z. B. dem der Religion, denkbare Fall des endgültigen Rückzugs eintritt oder anzunehmen ist, liegt daran, daß das Kunstwerk vom Künstler selbst auf Kommunikation angelegt ist: die Darstellung richtet sich, wenn auch nur als Darstellung, an ein Publikum.

Damit ist zunächst nicht mehr als die Tatsache ausgesagt, daß Dichtungen veröffentlicht, Bilder ausgestellt, Musik gespielt, Theaterstücke aufgeführt werden, wobei zu berücksichtigen ist, daß diese Kommunikation historisch und vorzugweise der Kunst erst seit der Moderne eigentümlich ist. Diese Art der Kunstkommunikation besteht zum Teil nur für die autonome Kunst, für die in diesem Sinne funktionsindifferente. Entsprechende Kunstgestaltungen gab es in anderen Zeiten nicht prinzipiell.

Allenfalls wäre nun innerhalb der Rollentheorie auf diese Weise das Problem der künstlerischen Subjektivität deskriptiv zu erfassen, und damit in diesem Falle wirklich oberflächlich[82]. Aber selbst ein derartig elastischer Rollenbegriff, wie ihn Nadel entwickelte, vermag bestimmte Begleiterscheinungen dieses Konflikts und zumal seine Permanenz nicht zu erklären. Obwohl Nadel gegenüber der Theorie des abweichenden Verhaltens einschränkend bemerkte, daß durchaus auch »abweichende Rollen«[83], die im institutionellen Leben der Gesellschaft verankert sind, nachweisbar seien, trifft die Tatsache, daß solche Rollen in der Gesellschaft bereitgestellt werden, gerade erst das Problem, das mit sozialer Marginalität vorerst nur umschrieben wird. Nadel behauptet, daß durch derart sich entwickelnde und entfaltende (unfolding) Rollen eine noch ungesteuerte Mobilität einen Ort in der Gesellschaft finde und gesichert werde[84]. Aber auch diese Bestimmung würde das künstlerische Verhalten a priori als ein primär in solcher Freiheit, nicht aber an der Darstellung orientiertes verstehen.

Der Überblick über den Prozeß der Autonomisierung und der Reduktion des künstlerischen Genies auf die künstlerische Subjektivität legt nun aber nahe, anstelle von Interaktionsformen im Rahmen anderer Systeme die Herausbildung eigener Erwartungsstrukturen zu vermuten. Er legt nahe, das künstlerische Verhalten danach zu untersuchen, ob solche eigenständigen Erwartungsstrukturen sich in ihm ausbilden können und dies auch tatsächlich geschieht, so daß von einem Aktionssystem mit eigenen Stabilisierungsproblemen gesprochen werden kann[85].

Wie schon erwähnt, handelt die vorliegende Untersuchung über den Anfang einer Entwicklung, an dem vorerst nicht mehr, dies aber deutlich, festgestellt werden kann als der allgemeine Zusammenhang des möglichen sozialen Handelns des Künstlers autonomer Kunst mit den ihm eigenen Problemen absoluter Darstellung, d. h. der Aufbau der künstlerischen Subjektivität als »gelebtes Wertsystem«, wie Obenauer die Handlungsform des »ästhetischen Menschen« definierte. In diesem Sinne steht die Untersuchung am Beginn einer fortzuführenden kunstsoziologischen Analyse, von der Albert Memmi behauptete, sie werde ohnedies nicht anders als im Rückgriff auf den eminenten Faktor der künstlerischen Produktion und seine Prämissen beginnen können: »La sociologie de la littérature doit être aussi une sociologie de la fantaisie«[86].

Wenn unter Phantasie in den Grenzen der autonomen Kunst zu verstehen ist, daß der Künstler auf der Grundlage seiner Subjektivität und ohne ihm äußerliche Fixpunkte arbeitet, sie sich also auf Erfindung und Darstellung zugleich richtet, ist dieser Forderung wohl zuzustimmen.

Nachbemerkung

Der hier abgedruckte Text ist die Einleitung meiner Dissertation, die 1966 geschrieben wurde. Die Hauptarbeit galt der kunstsoziologischen Untersuchung der ästhetischen Schriften Schillers, speziell der Frage nach der Gesellschaftstheorie, die sich hinter der ästhetischen Theorie Schillers verbirgt. Zugleich wollte ich am Beispiel Schillers zeigen, daß eine kunstsoziologische Untersuchung, die das gesellschaftstheoretische Konzept des Künstlers und dessen Grundlagen nicht herausarbeitet, ihrem Gegenstand nicht gerecht wird, sich außerhalb ihres Gegenstands bewegt. Die hier vorgelegte Einleitung zu diesem Versuch ist die Kritik der mir damals bekannten Kunstsoziologie. Diese Kritik wird von der Hypothese geleitet, die die nachfolgende Arbeit erst zu verifizieren versucht. Ich halte die Hypothese und auch die Vorgehensweise nach wie vor für gerechtfertigt und habe darum dem Wiederabdruck dieses Teils der Arbeit zugestimmt. Dennoch erscheint mir diese Einleitung heute, nach zehn Jahren, in zweierlei Hinsicht fehlerhaft: Erstens fehlt die Darstellung des Verhältnisses zwischen ›künstlerischer Subjektivität‹ und sozialer Basis sowie die Entwicklung dieses Verhältnisses. Und zweitens ist die Definition von ›autonomer Kunst‹ in fehlerhafter Weise verallgemeinert. Von beiden Dingen verstand ich damals zuwenig. Seitdem ich mehr davon verstehe, ist mir die wissenschaftliche Arbeit an den Universitäten der Bundesrepublik per Berufsverbot versagt worden.

Die Arbeit wurde nach ihrem Erscheinen im Druck, 1968, vielfach kritisiert. Die Kritiken trafen aber nicht die von mir genannten Fehler. Sollte sie jetzt wieder einen Kritiker finden, so hoffentlich jemanden, der diese Fehler auch zu korrigieren versteht.

Düsseldorf, den 1. 9. 76

Anmerkungen

1 Der Ausdruck Kunst bezieht sich hier wie auch im folgenden auf die Möglichkeit oder Wirklichkeit von Kunstwerken. Die Kunst besteht zuallererst in Kunstwerken, seien es Darbietungen oder Darstellungen.

2 Diese Wende führt nicht notwendig zu subjektiv manieristischer Darstellungsweise.

3 Arnold Gehlen, Anthropologische Forschung, Reinbek 1965, S. 73, vgl. a. S. 74 ff.

4 Hans Jürgen Haferkorn, Der freie Schriftsteller, in: Archiv für Geschichte des Buchwesens V, Frankfurt/Main 1964.

5 »Die Künstleräshetik entwickelt in dogmatischer Weise eine Theorie, die sich ... an das Wirklichkeitsproblem in der Kunst anschließt derart, daß sie die jeweilige Abweichung oder Übereinstimmung der Kunst mit der Gemeinwirklichkeit forderungsmäßig festlegt.« René König, Die naturalistische Ästhetik in Frankreich und ihre Auflösung, Leipzig 1931, S. 7. Königs weitere kunstsoziologische Arbeiten haben diesen Ansatz leider verlassen, vgl. w. u.

6 Die Subjektivierung verbirgt sich zunächst hinter einer formalen Geniekonzeption, derzufolge sich das Genie in der Darstellung und durch sie gesetzgeberisch äußert.

7 Der hier angelegte Streit um Form und Inhalt in der Kunst läßt sich darum sachlich auch nicht lösen, er verlor im Laufe der Zeit nur an Brisanz.

8 Vgl. Theodor Geiger, Aufgaben und Stellung der Intelligenz in der Gesellschaft, Stuttgart 1949, S. 2 ff., S. 123.

9 Talcott Parsons hat diese Form der Institutionalisierung beschrieben, leider aber auch einen Kunstbegriff daraus abzuleiten versucht, der völlig unzureichend bleibt. The Social System, Glencoe, Ill. 1964, 5. S. 411. Zur Kritik vgl. Arnold Gehlen, Zeit-Bilder, Frankfurt/Main und Bonn 1960, S. 165, 216. Über »abweichendes Verhalten« des Künstlers s. w. u.

10 Noch der berühmte Satz Buffons aus dem Jahre 1753, der Stil sei der Mensch, meinte das genaue Gegenteil von Kunstautonomie. Vgl. das ausführliche Zitat und den Kommentar bei Heinrich von Stein. Die Entstehung der neueren Ästhetik, Stuttgart 1886, S. 70.

11 Eine derartige Vorverlegung der Moderne hat Alfred von Martin versucht, Soziologie der Renaissance, Frankfurt/Main 1949, 2.

12 Daß die Autonomie eine Kategorie der Renaissance, die innerhalb der Autonomie vollzogene Selbstreflexion aber ein Ereignis des 18. Jahrhunderts ist, hat Jonas Cohn deutlich herausgestellt. Von der zweiten Entwicklung meinte er, sie ließe sich bei »Goethe und Schiller ... verfolgen«. Die Autonomie der Kunst und die Lage der gegenwärtigen Kultur, in: Kongreß für Ästhetik und allgemeine Kunstwissenschaft 1913, Stuttgart 1914, S. 92, s. a. S. 95. Zur Autonomie der Kunst dieser Art genügt es nach Cohn nicht, die Anerkennung des »ästhetischen Eigenwertes« zu betonen. Erst wenn eine »besondere Art kultureller Tätigkeit, die nur nach dieser Weise beurteilt werden soll«, hinzukommt, ist Autonomie der Kunst wirklich, S. 91 f.

13 Den scheinbar objektiven Bewertungskriterien der Literaturgeschichtsschreibung widersprechen die Forschungen seit langem. Die erkennbare Entwicklung weist auf eine Neuordnung nicht nur der

alten, sondern einer zusehends steigenden Zahl weiterer Namen, die ebenfalls für wert befunden wurden bzw. werden müssen.

14 K. J. Obenauer, Die Problematik des ästhetischen Menschen in der deutschen Literatur, München 1933, S. 8 f.

15 Niklas Luhmann, Funktion und Kausalität, KIZSuS 4, 1962; Funktionale Methode und Systemtheorie, SW 4, 1964. Berücksichtigt wurde ferner auch die Darstellung und Anwendung der Methode in: Funktionen und Folgen formaler Organisation, Berlin 1964. Zur Absetzung gegen »freiwillige Organisationen« s. S. 324 f., Anm. 31. Vgl. a. S. 372 ff. Zum Problem der dem Werk vorgeordneten Persönlichkeitsdarstellung auch in der Kunst, S. 121.

16 N. Luhmann, Funktionale Methode und Systemtheorie, a.a.O., S. 17.

17 Ebenda, S. 19.

18 Es zeigt sich aber, daß die fragwürdig gewordene Kleingruppenforschung ebenfalls zu Verfahrensweisen neigt, Stabilisierungsprobleme auch bei der Rollenanalyse und Gruppenbildung in der Weise zu systematisieren; so Hans Anger, Kleingruppenforschung heute, S. 20, 34, 39; s. besonders die von ihm aufgestellte Kategorie des Gruppenprozesses, S. 23, 37 f. Ebenso Gregory P. Stone, Begriffliche Probleme in der Kleingruppenforschung, S. 45, 49, 54, 60; beide in: Kleingruppenforschung und Gruppen im Sport, KIZSuS, Sonderheft 10, 1966, hrsg. v. Günther Lüschen. Ähnlich, wenngleich ohne explizite Methode, scheint Helmut Klages zu verfahren: Das Risiko der Kulturkritik, SW 2, 1966.

19 Für den in dieser Untersuchung gewählten Zeitraum liegt eine Spezialuntersuchung vor: P. Ch. Ludz, Ideologie, Intelligenz, Organisation – Bemerkungen über ihren Zusammenhang in der frühbürgerlichen Gesellschaft, in: Jahrbuch für Sozialwissenschaften 15, 1964. Sie wird w. u. ausführlicher betrachtet werden.

20 In der Diskussion bei den »Verhandlungen des VII. deutschen Soziologentags«, Tübingen 1931, zum Thema »Soziologie der Kunst« definiert P. Honigsheim das »Esoteriertum der Künstler« als ein gruppenhaftes »Privilegiertsein«, S. 180. Vgl. a. seinen Themenkatalog einer Kunstsoziologie, S. 180 f.

21 Wilhelm Hausenstein sprach anläßlich der abstrakten Malerei sogar von einer »esoterisch-artistischen Richtung, der ein verallgemeinerter Subjektivismus ... im Stande gruppenhaft, schulhaft pedantischen Exzesses« eigentümlich sei; Die Kunst in diesem Augenblick, München 1960, S. 286.

22 Eine »Soziologie der Intelligenz und eine Soziologie des anspruchsvollen, tönenden Wortes« forderte deshalb Johann Plenge zur Grundlegung der Kunstsoziologie; Ist das Geisteswissenschaft?«, in: KVS 1930/31, S. 344; vgl. a. Zur Arbeitsweise der Kunstwissenschaft, Münster 1929, S. 8.

23 Die Struktur der modernen Lyrik, Hamburg 1956, S. 107 f.

24 Als »ästhetische Einstellung« umschrieb Armand Nivelle, Kunst- und Dichtungstheorie zwischen Aufklärung und Klassik, Berlin 1960, das Verhältnis zwischen ästhetischer Erkenntnis und ihrem Gegenstand, die erstmals von Baumgarten in dieser Weise begrifflich bestimmt worden sei. Zwischen beiden Arten der Einstellung besteht durchaus eine eindeutige Beziehung (S. 17 ff.).

25 Goethe, Schriften zur Literatur, Gedenkausgabe, hg. v. E. Beutler, Band 14, S. 909 f.

26 Theodor Fontane, Aufsätze zur Literatur, hrsg. v. Kurt Schreinert, München 1963, S. 492 (Nymphenburger Ausgabe, XXI/1, Studienausgabe). Zu Fontanes Stellung am Übergang zur zweiten Moderne vgl. Wolfgang Preisendanz, Humor als dichterische Einbildungskraft, München 1963, S. 214-240, zu Schillers Stellung, S. 19 ff.

27 Der Briefwechsel Goethe–Schiller wird nach der Gedenkausgabe, Band 20, zitiert, hrsg. v. Karl Schmid, Briefzitate Goethes werden mit G, die Schillers mit Sch gekennzeichnet, die anhängenden Ziffern beziehen sich auf die Seitenzahl. Obiges Zitat, das dem Briefwechsel entstammt: Sch 398, s. a. Sch 614!

28 Um die Ähnlichkeit der Argumentation in der Gegenwart anzudeuten, sei an Heinrich Bölls Wuppertaler Rede erinnert, in der es von der Kunst u. a. hieß: »Gegebene Freiheit ist für sie keine, nur die sie hat oder sich nimmt . . . einer, der mit ihr zu tun hat, braucht keinen Staat, er weiß aber, daß fast alle anderen ihn brauchen.« Zitiert nach: Die Zeit, 1966, Nr. 40. (Inzwischen ist die Rede auch als Sonderdruck erschienen, Berlin 1967, Voltaire-Verlag, Flugschriften Nr. 4.)

29 Hugo Friedrich, a.a.O., S. 36.

30 Helmut Schelsky, Die Bedeutung des Berufes in der modernen Gesellschaft, in: Auf der Suche nach Wirklichkeit, Düsseldorf-Köln 1965, S. 244. Zur funktionalen Darstellung, ebenda: Ist die Dauerreflexion institutionalisierbar? S. 259 f., und: Zur Standortbestimmung der Gegenwart, S. 436 f.

31 Hans Norbert Fügen, Die Hauptrichtungen der Literatursoziologie, Bonn 1964, S. 36.

32 Talcott Parsons, a.a.O., S. 408 ff.

33 René König, Alphons Silbermann, Der unversorgte selbständige Künstler, Köln-Berlin 1964, S. 62.

34 Francis E. Merrill, Stendhal and the Self: A Study in the Sociology of Literature, The American Journal of Sociology 1961, S. 447. Ähnlich Max Lerner und Edwin Mims Jr., Literature, in Encyclopaedia of the Social Sciences, IX-X, S. 525. Arnold Bergsträsser, Literatur, in: Staatslexikon, Band 5.

35 Hans Norbert Fügen, a.a.O., S. 19.

36 Clemens Lessing, Die methodischen Probleme der Literatursoziolo-

gie, M. Diss., Bonn 1950, S. 3: »Die außerästhetischen Faktoren offenbaren sich unter Umständen in der ästhetisch belanglosen Literatur viel deutlicher als in der bedeutenden Dichtung.«

37 A. Silbermann, Kunst, in: Fischer Lexikon, Soziologie, S. 158.

38 Marta Mierendorff, Aufgaben einer Kunstsoziologie, in: SW 8, 1957, S. 34.

39 Marta Mierendorff, Heinrich Trost, Einführung in die Kunstsoziologie, Köln und Opladen 1957, S. 40.

40 Ebenda, S. 26. In bezug auf die Frage der Kommunikationsleistung der Kunst, speziell ihrer Formen, hat Hugh Dalziel Duncan einige bedeutende Arbeiten vorgelegt, die allerdings ganz zur Kommunikationsforschung tendieren. Kunst wird bei ihm zur Institution, die Kommunikationsformen aufbaut: Language and Literature in Society, Chicago 1953, S. 5, 42 f., 106 ff., 125 ff. Communication and Social Order, New York 1962, S. 44, 98, 110 ff., Kap. 8; Sociology of Art, Literature and Music: Social Contexts of symbolic Experience, in: Modern Sociological Theory in Continuity and Change, New York 1957, ed. by Howard Becker and Alvin Boskoff, S. 497. Hier liegt entsprechend zur Fragestellung auch ein anderer Autonomiebegriff zugrunde, der die anthropologische Diskussion des Ästhetischen betrifft. Vgl. dazu schon R. Thurnwald, Anfänge der Kunst, Verhandlungen des VI. deutschen Soziologentags, Tübingen 1929, über »symbolische Beeinflussung«, S. 248, und die Diskussion des Referats, S. 270, 275 f., 279. Thurnwald kritisiert zu Recht die romantische Generalisierung dieser Kunstqualifikation, die die historische Entwicklung ausklammert.

41 H. J. Haferkorn, a.a.O., S. 537, 544; Fritz Hodeige, Die Stellung von Dichter und Buch in der Gesellschaft, in: Archiv für Geschichte des Buchwesens, Band I, Frankfurt/Main 1958, S. 145; Robert Escarpit, Das Buch und der Leser, Entwurf einer Literatursoziologie, Köln und Opladen 1961, S. 11, 13.

42 Wolfgang Zapf, Drei Skizzen zur Literatursoziologie, in: Studien und Berichte aus dem soziologischen Seminar der Universität Tübingen, Heft 2, 1963, 64, S. 57; A. Silbermann, a.a.O., S. 157.

43 Von Interesse ist hier die Methodendiskussion bei W. Scherer, Kleine Schriften, hrsg. v. K. Burdach, Berlin 1893, S. 170 f., 689 ff. (Rezensionen). Die Literaturwissenschaft scheint unabhängig von ihrer Forschungslage ihren Soziologiebegriff noch immer von ihrer eigenen positivistischen Vergangenheit zu beziehen; vgl. René Wellek, Theorie der Literatur, Bad Homburg 1959, S. 105. S. a. die Arbeiten von H. Kuhn: Zur Deutung der künstlerischen Form des Mittelalters, Studium Generale 2, 1949, S. 114 ff.; Dichtungswissenschaft und Soziologie, Studium Generale 11, 1950, S. 622; Soziale Realität und dichterische Fiktion, in: Soziologie und Leben, hrsg. v. C.

Brinkmann, Tübingen 1952, S. 195 ff. Auch Levin L. Schücking, Soziologie der literarischen Geschmacksbildung, Bern und München 1961, 3., arbeitete in dieser Richtung.

44 Direkt beansprucht wird diese Aufgabe von Arnold Hauser, Philosophie der Kunstgeschichte, München 1958, S. 1, 28 f.; Leo Löwenthal, Zur gesellschaftlichen Lage der Literatur, in: Zeitschrift für Sozialforschung, 1934, S. 93, an dessen spätere Arbeiten sich auch W. Zapf, a.a.O., S. 52, 57, mit diesem Argument anschließt. Zur Kritik solcher Bemühungen in der älteren Kunstsoziologie vgl. Kurt Lenk, Zur Methodik der Kunstsoziologie, KIZSuS 3, 1961, S. 414; S. 420!

45 So Haferkorn, a.a.O., der den »idealtypischen Begriff« »dialektisch« gebrauchen will und sich damit rechtfertigt, daß der »zweiseitige Begriff ... bereits von den Schriftstellern zur Artikulierung ihres Selbstverständnisses« benutzt worden sei, S. 544. Im übrigen ist das eine alte These, vgl. Samuel Lubliniski, Zwei Arten von Soziologie, Nachgelassene Schriften, München 1914, S. 311, die dadurch aber nicht einsichtiger wird.

46 Günter Rohrmoser, Literatursoziologie, in: Handwörterbuch der Sozialwissenschaften, Band 6, S. 637.

47 Ebenda, S. 636, 638: »Die Soziologie ... trägt dem geschichtlichen Faktum Rechnung, daß für den Menschen dieser Gesellschaft an die Stelle des göttlichen Seins die Gesellschaft selbst getreten ist, und die Literatur dieser geschichtlichen Epoche eine soziologisch orientierte Methode als angemessene Form ihres Begriffs fordert.«

48 G. W. F. Hegel, Ästhetik, hrsg. v. Fr. Bassenge, Berlin 1955, S. 117.

49 Vgl. a. Schillers Brief an Goethe, Sch 422 f.

50 Friedrich Jonas, Sozialphilosophie der industriellen Arbeitswelt, Stuttgart 1960, S. 29.

51 A. Silbermann, a.a.O., S. 158.

52 Das trifft auch für Arnold Hauser zu, Sozialgeschichte der Kunst und Literatur, München 1953, 2 Bände, z. B. S. 55 f., 2. Band; E. Linpinsel, Soziologie in der Wissenschaft von der Dichtung, KIZSuS, 1949, S. 355 ff.; Johannes Klein, Ästhetische und soziologische Literaturbetrachtung, Archiv für Sozialgeschichte, 1961, S. 22.

53 Walter Nutz, Trivialliteratur, in: Fischer Lexikon, Literatur 2/1, S. 571.

54 Ebenda, S. 572. Vgl. a. Martin Greiner, Die Entstehung der modernen Unterhaltungsliteratur, Reinbek 1964, S. 20 f., 26, 32 f., 79 f.; zum Begriff: Hans Friedrich Foltin, Die minderwertige Prosaliteratur, DVLG 2, 1965; einen Überblick über neuere Arbeiten gibt Jost Nolte, Trivialität in der Literatur, Der Monat 203, 1965. S. a. Will-Erich Peukert, Die kleinbürgerliche Welt im »Schundroman«, SW 9, 1958, 281.

55 Talcott Parsons, a.a.O., S. 410.

56 Max Weber, Richtungen und Stufen religiöser Weltablehnung, in: Soziologie, Weltgeschichtliche Analysen, Politik, hrsg. v. J. Winckelmann, Stuttgart 1956, 2., S. 462 f.

57 Charles H. Cooley, The Two Major Works, Glencoe, Ill. 1956, S. 165 f. s. a. S. 170 (Social Organization).

58 J. Filjakowski, Über einige Theorie-Begriffe in der deutschen Soziologie der Gegenwart, KIZSuS 1, 1961, S. 8.

59 An eigentlichen soziologischen Arbeiten Benjamins kommt nur sein Aufsatz, Zum gegenwärtigen gesellschaftlichen Standort des französischen Schriftstellers, Zeitschrift für Sozialforschung, 1934, hier in Frage, in dem B. am Beispiel Prousts eine »dialektische« Beziehung zwischen »Autor«, »Dichter« und »Schriftsteller« entwickelte, S. 67; seine großen literaturwissenschaftlichen Arbeiten sind dagegen kunstphilosophisch orientiert, Schriften, 2 Bände, Frankfurt 1955.

60 Zu Lukács vgl. Zur Soziologie des Dramas (1909). Sein »Hauptproblem« war danach, eine »Soziologie der literarischen Formen« zu entwickeln; abgedruckt in: Georg Lukács, Literatursoziologie, hrsg. v. P. Ch. Ludz, Neuwied 1961, S. 261. Die Übernahme der marxistischen Kunstbetrachtung als Soziologie, explizit bei Lucien Goldmann, Introduction aux Problèmes d'une Sociologie du Roman, revue de l'institut de sociologie 2, 1963, S. 229, 234, besonders aber auch in der allgemeinen Literaturkritik selbst, verkennt die Unterschiede im Begriff der Ästhetik (S. Fritz J. Raddatz, Tradition und Traditionsbruch in der Literatur der DDR, Merkur 208, 1965, S. 670: »Die marxistische Ästhetik ist nicht Wertfindung, sondern Ortfindung«). Dabei scheint der funktionale Aspekt von Bedeutung zu sein, nämlich die ideologische Rückversicherung einer ganz allgemeinen ästhetischen Einstellung. Das wäre nun selbst wieder Gegenstand einer kunstsoziologischen Untersuchung im hier verfolgten Sinn. Zur Kritik der marxistischen Richtung vgl.: die Einführung von Ludz in die Schriften von Lukács; A. Silbermann, Literaturphilosophie, soziologische Literaturästhetik oder Literatursoziologie, KIZSuS 1, 1966, S. 139 ff.; vgl. a. Silbermanns Bericht vom »Colloque de Sociologie de la Littérature, KIZSuS 4, 1964, S. 842 f.; allgemein: H. N. Fügen, a.a.O., S. 84 ff.

61 Theodor W. Adorno, Noten zur Literatur 1 und 2, Frankfurt/Main 1958 und 1961. Vergleichbar wären auch Jürgen Habermas, Strukturwandel der Öffentlichkeit, Neuwied 1962, und Günter Rohrmoser, a.a.O.

62 Soziologische Exkurse, Frankfurter Beiträge zur Soziologie, Band 4, hrsg. v. Th. W. Adorno und W. Dirks, Frankfurt/Main 1956, VII. Kunst- und Musiksoziologie, S. 96.

63 Th. W. Adorno, Noten 1, a.a.O., S. 76 (Lyrik und Gesellschaft).

64 Ebenda, Seite 99.

65 Ebenda, Seite 191.

66 Ebenda, Seite 193.

67 O. K. Werckmeister, Das Kunstwerk als Negation. Zur Kunsttheorie Theodor W. Adornos, Die Neue Rundschau 1, 1962, S. 125. S. a. S. 113 f.

68 Ebenda, S. 125 f.

69 Zitiert nach Werckmeister, a.a.O., S. 127 (Philosophie der neueren Musik). Das Zitat hat hier nur symptomatischen Wert, da die Probleme der Musiksoziologie nicht berücksichtigt wurden.

70 Gemeint ist die »Gleichgewichtstheorie« bzw. ihr nahestehende Ansätze funktionalistischer Methode, die also von Luhmanns Weiterentwicklung des Funktionalismus gerade abweichen; vgl. a. N. Luhmann, Funktion und Kausalität, a.a.O., S. 620.

71 Robert K. Merton, Social Theory and Social Structure, New York, 1965, 9. S. 140 ff.

72 Ebenda, S. 157. Eben weil der Kunst in der hier vorliegenden Theorie Mertons, trotz ihrer nur mittleren Reichweite, wie bei Parsons und anderen eine gesamtgesellschaftliche Funktion zugeschrieben wird, tritt der Künstler nicht als Problem auf.

73 Robert Dubin, Deviant Behavior and Social Structure, American Sociological Review, 1959, hat das Schema generell um Normen und partiell um eine detailliertere Aufschlüsselung der Verhaltensweisen erweitert, S. 150 ff. Eine Kritik daran von Merton findet sich im gleichen Heft, S. 177 ff., in der er zu bedenken gibt, daß man auf diese Weise jedes Verhalten als abweichendes bestimmen könne, S. 182.

74 »Subkulturen oder Untergruppen (versuchen, T. N.) . . . neue Werte und Erwartungen an die Stelle der anderen zu setzen . . . Diese Konstellation, die ebenso wie die Sozialisierung das Ergebnis von Interaktionsprozessen ist, ist die Vorstufe zum sozialen Wandel von innen her«, Franz Josef Stendenbach, Zur Theorie sozialen Handelns, KIZSuS 1, 1964, S. 55.

75 Friedrich Fürstenberg, Randgruppen in der modernen Gesellschaft, SW 3, 1965, S. 244. Zur Kritik dieser Ansätze in der Beurteilung des abweichenden Verhaltens vgl. w. u., über den Rollenbegriff.

76 Als Beispiel vgl. die Artikel »Intelligenz« von René König, Fischer Lexikon, Soziologie, S. 142 f., 145, und Hans Joachim Lieber, Fischer Lexikon, Staat und Politik, S. 129 f. Beide stimmen vollkommen in der sozialphilosophischen These überein, daß, wie König es ausdrückt, die »wesentliche« Funktion der Intelligenz »Kritik der bestehenden Mächte« sei, und eben in dieser Funktion sei sie, wie Lieber sagt, »soziologisch fixierbar«. Das historische Phänomen der intellektuellen Kritik wird also absolut gesetzt. Diese These kann den Künstler, wie Lieber auch betont, nicht ausnehmen, S. 132.

77 Helmut Schelsky, Das Problem des Nonkonformismus bei David Riesman, in: Randzonen menschlichen Verhaltens, Festschrift für Hans Bürger-Prinz, Stuttgart 1962, S. 38, 49, 51; und: Über die Stabilität von Institutionen, besonders Verfassungen, in: Auf der Suche nach Wirklichkeit, a.a.O., S. 47. T. B. Bottomore, Elites and Society, Pelican Books, Kapitel IV, S. 75 f. Rainer Lepsius, Kritik als Beruf, Zur Soziologie der Intellektuellen, KIZSuS 1, 1964, S. 81 f.

78 Vgl. Helmut Klages, a.a.O. Dazu gehören auch die Versuche, eine eigenständige soziologische Definition des Begriffs der Entfremdung zu gewinnen. Melvin Seeman, On the Meaning of Alienation, American Sociological Review, 1959, S. 783 ff., hat das an Hand einer Skala von fünf Kriterien des Identifikationsmangels getan. Historische »Varianten«, hinter denen sich zum Teil »operative Devisen und intellektuelle Derivationen« verbergen, hat Jakobus Wössner, Sozialnatur und Sozialstruktur, Studien über die Entfremdung des Menschen, Berlin 1965, S. 25, auf ihre utopische Struktur zurückzuführen versucht. Eine These, die ähnlich Peter R. Hofstätter zur Entstehung der Vorstellungen über Masse und Massenpsychologie, allerdings polemisch, formuliert, wenn er von der »Kulturkritik . . . der Selbsttäuschung« spricht, »die den eigentlichen Wandel gar nicht dort erfaßt, wo er sich ereignet: in der Vereinsamung der Intellektuellen«; Gruppendynamik, Hamburg 1957, S. 11. Vgl. schon E. Grünfeld, Die Peripheren, Ein Kapitel Soziologie, Amsterdam 1939, S. 98; Alfred Meusel, Die Abtrünnigen, KVS, 1923. Das Problem der Abtrünnigen besteht nach Meusel gerade darin, daß sie als sozial Emanzipierte mit ihren Bestrebungen in Widerspruch geraten, die sozialen Bewegungen zu steuern, »da das Erlösungsbedürfnis der Masse vorwiegend sozial orientiert ist«, der Abtrünnige also eine ganz andere Sprache als sie spreche, S. 161.

79 »It should be stated, first of all, that the role concept is not an invention of anthropologists or sociologists but is employed by the very people they study«, S. F. Nadel, Foundation of social Anthropology, Glencoe, Ill. 1953, S. 71, zitiert nach Friedrich H. Tenbruck, KIZSuS 1, 1961, Zur deutschen Rezeption der Rollentheorie, S. 8. Tenbruck schließt sich dieser Bestimmung an, die er gegen Dahrendorfs homo sociologicus Befürchtungen wendet: »Was am Rollenbegriff soziologisch ist, ist keine Metapher, und was an ihm Metapher ist, ist nicht soziologisch«, ebenda S. 9. Damit ist natürlich noch keine Entscheidung über die kategoriale Begrenzung des Begriffs getroffen.

80 Ganz gleich, ob Entlastung oder was immer erwartet wird. M. E. trifft für die Publikumserwartung, aber nur für sie, nach wie vor Horaz' berühmter Vers zu: »Aut prodesse volunt, aut delectare poetae.« Nur eben die Poeten wollen es nicht mehr.

81 Vgl. die Unterscheidung von Nadel zwischen »relational-roles, recruitment-roles and independent-roles«, zu denen auch das Verhalten des Arztes, des Priesters u. a. zu rechnen ist. Siegfried Frederik Nadel, The Theory of Social Structure, London 1965, 3., hrsg. v. Meyer Fortes, S. 85 ff.

82 »So kann mit diesen Begriffen und dieser Theorie der soziale Wandel, sofern er in kulturellen und nicht in strukturellen Ursachen wurzelt, nicht erfaßt werden. Ferner kann der soziale Wandel, soweit er auf Änderungen des Verhaltens zurückgeht, nicht erfaßt werden, weil das Verhalten hier doch nominal als Produkt der Erwartungen verstanden wird, also ohne Änderungen der Erwartungen nicht erklärbar ist«, F. H. Tenbruck, a.a.O., S. 28.

83 S. F. Nadel, The Theory . . ., a.a.O., S. 49.

84 Vgl. a. J. A. Schumpeter, Kapitalismus, Sozialismus und Demokratie, Bern 1946, S. 235: »Im Gegensatz zu allen anderen Gesellschaftstypen schafft, erzieht und subventioniert der Kapitalismus unvermeidlich und kraft gerade der Logik seiner Zivilisation ein festverwurzeltes Interesse an sozialer Unruhe.« Ähnlich Th. Geiger, a.a.O., S. 40; Heinrich Stieglitz, Der soziale Auftrag der freien Berufe, Köln und Berlin 1960, S. 65.

85 Selbstverständlich ist damit über die spezifisch ästhetische oder eigentlich künstlerische Begabung, die überhaupt erst die Möglichkeit zu Darstellung verleiht, jedenfalls noch immer in bestimmter Weise begrenzt, vorläufig nichts entschieden.

86 Albert Memmi, Problèmes de la Scoiologie de la Littérature, in: Traité de Sociologie, hrsg. v. G. Gurvitch, T. II, Paris 1960, S. 306. Vgl. a. Helmut Schelsky, Ortbestimmung der deutschen Soziologie, Düsseldorf-Köln 1959, 2., S. 76: »Die Leidenschaft des Künstlers oder die des Kunstliebhabers schaffen überhaupt erst und sind dann selbst die Gegenstände der Kunstsoziologie«.

VI
Zur Soziologie der Darstellungssysteme und der ästhetischen Wahrnehmung

Peter Bürger
Einleitung

Jede ernstzunehmende Bemühung, den Zusammenhang von künstlerischen Objektivationen und Gesellschaft zu erfassen, stößt früher oder später auf das Problem der Formtradition. Die im Kunstwerk geleistete Aneignung von und Verständigung über Wirklichkeit geschieht nicht durch unmittelbare Auseinandersetzung des produzierenden Künstlers mit der gesellschaftlichen Wirklichkeit seiner Zeit, sie ist vielmehr jeweils über eine Formensprache, ein Darstellungssystem vermittelt. Dieses Darstellungssystem findet der Künstler vor. Wohl kann er an dessen Veränderung arbeiten; nicht aber vermag er sich darüber hinwegzusetzen. Denn das Darstellungssystem ermöglicht nicht nur die Verständigung zwischen Produzent und Rezipient, es ist auch die Bedingung dafür, daß überhaupt Wirklichkeit angeeignet werden kann.

Für die Kunstsoziologie gibt es zwei Strategien gegenüber diesem Problem. Man kann versuchen, auf das Darstellungssystem nur in dem Maße einzugehen, wie dadurch der Zusammenhang von Einzelwerk und Gesellschaft gebrochen wird. Dieses Vorgehen ist im großen und ganzen für verschiedene Verfahren der Zurechnung charakteristisch. Man kann aber auch die Veränderung von Darstellungssystemen zum Gegenstand kunstsoziologischer Bemühung machen. Dies ist in unterschiedlicher Weise in den Beiträgen dieses Abschnitts der Fall. Dabei wird man zwischen Versuchen zu unterscheiden haben, die dabei stärker von den Darstellungssystemen (Objektseite), und solchen, die von der ästhetischen Wahrnehmung (Subjektseite) ausgehen.

Das Problem der Darstellungssysteme gehört zu den zentralen Gegenständen einer formalen Kunstwissenschaft. Heinrich Wölfflin hat in seinem einflußreichen Buch *Kunstgeschichtliche Grundbegriffe* den Versuch gemacht, ausgehend von einer Gegenüberstellung der Kunst des 16. und 17. Jahrhunderts allgemeine Kategorien aufzufinden, die es erlauben, zwei Darstellungssysteme als antithetisch einander zugeordnete zu erfassen[1]. Die Entwicklung von der Kunst der Hochrenaissance zu der des Barock begreift er als eine vom Linearen (Plastischen) zum Malerischen, vom Flächenhaften zum Tiefenhaften, von der geschlossenen zur offenen Form, vom Vielheitlichen zum Einheitlichen, von der Klarheit zur Unklarheit (Wölfflin, *Grundbegriffe*, 15 f.). Die in der Aufzählung notwendig abstrakt bleibenden Kategorien entwickelt Wölfflin jedoch an zahlreichen Einzelbeobachtungen, wodurch sie zu Instrumenten einer Schule des Sehens werden. Ziel seiner theoretischen Bemühungen ist jedoch nicht allein die Gegenüberstellung von zwei Darstellungssystemen, sondern darüber hinaus der Nachweis einer immanenten Entwicklungslogik. »Der Fortgang von der handgreiflichen, plastischen Auffassung zu einer rein optisch-malerischen hat eine natürliche Logik und könnte nicht umgekehrt werden« (ebd., 18). Äußere und d. h. gesellschaftliche Anstöße nimmt Wölfflin nur beim Entstehen eines linearen (plastischen) Darstellungssystems an und nennt als Beispiel die im Zeichen des Antik-Klassischen stehende Stilerneuerung um 1800 (ebd., 252)[2]. Die Übereinstimmung mit Adornos Auffassung von der Entwicklung des musikalischen Materials ist auffällig. Adorno nimmt an, daß das homophone musikalische Material, das die Wiener Klassiker verarbeiten, sich einem äußeren Anstoß verdankt (nämlich neuen bürgerlichen Publikumsbedürfnissen), daß hingegen die Entwicklung des musikalischen Materials von der Wiener Klassik bis zu Schönberg als eine logische, unumkehrbare, aus den Widersprüchen des Materials selbst sich ergebende aufzufassen ist (vgl. Text 8).

Nicht der Gedanke einer immanenten Entwicklungslogik, die die geschlossene Form notwendig zur offenen weitertreibt, steht im Zentrum der Versuche, die Wölfflinschen Kategorien auf die Literatur anzuwenden, sondern eher das typologische Moment. Stehen Oskar Walzels Bemühungen noch unter dem Leitgedanken der »wechselseitigen Erhellung der Künste«, was ihn häufig zu einer eher metaphorischen Übernahme der Wölfflinschen Kategorien veranlaßt[3], so hat dagegen Volker Klotz sich ganz von der kunstgeschichtlichen Begrifflichkeit gelöst, um den Gegensatz von geschlossener und offener Form im Drama aus der Analyse einer begrenzten Anzahl von Stücken zu entwickeln. Das Problematische der Arbeit, deren »Kriterienkanon« als literaturwissenschaftliches Werkzeug durchaus seinen Wert behält, hat Klotz selbst im Vorwort zur 7. Auflage angesprochen: »die Suggestion einer typologischen Formpolarität« und die »Gefahr übermäßiger Abstraktion von Geschichte«[4].

Bereits vor der auf typologische Gegensätze ausgerichteten Arbeit von Klotz hat Erich Auerbach die Wölfflinschen Fragen nach der Entwicklung von Darstellungssystemen zum Ausgangspunkt seiner großen Arbeit über den Wandel der Wirklichkeitsdarstellung in der abendländischen Literatur gemacht (Auerbach *200*)[5]. Wie Wölfflin geht auch Auerbach von zwei einander entgegengesetzten Darstellungssystemen aus. Dem Gegensatz von geschlossener und offener Form bei Wölfflin entspricht bei ihm die Opposition von ›Stiltrennung‹ und ›Stilmischung‹. Im Gegensatz zu den formalen Kategorien Wölfflins sind diejenigen Auerbachs nur dem Anschein nach formaler Natur, denn hinter ihnen steht die Frage nach der Möglichkeit ernster Darstellung alltäglicher Vorgänge (dies Auerbachs Bestimmung des modernen Realismus). Wie Wölfflin eine Wiederholung der Entwicklung von der geschlossenen zur offenen Form annimmt, geht auch Auerbach davon aus, daß sich die Entwicklung von der ›Stiltrennung‹ zur ›Stilmischung‹ in der Geschichte der abendländischen Literatur zweimal zugetragen hat. Im Unterschied zur Auffassung Wölfflins folgt diese Entwicklung für Auerbach jedoch keineswegs einer immanenten Logik, sondern verdankt sich jeweils bestimmten ausmachbaren gesellschaftlichen Anstößen. »Es war die Geschichte Christi, mit ihrer rücksichtslosen Mischung von alltäglich Wirklichem und höchster, erhabenster Tragik, die die antike Stilregel überwältigte«, die die Darstellung des Alltäglichen nur in niederen oder mittleren Genera zuließ (Auerbach *200*, 516). Die in der hochabsolutistischen Epoche Frankreichs unter veränderten gesellschaftlichen Bedingungen erneuerte »klassische Regel von der Unterscheidung der Höhenlagen« (ebd., 515) wird durch den aus der Französischen Revolution hervorgegangenen modernen Realismus Stendhals und Balzacs endgültig verdrängt. Im Gegensatz zu den oben erwähnten Versuchen, die Wölfflinschen Kategorien auf die Literatur zu übertragen, geht es Auerbach um eine gesellschaftliche Erklärung der Veränderung von Darstellungssystemen.

Wir sind in den Einleitungen zu den einzelnen Abschnitten dieses Readers bereits mehrfach auf die Tatsache gestoßen, daß neue kunsttheoretische Ansätze Veränderungen der Kunstpraxis ihrer Zeit reflektieren. So ist der Impressionismus die Voraussetzung dafür, daß Wölfflin das Barock als ein eigenständiges Darstellungssystem anerkennen kann. Daß Wölfflin sich dieses Zusammenhangs sehr wohl bewußt ist, erhellt unter anderem aus einer Formulierung wie der folgenden: »Der Barock, oder sagen wir die moderne Kunst, ist weder ein Niedergang, noch eine Höherführung der klassischen, sondern ist eine generell andere Kunst« (*Grundbegriffe*, 14). Pierre Francastel nimmt die Problemstellung Wölfflins wieder auf, jedoch auf der Grundlage der radikalen Veränderungen, die der Kubismus in der europäischen Malerei bedeutet (vgl. Text 16). Der Verzicht der Kubisten auf den zentralperspektivischen Bildaufbau ermöglicht es Francastel, diesen Typus der Bildorganisation als ein historisches Darstellungssystem aufzufassen, das von der Frührenaissance bis zum Impressionismus (einschließlich) die europäische Malerei beherrscht hat. Der Unterschied zu Wölfflin besteht aber nicht nur darin, daß Francastel das Darstellungssystem von einem andern Entwicklungsstand der Kunst (nämlich vom Kubismus) her konstruiert, sondern vor allem auch darin, daß er die bei Wölfflin vorherrschende formalistische Auffassung der Kategorie aufgibt. Während Wölfflin seine Kategorien als »Auffassungs- und Darstellungsformen« und d. h. als ausdruckslos verstanden wissen will, bemüht sich Francastel im Anschluß an die Arbeiten von Panofsky um den Zusammenhang zwischen Darstellungssystem und Bildthematik. So vermag er zu zeigen, daß der in der Frührenaissance sich durchsetzenden szenographischen Raumgestaltung das Thema des auf der ›Bühne des Lebens‹ seine Rolle spielenden Menschen entspricht (Francastel *208*, 188). Hier hätte eine historisch-soziologische Deutung der Veränderung künstlerischer Darstellungssysteme und der mit ihnen verbundenen Wahrnehmungsgewohnheiten anzusetzen. Was Francastel diesbezüglich ausführt, bleibt jedoch entweder auf der Ebene schlechter Allgemeinheit, oder zieht sich auf einen Typus eher geistesgeschichtlicher Erklärung zurück wie der Versuch, das neue Darstellungssystem der Frührenaissance aus den häretischen

Bewegungen herzuleiten (ebd., 74 ff.). Von daher gesehen sind auch Francastels Ausfälle gegen Hausers *Sozialgeschichte der Kunst und Literatur* (ebd., 43) kaum gerechtfertigt. Francastels Verdienst bleibt es jedoch, auf der Bedeutung der Erfassung von Darstellungssystemen für die Kunstsoziologie insistiert zu haben. Wenn er dabei das Nichtabbildhafte des Zeichens provokatorisch hervorhebt – »das Zeichen ist nicht Ersatz des Wirklichen, sondern ein Erkenntnis- und Kommunikationsinstrument« (ebd., 89) – so ist daran zu erinnern, daß mit dem Darstellungssystem allererst *eine* Ebene des Zusammenhangs von Kunst und Gesellschaft angesprochen ist.

Michel Zéraffa hat in seiner aspektreichen, auf eine Synthese von Formalismus und Literatursoziologie abzielenden Studie *Roman et société*; sein Bedauern darüber ausgesprochen, daß der Ansatz von Panofsky und Francastel in der Literaturwissenschaft bislang kaum aufgenommen worden ist (Zéraffa *218*, 60). Dieser Hinweis ist sicherlich berechtigt; man wird sich aber fragen müssen, ob nicht die *Theorie des Romans* des vormarxistischen Lukács einen – wenn auch spekulativen – Versuch darstellt, die Romanform als Darstellungssystem aus einem bestimmten Entwicklungsstand der menschlichen Gesellschaft zu erklären. Die auch von neueren romantheoretischen Arbeiten bislang nicht wieder erreichte Leistung von Lukács besteht darin, gerade die Form des Romans (Gegensatz von Konventionalität der objektiven Welt und überspannter Innerlichkeit des Helden; biographische Form; Ironie) aus einem Zeitalter zu erklären, »für das die Lebensimmanenz des Sinnes zum Problem geworden ist« (Lukács *216*, 53). Hinter der Romantheorie von Lukács steht die Gegenüberstellung von heiler griechischer Welt, die eine im Epos zum Ausdruck kommende »Lebensimmanenz des Sinnes« kennt, und problematischem bürgerlichen Zeitalter. Diese Gegenüberstellung, die den Maßstab des Unproblematischen der Vergangenheit entnimmt, ist von dem Lukács-Schüler Ferenc Fehér kritisiert worden (Fehér *217*, 147 ff.). Eine Weiterentwicklung der Romantheorie als Theorie eines gesellschaftlich bedingten Darstellungssystems hängt u. a. davon ab, wieweit es gelingt, diesen Gegensatz soziologisch auf den Begriff zu bringen; hierzu dürfte die von Habermas entworfene Skizze des Zusammenhangs von Gesellschaftsformationen und Krisentypen auch insofern weiterhelfen, als sie die gesellschaftliche Funktion von Darstellungssystemen zu umreißen erlaubt[6]. Einen anders gelagerten Versuch, das spekulative Moment der Begriffsopposition der Lukács'schen *Theorie des Romans* zu tilgen, hat Michel Zéraffa unternommen. Ein Rückgriff auf die Mythenanalysen von Lévi-Strauss und Vernant erlaubt ihm, die »Lebensimmanenz des Sinnes« als Mythos zu begreifen, der zwar den Sinn des gesellschaftlichen Ganzen und die Stellung des einzelnen in ihm garantiert, zugleich aber als statischer ohne Entwicklungsmöglichkeiten ist. Dementsprechend erscheint das problematische Zeitalter, das Lukács zufolge keine vorgegebene Totalität des Sinns mehr kennt, als historische Zeitlichkeit *(temporalité historique)*. Die auf Wiederholung beruhende Struktur des Mythos wird abgelöst durch die, Fortschritt zumindest ermöglichende, Geschichte (Zéraffa *218*, Kap. III). In diesem Rahmen situiert Zéraffa den Roman als eine Gattung, die die Beziehung des geschichtlichen Menschen zum Imaginären zum Gegenstand hat. »Der Roman ist weder ein Werk der Einbildungskraft, noch Widerspiegelung des Wirklichen; sein Wesen und seine Notwendigkeit beruht vielmehr darauf, daß er die Beziehungen von Wirklichem und Imaginärem zum Ausdruck bringt« (ebd., 83).

Unmittelbar auf den Ansatz von Francastel bezieht sich Jean Duvignaud in seinen Arbeiten zur Soziologie des Theaters. Wie Francastel auf der Geschichtlichkeit der zentralperspektivischen Bildorganisation insistiert hat, so Duvignaud auf der Tatsache, daß die Guckkastenbühne nur eine mögliche Form des Theaters ist. Bei dem Versuch, die historischen Entstehungsbedingungen dieses Theatertypus zu erfassen, läuft Duvignaud allerdings Gefahr, sich mit einer bloßen Zuordnung zufriedenzugeben (vgl. z. B. Duvignaud *205*, 79 und 98). Den Wert der anregenden, wenngleich methodisch wenig klaren Arbeiten von Duvignaud wird man eher in der Bemühung sehen, das Theater als eine außerordentlich dynamische Einrichtung aufzufassen, die den Menschen helfen kann, die Zwänge normativer Traditionen zu durchbrechen.

Während Francastel den Arbeiten von Panofsky eine Reduktion des Kunstwerks auf die literarische Bedeutung und eine Vernachlässigung des spezifisch bildkünstlerischen Modus der Bedeutungsproduktion vorwirft (Francastel *208*, 16 und 22), nimmt Bourdieu die Ergebnisse von Panofsky zum Ausgangspunkt, um eine Theorie der Kunstwahrnehmung zu entwerfen[7]. Als eine der bedeutenden Leistungen von Panofsky stellt Bourdieu die Einführung des Begriffs *Habitus* heraus. Statt sich mit dem Aufzeigen von Strukturhomologien zwischen verschiedenen symbolischen Systemen einer Gesellschaft (z. B. zwischen der gotischen Baukunst und der Scholastik) zu begnügen, bzw. diese Strukturhomologie auf eine ›einheitliche Weltanschauung‹ oder einen ›Zeitgeist‹ zurückzuführen, schlägt Panofsky vor, die Schule als diejenige Institution zu begreifen, die Lebensführung und Denken einer Epoche prägt und daher die geheimen Verwandtschaften zwischen verschiedenen symbolischen Systemen einer Epoche rational zu erklären erlaubt. »Die ausdrückliche Funktion der Schule besteht darin, das kollektive Erbe in ein sowohl *individuell* als *kollektiv Unbewußtes* zu verwandeln« (Bourdieu *204*, 139). Der auf dem Wege über die Schule angeeignete *Habitus* läßt sich Bourdieu zufolge »als ein System verinnerlichter Muster definieren, die es erlauben, alle typischen Gedanken, Wahrnehmungen und Handlungen einer Kultur zu erzeugen – und nur diese« (ebd., 143). Ein Problem jedoch bringt der Habitus-Begriff mit sich: mit seiner Hilfe läßt sich zwar das vereinheitlichende Prinziprelativ geschlossener Epochen fassen, kaum aber solche Epochen, in denen sich ein neuer Habitus herausbildet. Die Bemerkungen, die Bourdieu diesbezüglich macht (ebd., 155 ff.), – Notwendigkeit einer systematischen Erforschung von Leben und Werk der großen Neuerer – ermöglichen noch keinen Zugang zum Problem, warum ein individuell erprobter Stil sich institutionell durchsetzen konnte.

Ausgehend von Panofskys Begriff des Habitus kann Bourdieu seine soziologische Theorie der Kunstwahrnehmung entwickeln, in der er auf dem institutionellen Charakter des künstlerischen Code einer Gesellschaft insistiert und die Bedeutung der Schulbildung für die Aneignung der Kultur hervorhebt. Die Kunst- und Literatursoziologie kann hier Anregungen für Untersuchungen gewinnen, in denen die schlechte Alternative von kritikloser Empirie und empirieloser Kritik (vgl. Abschnitt III) sich überwinden ließe. Ausgehend von der

Einsicht, daß »die Schule den Geist und Inhalt einer Kultur, den sie übermittelt, zugleich auch verwandelt« (Bourdieu *204*, 140), wären gerade auch die Disparitäten in der Teilnahme am kulturellen Leben aufzuzeigen, die durch die Trennung in Volksschul- und Gymnasialbildung bewirkt werden. Hier liegen entscheidende Berührungspunkte des Ansatzes von Bourdieu mit dem Problem einer ideologiekritischen Erfassung des Wandels der Institution Kunst in der bürgerlichen Gesellschaft.

Die Schule ist zwar diejenige Instanz, die über die Möglichkeiten einer Beteiligung am kulturellen Prozeß entscheidet; das Schicksal des Ästhetischen in der spätkapitalistischen Gesellschaft ist von hier aus allein jedoch nicht zu fassen. Die Analyse dessen, was Wolfgang Fritz Haug Warenästhetik genannt hat, dürfte diesbezüglich von ebenso entscheidender Bedeutung sein. Es kann hier nicht darum gehen, die Diskussion um die Warenästhetik darzustellen (vgl. dazu die in der Bibliographie angegebenen Titel) und die von Haug unternommene ökonomische Ableitung ausführlich zu erörtern; vielmehr wird man zu fragen haben, welche Folgen die Tatsache der massenhaften Verbreitung der Warenästhetik für die Funktion ästhetischer Objekte in der spätkapitalistischen Gesellschaft hat.

Haug geht es vor allem darum, die Warenästhetik aus dem mit der Warenproduktion auftretenden Widerspruch von Gebrauchswert und Tauschwert abzuleiten. Weil der Warenproduzent (Warenbesitzer) den ihn einzig interessierenden Tauschwert nur realisieren kann, wenn der den Gebrauchswertstandpunkt vertretende Käufer die Ware erwirbt, so wird »bei aller Warenproduktion ein Doppeltes produziert: erstens der Gebrauchswert, zweitens und extra die Erscheinung des Gebrauchswertes. Denn bis zum Verkauf, mit dem der Tauschwertstandpunkt seinen Zweck erreicht, spielt der Gebrauchswert tendenziell nur als Schein eine Rolle« (Text 17, 14).

Haugs Analyse zielt einerseits auf die ökonomische Ableitung der Warenästhetik, andererseits auf den prägenden Einfluß, den diese auf die Sinnlichkeit der in ihrer Rolle als Käufer scheinbar gleichen Individuen hat (Text 17, 16). Selbst wenn man diese Analyse noch nicht für in allen Punkten abgesichert hält, so darf doch als sicher gelten, daß die massenhafte Verbreitung der Warenästhetik die ästhetische Sensibilität der Individuen prägt. Für eine Soziologie der Kunst im Spätkapitalismus läßt sich daraus folgende Frage ableiten: kann die Kunst die ihr in der bürgerlichen Gesellschaft zufallende Aufgabe, eine Gegenwelt gegen die zweckrational organisierte Gesellschaft aufzubauen, überhaupt noch erfüllen, wenn ihr primäres, an die Sinnlichkeit des Menschen appellierendes Material den Verwertungsinteressen des Kapitals unterworfen ist? Anders formuliert: Aufgabe einer Soziologie der Kunst im Spätkapitalismus wäre es, die bislang weitgehend isoliert geführte Erörterung um die Warenästhetik in die Diskussion um die Möglichkeiten der Wirkung von Kunstwerken in der spätbürgerlichen Gesellschaft einzuholen. Hans Heinz Holz hat einen Schritt in dieser Richtung getan.

> Solche Inhaltlichkeit im Bereich der Warenästhetik [»ein überschäumender Bierkrug zum Beispiel, der durstig macht«] reduziert die Reflexionsleistung der Form; Bilder werden nicht mehr als Modelldarstellungen, sondern als Reizmittel erfahren. Die Präsentationsformen der Werbung wirken zurück auf die Produktion von »Kunstwerken« (will sagen: von Waren des Kunstmarkts), die sich nun den Trivialsehgewohnheiten anpassen; die Dingklischees der pop art, der Dekorformalismus der op art reproduzieren die Werbemittel als Kunstware (Holz *14*, 39).

Holz befürchtet, daß die massenhafte Verbreitung ästhetischer Information als eines bloßen Reizmittels zum »Untergang des Ästhetischen selbst« führen könnte (ebd.). Schon 1938 hat Adorno in seinem Aufsatz *Über den Fetischcharakter in der Musik* einen Typus des Rezipienten beschrieben, der nicht mehr ästhetische Strukturen, sondern nur noch partikulare, sensuelle Reize aufzunehmen vermag.

> Werden die sensuellen Reizmomente des Einfalls, der Stimme, des Instruments fetischisiert und aus allen Funktionen herausgebrochen, die ihnen Sinn verleihen könnten, so antworten ihnen in gleicher Isoliertheit, gleich weit weg von der Bedeutung des Ganzen und gleich determiniert durch den Erfolg, die blinden und irrationalen Emotionen als die Beziehungen zur Musik, in welche Beziehungslose treten (Adorno *2*, 18).

Auch auf den Zusammenhang mit dem, was Haug Warenästhetik genannt hat, macht Adorno bereits aufmerksam, indem er die Reklamefunktion der leichten Musik hervorhebt (ebd., 18 f.).

Anmerkungen

1 H. Wölfflin, *Kunstgeschichtliche Grundbegriffe. Das Problem der Stilentwicklung in der neueren Kunst [1915].* ^{4}München 1920.

2 Zu Wölfflin und besonders zum Problem des Stilwandels vgl. A. Hauser, *Geschichtsphilosophie der Kunst: »Kunstgeschichte ohne Namen«,* in: ders., *Methoden moderner Kunstbetrachtung.* München 1970, 127-306 (Erstausg. unter dem Titel: *Philosophie der Kunstgeschichte.* München 1958).

3 Vgl. die zusammenfassende Darstellung von O. Walzel, *Gehalt und Gestalt im Kunstwerk des Dichters [1929].* ^{2}Darmstadt 1957, Kap. XII, bes. 300 ff.

4 V. Klotz, *Geschlossene und offene Form im Drama [1960].* ^{7}München 1975, 12. – Konsequenzen aus dieser Einsicht zieht Klotz in *91.*

5 Den Hinweis auf den Zusammenhang zwischen Wölfflins Ansatz und Auerbachs *Mimesis* verdanke ich Klaus Gronau. Zum folgenden, besonders auch zu den Begriffen ›Stiltrennung‹ und ›Stilmischung‹ vgl. die Arbeit von K. Gronau *(201),* in der die Bedeutung von Auerbachs Ansatz für die gegenwärtige literatursoziologische Diskussion herausgearbeitet wird.

6 J. Habermas, *Legitimationsprobleme im Spätkapitalismus* (ed. suhrkamp, 623). Frankfurt 1973, 30 ff. Den Versuch einer Neuformulierung der Romantheorie von Lukács unternimmt H. Sanders (181 a).

7 Vgl. E. Panofsky, *Sinn und Deutung in der bildenden Kunst (Meaning in the Visual Arts)* (Dumont Kunsttaschenbücher, 33). Köln 1975; besonders den Aufsatz *Ikonographie und Ikonologie,* 36-67.

16. Pierre Francastel
Die Zerstörung des plastischen Bildraums

Man hat oft gesagt, daß die von Tradition und offiziellem Kunstbetrieb unabhängigen Maler der Jahrhundertwende* ein gemeinsames Ziel verfolgten: die Prinzipien der Renaissance umzustoßen. Ich halte es für der Mühe wert, den genaueren Ursachen nachzugehen, die dazu geführt haben, daß zu einem bestimmten Zeitpunkt der plastische Bildraum der Renaissance den Intentionen der Maler nicht mehr entsprach.

Man kann den plastischen Bildraum der Renaissance unmöglich als eine feste, durch die Erfahrung vorgegebene Größe betrachten. In meiner vorangehenden Studie habe ich zu zeigen versucht, daß man einer Illusion aufsitzt, wenn man die künstlerischen Versuche des Quattrocento als eine mehr oder weniger bewußte Annäherung an eine höher entwickelte Form der Darstellung der ewigen Natur begreift. Die »Erfinder« der perspektivischen Raumdarstellung der Renaissance sind Schöpfer von Illusion und nicht besonders geschickte Nachahmer der Wirklichkeit. Außerdem sind sie sich, zumindest anfänglich, selbst untereinander nicht einig, mit welchen Verfahrensweisen sie ihre Zeitgenossen am besten zu einer problemlosen Akzeptierung dieses Illusionismus bewegen könnten, in dem sowohl die technischen und naturwissenschaftlichen Erkenntnisse wie die Seh- und Denkgewohnheiten ihrer Zeit verarbeitet wurden. Der neue Raum ist eine Verbindung von Geometrie und neuerfundenen Mythen, wo dem technischen Wissen ebenso viel Bedeutung zukommt wie den individuellen und kollektiven Anschauungen.

Ich will nicht bestreiten, daß auch heute noch das illusionistische System der Renaissance bequemen Denkgewohnheiten entgegenkommt; auf die Frage, inwieweit diese Gewohnheiten ein gemeinsames Merkmal der gesamten Menschheit und

Abdruck mit freundlicher Genehmigung des Verlags Denoël aus: Pierre Francastel, *Destruction d'un espace plastique*, in: ders., *Etudes de sociologie de l'art* (Bibliothèque Médiations, 74). Paris 1970, 191-252. Auszug: 191-218. Aus dem Französischen übersetzt von Anne-Christel Recknagel und Reta Zimmermann.

* Mitglieder des Salons des Indépendants (Anmerkung der Übersetzer).

nicht nur eines historisch und geographisch begrenzten Teils dieser Menschheit sind, will ich hier nicht weiter eingehen. Alle Menschen können zweifellos lernen, die scheinbare Vereinigung der beiden Seiten einer Straße am Horizont zu sehen, wenn sie auf dieses optische Phänomen aufmerksam gemacht werden. Aber nichts beweist, daß sie sich nicht daran gewöhnen können, auch die Erhebungsperspektive (Vogelperspektive) als ebenso »richtig« zu betrachten oder, frei von jeglichem normierten Sehen, neben- oder übereinandergesetzte Bilderreihen zu lesen, wie man sie aus Ägypten kennt. Hüten wir uns davor, die abendländische Denkweise für die einzig mögliche Form der intellektuellen Entwicklung der Menschheit zu halten. Begreifen wir vor allem, daß es sich hier nicht um eine Annäherung an die Wirklichkeit handelt, sondern um die Erarbeitung eines Systems. Nichts liegt mir ferner, als den theoretischen und praktischen Wert der abendländischen Logik seit der Renaissance zu verkennen. Jedoch sollte man sich darüber im klaren sein, daß wir hier ein intellektuelles und gesellschaftliches Konstrukt vor uns haben und nicht eine gleichsam konkrete und repräsentative Entdeckung von substantieller Realität. Der plastische Bildraum der Renaissance ist bei weitem nicht die beste Umsetzung des Raumes an sich, er ist nur ein besonders gelungener Ausdruck für die Gestalt der Welt zu einer bestimmten Zeit und für eine bestimmte Gruppe von Menschen.

Unter dieser Voraussetzung kann man sich sehr gut vorstellen, daß sich das Verfahren der Raumdarstellung im Zusammenhang mit einer tiefgreifenden Veränderung des technischen oder theoretischen Wissens sowie der Vorstellungen und Handlungsmotive einer gegebenen gesellschaftlichen Gruppe wandelt. Wenn ein Bildraum die allgemeinen Verhaltensweisen und die mathematischen, physikalischen und geographischen Konzeptionen einer Gesellschaft übersetzt, so muß er sich notwendig ändern, wenn die Gesellschaft selbst so weit fortgeschritten ist, daß alle intellektuellen und moralischen Prämissen (Normen) ungültig werden, die eine Zeitlang das Verständnis der Raumdarstellung ermöglichten. Man kann somit im Prinzip davon ausgehen, daß alle Gesellschaften ihre jeweiligen Bildräume betreten und verlassen, ebenso wie sie sich konkret in unterschiedlichen geographischen und wissenschaftlichen Räumen verankern. Was wir gegenwärtig beobachten können, ist der Versuch einer mit neuem technischen und intellektuellen Rüstzeug ausgestatteten Gesellschaft, einen Raum zu verlassen, in dem sich die Menschen seit der Renaissance mit Leichtigkeit bewegt haben.

Bevor wir uns einer genaueren Analyse der Erfahrungen zuwenden, die zur Zerstörung des Bildraums der aus der Renaissance hervorgegangenen Gesellschaften führten, sei noch auf folgendes hingewiesen: Seine Entstehung verdankt dieser Raum in erster Linie einer intensiven theoretischen Beschäftigung mit dem Licht wie auch dem jeweiligen Standort der Objekte in der Natur. Doch die Einführung des euklidischen Raums in die Malerei, die erste Unternehmung der Renaissance, eröffnete derart vielfältige Möglichkeiten, daß gar nicht alle ausgeschöpft werden konnten. Schon zur Zeit Piero de la Franceschas und Albertis – eine Generation nach Brunelleschi – ist eine Verengung der Horizonte festzustellen. Von nun an beschränken sich die theoretischen Spekulationen auf einen streng begrenzten Raum: den dreidimensionalen Raum. Die Forschungen sind ab jetzt durch drei Hypothesen bestimmt: man geht davon aus – Masaccios erste Bilder zeigen es bereits –, daß der neue geometrische Raum die Gestalt eines Kubus hat; daß sich alle Fluchtlinien in einem in der Tiefe des Bildes befindlichen Punkt vereinigen; man setzt mit anderen Worten voraus, daß es nur einen einzigen Gesichtspunkt gibt, schließlich ist man sich darin einig, daß die Darstellung der Formen durch Farbqualitäten und Licht mit dem Schema der linearen Darstellung übereinstimmen muß – und sei es um den Preis recht dürftiger handwerklicher Kunstgriffe wie dem Hell-Dunkel. Man kann beobachten, wie innerhalb des Kubus ein zweifaches Netz entsteht: das der imaginären Linien, das man mit den Notenlinien einer Partitur oder der schulmäßigen Darstellung der in einer Kubikmetereinheit enthaltenen Kubikzentimeter vergleichen kann; und das Netz der Farbflecken, die durch die Beleuchtung von einer einzigen Lichtquelle aus zur Geltung kommen. An den Schnittpunkten der beiden Netze von Linien und Farbflecken befinden sich alle innerhalb des Kubus dargestellten Gegenstände und Details. Kurz, man gelangt zu einer Konzeption des Raums oder besser der Welt, die eher szenographisch als euklidisch zu nennen wäre. Diese Konzeption, die vom Theater popularisiert wird – dieses entwickelt sich ja zur selben Zeit im Zuge der neuen Raumvorstellungen –, prägt sich den einzelnen Generationen sehr nachdrücklich ein. Vier Jahrhunderte lang wird sich in unserer Vorstellungswelt der Mensch als Schauspieler auf einem »Welttheater« bewegen, das in der begrenzten Zahl seiner kubischen Proportionen und aufgrund seiner starren Aufteilung der europäischen Bühne vergleichbar ist.

Natürlich ändert sich auch manches während dieser Zeit. Die großen Genies der Malerei wie Tintoretto und Greco oder Velasquez und Rembrandt werden den kommenden Generationen neue Wege bahnen. Und doch entwickelt sich die gesamte menschliche Bildproduktion innerhalb eines Rahmens, der die dem euklidischen System innewohnenden unendlichen Kombinationsmöglichkeiten nicht einmal in seiner Gesamtheit umfaßt; er stellt vielmehr ein szenographisches System dar, dessen Theoretiker der zweiten Renaissance-Generation entstammen und deren Interesse eher auf Literatur und Poetik als auf die Mathematik gerichtet war. So wird verständlich, daß das aristotelische Gesetz der drei Einheiten seit der Mitte des Quattrocento nicht nur das Theater, sondern die gesamten Mythen und Raumvorstellungen der Renaissance beherrschte.

Nun sind einige Differenzierungen vorzunehmen. Dieses rigide Gesetz des einzig möglichen Gesichtspunktes – oder besser der empirischen Verbindung der jeweils durch Linien und Farben bedingten beiden Gesichtspunkte – und das Gesetz der dreidimensionalen Struktur des Universums dominiert zwar in der Kunst und prägt die Vorstellungswelt der Menschen über vier Jahrhunderte, doch sind nach und nach andere Elemente hinzugekommen. Seit dem Quattrocento herrscht ein latenter Konflikt zwischen der summarischen Formbehandlung von Landschaften und Figurenumrissen, die dem Innern der imaginären Dreidimensionalität zugeordnet sind, und der Liebe zum Detail: das antike Flachrelief liefert hier Anregungen und Wirkungseffekte, die man nicht unterschätzen sollte. Es geht hier nicht darum, der Kunstgeschichte vom 15. bis zum 19. Jahrhundert eine Einheitlichkeit zuzuschreiben, die ihr nicht zukommt. Doch darf nicht übersehen werden, daß die Kunst in diesem Zeitraum eine bemerkenswerte Beständigkeit bewiesen hat: sie basierte auf einer bestimmten Lehrmethode, die den Tendenzen der literarischen Vorstellungswelt entsprach, und sie war an die Bewahrung eines bestimmten Repertoires von mythologischen und mythischen Themen gebunden, die der Masse ebenso vertraut waren wie dem Künstler.

Wenn es also falsch ist, an eine »Renaissance« zu glauben, die den Menschen eines Tages wie eine wunderbare Offenbarung zuteil wurde und sie gewissermaßen erneuerte, so muß man annehmen, daß eine tiefe Solidarität Künstler und Werk über viele Jahre miteinander verband. Die Renaissance ist nicht die plötzliche Entdeckung eines einmaligen Geheimnisses; sie ist das langsam entstandene Werk von Generationen, die bestimmte Hypothesen über den Menschen und die Natur gemeinsam akzeptiert haben. Während dieser Zeit haben die Menschen einen bestimmten physikalischen, geographischen und imaginären Raum bewohnt, der festgelegten Gesetzen der Darstellung unterworfen war. Sie konnten die Legenden ändern, diese oder jene neue Seite in der Technik betonen, und doch haben sie die grundlegenden Gesetze akzeptiert, die ich für die Malerei erläutert habe. Dieses System, das auf einem gewissen Gleichgewicht zwischen Ideen und Bildzeichen beruhte, zerbrach schließlich zu einem bestimmten Zeitpunkt. Die Künstler und ihr Publikum sind jetzt im eigentlichen Sinn des Wortes aus dem traditionellen Bildraum herausgetreten. Ich will hier die einzelnen Etappen dieses Prozesses untersuchen und inwieweit sie darin Erfolg hatten.

Zu Beginn des 19. Jahrhunderts hat sich eine radikale Veränderung in der Malerei der abendländischen Kulturgeschichte seit der Renaissance vollzogen. Hierzu ist bereits alles gesagt, wir brauchen uns bei diesem Aspekt der Romantik nicht weiter aufzuhalten. Der östliche Kulturkreis, vor allem die moderne Literatur des Auslands, liefert den Künstlern neue Themen zur Bereicherung ihrer Phantasie und zur Erneuerung ihres Dialogs mit dem Publikum.

Hieraus ging eine grundlegende Veränderung dessen hervor, was man den mythischen Raum der Kunst nennen kann. Die Helden des napoleonischen Epos enden im Paradies Ossians, und dieses Paradies hat völlig andere positive Aspekte als das klassische. Die Horazgestalten Davids oder sein Paris konnten noch der Königin von Saba eines Piero de la Francescha begegnen, der Ossian bleibt ihnen verborgen. Der Dante und der Vergil von Delacroix begegnen den Verdammten Michelangelos, doch der Feuerstrom des Inferno entfernt sich nun vom Mincio und ähnelt mehr den tosenden Wogen, in denen das Floß der Medusa zerbrach.

Doch sollte man den Bruch nicht überbetonen. Ein Delacroix will ein Klassiker sein oder zumindest eine Verbindung zu den großen Meistern der klassischen Kunst bewahren. Die Romantik bricht nicht gänzlich mit Raffael, sie nähert sich eher den barocken Meistern wie den Venetianern und Flamen. Sie erweitert vielmehr die Wahl zwischen den verschiedenen Tendenzen der Vergangenheit, als daß sie die Tradition im ganzen ablehnt. Man kann leicht nachweisen, wie ein Delacroix die Stilisierungsverfahren, sogar oft die Kompositionsschemata der Klassik bewahrt. In den gesetzmäßigen dreidimensionalen Raum der Renaissance führt er Personen ein, deren Kleidung und Gesten neu sind; doch behält er sorgfältig den Bildausschnitt, die Bildebenen, die Konturierung der Objekte, d. h. die überlieferten Kompositionsschemata bei.

Die wichtigste ästhetische Neuerung der Romantik vollzieht sich im künstlerischen Darstellungsverfahren: während die Klassik alle Teile im Hinblick auf eine Gesamtwirkung koordiniert und damit das Gesetz der drei Einheiten bis an seine äußersten Möglichkeiten treibt, ist für die Romantik die Episode, die Variation bestimmend. Dieses Prinzip dominiert auf allen Gebieten, ob nun in der Musik – eines Chopin oder Liszt, eines Schumann oder Weber – im Tanz oder in der Malerei. Um seine Epoche mit Shakespeare oder Goethe vertraut zu machen, malt Delacroix immer neue Bilderserien, auf denen dieselben Personen im selben Gewand in den verschiedenen Phasen einer Handlung erscheinen. Ingres unternimmt in einer Komposition wie seinem »Bain turc« nichts anderes, als diese neue Form der Assoziation von Ideen und Formen malerisch umzusetzen. Seit den breit erzählten Epen Chateaubriands »variiert« auch die Literatur bis hin zu den Landschaften.

Für die Romantik ist demnach die malerische Erneuerung der Themen wichtig, sei es nun die pittoreske Aufmachung der Figuren oder die neuartige thematische Verkettung der Bilder untereinander. Dies alles bestätigt zusätzlich, daß die Romantik mehr mit der Imagination als mit der Strukturierung des Raums arbeitet. 1855 schrieb Paul de Saint-Victor anläßlich der großen Ausstellung, die eine Rückschau auf die zeitgenössische Kunst vermittelte: »Die Götter haben die moderne Malerei verlassen, die Götter und die Heroen ... Die großen Gestalten der christlichen Kunst, Christus, die Jungfrau, die heilige Familie scheinen durch vier Jahrhunderte malerischer Kombinationspraktiken erschöpft zu sein. Die griechische Mythologie – durch die Renaissance zu neuem Leben erweckt – hat ihren Lebensatem ausgehaucht.«[1] Der große Pan ist tot! So werden auch die bildnerischen Ausdrucksmittel als erste von der neuen Gesellschaft erfaßt und umgestoßen, die aus der Französischen Revolution, aber in noch stärkerem Maße aus der auf den wissenschaftlichen Entdeckungen des 18. Jahrhunderts basierenden industriellen und technischen Revolution hervorgeht. Die Symbole, mittels derer man sich über Generationen verständigt hat, verlieren an Klarheit; eine neue Kultur, eine neue Pädagogik werden erarbeitet. Doch ist auch hier zu sagen, daß die ersten Versuche der neuen Kunst zwar eine beachtenswerte Erneuerung der imaginären Handlungsorte und von deren Rahmen bringen, sie sich aber doch sehr gut mit den beiden grundlegenden Hypothesen der Renaissance im Hinblick auf die Darstellung des dreidimensionalen Raums auf der zweidimensionalen Bildleinwand abfinden. Der romantische Raum bleibt szenographisch und der Maler kalkuliert seine Wirkung weiterhin von einem Blickwinkel aus, der auf einen einzigen Gesichtspunkt außerhalb der Leinwand zurückgeführt wird und symmetrisch zum Fluchtpunkt der Parallelen innerhalb des Bildes liegt; damit vereint er im übrigen noch immer – mit Hilfe gewisser Konzessionen und handwerklicher Kunstgriffe – das System des von einer einzigen Quelle ausgehenden Lichts mit dem linearen Netzsystem, das aus den Regeln Albertis abgeleitet ist.

Man kann also die Romantik als eine Bewegung betrachten, die ihren Nachfolgern ein reiches Repertoire an Bildern, sogar an Raumvorstellungen hinterlassen, sich aber wohl davor gehütet hat, den festen Rahmen in Frage zu stellen, der die

Darstellung der Bildelemente und besonders des Raums bestimmte. Wie ich oben schon dargelegt habe, müssen die Künstler bestimmte Anteile der Tradition bewahren, um das Bewußtsein des Publikums für das Neue empfänglich zu machen, das per Definition dem Bewußtseinsstand der Künstler nachhinkt; andernfalls bliebe ihre Erfindung für die Masse unzugänglich. Das ist die unbestreitbare Regel einer jeden Innovation.

Es wäre natürlich falsch, die Romantik nur mit Delacroix oder gar mit den kanonisierten Künstlern gleichzusetzen; doch glaube ich, daß auch ein Blick auf die Gesamtheit der Malerei jener Zeit meine oben dargelegte These nicht abschwächt. Denkt man z. B. an Corot, so leuchtet ein, daß er in vieler Hinsicht, eher noch als Delacroix, ein Vorläufer war. Ja, man kann ihn als den Maler betrachten, der zum Impressionismus – der folgenden Etappe in der Entwicklung – oder hier der Revolutionierung der bildenden Künste führt. Und doch beschränken sich die Neuerungen in der Raumdarstellung bei Corot, wie bei Delacroix und Devéria darauf, daß sie neue Szenen, neue Aspekte der Wirklichkeit in die festgelegten Darstellungsschemata einfügen. Corot ließ seine Zeitgenossen die Schönheit der römischen Landschaft, der Seen von Ville-d'Avray oder der Gassen von Douai und Saint-Lô entdecken. Er begeisterte seine Epoche für den Versuch, ihren gewohnten Lebensraum neu zu gestalten – und doch besteht er darauf, die Ufer der Seen von Nemi und der Ile-de-France mit Nymphen zu bevölkern und sich seine Ideen bei der Oper zu holen. Die bildnerische Umsetzung von Welt und Vorstellungen kann er wie seine Vorgänger nur im Rahmen eines szenischen Raums konzipieren.

Hier berühren wir einen Punkt von größter Wichtigkeit. Die nach Neuem dürstenden Romantiker blieben gerade deshalb den überlieferten Vorstellungsformen zutiefst verhaftet, weil das Streben nach Erneuerung nicht notwendig die Entdekkung unbekannter Länder nach sich zieht. Kolumbus hat Amerika auch nur gefunden, weil er im Besitz des Astrolabiums war. Die Künstler schaffen nicht im Leeren, ihre Tätigkeit ist weder um ihrer selbst willen da noch losgelöst von ihrer Zeit. Eine wirklich neue Schöpfung, eine neue Bildsprache entstehen nur auf der Grundlage eines simultan verlaufenden Fortschritts im Denken und in der Technik. In der Romantik haben wir eine beispielhafte Demonstration dessen vor uns, was eine Generation vermag, die wie besessen das Neue sucht, deren Vorstellungskraft aber über die verfügbaren Ausdrucksmittel hinausgeht. An ihr können wir beobachten, daß das Problem der Plastizität des Raums sowohl den Inhalt wie seine formale Fassung betrifft; da beide aufeinander bezogen sind, liegt das Problem in einer der formalen Fassung entsprechenden Bearbeitung des Inhalts. Die Romantik hat den plastischen Bildraum nicht in entscheidender Weise verändert, weil es ihr vorwiegend um eine Erneuerung der Themen und Expositionsverfahren ging, nicht aber um die Infragestellung der technischen Grundlagen der Raumdarstellung selbst. Eben diese technische Seite war bei den folgenden Generationen Gegenstand intensiver Forschungen.

Was die einzelnen Generationen von nun an unterscheidet – die Veteranen der Romantik wie Delacroix, Ingres, Corot, die ebenfalls schon überlebten »Realisten« wie Courbet, Millet und Constantin Guys, schließlich die wirklich »Neuen« wie Manet, Monet, Degas, Sisley, Pisarro – beruht gerade auf dem Umstand, daß die einen noch eine Erneuerung der Kunst durch die Einführung neuer Sujets für möglich halten, während die anderen erkennen, daß nur dann Fortschritte in der Malerei erzielt werden, wenn der Inhalt und seine formale Fassung zugleich in Frage gestellt werden.

Nichts liegt mir ferner, als die innovatorische Leistung eines Courbet oder eines Guys zu unterschätzen. Beide haben es vermocht, das Leben ihrer Zeit widerzuspiegeln. Sie waren Maler der Moderne, die die Lebensweisen und Vorstellungen ihrer Zeit zur Darstellung brachten. Aber dennoch gehen sie dabei nicht wesentlich über die Einstellung ihrer Vorgänger hinaus. Sie haben zweifellos Neues gesagt, weil sie sich umgeschaut haben, statt sich in den Schablonen des Sujets einzunisten, aber es entging ihnen die Tatsache, daß der gesellschaftliche Wandel und die neuen Mittel der Naturbeherrschung die herkömmliche Weise, die Welt und den Raum zu sehen, weitgehend verändert hatten; das gilt auch für das graphische System, über das sie noch verfügten und das darin bestand, die in ständiger Veränderung befindliche Bewegung des Lebens auf eine unbewegliche Bildfläche zu bannen. Veronese malt

– wie viele andere vor ihm – die Venetianer seiner Zeit und läßt sie an der imaginären Vertrautheit der Heiligenfiguren teilhaben; Greco greift auf einem seiner schönsten Bilder – »L'enterrement de l'Orgaz« – die Aufteilung des Bildes in eine himmlische und eine irdische Welt als Darstellungsmittel wieder auf; mit anderen Worten, beide übersetzen damit die Ideen ihrer Zeit in Übereinstimmung mit den Verfahrensweisen der Schule; Courbet verfährt ähnlich: er beschreibt auf seinen Bildern »L'atelier«, »L'enterrement« oder »Les Casseurs de pierre« Handlungen und Gesten seiner Zeitgenossen, die als solche wohl bedeutsam sind, aber dem alten System der bildnerischen Umsetzung verhaftet bleiben. Mit diesen Bildern wird nicht der entscheidende Schritt getan. Weitere Beispiele seien angeführt; wenn Corot uns malerische Landschaften schildert, so setzt er die Versuche Fragonards und Hubert Roberts fort; wie die Schüler von Barbizon projiziert Courbet seine Vorstellungen und schildert seine Figuren in der Manier Chardins oder de Troys; Millet erinnert in seinen zeichnerischen Entwürfen oft an Rembrandt. Was sich ändert, sind die Objekte, nicht das System, die Chiffrierung als solche, wobei der Raum eines der grundlegenden Elemente darstellt. Die »Jungen« der Epoche, die Courbet bewunderten, haben ihn jedoch nie als einen der Ihren betrachtet, und das mit Recht. Die Erneuerung des plastischen Bildraums, die durch die veränderte Stellung des Menschen in der Welt notwendig wurde, konnte man nicht einfach durch die Erneuerung des erzählten Themas oder durch eine abgewandelte Wertehierarchie innerhalb der Gattungen herbeiführen.

Es ging darum, den Rahmen neu abzustecken, innerhalb dessen Denkmodelle entwickelt werden, und damit auch die Vorstellung vom Raum oder vom Ort im alten Sinn zu erneuern. Es waren nicht nur neue Gesellschaftsgruppen, die nun ihren Eintritt in die Geschichte und in die Kunst bekundeten, es war das Grundproblem der Beziehungen zwischen Menschen und Universum und den Individuen untereinander, das sich nun nach Ablehnung der religiösen und sozialen Autoritäten stellte. Eben um dieses Problem ging es den Impressionisten. Hier liegt ihre große geschichtliche Bedeutung, die, wie ich meine, von den verschiedensten Seiten noch nicht hinreichend begriffen wird.

Nimmt man an, daß sich mit dem Impressionismus tatsächlich die Frage der Entdeckung eines neuen Bildraums stellt, so sind weitere Unterscheidungen zu treffen. Ich beabsichtige nicht im geringsten, die absurde Vorstellung zu unterstützen, derzufolge die Impressionisten – ich würde sie lieber als »Unabhängige« oder noch einfacher als Künstler der Pariser Schule bezeichnen – alle mit einem Schlag als Innovatoren und ausschließlich als solche auftraten. Sie sind nur mühsam vorangekommen, Schritt für Schritt, nicht ohne Selbstkritik und ohne in Sackgassen zu geraten. Sie waren eher Vorläufer als Verwirklicher des Neuen. Abgesehen von ihrem Beitrag zur Erneuerung der Bildinhalte können meiner Meinung nach ihre theoretischen Auseinandersetzungen mit dem Raumproblem in drei Kategorien von Lösungsversuchen gefaßt werden, die sich in ihrer jeweiligen Originalität und Tragweite stark voneinander unterscheiden: einige unter ihnen haben das neue Problem der Beziehungen zwischen Form und Licht zur Diskussion gestellt; andere das neue Problem der Triangulierung des Bildraums; wieder andere die Frage der taktilen Werte oder – wenn man so will – einer Darstellung des Raums, die sämtliche Sinne anspricht.

Zur Rolle der Lichtanalyse im Impressionismus läßt sich nichts Neues sagen. Ja, es war in erster Linie dieser Aspekt der impressionistischen Bilder, auf den die wenigen Kritiker reagierten, die der Bewegung einigermaßen wohlwollend gegenüberstanden. Doch befürchte ich, daß in ihrer Folge vor allem die literarische Seite des Versuchs hervorgehoben wurde. Sprach man von den neuen Malern, so vor allem von ihrer Sensibilität, der ergreifenden Weise, das Flimmern der Luft einzufangen, das Schwebende in der Atmosphäre. Mit einem Wort, es war der lyrische Aspekt ihres Werkes, den die wenigen interessierten Rezipienten erfaßten. Meiner Ansicht nach sollte man heute nicht mehr die Relevanz ihres Versuchs zum alleinigen Kriterium machen. Wir können versuchen, ihre Kunst freier zu interpretieren als diejenigen, die selbst im Kampf standen und das seltene Verdienst hatten, unmittelbar den nachhaltigen Gefühlseindruck ausgesprochen zu haben, den diese innovatorischen Bilder in ihnen hervorriefen. Wir können heute im besonderen danach fragen, in welchem Maße gewisse technische Neuerungen des Impressionismus dazu beigetragen haben, das traditionelle System der Raumdarstellung endgültig zu verändern.

Das eigentliche Problem für uns liegt darin, den tatsächlichen Einfluß zu erfahren, den die Umsetzung der von der Form losgelösten Lichteindrücke auf die Bestimmung und die bildnerische Darstellung des Raums ausgeübt hat. Berücksichtigt man ausschließlich das Werk jener Impressionisten, die dem Problem des Lichts nachgegangen sind, so liegt die Gefahr nahe, ihre geschichtliche Bedeutung abzuwerten. Bei genauerem Hinschauen bemerkt man sehr bald, daß das Kompositionsschema zahlreicher impressionistischer Bilder im Grunde in strikter Analogie zu dem eines realistischen Bildes, ja, sogar eines Davidschen Bildes aufgebaut ist. Ein Beispiel hierfür wäre die berühmte »Grenouillère« von Monet, eins der ersten Bilder des Jahrhunderts, in dem ausschließlich mit der neuen Konzeption des Lichts gearbeitet wird. Das Gerüst der Komposition verschwimmt unter den eingestreuten Farbflekken, die das Zittern der Luft vortäuschen. Aber untersucht man das Bild auf seine Hauptlinien hin, so vermittelt es noch immer die Vorstellung des dreidimensionalen Raums der Renaissance bis hin zu den berühmten Fluchtlinien; sein Aufbau geht immer noch von einem einheitlichen Gesichtspunkt aus, aufgrund dessen der Künstler-Beschauer sich hypothetisch außerhalb des Bildes befindet und die Welt aus entfernter Sicht, gleichsam zurücktretend, wie durch einen Bühnenrahmen betrachtet. Diejenigen unter den Impressionisten, die man ohne rechten Grund als die führenden Köpfe der Bewegung ausgibt, haben diese Haltung nicht aufgegeben. Betrachtet man die Bilder Monets, in denen er die Technik der Unschärfe am konsequentesten einsetzt, etwa die »Cathédrales« oder die »Ponts de Londres«, das »Débâcle« oder die »Meules«, so wird man immer entdecken, daß das allgemeine Kompositionsschema im Hinblick auf die Konturierung der Objekte und den Bildausschnitt traditionell bestimmt ist. Ich habe vorgeschlagen, hier von einem »Raster«[2] zu sprechen, wenn diese Seite der impressionistischen Kunst charakterisiert werden soll. Das System der farbigen Darstellung des Universums legt sich über ein lineares Schema, das sich von den vergangenen Techniken nicht unterscheidet.

Ja, noch mehr; ich bin durchaus nicht überzeugt davon, daß

die Maler, die sich ausschließlich mit den Lichteffekten befaßten, die Behandlung der Farben so sehr erneuert haben wie man behauptet. Alle Welt wiederholt bis zum Überdruß, daß die Impressionisten die Schatten in grüner und blauer Farbe gemalt haben. Und doch sind sie nicht die ersten, die es für notwendig hielten, Figuren und Gegenstände mit Farbflecken – und das heißt: mit Werten – zu umgeben, die für den illusionistischen Aufbau des Bildes unerläßlich sind. Die Maler der Renaissance legten wallende Stoffe unter ihre Akte oder um ihre Objekte, um den durch unterschiedliche Teile gekennzeichneten Aufbau des Ganzen und die Aufteilung der Farben auf ihren Bildern hervorzuheben, was einen wesentlichen Teil ihres Bedeutungsgehalts ausmachte. Leider gibt es heute noch keine genauen Untersuchungen zur Frage der Farbkomposition auf den klassischen Bildern. Man geht in ihrem Verständnis einzig und allein davon aus, daß die Zeichnung eine positive Basis bildete, ein rationales Gerüst, innerhalb dessen man normalerweise die Farben verteilte. Das ist jedoch ein grundlegender Irrtum, denn seit dem Quattrocento treten beide Systeme, das der Linien und das der Farben, in Aktion; beide streben nach einer »totalen« Darstellung der Natur, werden aber noch gegeneinander ausgespielt. Uccello malt seine Bilder ohne Schlagschatten, sie gleichen einem Mosaik, das aus konturierten Formen und Farbflecken besteht, die mehr oder weniger gut untereinander ausgewogen sind. Leonardo verzichtet darauf, das System der Farbflecken mit dem der materiellen Formen in Einklang zu bringen; er konzentriert sich auf das Hell-Dunkel, das die Konturen verwischt und dadurch eine Möglichkeit bietet, das schwierige Problem einer Verbindung der graphischen Darstellung mit der Darstellung durch Farbe und Licht zu lösen. Einen anderen Weg schlagen die Eklektiker und Akademisten unter den Malern ein: sie errichten eine ganze Werteskala als verbindliche Konvention, innerhalb derer die verschiedenen Blau- und Rottöne, die Gelb- und Grüntöne jeweils einen bestimmten symbolischen und räumlichen Aussagewert erhalten. Ein bestimmter Farbton (zum Beispiel grün) markiert die Entfernung, so können Ferne und Tiefe durch Blattwerk, aber auch ebenso gut durch Stoffe ausgedrückt werden; ein anderer Farbton (blau) drückt Ruhe aus, ein weiterer (rot) die Bewegung. Es existiert ein ganzes System farblicher Aussagewerte, das nach und nach kodifiziert wird. Wenn also die Impressionisten zu einem bestimmten Zeitpunkt ihre im Freien stehenden Figuren mit farbigen Schatten umgeben und das Gras grün oder blau malen – wie Monet auf seinem Bild »Femmes au jardin« – anstatt ihr Modell auf einen Stoff zu postieren, so führen sie im Grunde nur eine winzige Neuerung in die Malerei ein. Sie verändern damit nicht die Grundlagen der perspektivischen Darstellung, der räumliche Illusionismus bleibt erhalten. Sie ersetzen ganz einfach einen Kunstgriff durch einen anderen.

Das Hell-Dunkel erlaubte es, das Problem des krassen Widerspruchs zwischen dem System der Darstellung der Gegenstände durch Linien und der Darstellung derselben Gegenstände durch die Farbe zu lösen, indem es einen Kompromiß anbot: die Schaffung einer Schattenzone, die die Linienschärfe beeinträchtigte und zugleich die grundlegende Bedeutung der Form aufrechterhielt. Die Impressionisten kehren die Problemstellung um. Die Form weicht bei ihnen zurück. Der Umriß des Farbflecks setzt sich durch gegenüber der Kontur des Gegenstandes. Vorher war die Farbe hinter den Umriß zurückgetreten, wobei sich eine gewisse Unschärfe, eine gewisse Vermischung der Farbwerte im Halbschatten ergab; von nun an wird die Kontur nur noch leicht angedeutet als Spur, die durchscheint durch die vorherrschenden, voneinander abgegrenzten Farbflecke.

Die Folge ist eine vollkommene Umwälzung der Technik; dennoch bleiben die beiden wesentlichen Faktoren des Problems erhalten. Dadurch werden die optischen Grundlagen des impressionistischen Rasters sehr genau bestimmt und die Erneuerungsmöglichkeiten der konsequentesten Verfechter der neuen Lichtkonzeption – Monet, Sisley und Pisarro – eingeschränkt. Da die Beziehungen zwischen den traditionellen maltechnischen Elementen und denen der Wahrnehmung lediglich umgekehrt werden, bewirken diese Impressionisten keine vollständige Umwälzung der Mal- und Darstellungsweise, ganz gleich, was immer darüber gesagt worden ist. Sie bieten eine neue Art, den Raum zu gestalten, aber keine neue Konzeption des Raumes. Sie ermöglichen die Bezeichnung bestimmter Dinge, die bisher ungreifbar waren. Man kann zum Beispiel künftig die unterschiedlichen Farbnuancierungen der Atmosphäre wahrnehmen, statt an der Konzeption eines weißen Lichtes an sich festzuhalten. Und dies, darauf sei besonders hingewiesen, stand in direkter Verbindung mit den Ergebnissen der zeitgenössischen Wissenschaft. Man hält sich jedoch noch immer an den festen Rahmen und an die szenographische Sicht der Welt.

Der Impressionismus wird in seiner Bedeutung nicht herabgesetzt, wenn man aufzeigt, wie er bestimmten Konzeptionen treu bleibt, die zutiefst in der Vorstellung der Menschen verwurzelt sind, einem bestimmten geistigen und sozialen Entwicklungsstand in ihrer Geschichte, dem wir auch heute noch nicht vollständig entwachsen sind. Hinzu kommt, daß der Impressionismus, indem er die Beziehungen der verschiedenen Techniken in der räumlichen Darstellung der Atmosphäre umwälzte, die Entdeckung neuer Probleme ermöglicht hat, die sich unmittelbar danach für die folgenden Generationen als fruchtbar erwiesen.

Man darf nicht den Fehler begehen, die Generation der Jahre 1860-1880 einzig anhand der neuen Beziehungen der Linie und der Farbgebung mit der Form zu beurteilen. Wie ich bereits ausgeführt habe, waren die ersten Anhänger des Impressionismus zunächst empfänglich für dessen emotionale und lyrische Seite. Inzwischen ist aber wohl der Zeitpunkt gekommen, die Bewegung als ganze zu beurteilen. Ich bin dabei der Ansicht, daß die weitere Entwicklung besser erklärt wird durch die Kühnheit eines Degas – der häufiger noch als Monet an den Ausstellungen der Impressionistengruppe teilnahm – oder durch die Manets, wie sie sich in einer Komposition wie dem »Fifre« zeigt, als durch die neuen Methoden Monets, Sisleys oder Pisarros.

Wie ich bereits ausführte, haben einige unter den Impressionisten das Problem der Triangulierung des Bildraumes gestellt, zugleich mit dem der – nicht neuen, aber dominierenden – Darstellung des Lichtes. Und hier hat man, so glaube ich, sich mehr noch als in der Behandlung der Farbe von der traditionellen Malerei der Renaissance entfernt. Bei ihrem Versuch, die nicht greifbare Atmosphäre zu fixieren, haben die Impressionisten an vorgegebenen emotionalen und darstellerischen Elementen festgehalten und lediglich in ihrer

Technik die Faktoren vertauscht. Hingegen haben sie sich bei ihrem Versuch, die Triangulierung des Raumes zu ändern, auf die Erforschung einer anderen Zivilisation gestützt, die eine andere Sprache sprach, und sie haben wirklich Neues eingeführt.

Man hat schon die Wichtigkeit der Rolle herausgearbeitet, die gegen 1870 die Entdeckung der Kunst des Fernen Ostens für die Entwicklung der künstlerischen Technik gespielt hat. Es scheint mir jedoch, daß man nicht genügend unterschieden hat zwischen den Versuchen, die wirklich auf einer neuen Zerlegung des Raumes beruhten, und denjenigen, die darauf abzielten, traditionelle Vorstellungen aufzufrischen. Manet in seinem Bild der »Fifre« zum Beispiel, der ein schräges Konstruktionsprinzip des Raumes sucht, in dem das Spiel der Farbwerte sich vereint mit dem der Rhythmen der Linien mit dem Ziel, die Figur abzulösen von einem noch halb-kubischen Hintergrund, statt sie scharf abzuheben als Flachrelief nach herkömmlicher Art, läßt ein neues Empfinden für die Form durchscheinen, die sich auf eine neue Bewertung der Schwere und Dichte gründet; aber der Manet der »Olympia« oder der »Plage« ist nur der unmittelbare Initiator eines Degas, der mit den schrägen Räumen der Bühne experimentierte, die er von neuen Gesichtspunkten aus entdeckte. Es entsteht eine ganze Serie von Versuchen, die vom berühmten Portrait des »Vicomte Lepic« über die »Mary Cassat au Musée du Louvre«, über zahlreiche andere Versuche bis zu verschiedenen Serien von Tänzerinnen und Akrobaten geht. Der Japankult führt insgesamt zunächst weniger zur Entdeckung des perspektivischen Raumes des Fernen Ostens (Erhebungsperspektive), der auch den Malern der Renaissance nicht unbekannt war, als vielmehr zum kombinierten Einsatz von unterschiedlichen Raumfragmenten. Diese Beobachtung ist deshalb wichtig, weil sie uns zeigen kann, daß eine Epoche in der Gesamtheit der neuen Möglichkeiten, die sich ihr bieten, nur die benutzt, die mit ihren vorherrschenden Interessen übereinstimmen. Anders als man hätte annehmen können, ist es durchaus nicht der Raum aus der Vogelperspektive, der sich in der Kunst der Impressionisten eingebürgert hat, d. h. kein ausgedehnter Raum von oben gesehen, der aber ein einheitlicher Raum bleibt, in dem alle Teile wo nicht im gleichen Maßstab, so doch zumindest vom gleichen Standpunkt aus dargestellt sind. Die wirkliche Neuheit besteht zunächst in der Tatsache, daß man häufiger darauf verzichtet hat, gemäß der Regel von Alberti die Gegenstände von einem Punkt in einem Meter Höhe aus zu betrachten, um den Blick statt dessen nun in jede beliebige Richtung und auf jede beliebige Höhe zu richten. Man entdeckt also, daß die Welt je nach Entfernung und Blickwinkel ein sehr unterschiedliches Aussehen bekommt. Man behandelt das Auge wie einen Projektor, ohne jedoch auf eine dreidimensional bestimmte und globale Weltansicht zu verzichten. Erst später wird die große Entdeckung Degas und seiner Generation dagegen die Nahaufnahme sein, die zur fragmentarischen und nahe gerückten Wahrnehmung führt.

Man begreift sogleich, in welcher Hinsicht dieser Schritt der impressionistischen Malerei den Entdeckungen der Epoche entspricht, in der das Photoobjektiv eine wichtige Rolle spielt. Vorbei ist die Abfolge von getrennten, senkrechten Ansichten wie im Theater; man entdeckt, daß die Welt sich vollkommen in ihrer Struktur ändert, wenn das Auge einen anderen Platz einnimmt. Vorbei auch die Regel, wonach man auf dem Hintergrund nur komplexe Einheiten darstellt: die Kunst entdeckt das autonome Detail. Bisher war der Raum immer als eine Sphäre betrachtet worden, in die Objektsysteme eingetaucht waren; man stellte den Raum, wenn man so will, nur dar, indem man verschiedene Dinge gleichzeitig in einem Rahmen zusammengefaßt zeigte; von nun an entdeckt man die Möglichkeit, die Vorstellung des Raums, ausgehend von der Darstellung eines Details, zu vermitteln. Auf diese Weise wird der traditionelle Gesichtspunkt nach und nach aufgegeben. Der Betrachter sieht nicht mehr durch den Rahmen hindurch eine geordnete Gesamtdarstellung, sondern er fixiert seine erhöhte Aufmerksamkeit auf einen Einzelpunkt, der, wenn man es so ausdrücken will, das Zentrum wird, das die gesamte Komposition erhellt.

In diesem Punkt trifft die Suche des späten Degas zusammen mit der von Renoir; beide beschreiten einen Weg, den man als dritte Bewegung innerhalb des Impressionismus betrachten kann. Renoir geht von der Farbe aus und organisiert den Bildraum in der Weise, daß eine kleine Anzahl von Details, die mit Hilfe von Farbwerten ausgedrückt werden, zum Strahlungszentrum des Bildes wird. Indem er zum Beispiel in den »Baigneuses« auf jede euklidisch organisierte Tiefe verzichtet, setzt Renoir seine Figuren auf einen indifferenten Hintergrund; er nähert sich dem Modell, er berührt es, er betastet es mit den Augen und mit der Hand, er schmiegt sich ihm an, anders als Degas reagiert er empfindsamer auf Kontaktqualitäten als auf unerforschte Aspekte der Kontur.

Im übrigen verbindet Degas im allgemeinen eine scharfe und vollkommen neuartige Analyse der Details der Nahaufnahme mit einer sich respektvoll an der Tradition orientierenden Erneuerung des Hintergrundes, der Gesetze der Distanzierung und des Rahmens – woraus sich die Raffiniertheit dieses Werkes ergibt, das in einer paradoxen Übereinstimmung zwei gegensätzliche Darstellungssysteme vereint. Renoir dagegen akzeptiert eher den Mangel an Klarheit, das Verschwommene, den indifferenten Charakter der Raumpartien, die abweichen vom gewählten Zentrum des Interesses. Insgesamt handelt es sich bei Renoir um eine nahe Natur, die vom Flachrelief herrührt oder noch öfter sogar vom wie mit der Hand berührten Hochrelief und nicht vom großen Überblick, der sich an die Stelle der Darstellung eines Marionettenspiels gesetzt hatte. Denken wir an das Vorgehen Poussins, kleine Figuren in eine Schachtel zu legen, um das Spiel des Lichtes zu beobachten. Dies bisher wenig beachtete Experiment bekommt seine volle Bedeutung, wenn man es als Beleg betrachtet für die hier entwickelte Theorie der Transformation des Raumes. Der Szenographie verbunden, haben die Generationen der Klassik den Menschen als Schauspieler auf dem Welttheater betrachtet; sie haben ihn immer dargestellt auf einer Art fester Bühne; sie haben ihn sich vorgestellt in einem starren Rahmen, der ihm quasi äußerlich blieb; sie haben sich so weit zurückgezogen wie es notwendig war, um ihn auf seine Bühne zu stellen, indem sie sich wie Poussin so hinstellten, daß sie den Blick auf eine Seite der Schachtel fixieren konnten. Diese Konzeption ist zerbrochen seit dem Impressionismus oder, genauer, seit jenen Impressionisten, die mit Manet und Degas als Zeichner, dann mit Renoir vor allem als Coloristen, ihre Aufmerksamkeit dem Detail zugewandt haben und damit sozusagen in die Realität eingetreten sind. Während das Mittelalter den Raum in Segmente zerlegt, die

Renaissance ihn szenographisch organisiert, könnte man sagen, daß die moderne Kunst eine be-greifende Auffassung vom Raum hat.

Die Richtung, die gegen 1870 in der Erforschung des Bildraumes eingenommen wurde, erklärt sich nicht nur durch den allgemeinen Fortschritt in der Maltechnik, sondern durch die veränderte Haltung, die die gesamte Gesellschaft gegenüber der äußeren Welt eingenommen hat. Man hat mehrfach gesagt – allen voran ich selbst –, daß der Impressionismus die Kunst der Epoche war, die sich auf philosophischem Gebiet das Problem der Analyse der Bedingungen der sinnlichen Wahrnehmung gestellt hat. Genauer, es ist die Kunst einer Epoche, die die mechanische Konzeption eines Universums aufgibt, dessen unveränderliches Aussehen man erkannt zu haben glaubte, um eine analytische Konzeption der Natur zu erarbeiten. Das menschliche Auge durchdringt die Materie, es wird morgen eine Welt wahrnehmen, deren allgemeine Form nicht mehr determiniert ist durch die Gewohnheit, alles, den plastischen Bildraum eingeschlossen, in eine Art abstrakten Kubus zu projizieren, wobei das euklidische Bild einer unveränderlichen und konkreten Welt entsteht, die der Mensch als Besucher durchwandert.

Vergessen wir nicht, daß sich im Raum, wie er im 15. und 16. Jahrhundert erarbeitet worden ist, die gleichen Bedürfnisse ausdrücken, die eine ganze Philosophie inspirieren. Der Platonismus hat hier eine dominierende Rolle gespielt. Die Menschen dieser Zeit glaubten, daß es eine Harmonie der Sphären gäbe und daß diese Harmonie sich ausdrückt in mathematischen Begründungen, die von der Darstellung des Menschen auf die des Kosmos übertragbar wären. Sie haben an die Einheit und an ein ewig gleichbleibendes Universum geglaubt, mit anderen Worten, sie haben geglaubt, daß die Welt eine geometrische Gestalt hätte, sie waren der Meinung, die Natur wäre eine ewig währende Realität, die dem Menschen als Schauspiel dargeboten würde. Man ermißt noch heute kaum den Einfluß, den dieser humanistische oder besser noch literarische Gedanke auf die Entwicklung der modernen Zivilisation gehabt hat.

Seit dem Ende des 19. Jahrhunderts wurde die Gesellschaft veranlaßt, ihre traditionelle Raumdarstellung zu erneuern, angeregt durch die Wissenschaft, die ihr die komplexen Strukturen des Universums aufgedeckt hat.

Fügen wir noch hinzu, daß diese Gesellschaft sich zugleich mit dem Zerbrechen der unveränderlichen Formen einer jahrhundertealten Tradition – ebenso wie die Romantik und der Realismus – neue Helden und neue mythische Orte geschaffen hat. Es wäre ein Fehler anzunehmen, daß der Impressionismus lediglich die Bedingungen der plastischen Raumdarstellung auf der Leinwand verändert hätte.

Das Problem des Raumes ist ein doppeltes. Es verlangt, daß man zugleich darauf achtet, was dargestellt wird und wie man es darstellt. In dieser Hinsicht ist der Impressionismus den Weg weitergegangen, der von den voraufgegangenen Generationen eingeschlagen worden war. Wir haben gesehen, daß seit der Romantik von den Künstlern große Anstrengungen unternommen worden sind, die imaginären Orte zu erneuern, während die Realisten in die Kunst eine neue Reihe vertrauter Orte einführten. Das gesamte 19. Jahrhundert hindurch hat jede Generation ihren Rahmen gehabt, der realistisch oder idealisiert sein konnte. Madame Bovary bewohnt keine romantischen Schlösser mehr. Allgemein gesprochen hat dieses Jahrhundert mehr noch als die voraufgegangenen ein Gespür gehabt für die Idylle und die Vielfalt. Die sich erweiternde Gesellschaft hat sich nicht mehr mit einigen typisierten Orten der Handlung zufriedengegeben. Zum anderen hat sie die konventionellen, mondänen, klassischen und religiösen Rahmen der voraufgegangenen Generationen verlassen. Seit Masaccio und Piero de la Francescha bis Delacroix und Ingres hat es eine Welt der Götter gegeben, eine christliche Welt und eine Welt der sich kaum verändernden Menschen. Jakob kämpft in einem Garten mit dem Engel auf einem Gemälde Raffaels, das in der Kirche Saint-Suplice hängt; die Apotheose Homers wird von Ingres dargestellt vor einem Palladio-Tempel.

Jahrhundertelang war die Welt, die überhaupt von Belang war, so begrenzt, daß sie sich auf einige hervorragende Typen beschränkte. Seit dem 18. Jahrhundert wird die Vielfalt der Landschaft wahrgenommen. Von Chardin bis Hubert Robert dringt die alltägliche Welt in die Kunst ein.

Im 19. Jahrhundert besteht in der Malerei das Bedürfnis, immer zahlreichere Orte darzustellen und, was besonders wichtig ist, immer spezifischere, wodurch der Sinn für das Detail auch in das Thema eindringt. Es erfolgt eine vollständige Umorientierung der Vorstellungskraft, die nicht mehr bestrebt ist, Gruppen oder Ensembles zu beleben, sondern sich für das Fragment, für die Struktur interessiert. Man geht von nun an vom Besonderen zum Allgemeinen, statt die Details aus der Kenntnis der Gesetze abzuleiten. Die Entwicklung der Kunst im 19. Jahrhundert läuft also parallel mit den Grundzügen der Entwicklung in Logik und Wissenschaft.

Grundsätzlich ist also davon auszugehen, daß es keine Darstellung des Raumes in der bildenden Kunst gibt, die abweicht von der allgemeinen intellektuellen und sozialen Bewertung der Normen. Man kann hier einen Begriff der Ethnographen entlehnen und von »psychischer Distanz« sprechen. Der Übergang vom Mittelalter zur Renaissance fand statt, als die Naturphilosophie sich zu entwickeln begann. Das Mittelalter glaubte, daß alles in Gott sei, daß das Universum eine tiefe Einheit besäße und zugleich belebt wäre. Es hat daher in der Malerei die Möglichkeit gefunden, sich darzustellen in nebeneinander angeordneten Räumen. Zwischen den Dingen gab es keine Distanz, alles, Menschen und Dinge waren Attribute Gottes. Man hört lediglich aus Respekt auf, in einen Raum, so wenig illusionistisch er auch sei, göttliche Objekte und Personen zu stellen. Der Gegensatz besteht zwischen dem unkörperlichen Wesen – das daher flach ist – und dessen Attributen. Diese aber sind stets die konkrete Manifestation des Wesens. Die Renaissance entdeckt den Widerspruch, den Konflikt zwischen Gott und der Natur. Sie läßt so die Darstellung des geschlossenen Raumes des Universums zu, wo unter den Augen Gottes, aber im Kampf mit ihm, die Menschen und die Dinge, auf die sich ihre Handlungen erstrecken, sich in einer Welt befinden, die versehen ist mit autonomen, unveränderlichen und in ihrer Anzahl begrenzten Gesetzen. Die Perspektive der Renaissance gründet vielleicht in der Hypothese, daß es weltliche Gesetze gibt, die mit denen des Geistes nicht gleichzusetzen sind. Zugleich aber liegt ihr Grund im Glauben an die Materialität der Gegenstände und an ihre Stabilität. Die Epoche der Moderne, die die Gegenstände nicht mehr als feststehende Gegebenheiten der Natur betrachtet, hat notwendigerweise die Konzeption der Beziehungen zwischen dem Subjekt und den Objekten wie auch die der Objekte untereinander geändert. Zugleich hat sie die Art ihrer alltäglichen Existenz verändert und die Auffassung von den hierarchischen Beziehungen, die einstmals das Leben der Menschen bestimmten. Sie kann daher die Dinge nicht mehr klar ausdrücken durch den Umriß und die äußere Erscheinung. Dieser Tatbestand hat gravierende Folgen auf allen Gebieten, psychologischen, physischen, geometrischen und sozialen. So sind die festen Identifikationswerte der alten Zeichen verschwunden; der räumliche und soziale Symbolismus der Renaissance gilt nicht mehr.

Die moderne Gesellschaft hat also aufgehört – in ihrem Alltag und in der Bildproduktion –, sich im Raum der Tradition zu bewegen. Sie ist im wahrsten Sinne des Wortes aus ihm herausgetreten. Das Bedauernswerte ist jedoch, daß die Künstler unfähig waren, sofort ein neues, stringentes und vollständiges Darstellungssystem des neuen Universums einzuführen, das auch heute noch auf keinem Gebiet existiert. Aus diesem Grunde haben die Spekulationen über den Raum in der Epoche des Impressionismus den Charakter einer tastenden Suche angenommen; deshalb darf man diese Epoche nicht mit dem Ziel erforschen zu bestimmen, welches neue, kohärente System plötzlich an die Stelle des alten tritt. Wenn man einmal von der absurden Hypothese ausgeht, eine Katastrophe hätte die Entwicklung der abendländischen Gesellschaften gegen 1480 unterbrochen, so würden alle Wertmaßstäbe, mit deren Hilfe wir heute die Renaissance beurteilen, überhaupt nicht existieren. Es hat zwei oder drei Jahrhunderte gedauert, bis die Gesellschaft sich in einem System festgelegt hat, und zwar nachdem die Position des Menschen im Verhältnis zu den Problemen der Natur ganz allgemein feststand. Die Renaissance war nicht von Anfang an im Werk der ersten Innovatoren des Quattrocento angelegt. Das gleiche gilt für die Epoche der Moderne. Natürlich ist ein gewisser Einschnitt zu erkennen, zum Beispiel zwischen dem Mittelalter und der Renaissance ebenso wie zwischen der Renaissance und der zeitgenössischen Epoche. Obwohl es nicht unmittelbar den Anschein hat, besteht ein größerer Unterschied zwischen Ingres und Degas als zwischen Ingres und Raffael, der ebenso groß ist wie der zwischen Duccio und Uccello.

Weitreichende und plötzliche Umbrüche des allgemeinen Weltverständnisses sind im Leben der Gesellschaften ebenso selten wie in dem der Individuen. Um ein System zu errichten, benötigt man Zeit, und dieses System ist erst in dem Moment vollständig ausgebildet, wo es sich in seinen letzten Konsequenzen entwickelt und seine Gültigkeit bereits wieder verliert. Es ist sehr schwierig für uns, die Revolutionen des 19. Jahrhunderts in der Darstellung des Raumes zu beurteilen, da wir noch voll in der Auseinandersetzung stehen. Dennoch steht wohl fest, daß gegen 1870 eine kleine Gruppe von Malern, einige schöpferische Künstler der Pariser Schule, endgültig die Möglichkeit einer an der Tradition orientierten Darstellung des Raumes zerstört haben. Sie haben darüber hinaus einige Prinzipien erarbeitet, auf deren Grundlage sich die Kunst noch heute entwickelt.

Anmerkungen

1 Zitiert bei A. Tabarant, La vie artistique au temps de Baudelaire, Paris, 1942, S. 277.

2 Vergl. hierzu mein Buch »Über den Impressionismus«, Veröffentlichungen der Faculté des Lettres de Strasbourg, 1937, S. 105 und pl. VIII.

17. Wolfgang Fritz Haug
Zur Kritik der Warenästhetik

Vorbemerkung

In der Weiterentwicklung des Kapitalismus seit seiner Analyse durch Karl Marx hat sich ein Komplex von Techniken und Erscheinungen in den Vordergrund gedrängt, der für Marx noch fast bedeutungslos war. Gemeint ist der bewußtseinsprägende und verhaltenssteuernde Einfluß von Aufmachung und Propagierung der für den massenhaften Absatz produzierten Waren. Viele Kritiker des gegenwärtigen Kapitalismus rücken diesen Komplex ins Zentrum ihrer Theorie. Baran und Sweezy, die ihn in ihrer Theorie des Monopolkapitals unter dem Begriff »Verkaufsförderung« abhandeln, sprechen von »deren alles durchdringendem Einfluß«. »Von einem relativ unbedeutenden Merkmal des Systems«, sagen sie, habe sich die Verkaufsförderung »zu einem seiner entscheidenden Nervenzentren entwickelt«. In vielen nicht primär ökonomischen Theorien, vor allem aber in den politischen Diskussionen unter Studenten und Schülern, nehmen oft einige Begriffe eine Schlüsselrolle ein, die denselben Zusammenhang ansprechen sollen, vor allem der Begriff Manipulation und der Begriff des Repressiven. Manipulation bezeichnet die nichtterroristische Lenkung des Bewußtseins und Verhaltens der Massen durch sprachliche und ästhetische Mittel. Wenn von etwas gesagt wird, es sei »repressiv«, soll ohne weitere Analyse angedeutet werden, dieses Etwas steht im allgemeinen Zusammenhang von Herrschaft, Unterdrückung und Ausbeutung, und zwar als ein Moment und stabilisierendes Mittel dieses Zusammenhangs. Nun kann von manipulierten Bedürfnissen und ihrer repressiven Befriedigung gesprochen werden. Die Begriffe »Konsumterror« oder gar »Konsumfaschismus« steigern hilflos diese Aussage noch einmal. Solche Begriffe werden in der Isolation geprägt, die sie widerspiegeln und mit dem korrum-

Abdruck mit freundlicher Genehmigung des Verfassers aus: Wolfgang Fritz Haug, *Warenästhetik, Sexualität und Herrschaft. Gesammelte Aufsätze* (Fischer Taschenbuch, 6155). Frankfurt 1972, 11-30. Erstdruck in: Kursbuch 20 (1970), 140-158.

pierten Bewußtseinsstand der unansprechbaren Umgebung begründen. Solche Begriffe werden ferner, wie an der Entwicklung der Studentenbewegung deutlich ablesbar, über Klassenschranken hinweg gesagt, die man nicht zu durchbrechen vermochte. In ihrer Radikalität sind solche Begriffe daher resigniert.

Während der Stagnationsperiode der neuen linken Bewegung wurden diese Begriffe verfeinert und dabei vollends ad absurdum geführt. Nun trat die Kategorie der Manipulation in den Hintergrund. Dafür wurden Begriffe aus dem ersten Abschnitt des »Kapitals« von Marx aktuell. Warenform und Warencharakter, gar Fetischcharakter der Ware, wurden jetzt thematisiert, als seien es unmittelbar inhaltliche Kategorien, mit denen über neuartige Gebrauchswerte und die auf sie sich beziehenden Bedürfnisse geredet werden könne. Auf irgendeine geheimnisvolle Weise sollte die pure Käuflichkeit einer Sache – denn das ist ihre Warennorm, und nichts anderes – diese Sache in ihrem Gebrauchswert pervertieren und in einen Zusammenhang der Verblendung und verdummenden Abspeisung integrieren. Schriftsteller und Literaturwissenschaftler, Künstler und Kunsttheoretiker verstrickten sich in endlose Debatten über dies und das als Ware. Einer fand, »dem Wahrheitsgehalt der Kunst« wirke »ihr Charakter als Ware prinzipiell bis zur Vernichtung ihres Sinns entgegen«. Er versäumte nur anzugeben, wie. Andere brachten den »Warencharakter der Kunst« hauptsächlich mit einem Konsumentenstandpunkt in Verbindung, der auf Fertiggerichte Wert legt oder auf kulinarische Form oder auf Gängigkeit.

Gerade weil dieser kritische Jargon zumeist so verworren und hilflos bleibt, soll im folgenden versucht werden, den Zusammenhang der Produktion und Propagierung von Waren einerseits, von Bewußtsein und Bedürfnissen der Menschen andererseits zu analysieren. In der Tat stellt ja die Welt aus werbendem und unterhaltendem Schein, an dessen Erzeugung heute ganze Industrien arbeiten, eine das Leben und die Wahrnehmung der Menschen bis in die Intimität hinein bedingende Macht dar. Ist auch bei Marx dieser Zusammenhang noch nicht analysiert, so liegen doch die Grundbegriffe und Funktionsanalysen, auf denen die Untersuchung aufgebaut werden kann, im »Kapital« bereit. Deshalb ist im folgenden nun zunächst den ökonomischen Funktionen des Tauschs, der Warenproduktion und der Kapitalverwertung nachzufragen, die zur Ausbildung jener Welt des manipulativen Scheins geführt haben. Nur von ihrer Analyse her können die Gesetzmäßigkeiten der Warenästhetik entwickelt werden. Zugleich lassen sich auf diesem Wege einige Fehler vermeiden, wie sie unter anderem Baran und Sweezy begangen haben, weil sie die von ihnen sogenannte Verkaufsförderung und deren Verschränkung mit der Gebrauchswertproduktion erst im Monopolkapitalismus ganz unvermittelt anheben lassen[1]. Man wird sehen, daß in der historischen Entwicklung die Grenze zwischen Gebrauchswert einerseits und zu Konsum und daher zu Kauf anreizender Aufmachung der Waren andererseits nicht erst in diesem Jahrhundert verschwimmt.

Erster Teil

1 Ursprung der Warenästhetik aus dem Widerspruch im Tauschverhältnis

Fragt man nach den immanenten Bedingungen, die erfüllt sein müssen, damit zwei Warenbesitzer den Tauschakt vollziehen können, so stößt man sogleich auf die Schwierigkeiten, als deren Lösung dann die weitertreibende Gestalt auftreten wird: das Geld. Die Schwierigkeiten sind folgende: erstens muß die Äquivalenz gegeben sein. Das heißt aber auch, zwei Dinge müssen sagen können, daß sie einander gleichwertig sind. Aber wie nun die Gleichwertigkeit ausdrücken?

Zweite Schwierigkeit: es muß das nichtbrauchende Haben jeder Seite mit dem nichthabenden Brauchen der andern Seite zusammentreffen. Wenn der, der das hat, was ich brauche, nicht das braucht, was ich habe, kann der Tausch nicht vollzogen werden.

Das Geld leistet ein Doppeltes. Zum einen übernimmt es die Funktion des messenden Wertausdrucks. Der Tauschwert nimmt im Geld selbständige Gestalt an und ist nicht länger an irgendeinen besonderen Gebrauchswert als seinen Träger gebunden. Zum andern zertrennt das Geld den allzu komplexen Tausch zweier Dinge in zwei Tauschakte. Als das Mittlere des

Vergleichs tritt das Geld zwischen alle Waren und vermittelt ihren Austausch. Damit ist eine Abstraktion vollzogen: der Tauschwert hat sich von jeglichem besonderen Bedürfnis abgelöst. Dem, der über ihn verfügt, verleiht er eine nur quantitativ begrenzte Macht über alle besonderen Qualitäten. Indem sich das Geld als Allmacht durchsetzt, werden die alten qualitativen Mächte gestürzt. Das Geld verschärft sprunghaft einen bereits im einfachen Tausch angelegten Widerspruch. Treibendes Motiv für jede Seite im Tausch zweier Waren ist das Bedürfnis nach dem Gebrauchswert der Ware der jeweils andern Seite. Zugleich ist die eigene Ware und mit ihr das fremde Bedürfnis nur Mittel zu jenem Zweck. Der Zweck eines jeden ist dem jeweils andern nur Mittel, um durch Tausch zum eigenen Zweck zu kommen. So stehen sich in einem einzigen Tauschakt zwei mal zwei gegensätzliche Standpunkte gegenüber. Jede Seite steht sowohl auf dem Tauschwertstandpunkt als auch auf einem bestimmten Gebrauchswertstandpunkt. Jedem Gebrauchswertstandpunkt steht ein Tauschwertstandpunkt gegenüber, von dem aus er möglicherweise betrogen wird. Indem beide Standpunkte ungeschieden von jeder der beiden tauschenden Parteien eingenommen werden, bleibt in die Gleichheit beider Positionen der Widerspruch eingebunden.

Das Verhältnis ändert sich mit dem Dazwischentreten des Geldes. Wo Geld den Tausch vermittelt, zerlegt es ihn nicht nur in zwei Akte, in Verkauf und Kauf, sondern es scheidet die gegensätzlichen Standpunkte. Der Käufer steht auf dem Standpunkt des Bedürfnisses: sein Zweck ist der bestimmte Gebrauchswert, sein Mittel, diesen einzutauschen, ist der Tauschwert in Geldform. Dem Verkäufer ist derselbe Gebrauchswert bloßes Mittel, den Tauschwert seiner Ware zu Geld zu machen. Vom Standpunkt des Gebrauchswertbedürfnisses ist der Zweck der Sache erreicht, wenn die gekaufte Sache brauchbar und genießbar ist. Vom Tauschwertstandpunkt ist der Zweck erfüllt, wenn der Tauschwert in Geldform herausspringt. Dem einen gilt die Ware als Lebensmittel, dem anderen das Leben als Verwertungsmittel. Zwischen beiden Standpunkten ist ein Unterschied wie zwischen Tag und Nacht. Sobald sie erst einmal getrennt vorkommen, ist ihr Widerspruch auch schon eklatant.

Die Warenproduktion setzt sich zum Ziel nicht die Produktion bestimmter Gebrauchswerte als solcher, sondern das Produzieren für den Verkauf. Gebrauchswert spielt in der Berechnung des Warenproduzenten nur eine Rolle als vom Käufer erwarteter, worauf Rücksicht zu nehmen ist. Nicht nur sind Zweck und Mittel beim Käufer und Verkäufer entgegengesetzt. Darüber hinaus spielt sich derselbe Akt für sie in unterschiedlicher Zeit ab und hat für sie ganz unterschiedliche Bedeutung. Vom Tauschwertstandpunkt aus ist der Prozeß abgeschlossen und der Zweck realisiert mit dem Akt des Verkaufs. Vom Standpunkt des Gebrauchswertbedürfnisses aus ist derselbe Akt nur der Beginn und die Voraussetzung für die Realisierung seines Zwecks in Gebrauch und Genuß.

Aus dem so in Personen auseinandergelegten Widerspruch von Gebrauchswert und Tauschwert nimmt eine Tendenz ihren Ausgang, die den Warenkörper, seine Gebrauchsgestalt, in immer neue Veränderungen treibt. Hinfort wird bei aller Warenproduktion ein Doppeltes produziert: erstens der Gebrauchswert, zweitens und extra die Erscheinung des Gebrauchswertes. Denn bis zum Verkauf, mit dem der Tauschwertstandpunkt seinen Zweck erreicht, spielt der Gebrauchswert tendenziell nur als Schein eine Rolle. Das Ästhetische im weitesten Sinne: sinnliche Erscheinung und Sinn des Gebrauchswerts, löst sich hier von der Sache ab. Beherrschung und getrennte Produktion dieses Ästhetischen wird zum Instrument für den Geldzweck. So ist schon in der Vorgeschichte des Kapitalismus, im Prinzip des Tausches, die Tendenz zur Technokratie der Sinnlichkeit ökonomisch angelegt.

2 Die starken Reize als Instrumente des handelskapitalistischen Verwertungsinteresses

Bevor auf spezifische ästhetische Reize eingegangen werden kann, ist eine nähere Bestimmung des Tauschwertstandpunktes nachzutragen. Sobald im Geld der Tauschwert sich verselbständigt hat, ist die Voraussetzung für die Verselbständigung auch des Tauschwertstandpunkts gegeben. In Geldform ist der Tauschwert an kein sinnliches Bedürfnis mehr gebunden, hat alle sinnlich mannigfaltige Qualität abgestreift. So sinnlos es wäre, bestimmte sinnliche Gebrauchswerte unendlich anzuhäufen, da ihnen doch eine Grenze durch ihre Brauchbarkeit gesetzt ist – die Anhäufung des Tauschwerts, der eh nur quantitativ interessant ist, kennt von sich aus kein Maß und keine Grenze. Mit dem Geld, anfangs die bloße Vergegenständlichung einer Funktion des Tauschs, kommt daher eine Macht von neuer Qualität auf die Welt: der abstrakte Reichtum, der verselbständigte Tauschwert. Er begründet ein neues Interesse, das diese Verselbständigung mitmacht: das Verwertungsinteresse. Wucher und Handel sind seine beiden ersten großen Gestalten in der Geschichte. Im folgenden interessieren einige Züge des Handelskapitals, dessen große Epoche in Europa zugleich die des Frühkapitalismus war.

Kaufen, um mit Gewinn zu verkaufen, ist seine Tätigkeit. Sie ist daher zunächst überregional, wo nicht gar transkulturell, hat ihre Stärke im Fernhandel. Um in die lokalen Märkte einzudringen, oder um Gebiete, die bisher keine Warenproduktion kannten, für den Handel aufzubrechen, bedarf das Handelskapital besonderer Warengattungen. Drei Warengruppen haben in diesem Sinne besonders Furore gemacht und der Veränderung der Verhältnisse weltweit den Weg gebahnt: erstens militärische Güter, zweitens Textilien und drittens Reiz- und Genußmittel. Die starken Reize treten in die europäische Geschichte ein als Instrumente des handelskapitalistischen Verwertungsinteresses. Die europäischen Mächte, die über diesem Geschäft zu Weltmächten aufstiegen, heißen nacheinander Venedig, die Niederlande, England.

3 *Luxus des Adels, bürgerlicher Rausch mit klarem Kopf*

Wenn Marx einmal bemerkt, die Waren werfen Liebesblicke nach den möglichen Käufern, so bewegt die Metapher sich auf sozialgeschichtlichem Grund. Denn eine Gattung der starken Reize, mit denen die Produktion von Waren zum Zwecke der Verwertung operiert, ist die der Liebesreize. Dementsprechend wirft eine ganze Warengattung Liebesblicke nach den Käufern, indem sie nichts anderes nachahmt und dabei überbietet als deren, der Käufer, eigne Liebesblicke, die die Käufer wiederum werbend ihren menschlichen Liebesobjekten zuwerfen. Wer um Liebe wirbt, macht sich schön und liebenswert. Allerlei Schmuck und Textil, Duft und Farbe bieten sich an als Mittel der Darstellung von Schönheit und Liebeswert. So entlehnen die Waren ihre ästhetische Sprache beim Liebeswerben der Menschen. Dann kehrt das Verhältnis sich um, und die Menschen entlehnen ihren ästhetischen Ausdruck bei den Waren. Das heißt, hier findet eine erste Rückkoppelung statt von der aus Verwertungsmotiven aufreizenden Gebrauchsgestalt der Waren auf die Sinnlichkeit der Menschen. Nicht nur verändert sich die Ausdrucksmöglichkeit ihrer Triebstruktur, sondern es verlagert sich der Akzent: starker ästhetischer Reiz, Tauschwert und Libido hängen aneinander wie die Leute in der Geschichte von der goldenen Gans, und wertvoll werden die Ausdrucksmittel, sie kosten auch ein Vermögen. Bald leiht die aufsteigende Bourgeoisie dem Adel gegen Wucherzinsen das Geld, womit er bei ihr die vielfältigen Imponiertextilien und Galanteriewaren kauft, bis Stück um Stück des adligen Grundbesitzes den Bürgern zufällt und kapitalisiert wird zu Schaden aller unproduktiven Esser, die auf den Bettel oder ins Arbeitshaus getrieben werden, bis der Aufstieg der kapitalistischen Produktion billige Lohnarbeiter in ihnen findet. Der Luxus: die Waren mit den starken sinnlichen Reizen, vermittelt kein geringes Stück der großen Umverteilung des Besitzes bei Revolutionierung seiner Verwertung, die ursprüngliche Akkumulation heißt. Der Vorgang ist – funktionell wie historisch – im Fundament der bürgerlichen Gesellschaft angelegt und für sie durchweg bezeichnend. »Jeder Mensch«, heißt es in den Pariser Manuskripten von Marx, »spekuliert darauf, dem anderen ein neues Bedürfnis zu schaffen, um ihn zu einem neuen Opfer zu zwingen, um ihn in eine neue Abhängigkeit zu versetzen und ihn zu einer neuen Weise des Genusses und damit des ökonomischen Ruins zu verleiten.« Die Bürger lassen es sich zur Lehre dienen. Müßiggang und Luxus, woran sie verdienen, sind ihnen bei ihresgleichen oder gar der Unterklasse gleichermaßen verhaßt. Doch kompensieren sie ihre Triebhaftigkeit, die sie aufs Kontorleben hin zuschneiden, mit Genüssen, die spezifisch gut zu bürgerlicher Tätigkeit passen: mit Tabak, Kaffee, vor allem aber Tee, der sich im 17. Jahrhundert rasch einen ungeheuren Markt erobert. Klerus und Adel genießen indes Schokolade und Zuckerwerk. Da die Schokolade eine von katholischen

Interessen verwertete Kolonialware war, wurde von den Kanzeln gegen Tabak und Tee als Teufelszeug gepredigt, dafür Kakao als Mittel gegen Pest und Cholera angepriesen. Die großen englischen und niederländischen Kapitalgesellschaften betrieben ihrerseits getarnte Reklame, bestachen Dichter, Komponisten, Chansonniers und Ärzte, um sie Tee oder Kaffee feiern zu lassen. Im übrigen gab es Ärzte, die den Kaffee zur Brechung des Alkoholrausches und den Tee als Mittel einsetzten, den Entzug alkoholischer Getränke erträglicher zu machen. Die Bürger brauchten noch beim Rausch den klaren Kopf. Zu beachten ist daran, daß die Schaffung und Steuerung von Bedürfnissen nicht, wie manche meinen, etwas spezifisch Spätkapitalistisches ist.

4 Kapitalistische Massenproduktion und Realisationsproblem: Ästhetik der Massenware

Die Kapitalisierung der Warenproduktion entfesselt großen Ansporn zur Entwicklung von Techniken der Produktion des relativen Mehrwerts, also der Steigerung der Produktivität, insbesondere der Bildung von Maschinerie und großer Industrie. Zugleich schließt sie tendenziell alle Gesellschaftsmitglieder an die Verteilung der Waren über den Markt an. Sie schafft also mit der massenhaften Ausweitung der Nachfrage auch Technologie und Produktivkräfte der Massenproduktion. Nun sind es nicht mehr in erster Linie die teuren Luxuswaren, die das große Geschäft bestimmen, sondern die relativ billigen Massenartikel. Über Realisierung, Masse und Rate von Profit entscheiden jetzt die für das industrielle Kapital charakteristischen Verwertungsfunktionen. Innerhalb der Produktionssphäre sind folgende Rentabilitätsfunktionen in unserem Zusammenhang von Interesse: erstens Verringerung der Arbeitszeit durch Steigerung der Produktivität der Arbeit – hierher gehört die Tendenz zur Ausschaltung der Handarbeit (die dann als besonders hochgeschätzter Bestandteil der Anpreisung bestimmter Luxuswaren wiederkehren wird) – und schließlich zur Ausbildung der Technologie massenhafter Produzierbarkeit standardisierter Artikel. Zweitens ist zu nennen die Verbilligung der Teile des konstanten Kapitals, die als Roh- und Hilfsstoffe und sonstige Zutaten ins

Produkt eingehen. Drittens die Verringerung der Produktionszeit etwa durch künstliche Abkürzung von zur Reife notwendiger Lagerzeit.

Man sieht, daß alle diese Veränderungen die Erscheinung eines Produkts modifizieren müssen. Hier erwachsen ebenso viele Funktionen, durch zusätzlich produzierten Schein die Veränderungen zu überdecken oder zu kompensieren. Raffinierte Oberflächenbehandlung oder Einfärbung mag Verschlechterungen von Material und Verarbeitung überdecken. Branntwein, der nicht, wie zu Erlangung seiner Reife erforderlich, einige Jahre in Eichenfässern gelagert wurde, woher seine bräunliche Farbe rührt, wird mit karamelisiertem Zucker eingefärbt: so wird der Schein aufrechterhalten.

Innerhalb der Zirkulationssphäre interessiert in unserem Zusammenhang zunächst nur eines: hier muß der Formwandel stattfinden, hier müssen Wert und Mehrwert realisiert werden. Bereits eine bloße Stockung könnte den Ruin bedeuten. Marx verwendet die stärksten Ausdrücke, um dieses Problem – nennen wir es das Realisationsproblem – zur Sprache zu bringen. Hier muß die Ware ihren Salto mortale machen, vielleicht bricht sie sich das Genick dabei. Hier lechzt der an den Warenleib gebannte Tauschwert danach, in die Geldform erlöst zu werden. Hier dreht sich alles um »das Mirakel dieser Transsubstantiation«, wie es im »Kapital« heißt, hier ist der Ort und der Zeitpunkt, da die Waren ihre Liebesblicke werfen. »Gäbe es jene Warenseele«, schreibt Walter Benjamin in seiner Schrift über Baudelaire als Lyriker im Zeitalter des Hochkapitalismus, »gäbe es jene Warenseele, von der Marx gelegentlich im Scherz spricht, so wäre es die einfühlsamste, die im Seelenreiche je begegnet ist. Denn sie müßte in jedem den Käufer sehen, in dessen Hand und Haus sie sich schmiegen will.« Gerade im übertriebenen Gebrauchswertschein schafft sich die Verwertungsfunktion, die auf das Realisationsproblem Antwort sucht, Ausdruck und drängt sich der in der Ware steckende Tauschwert dem Gelde entgegen. Aus Sehnsucht nach dem Geld wird in der kapitalistischen Produktion die Ware nach dem Bilde der Sehnsucht des Käuferpublikums gebildet. Dies Bild wird die Werbung später abgetrennt von der Ware verbreiten.

5 *Erster Effekt und zugleich Instrument der Monopolisierung: Unterordnung des Gebrauchswerts unter die »Qualitätsmarke«*

Die Einfühlung der Waren, von der Benjamin spricht, stieß an die Grenzen des Marktes. Solange innerhalb einer Warengattung auf dem Markt sehr viele Produzenten konkurrierten, blieb die Warenästhetik an den Warenleib gebunden. Zugleich war ihr der Gebrauchswertstandard einer relativ gleichartigen Produktion vorgegeben. Solange sie nichts darstellte als eine Verkörperung jenes – innerhalb einer besonderen Warengattung – allgemeinen Gebrauchswerts, solange war ihre besondere Herkunft etwas Verschwindendes. Indem aber dies Verschwinden nur Mittel zum Zweck ist, trägt das Verhältnis seine Umkehrung bereits in sich. Es wird die Funktion des Besonderen, des Neuen und des Originellen sein, dies Verhältnis umzukehren. Daß die Produktion von Gebrauchswerten nur Mittel für den Zweck der Verwertung ist, wirkt sich jetzt so aus, daß das einzelne Kapital sich einen Gebrauchswert ganz unterzuordnen strebt. »Dies ist das Goldene Zeitalter der Warenzeichen«, heißt es in einer von Baran und Sweezy zitierten Schrift aus dem Jahre 1905, »eine Zeit, in der fast jeder, der ein wertvolles Erzeugnis herstellt, die Umrisse einer Nachfrage festlegen kann, die nicht nur mit den Jahren alles Dagewesene überschreitet, sondern auch in einem bestimmten Grade zum Monopol wird ... Überall ... gibt es Gelegenheiten, die Führung in der Werbung zu übernehmen – Dutzende von Allerweltserzeugnissen, unbekannten, nicht anerkannten Fabrikaten zu verdrängen durch betonte Aufmachung, durch Lebensmittel mit geschütztem Standardfirmenzeichen, unterstützt von einer das ganze Land erfassenden Werbung, die selbst schon für die Öffentlichkeit zur Qualitätsgarantie geworden ist.« Mit den unzähligen namenlosen Allerweltserzeugnissen war es immer der allgemeingültige Gebrauchswert, der verdrängt wurde als lästiges Hemmnis, das dem Verwertungsinteresse im Wege stand. Indem das Privatkapital einen bestimmten Gebrauchswert sich unterordnet, erhält die Warenästhetik nicht nur qualitativ neue Bedeutung, auch neuartige Informationen zu verschlüsseln, sondern sie löst sich jetzt ab vom Warenleib, dessen Aufmachung sich in der Verpackung steigert und von der Werbung überregional verbreitet wird. Mittel zum Zweck einer monopolähnlichen Stellung ist der Aufbau einer Ware zum Markenartikel. Hierfür werden alle verwendbaren ästhetischen Mittel aufgeboten. Das Entscheidende aber ist die Zusammenziehung aller Mitteilungen, die eine Aufmachung mit formal-ästhetischen, bildhaften und sprachlichen Mitteln macht, zum Namenscharakter. Die sachbezogene allgemeine Sprache hat allenfalls die Funktion, den Namen des Konzerns aufzusagen und mit einem Hof von Anerkennung zu umdienen. Während nur lokal verbreitete Markenartikel komisch wirken, wie andere lokale Eigenheiten der Namen und des Dialekts etwa, schieben sich die überregionalen Markennamen der großen Konzerne in der Erfahrung der Menschen vor die Natur und geradezu in den Rang derselben. Es gibt Warengattungen, für die den Menschen in den gegenwärtigen kapitalistischen Gesellschaften keine Gebrauchswertbegriffe mehr zur Verfügung stehen. An ihre Stelle ist der gesetzlich geschützte Warenname getreten, und allenfalls in den Gebrauchsanweisungen führt etwas von der Bedeutung der aus dem Weg geräumten Gebrauchswertbegriffe noch ein Schattendasein.

6 Zweiter Effekt der Monopolisierung: ästhetische Innovation

Bei steigender Produktivität nun ersteht für die Oligopole das Realisationsproblem in neuer Gestalt. Nun stoßen die privatkapitalistisch organisierten Produktivkräfte nicht mehr an die vielen konkurrierenden Anbieter als an ihre Grenze, sondern unmittelbar an die Schranke des gesellschaftlichen Bedarfs. In einer Gesellschaft wie in den USA beruht ein großer Teil der Gesamtnachfrage, wie Baran und Sweezy bemerkt haben, »auf dem Bedürfnis, einen Teil des Bestands an langfristigen Konsumgütern zu ersetzen, sobald er abgenutzt ist«. Da der Weg zu gesamtgesellschaftlicher Einsparung von Arbeit auf die Abschaffung des Kapitalismus hinauslaufen würde, stößt das Kapital sich jetzt an der zu großen Haltbarkeit seiner Produkte. Eine Technik, mit der auf diese Situation geantwortet wird, besteht in der Verschlechterung der Produkte, wobei die Verschlechterung in der Regel durch Verschönerung kompensiert wird. Aber selbst so halten die Gebrauchsdinge noch zu lange für die Verwertungsbedürfnisse des Kapitals. Die radikalere Technik greift nicht nur beim sachlichen Gebrauchswert eines Produkts an, um seine Gebrauchszeit in der Konsumsphäre zu verkürzen und die Nachfrage vorzeitig zu regenerieren. Diese Technik setzt bei der Ästhetik der Ware an. Durch periodische Neuinszenierung des Erscheinens einer Ware verkürzt sie die Gebrauchsdauer der in der Konsumsphäre gerade fungierenden Exemplare der betreffenden Warenart. Diese Technik sei im folgenden als ästhetische Innovation bezeichnet. Die ästhetische Innovation ist ebensowenig wie andere derartige Techniken eine Erfindung des Monopolkapitalismus, sondern sie wird regelmäßig dort ausgebildet, wo die ökonomische Funktion, die ihr zugrunde liegt, aktuell wird. Kulischers »Allgemeine Wirtschaftsgeschichte« zitiert eine Anordnung aus dem 18. Jahrhundert, die belegt, daß die ästhetische Innovation als Technik schon damals ganz bewußt eingesetzt wurde. In einem für die sächsische Baumwollindustrie erlassenen Reglement von 1755 heißt es, das Wohl »der Fabrik« – was hier noch so viel wie Gewerbe bedeutet, denn die Produktion war noch verlagsmäßig organisiert (die Waren wurden dezentral von Kleinmeistern für die kapitalistischen Verleger produziert) –, das Wohl »der Fabrik« also erfordere es, daß »neben den feinen Gespinsten auch die Waren selber von Zeit zu Zeit nach neuer Invention und einem guten Gusto gefertigt werden«. Wohlgemerkt: argumentiert wird nicht mit dem Wohl der Käufer, wie es vom Gebrauchswertstandpunkt aus geschähe; sondern argumentiert wird mit dem Wohl der Unternehmer, also von einem auf Regeneration der Nachfrage bedachten Tauschwertstandpunkt aus. Ist die ästhetische Innovation auch keine Erfindung des Monopolkapitalismus, so hat sie doch erst in ihm eine die Produktion in allen entscheidenden Branchen der Konsumgüterindustrie beherrschende und für die kapitalistische Organisation dieser Industrie lebensnotwendige Bedeutung erlangt. Nie zuvor trat sie derart aggressiv auf. Wie politische Parolen verkünden Spruchbänder in den Auslagen großer Kaufhäuser die Wünsche des Kapitals, die den Kunden Befehl sein sollen. »Altes raus! Neues rein!« war zum Beispiel die Losung, die ein Ring von Möbelhäusern unlängst ausgab.

In der Textilbranche, der Autoindustrie, bei Haushaltsgeräten, Büchern, Medikamenten und Kosmetikartikeln wälzen regelmäßige ästhetische Innovationen den Gebrauchswert hin und her, daß dem Verbraucher schwindlig wird. Auf dem Gebrauchswertstandpunkt ist unter solchen Bedingungen kaum zu bestehen. Diese Tendenz ist innerhalb des Kapitalismus nicht abzuwenden. Sie ist noch das geringste der Übel, die der Kapitalismus gegenwärtig zu bieten hat. Solange Faschismus und Krieg nicht die Nachfrage nach militärischen Waren sprunghaft ausweiten derart, daß die Produktivkräfte vorübergehend nicht mehr gegen die zu eng gewordenen Grenzen der Produktionsverhältnisse stoßen, solange ist in einer oligopolistisch strukturierten kapitalistischen Gesellschaft die ästhetische Innovation fest verankert. Sie wird zur anthropologischen Instanz. Sie unterwirft die gesamte Welt der brauchbaren Dinge, in der die Menschen ihre Bedürfnisse in der Sprache käuflicher Artikel artikulieren, in ihrer sinnlichen Organisation einer permanenten Revolutionierung, die zurückschlägt auf die sinnliche Organisation der Menschen selbst.

Zweiter Teil

1 Technokratie der Sinnlichkeit, allgemein

Es ist nun wenigstens in Andeutungen zu untersuchen, wie und in welcher Richtung die Bedürfnisstruktur der Menschen sich ändert unter dem Eindruck der veränderten Befriedigungsangebote, die die Waren machen. Zuvor aber ist nach einem besonderen Zweig der Herrschaft über die Natur zu fragen, nämlich nach der Beherrschung und willkürlichen, unbegrenzten, scheinhaften Reproduzierbarkeit ihres Erscheinens, was hier mit Technokratie der Sinnlichkeit umschrieben wird. Ihre besondere Bedeutung im Kapitalismus und die Natur der Reize, mit denen sie, als Warenästhetik in Dienst genommen, operiert, sollen anschließend bestimmt werden.

Technokratie der Sinnlichkeit im Dienste der Aneignung der Produkte fremder Arbeit, allgemein im Dienste sozialer und politischer Herrschaft, ist beileibe keine Erfindung des Kapitalismus, so wenig, wie etwa der Fetischismus es ist. Die inszenierte Erscheinung ist nicht wegdenkbar aus der Geschichte der Kulte. Man vergegenwärtige sich nur die ungeheuerliche Zauberästhetik in den katholischen Wallfahrtskirchen des ausgehenden Mittelalters, die sowohl Ausdruck wie Anziehungsmittel von Reichtum war. Mit den Wallfahrern kamen Teile des Surplus, also des Produktionsüberschusses, angewandert, um in Form von Ritualgebühren aller Art, Opfer, frommen Stiftungen etc. hängenzubleiben. Auch hier wird, diesmal von der Kirche, eine Anstrengung des Erscheinens gemacht, um an Reichtum zu kommen. Oder man denke an die Gegenreformation, diesen mit allen Mitteln des Theaters, der Architektur und Malerei geführten Kulturkampf der bedrohten alten Macht der Kirche gegen die aufsteigenden Mächte der bürgerlichen Gesellschaft. Einer der grundlegenden Unterschiede zur Schein-Produktion im Kapitalismus ist darin begründet, daß es im Kapitalismus in erster Linie Verwertungsfunktionen sind, die ästhetische Techniken ergreifen, umfunktionieren und weiterbilden. Das Ergebnis ist nicht mehr auf bestimmte heilige oder Macht repräsentierende Stätten beschränkt, sondern bildet eine Totalität der sinnlichen Welt, aus der bald kein Moment nicht durch kapitalistische Verwertungsprozesse gegangen und durch deren Funktionen geprägt worden ist.

2 *Hoher Rang des bloßen Scheins im Kapitalismus*

Die Produktion und große Rolle von bloßem Schein ist in der kapitalistischen Gesellschaft angelegt in jenem pauschalen Widerspruch, der sich durch alle Ebenen hinzieht und mit dessen Entwicklung aus dem Tauschverhältnis diese Untersuchung begonnen hat. Der Kapitalismus basiert auf einem systematischen quidproquo: alle menschlichen Ziele – und sei es das nackte Leben – gelten dem System nur als Vorwände und Mittel (nicht theoretisch gelten sie ihm als solche, sondern faktisch ökonomisch fungieren sie derart). Der Standpunkt der Kapitalverwertung als Selbstzweck, dem alle Lebensanstrengungen, Sehnsüchte, Triebe, Hoffnungen nur ausbeutbare Mittel sind, Motivationen, an denen man die Menschen fassen kann, und an deren Ausforschung und Indienstnahme eine ganze Branche der Sozialwissenschaften arbeitet, dieser Verwertungsstandpunkt, der in der kapitalistischen Gesellschaft absolut dominiert, steht dem, was die Menschen von sich aus sind und wollen, schroff gegenüber. Was, ganz abstrakt gesprochen, die Menschen mit dem Kapital vermittelt, kann nur etwas Scheinhaftes sein. So benötigt der Kapitalismus die Scheinwelt von Grund auf. Anders gesagt: allgemein menschliche Zielsetzungen können im Kapitalismus, solange sie es bei ihm belassen wollen, nichts als bloßer schlechter Schein sein, daher dessen hoher Rang in dieser Gesellschaft.

Der Verwertungsstandpunkt des Kapitals steht gegen die sinnlich-triebhafte Wirklichkeit der Menschen. Die Individuen, die sich das Kapital zurichtet, sei es zu seinen Funktionsträgern, also zu Kapitalisten, oder sei es zu Lohnarbeitern etc. – bei allen sonst bestehenden radikalen Unterschieden haben sie alle ein Triebschicksal, wenigstens formal, gemeinsam: ihre sinnliche Unmittelbarkeit muß gebrochen werden, absolut beherrschbar. Dies ist, wo nicht brutale Gewalt die Menschen fortwährend zur Arbeit für andere antreibt, nur möglich, wenn Naturkraft gegen Naturkraft gerichtet wird. Die scheinhaft beherrschte Sinnlichkeit wird als Anpassungslohn eingesetzt. Denn nicht nur die großen Menschheitsziele fallen aus dem Kapitalismus in Wirklichkeit heraus und müssen deshalb im Medium des Scheins unablässig wieder eingefangen werden, sondern auch die individuellen Triebziele.

3 Ästhetische Abstraktion, philosophisches Vorspiel

Aufbau, Wirkung und Wirkungsgrund des kapitalistisch in Dienst genommenen Scheins sollen nun weiter untersucht werden. Die Abstraktion vom Gebrauchswert, Folge der und Voraussetzung für die Etablierung des Tauschwerts und des Tauschwertstandpunkts, bahnt entsprechenden Abstraktionen den Weg, macht sie eher theoretisch vollziehbar und macht sie vor allem verwertbar. Die funktionelle Leerstelle, sozusagen die Systemnachfrage, ist also da, noch ehe die Fähigkeiten da sind, die sich sogleich in die Leerstelle hineinbilden werden. Eine dieser Abstraktionen wird für die Naturwissenschaften grundlegend sein: die Abstraktion von den Gebrauchswerten als Qualitäten, z. B. das Abziehen der bloßen räumlichen Ausgedehntheit von den Dingen, die so zu bloßen res extensae, eben ausgedehnten Dingen, werden, zugleich reduziert auf vergleichbare Qualitätsverhältnisse. Es hat seine Logik, daß beim bahnbrechenden Theoretiker dieses Abstraktionsdenkens, bei Descartes, die ästhetische Abstraktion als die Technik benutzt wird, in die Entwirklichung der sinnlich-realen Welt einzuführen. Er macht sich die Annahme, es gäbe einen allmächtigen Gott der Manipulation, der in einer Art zentralem Fernsehprogramm für Leichtgläubige die ganze sinnliche Welt vortäuscht. Alle Gestalten, Farben, Klänge »und alles Äußere« sind nur vorgemacht. »Mich selbst«, schreibt er, »werde ich betrachten als jemanden, der keine Hände hat und keine Augen, weder Fleisch noch Blut noch irgendein Sinnesorgan«, sondern nur ein von einer den Menschen absolut überlegenen Technik verfälschtes Bewußtsein. Descartes gibt auch prosaischere Beispiele, die dasselbe sagen sollen. Erstes Beispiel: Eine Figur von der und der Form und Farbe wird in die Nähe der Heizung gehalten, fängt an zu schmelzen, verändert Form und Farbe und entpuppt sich als Wachs, als Plastik, die in alle möglichen sinnlichen Formen verkleidet werden kann. Zweites Beispiel: Jemand geht vor dem Fenster auf der Straße vorbei, es könnte aber auch ein in menschliche Kleider täuschend eingepackter Roboter gewesen sein. Alle diese Beispiele und Annahmen sollen einführen in die Lehre, daß zunächst – und dies gilt hinfort als Wissenschaft – nur eines sicher ist: daß nämlich überhaupt Bewußtseinsvorgänge sind; jeglicher Inhalt könnte gefälscht sein. Auf fälschbare Bewußtseinsvorgänge sind damit die Menschen reduziert. Und was bleibt von den Dingen? Sie werden reduziert auf »nichts anderes als etwas Ausgedehntes, Flexibles, Veränderbares«, »extensum quid, flexibile, mutabile«. Hier ist nicht die Gelegenheit, die unfreiwillige Dialektik dieserart frühbürgerlicher Theorie zu entwickeln, die mit der Absicht der Emanzipation von Täuschung (allerdings wohl hauptsächlich der vorbürgerlichen) anhebt und am Ende nur Herrschaft auf der einen, Täuschung auf der anderen Seite übrigbehält. Hier kommt es darauf an, jenen Prozeß, der als ästhetische Abstraktion eingeführt wurde, im Vermittlungszusammenhang ökonomischer und technologischer Entwicklungen zu sehen.

4 Ästhetische Abstraktion der Ware: Oberfläche – Verpackung – Reklamebild

Die ästhetische Abstraktion löst Sinnlichkeit und Sinn der Sache von dieser ab und macht sie getrennt verfügbar. Zuerst bleibt die funktionell bereits abgelöste Gestaltung und Oberfläche, der bereits eigene Produktionsgänge gewidmet werden, mit der Ware verwachsen wie eine Haut. Doch bereitet die funktionelle Differenzierung die wirkliche Ablösung vor, und die schön präparierte Oberfläche der Ware wird zu ihrer Verpackung, in die sie sich wie die Tochter des Geisterkönigs in ihr Federkleid einwickelt und ihre Gestalt verwandelt, um auf den Markt und ihrem Formenwechsel entgegenzufliegen. Um dem Geld das Entgegengehen zu erleichtern, ist man jüngst bei einer nordamerikanischen Bank dazu übergegangen, nun auch die Scheckformulare in euphorisierenden Pop-Farben zu gestalten. Doch zurück zur Ware: Nachdem ihre Oberfläche sich von ihr abgelöst hat und zu ihrer zweiten Oberfläche geworden ist, die in der Regel unvergleichlich perfekter als die erste ist, löst sie sich vollends los, entleibt sich und fliegt als bunter Geist der Ware in alle Welt. Niemand ist mehr vor seinen Liebesblicken sicher. Die Realisationsabsicht wirft sie mit der abgezogenen gespenstischen Erscheinung vielversprechenden Gebrauchswertes nach den Kunden, in deren Brieftaschen – noch – das Äquivalent des so verkleideten Tauschwerts sich befindet.

5 Der als Spiegelbild der Sehnsucht aufgemacht Schein, auf den man hereinfällt

Die Erscheinung verspricht mehr, weit mehr, als sie je halten kann. Insofern ist sie Schein, auf den man hereinfällt. Die Erzählung aus Tausendundeiner Nacht, die den schönen Schein, auf den man hereinfällt, und zwar im nichtübertragenen Wortsinn »hereinfällt«, vorkommen läßt, diese Erzählung verbindet ihn bedeutungsvoll mit dem Handelskapital. Es ist die Geschichte von der Messingstadt. Von hohen Mauern aus schwarzem Stein umgeben, die Tore so fein eingelassen, daß man sie von der Mauer beim besten Willen nicht unterscheiden kann, steht die Messingstadt mitten in der Wüste, wie ein Safe, angefüllt mit Warenkapital des Luxushandels.

Weil kein Tor zu finden ist, machen die Abgesandten des Kalifen eine Leiter. Einer kletterte daran hoch, »bis er ganz oben war; dann richtete er sich auf, blickte starr auf die Stadt, klatschte in die Hände und rief, so laut er rufen konnte: ›Du bist schön!‹ Und er warf sich in die Stadt hinein; da ward er mit Haut und Knochen völlig zermalmt. Der Emir Mûsa aber sprach: ›Wenn ein Vernünftiger so handelt, was wird dann erst ein Irrer tun?‹« Einer nach dem andern klettert hinauf, und die Szene wiederholt sich, bis die Expedition zwölf Mann verloren hat. Schließlich steigt der einzige, der den Weg zur Messingstadt kannte und also auch den Rückweg nach Hause, der Scheich 'Abd es-Samad, die Leiter hinauf, »ein weiser Mann, der viel gereist ist; ... ein hochbetagter Greis, den der Jahre und Zeiten Flucht gebrechlich gemacht hatte«. Fällt auch er auf den Zauber herein, so wird die ganze Truppe verloren sein. Der also erklimmt die Leiter, »indem er unablässig den Namen Allahs des Erhabenen anrief und die Verse der Rettung betete, bis daß er oben auf der Mauer ankam. Dort klatschte er in die Hände und blickte starr vor sich hin. Aber alles Volk rief laut: ›O Scheich 'Abd es-Samad, tu es nicht! Wirf dich nicht hinab!‹ ... Er aber begann zu lachen und lachte immer lauter.« Später tut er den als künstlichen durchschauten Schein kund: »Als ich oben auf der Mauer stand, sah ich zehn Jungfrauen, wie Monde anzuschauen, die winkten mir mit den Händen zu, ich solle zu ihnen herabkommen, und es kam mir so vor, als ob unter mir ein See voll Wasser wäre.« Vor seiner Frömmigkeit und mehr wohl noch vor seinem Alter zergeht der Zauber des sexuellen Scheingebildes, das in einer Kultur, in der die Frauen verschleiert gehen mußten, doch wohl von umwerfendem Reiz war. »Sicherlich«, heißt es abschließend, »ist das ein tückischer Zauber, den die Leute der Stadt ersonnen haben, um jeden, der sie anschauen will oder in sie einzudringen wünscht, von ihr fernzuhalten.« Der Schein auf den man hereinfällt, ist hier vom Standpunkt des Tauschwertbesitzes aus ersonnen. Was auf ihn hereinfällt, ist eine Triebsehnsucht. Die hinabspringen, tun es von einem leichtgläubigen Gebrauchswertstandpunkt aus. Die Geschichte von der Messingstadt kennt aber noch eine andere Ebene des

Widerspruchs von Gebrauchswert und Tauschwert, diesmal mit Untergang derer, die auf dem Tauschwertstandpunkt stehen. Die Stadt ist nämlich nur von verschrumpelten Leichnamen bevölkert, und man erfährt auch den Grund: Inmitten ihrer unermeßlichen Tauschwerte fehlte es den Besitzern und Einwohnern zuletzt am lebensnotwendigsten Gebrauchswert. Sieben Jahre lang hatte es keinen Tropfen geregnet, die Vegetation war ausgestorben, und die Menschen waren allesamt verhungert.

Der Schein, auf den man hereinfällt, ist wie ein Spiegel, in dem die Sehnsucht sich erblickt und für objektiv hält. Wo den Menschen, wie in der monopolkapitalistischen Gesellschaft, aus der Warenwelt eine Totalität von werbendem und unterhaltendem Schein entgegenkommt, geschieht, bei allem abscheulichen Betrug, etwas Merkwürdiges, in seiner Dynamik viel zu wenig Beachtetes. Es drängen sich nämlich an die Menschen unabsehbare Reihen von Bildern heran, die wie Spiegel sein wollen, einfühlsam, auf den Grund blickend, Geheimnisse an die Oberfläche holend und dort ausbreitend. In diesen Bildern werden den Menschen fortwährend unbefriedigte Seiten ihres Wesens aufgeschlagen. Der Schein dient sich an, als kündete er die Befriedigung an, er errät einen, liest einem die Wünsche von den Augen ab, bringt sie ans Licht auf der Oberfläche der Ware. Indem der Schein, worin die Waren einherkommen, die Menschen ausdeutet, versieht er sie mit einer Sprache zur Ausdeutung ihrer selbst und der Welt. Eine andere als die von den Waren gelieferte steht schon bald nicht mehr zur Verfügung. Wie verhält, vor allem wie verändert sich jemand, der beständig mit einer Kollektion von Wunschbildern, die man ihm zuvor abspioniert hat, umdienert wird? Wie verändert sich jemand, der fortwährend erhält, was er wünscht – aber es nur als Schein erhält? Das Ideal der Warenästhetik wäre es, das zum Erscheinen zu bringen, was einem eingeht wie nichts, wovon man spricht, wonach man sich umdreht, was man nicht vergißt, was alle wollen, was man immer gewollt hat. Widerstandslos wird der Konsument bedient, sei es nach der Seite des Schärfsten, Sensationellsten, sei es nach der Seite des Anspruchslosesten, Bequemsten. Die Gier wird ebenso zuvorkommend bedient wie die Faulheit.

6 *Korrumpierende Gebrauchswerte, ihre Rückwirkung auf die Bedürfnisstruktur*

Indem die Warenästhetik den Menschen nach dieser Richtung ihr Wesen auslegt, scheint die progressive Tendenz des Treibenden in den Menschen, ihres Verlangens nach Befriedigung, Lust, Glück, umgebogen. Das Treibende scheint eingespannt und zu einem Antrieb zur Anpassung geworden zu sein. Manche Kulturkritiker sehen darin einen Vorgang umfassender Korruption geradezu der Gattung. Gehlen spricht von ihrer Entartung, indem sie sich »an allzu bequeme Lebensbedingungen« anpaßt. Es ist in der Tat eine Hinterhältigkeit in der Schmeichelei der Waren: Was sie bewegt, sich derart anzudienen, herrscht eben dadurch. Die vom Kapitalismus Bedienten sind am Ende nur mehr seine bewußtlosen Bediensteten. Nicht nur werden sie verwöhnt, abgelenkt, abgespeist, bestochen.

In Brechts Badener Lehrstück vom Einverständnis werden Untersuchungen angestellt, ob der Mensch dem Menschen hilft. Die dritte Untersuchung, eine Clownsnummer, führt vor, wie es ist, wenn der Kapitalismus dem Menschen hilft. Bedienen heißt hier amputieren. Wer sich setzt, der wird vielleicht nie wieder aufstehen können. Helfen heißt, eine Abhängigkeit schaffen (und weidlich ausnutzen). Derart ist die Dynamik der spätkapitalistischen Warenproduktion. Zuerst wird das Tun des Nötigen erleichtert; aber dann wird das Tun des Nötigen ohne Erleichterung zu schwer, und es kann das Nötige nicht mehr ohne Warenkäufe getan werden. Nun ist das Nötige nicht mehr zu unterscheiden vom Unnötigen, auf das nicht mehr verzichtet werden kann. Wahrscheinlich meint die Rede von den falschen Bedürfnissen nichts anderes als diese Verschiebung.

Sind Triebe und Bedürfnisse noch fortschrittlich unter diesen Umständen? Ist an den materiellen Interessen noch etwas Wesentliches zu fassen?

Das, was gelegentlich repressive Befriedigung genannt wird, erscheint jetzt als korrumpierender Gebrauchswert. Dieser dominiert vor allem in der Branche des Scheins als Ware. Der korrumpierende Gebrauchswert wirkt zurück auf die Bedürfnisstruktur der Konsumenten, denen er sich einprägt zu einem korrumpierten Gebrauchswertstandpunkt.

Die korrumpierenden Wirkungen von geradezu anthropologischem Ausmaß, die ein bloßer Nebeneffekt der Dynamik des kapitalistischen Profitstrebens sind, sind verheerend. Den Leuten ist das Bewußtsein abgekauft. Täglich werden sie trainiert im Genuß dessen, was sie verrät, im Genuß der eigenen Niederlage, im Genuß der Identifikation mit der Übermacht. Selbst in realen Gebrauchswerten, die sie bekommen, wohnt oft eine unheimliche Macht der Zerstörung. Das Privatauto – bei Vernachlässigung der öffentlichen Transportmittel – zerpflügt die Städte nicht weniger wirksam als der Bombenkrieg und schafft die Entfernungen erst, die ohne es nicht mehr zu überbrücken sind.

Es bringt aber nicht weiter, vorschnell diesen Prozeß in Kategorien einer planmäßigen Verschwörung zur Korruption der Massen zu beschreiben. Es ist das Ideal der Warenästhetik: das gerade noch durchgehende Minimum an Gebrauchswert zu liefern, verbunden, umhüllt und inszeniert mit einem Maximum an reizendem Schein, der per Einfühlung ins Wünschen und Sehnen der Menschen möglichst zwingend sein soll. Nicht nur verschwindet trotz dieses Ideals der Warenästhetik in der Regel nicht der reale Gebrauchswert aus den Waren – und wären die Auswirkungen seines Gebrauchs getrennt zu untersuchen –, sondern auch in der Warenästhetik als solcher ist der Widerspruch enthalten. Die Agenten des Kapitals können mit ihr nicht machen, was sie wollen; vielmehr können sie es nur unter der Bedingung, daß sie machen oder erscheinen machen, was die Konsumenten wollen. Die Dialektik von Herr und Knecht in der Liebedienerei der Warenästhetik ist doppelbödig: zwar herrscht das Kapital in der Sphäre, wo Warenästhetik eine Rolle spielt, über das Bewußtsein und damit über das Verhalten der Menschen und schließlich über den Tauschwert in ihren Taschen durch einfühlendes Dienen, wird also die als bloß dienende erscheinende Macht zur wirklich herrschenden. Zwar werden die derart Bedienten unterworfen. Daß aber das Herrschen durch korrumpierendes Bedienen mit Schein seine eigene Dynamik entbindet, läßt sich an den Weiterungen studieren, die durch die Indienstnahme des sexuellen Scheins als Ware eigener Art sowie durch die Sexualisierung vieler anderer Waren verursacht sind.

7 *Die Zweideutigkeit der Warenästhetik am Beispiel der Indienstnahme des sexuellen Scheins*

Am Beispiel der Indienstnahme des sexuell reizenden Scheins läßt sich die Zweideutigkeit der Warenästhetik zeigen. Sie ist, wie am Anfang der Untersuchung entwickelt, Mittel zur Lösung bestimmter Verwertungs- und Realisationsprobleme des Kapitals. Zugleich aber ist sie die scheinhafte Lösung des Widerspruchs von Gebrauchswert und Tauschwert.

Sexuelles als Ware kommt zugleich auf den historisch unterschiedlichsten und am weitesten auseinander liegenden Entwicklungsstufen vor. Die Prostitution steht auf dem Niveau der einfachen Warenproduktion, die Zuhälterei auf dem des Verlagskapitalismus, das Bordell auf dem der Manufaktur – all diesen Formen der Sexualität als Ware ist gemein, daß der Gebrauchswert noch in unmittelbarer, sinnlich-leibhafter Berührung realisiert wird. Industriekapitalistisch verwertbar ist die sexuelle Sinnlichkeit nur in abstrahierter Form. Die bloße Ansicht oder ein bloßes Geräusch oder gar eine Verbindung beider kann aufgenommen und massenhaft reproduziert werden, in technisch unbegrenzter, praktisch nur vom Markt begrenzter Auflage. Im Zustand allgemeiner sexueller Unterdrückung liegt der Gebrauchswert des bloßen sexuellen Scheins etwa in der Befriedigung der Schaulust. Diese Befriedigung mit einem Gebrauchswert, dessen spezifische Natur es ist, Schein zu sein, kann Schein-Befriedigung genannt werden. Für die Schein-Befriedigung mit sexuellem Schein ist charakteristisch, daß sie die Nachfrage nach ihr zugleich mit der Befriedigung reproduziert und zwanghaft fixiert. Wenn Schuldgefühle und die Angst, die sie verursachen, den Weg zum Sexualobjekt erschweren, dann springt die Ware Sexualität als Schein ein, vermittelt die Erregung und eine gewisse Befriedigung, die im sinnlich-leibhaften Kontakt nur schwer zu entwickeln wären. Durch diese Art scheinhafter, widerstandsloser Befriedigung droht die Möglichkeit der direkten Lust nun vollends amputiert zu werden. Hier wirkt die für die massenhafte Verwertung allein geeignete Form des Gebrauchswerts zurück auf die Bedürfnisstruktur der Menschen. So wird ein allgemeiner Voyeurismus verstärkt, habitualisiert; die Menschen werden in ihrer Triebstruktur auf ihn festgelegt.

Triebunterdrückung bei gleichzeitiger Schein-Befriedigung des Triebs führt zu einer allgemeinen Sexualisierung – Gehirnsinnlichkeit nannte es Max Scheler – als Verfassung der Menschen. Die Waren antworten darauf, indem sie von allen Seiten sexuelle Bilder spiegeln. Hier ist es nicht das Sexualobjekt, das Warenform annimmt, sondern tendenziell die Gesamtheit der Gebrauchsdinge mit Warenform nimmt in irgendeiner Weise Sexualform an, das sexuelle Bedürfnis und sein Befriedigungsangebot werden entspezifiziert. In gewisser Weise werden sie dem Geld ähnlich, mit dem in dieser Hinsicht Freud die Angst verglich: sie werden frei konvertibel in alle Dinge. So verwandelt der Tauschwert, der die Sexualität in seinen Dienst nimmt, sie sich selber an. In ihre Oberfläche werden zahllose Gebrauchsdinge eingewickelt, und die Kulissen des sexuellen Glücks werden zum häufigsten Warenkleid oder auch zum Goldgrund, auf dem die Ware erscheint. Die allgemeine Sexualisierung der Waren hat die Menschen mit einbezogen. Sie stellte ihnen Ausdrucksmittel für bisher unterdrückte sexuelle Regungen zur Verfügung. Vor allem die Heranwachsenden ergriffen diese Möglichkeit, ihre Nachfrage zog neues Angebot nach sich. Es wurde möglich mit Hilfe neuer Textilmoden, sich als allgemein sexuelles Wesen zu inserieren. Darin ist eine merkwürdige Rückkehr zum sozialgeschichtlichen Ausgangspunkt. Wie einmal die Waren ihre Reizsprache bei den Menschen entlehnten, so geben sie ihnen jetzt eine Kleidersprache der sexuellen Regungen zurück. Und machen auch die Kapitale der Textilbranche ihren Profit damit, so ist doch damit die verändernde Kraft der sich tastend herausentwickelnden Befreiung der Sexualität nicht unbedingt wieder eingefangen. Solange die ökonomische Funktionsbestimmtheit der Warenästhetik besteht, gerade also, solange das Profitinteresse sie antreibt, behält sie ihre zweideutige Tendenz: indem sie sich den Menschen andient, um sich ihrer zu vergewissern, holt sie Wunsch um Wunsch ans Licht. Sie befriedigt nur mit Schein, macht eher hungrig als satt. Als falsche Lösung des Widerspruchs reproduziert sie den Widerspruch in anderer Form und vielleicht desto weiter reichend.

Anmerkung

1 Anmerkung zum Wiederabdruck dieses Aufsatzes von 1975: Der Fehler-Vorwurf an Baran und Sweezy ist strenger formuliert, als gerecht wäre, und weniger präzis, als wünschenswert. Berichtigen wir zunächst die Ungerechtigkeit: Baran und Sweezy stellen ausdrücklich fest, daß die »Verkaufsförderung ... schon lange vor der jetzigen, monopolistischen Phase des Kapitalismus« aufgetreten sei. Ungeklärt lassen die beiden Autoren allerdings sowohl den Entstehungszusammenhang als auch den Funktionszusammenhang und die einzig aus ihnen ableitbare funktionelle Differenzierung. Sie beschränken sich auf die Andeutung, die »Verkaufsförderung« sei »viel älter als der Kapitalismus qua Wirtschafts- und Gesellschaftssystem«, was viel zu allgemein ist. Sie hätten sie als Moment der Produktion und des Tauschs von Waren überhaupt darstellen müssen. Zum andern unterstellen sie beiläufig eine historische Abfolge, die es so nie geben konnte. Um anzudeuten, daß die »Verkaufsförderung« »einer starken qualitativen Veränderung unterworfen gewesen ist«, schreiben sie: »Die Preiskonkurrenz hat als Mittel zum Anreiz der Öffentlichkeit als Kundschaft ihren Wert verloren und neuen Arten der Absatzförderung Platz gemacht: Werbung, abwechslungsreiche Aufmachung und Verpackung der Waren, ›geplante Osoleszenz›, Änderung des Modells, Kundenkreditsysteme und dergleichen mehr«. Hier gehen allgemeine und besondere Momente von Warenästhetik kunterbunt durcheinander mit andersgearteten (nicht-ästhetischen) Realisierungsfunktionen bzw. Konkurrenzformen. – Im übrigen ist die Kategorie der »Verkaufsförderung«, im Original: der »sales promotion«, eine vom spätkapitalistischen Betrieb selber hervorgebrachte »Alltagskategorie«; für analytische Zwecke ist sie nur begrenzt brauchbar. Zwei Einwände seien hervorgehoben: Erstens überdeckt diese Kategorie entscheidende Unterschiede, zweitens ist »Verkauf« bereits eine abgeleitete Kategorie, während die Kategorie der »Ware« die Zellenform benennt. Zu der hiermit zusammenhängenden Problematik vgl. neuerdings meine Beiträge zu dem Band »Warenästhetik – Beiträge zur Diskussion, Weiterentwicklung und Vermittlung ihrer Kritik«, Frankfurt/M 1975. Zur Einführung der Kategorie »Verkaufsförderung« bei Baran/Sweezy vgl. deren »Monopolkapital, Ein Essay über die amerikanische Wirtschafts- und Gesellschaftsordnung«, Frankfurt/M 1967, S. 116 f.

18. Pierre Bourdieu
Elemente zu einer soziologischen Theorie der Kunstwahrnehmung

I. Jede Betrachtung von Kunstwerken enthält eine bewußte oder unbewußte Dekodierung

1.1. Eine erste Dekodierung, die sich unbewußt vollzieht. Ein unmittelbares und adäquates Verstehen wäre daher nur in dem *speziellen Fall* möglich und gewährleistet, in dem der kulturelle Schlüssel, der diese Dekodierung ermöglicht, dem Betrachter (aufgrund seiner Kompetenz oder seines Rezeptionsvermögens) unmittelbar und vollständig verfügbar wäre und mit dem kulturellen Code übereinstimmte, der dem betreffenden Werk zugrundeliegt.

Auf Roger van der Weydens Bild »Die heiligen drei Könige« erkennen wir, wie Panofsky feststellt, beinahe instinktiv die überirdische Erscheinung eines Kindes, das wir als das »Jesuskind« identifizieren. Woher wissen wir aber, daß es sich hier um eine Erscheinung handelt? Der goldene Strahlenkranz, der das Kind umgibt, ist kein zureichender Beweis für diese Annahme, da man ähnliche Strahlenkränze auf Darstellungen der Geburt Christi findet, wo das Jesuskind »real« ist. »Wir ziehen diesen Schluß«, wie Panofsky meint, »weil das Kind ohne sichtbare Stütze in der Luft schwebt, und das, obwohl die Darstellung kaum anders ausgefallen wäre, wenn das Kind auf einem Kissen gesessen hätte (wie das Modell, nach dem Roger van der Weyden wahrscheinlich gemalt hat). Man kann indessen Hunderte von Darstellungen anführen, auf denen menschliche Wesen, Tiere oder unbelebte Gegenstände entgegen den Gesetzen der Schwerkraft im Raum schweben, ohne daß man sie für Erscheinungen hielte. Auf einer Miniatur der *Evangelien Ottos III.* in der Münchener Staatsbibliothek ist eine ganze Stadt inmitten eines leeren Raumes dargestellt, während sich die an der Handlung teilnehmenden Personen

Aus: Pierre Bourdieu, Zur Soziologie der symbolischen Formen, Frankfurt 1970 und 1974 (suhrkamp taschenbuch wissenschaft 107), S. 159-201.

auf dem festen Boden befinden ...« Es handelt sich nach Panofsky um eine sehr reale Stadt, nämlich den Ort der Auferstehung der im Vordergrund dargestellten Jünglinge. Wenn wir »im Bruchteil einer Sekunde und auf quasi automatische Weise« die in der Luft schwebende Person für eine Erscheinung halten, während die in den Wolken schwebende Stadt für uns keine Konnotation des Wunderbaren hat, so deshalb, »weil wir das, ›was wir sehen‹, je nach der Art und Weise lesen, dergemäß Gegenstände und historische Ereignisse unter sich wandelnden historischen Bedingungen Ausdruck und Gestalt finden«: Wenn wir, genauer gesagt, eine Miniatur aus der Zeit um das Jahr 1000 entschlüsseln, gehen wir unbewußt von der Annahme aus, daß der »leere Raum« nur als abstrakter und irrealer Hintergrund fungiert, statt sich einem einheitlichen, offensichtlich natürlichen Raum einzufügen, wo das Übernatürliche und Wunderbare, wie auf dem Bild Roger van der Weydens, als übernatürlich und wunderbar erscheinen können.[1]

Da der (im Sinne unserer Gesellschaften) gebildete oder kunstverständige Betrachter, ohne es zu merken, den Spielregeln gehorcht, denen ein bestimmter Typus der Darstellung des Raumes unterliegt, kann er, wenn er ein nach diesen Regeln konstruiertes Bild anschaut, unmittelbar ein bestimmtes Element als »übernatürliche Vision« begreifen, das, bezöge man es auf ein anderes Darstellungssystem, in dem die Regionen des Raumes in gewisser Weise »nebeneinandergestellt« oder »gehäuft« erscheinen, statt sich einer einheitlichen Darstellung einzufügen, als »natürlich« oder »real« erscheinen könnte: Die perspektivistische Darstellung verschließt, wie Panofsky feststellt, »der religiösen Kunst die Region des Magischen (...). Sie erschließt ihr aber als etwas Neues die Region des Visionären, innerhalb derer das Wunder zu einem unmittelbaren Erlebnis des Beschauers wird, indem die übernatürlichen Geschehnisse gleichsam in dessen eigenen natürlichen Sehraum einbrechen und ihn gerade dadurch ihrer Übernatürlichkeit recht eigentlich ›inne‹ werden lassen.«[2]

Eine solche Art von Kunsterfahrung schließt die Frage nach den Bedingungen, unter denen sie erst das Kunstwerk (und, allgemeiner gesagt, die Welt der kulturellen Gebilde) als unmittelbar sinnvoll erlebt, gewöhnlich radikal aus, weil die

Möglichkeit, ein Verständnis der objektiven Intention des Werkes wiederzugewinnen (die keineswegs mit der Intention des Autors übereinzustimmen braucht), in dem Falle (und nur in dem Falle) in angemessener Weise und unmittelbar gewährleistet ist, in dem sich die Bildung, die der Künstler in sein Werk einbringt, mit der Bildung oder, genauer gesagt, dem künstlerischen Sachverständnis deckt, das der Betrachter zur Entschlüsselung des Werkes voraussetzt; in diesem Falle versteht sich alles von selbst, und die Frage nach dem Sinn, nach seiner Entschlüsselung und den Bedingungen dieser Entschlüsselung stellt sich erst gar nicht.

1.2. Wenn diese Voraussetzungen aber nicht erfüllt sind, ist Mißverständnis die Regel: die Illusion des unmittelbaren Verstehens führt zu einem illusorischen Verständnis, das von einem falsch gewählten Schlüssel herrührt.[3] Da man die Werke nicht als kodiert, nämlich nach einem anderen Code kodiert begreift, wendet man unbewußt auf Erzeugnisse einer fremden Tradition denjenigen Code an, der für die alltägliche Wahrnehmung, für die Entschlüsselung der vertrauten Gegenstände gilt: Es gibt keine Wahrnehmung, die nicht einen unbewußten Code einschlösse; dem Mythos vom »reinen Auge« als einer Begnadung, wie sie allein der Einfalt und der Unschuld zuteil wird, kann nicht nachdrücklich genug widersprochen werden. Deshalb neigen die ungebildetsten Betrachter unserer Gesellschaften so sehr dazu, eine »realistische Darstellung« zu fordern, da sie über keine spezifischen Wahrnehmungskategorien verfügen und daher auf die tradierten Kunstwerke keinen anderen als den Schlüssel anwenden können, mit dessen Hilfe sie die Gegenstände ihres täglichen Umgangs als sinnvoll begreifen.[4] Das minimale, anscheinend unmittelbare Verständnis, wie es sich einem Blick erschließt, der gewissermaßen über keinerlei Rüstzeug verfügt, ein Verständnis, das diesem Blick beispielsweise ein Haus oder einen Baum zu erkennen gestattet, setzt zum Teil immer noch eine Übereinkunft hinsichtlich der Kategorien voraus, die die Gestaltung des Wirklichen bestimmen, wie eine historische Gesellschaft sie für »realistisch« hält. (Siehe Anm. zu 1.3.1.)

1.3. Eine Theorie, die bei dem spontanen Wahrgenommenen stehenbleibt, stützt sich allein auf die Erfahrung des Vertrauten und unmittelbar Verständlichen, beschränkt sich somit auf einen Sonderfall, der sich gar nicht als einen solchen erkennt.

1.3.1. Die Gebildeten sind die Eingeborenen der oberen Bildungssphäre und neigen daher zu einer Art von Ethnozentrismus, den man Klassenethnozentrismus[5] nennen könnte. Und zwar deshalb, weil eine Wahrnehmungsweise für natürlich (d. h. zugleich selbstverständlich und quasi in der Natur begründet) gehalten wird, die doch nur eine unter anderen möglichen ist und durch eine mehr oder weniger dem Zufall überlassene oder zielgerichtete, bewußte oder unbewußte, institutionalisierte oder nicht institutionalisierte Erziehung erworben wird. »Für den, der zum Beispiel eine Brille trägt, die abstandsmäßig so nahe ist, daß sie ihm auf der ›Nase sitzt‹, ist dieses gebrauchte Zeug umweltlich weiter entfernt als das Bild an der gegenüber befindlichen Wand. Dieses Zeug hat so wenig Nähe, daß es oft zunächst gar nicht auffindbar wird.«[6]

Faßt man Heideggers Analyse in metaphorischem Sinne auf, so kann man sagen, daß die Illusion des »reinen«, im Sinne eines »unbebrillten Auges« ein Merkmal derjenigen ist, die die Brillen der Bildung tragen und die gerade das nicht sehen, was ihnen zu sehen ermöglicht, und ebensowenig sehen, daß sie nicht sehen könnten, nähme man ihnen, was ihnen erst zu sehen erlaubt (siehe oben).

1.3.2. Umgekehrt befinden sich diejenigen, die dem etablierten Bildungsbestand völlig unbemittelt gegenüberstehen, in einer Situation, die ganz und gar der des Ethnologen ähnelt, der sich einer fremden Gesellschaft gegenübersieht und z. B. einem Ritual beiwohnt, zu dessen Verständnis ihm der Schlüssel fehlt. Die Verwirrung und Blindheit der ungebildetsten Betrachter gegenüber kulturellen Produkten erinnert objektiv daran, daß die Wahrnehmung von Kunstwerken vermittelte Entschlüsselung ist: Die von den ausgestellten Werken angebotene Information, die die Entschlüsselungsfähigkeiten des Betrachters übersteigt, sieht dieser so an, als besäße sie keinerlei Bedeutung, genauer gesagt, keine Strukturierung und Organisation, da er sie nicht zu »dekodieren«, d. h. in verständliche Form zu bringen vermag.

1.3.3. Die wissenschaftliche Erkenntnis unterscheidet sich vom naiven Erlebnis (das sich als Verwirrung oder unmittelbares Verstehen äußert) insoweit, als sie ein Wissen um die Bedingungen der Möglichkeit einer angemessenen Betrachtung einschließt. Gegenstand der Kunstwissenschaft ist die Kultur, da sie nämlich sowohl diese Wissenschaft wie auch ein unmittelbares Verständnis des Kunstwerks erst ermöglicht. »Der naive Betrachter unterscheidet sich vom Kunsthistoriker insofern, als letzterer um seine Situation weiß.«[7] Man hätte freilich ohne Zweifel einige Mühe, alle realen Kunsthistoriker unter diesen Begriff zu bringen, von dem Panofsky eine allerdings zu normativ gefaßte Definition vorschlägt.

2. Ein jeder Akt der Entschlüsselung bedient sich eines mehr oder weniger komplexen und mehr oder weniger vollständig verfügbaren Codes.

2.1. Das Kunstwerk (wie jedes kulturelle Gebilde) vermag Bedeutungen unterschiedlichen Niveaus zu liefern, je nach dem Interpretationsschlüssel, den man auf das Werk anwendet. Die Bedeutungen niederen Niveaus, d. h. die alleroberflächlichsten, bleiben daher partial und verkürzt, also Irrtümern ausgesetzt, solange man nicht auf die Bedeutungen höheren Grades achtet, von denen sie umfaßt und transfiguriert werden.

2.1.1. Panofsky zufolge stößt die elementarste Erfahrung zunächst »auf die primäre Sinnschicht, in die wir aufgrund unserer . . . Daseinserfahrung eindringen können«, mit anderen Worten, auf einen »Phänomensinn«, der sich in einen »Sach- und Ausdrucks-Sinn« aufteilen läßt: Dieses Verständnis bedient sich »demonstrativer Begriffe«, die nur die wahrnehmbaren Eigenschaften des Werkes bezeichnen (das ist der Fall, wenn man einen Pfirsich als samtig oder einen Schleier als duftig beschreibt) oder die emotionale Erfahrung erfassen, die diese Eigenschaften bei dem Betrachter erregen, wenn man z. B. von ernsten oder heiteren Farben spricht. Um zur »sekundären Sinnschicht« zu gelangen, die sich nur aufgrund eines literarisch übermittelten Wissens erschließt«, und die als »Region des Bedeutungssinnes« bezeichnet werden kann, bedarf es »sachgerechter« Begriffe, die über die einfache Bezeichnung wahrnehmbarer Eigenschaften hinausgehen und eine richtige Interpretation des Werkes gewährleisten, da sie die stilistischen Eigentümlichkeiten des Kunstwerkes erfassen. Im Innern dieser sekundären Sinnschicht unterscheidet Panofsky einerseits »die sekundäre oder konventionelle Vorlage«, d. h. die »Themen oder Begriffe, die sich in den Bildern, Geschichten oder Allegorien« manifestieren (wenn z. B. eine nach einer gewissen Anordnung um einen Tisch herumsitzende Gruppe das Abendmahl darstellt), deren Entschlüsselung der Ikonographie zufällt, und andererseits »den immanenten Sinn oder Gehalt«, den die ikonologische Interpretation nur unter der Bedingung zu erfassen vermag, daß sie die ikonographischen Bedeutungen und Kompositionsmethoden als Symbole einer Kultur, als Ausdruck der Kultur einer Epoche, einer Nation oder einer Klasse behandelt und sich bemüht, die »fundamentalen Gestaltungsprinzipien zu entfalten, die die Auswahl und Darstellung der Motive ebenso wie die Produktion und Interpretation der Bilder, Geschichten und Allegorien stützen und selbst der formalen Komposition und den technischen Verfahren Sinn verleihen«.[8]

Der Sinn, den diese primäre Dekodierung erfaßt, erweist sich als völlig verschieden, je nachdem, ob die ästhetische Erfahrung bei diesem ersten Schritt stehenbleibt, oder ob er sich einer einheitlichen Erfahrung integriert, die die höheren Ebenen der Bedeutung umfaßt. Nur von einer ikonologischen Interpretation aus gewinnen die formalen Arrangements und technischen Verfahren ihren Sinn und durch sie wiederum die formalen und expressiven Eigenschaften, womit sich zugleich die Mängel einer prae-ikonographischen oder prae-ikonologischen Interpretation enthüllen. Im Rahmen einer adäquaten Erkenntnis des Werkes gliedern sich die verschiedenen Ebenen in hierarchisierte Systeme, in denen das Umfassende seinerseits umfaßt und das Signifikat seinerseits signifikant wird.

2.1.2. Eine Wahrnehmung, die ohne dieses Rüstzeug auf das Erfassen der primären Eigenschaften reduziert bleibt, ist grob und verkürzt. Entgegen dem »Dogma der unbefleckten Erkenntnis«, wie man mit Nietzsches Worten die Grundlage der romantischen Vorstellung von ästhetischer Wahrnehmung bezeichnen könnte, bildet das Verständnis der »expressiven« und, wenn man so sagen darf, »physiognomischen Eigenschaften« des Werkes nur eine niedere und verstümmelte Form der ästhetischen Erfahrung, da sie sich mangels Unterstützung, Kontrolle und Korrektiven in Form von Kenntnissen auf dem Gebiet des Stils, der Typen und kulturellen Zeugnisse eines Schlüssels bedient, der weder schlüssig noch spezifisch ist. Zweifellos kann man zugestehen, daß die innere Erfahrung als Fähigkeit einer emotionalen Antwort auf die Konnotation des Kunstwerkes (im Gegensatz zu seiner Denotation) einen der Schlüssel der Erfahrung von Kunst bildet. Raymond Ruyer stellt indessen sehr zu Recht die Bedeutung, die er als »epikritisch« bezeichnet, der Expressivität entgegen, die er als »protopathisch«, d. h. als primitiver, abgegriffener, von niedrigerem Niveau und eher zum Stammhirn gehörig betrachtet, während er die »Bedeutung« dem Gebiet der Hirnrinde zuordnet.

2.1.3. Die soziologische Beobachtung gestattet es, jene positiv gewordenen Wahrnehmungsformen zu entdecken, die den verschiedenen Ebenen entsprechen, die die theoretischen Analysen durch methodische Distinktion aufstellen. Jedes kulturelle Produkt, von der Küche über den Western bis zur seriellen Musik, kann zum Gegenstand verschiedener Arten von Verständnis werden, die vom einfachsten und alltäglichen Erlebnis bis zum gebildeten Genuß reichen. Die Ideologie vom »reinen Auge« geht an der Tatsache vorbei, daß das Gefühl oder die Wahrnehmung, die das Kunstwerk hervorruft, einen unterschiedlichen Wert haben kann, je nachdem, ob das ästhetische Erlebnis dabei stehenbleibt oder sich einer angemessenen Erfahrung des Kunstwerkes einfügt. Man kann daher durch Abstraktion zwei entgegengesetzte und extreme Formen des ästhetischen Vergnügens unterscheiden, zwischen denen es alle möglichen Zwischenstufen gibt, einmal das *Vergnügen*, das der ästhetischen, auf die einfache *aisthesis* beschränkten Wahrnehmung entspricht, und den Genuß, den der gelehrte Geschmack bereitet, der nun einmal die notwendige, wenn auch nicht zureichende Bedingung einer angemessenen Entschlüsselung bildet.

Wie die Malerei ist auch die Wahrnehmung von Malerei ein mentaler Akt, zumindest sofern sie den immanenten Wahrnehmungsnormen entspricht, m.a.W., sofern die ästhetische Intention des Betrachters mit der ästhetischen Intention des Werkes zusammenfällt (die nicht mit der Intention des Künstlers zu identifizieren ist).

2.1.4. Auch eine Wahrnehmung von Kunstwerken, die über keinerlei Rüstzeug verfügt, ist darauf angelegt, das Niveau der Gefühle und Affektionen, d. h. die reine und simple *aisthesis* zu überschreiten: Die assimilatorische Interpretation, die dazu führt, die verfügbaren Interpretationsschemata (eben jene, die es gestatten, die vertraute Welt als sinnvoll aufzufassen) auf eine unbekannte und fremde Welt zu übertragen, zwingt sich als ein Mittel auf, um die Einheit einer integrierten Wahrnehmung wieder herzustellen. Diejenigen, für die die Werke des überlieferten Bildungsgutes eine fremde Sprache sprechen, sind dazu verurteilt, ihrem ästhetischen Verständnis Kategorien und Werte zu substituieren wie die, nach denen ihre alltägliche Wahrnehmung sich orientiert, und wonach sich ihre praktischen Urteile bemessen, die den Gegenständen selbst aber äußerlich sind. Die Ästhetik der verschiedenen sozialen Klassen ist daher ausnahmslos nur eine Dimension ihrer Ethik (oder, genauer, ihres Ethos): daher erscheinen die ästhetischen Neigungen der Kleinbürger als systematischer Ausdruck einer asketischen Grundhaltung, die sich auch in anderen Bereichen ihres Daseins ausdrückt.

2.2. Das Kunstwerk im Sinne eines symbolischen – und nicht so sehr ökonomischen – Gutes (auch das nämlich kann es sein) existiert als Kunstwerk überhaupt nur für denjenigen, der die Mittel besitzt, es sich anzueignen, d. h. es zu entschlüsseln.[9]

2.2.1. Der Grad der ästhetischen Kompetenz eines Subjekts bemißt sich danach, inwieweit es die zu einem gegebenen Augenblick verfügbaren und zur Aneignung des Kunstwerks erforderlichen Instrumente, d. h. die Interpretationsschemata beherrscht, die die Bedingung der Appropriation des künstlerischen Kapitals, m.a.W. die Bedingung der Entschlüsselung von Kunstwerken bilden, wie sie einer gegebenen Gesellschaft zu einem gegebenen Zeitpunkt offeriert werden.

2.2.1.1. Die ästhetische Kompetenz kann vorerst als die unerläßliche Kenntnis der möglichen Unterteilungen eines Universums von Vorstellungen in komplementären Klassen bezeichnet werden. Die Beherrschung dieser Art von Gliederungssystem gestattet es, jedem Element innerhalb einer Klasse, die sich notwendig in Beziehung zu einer anderen Klasse definiert, seinen Ort zuzuweisen. Eine solche Klasse konstituiert sich daher aus allen künstlerischen, bewußt oder unbewußt berücksichtigten Vorstellungen, die nicht zur fraglichen Klasse gehören. Der *eigentümliche Stil* einer Epoche oder sozialen Gruppe ist nichts anderes als eine solche, in Beziehung zu allen Werken desselben Universums definierte Klasse. Die Werke, die das betreffende Werk ausschließt, bilden daher ihr Komplement. Die Zuerkennung (oder, wie die Kunsthistoriker in der Sprache der Logik sagen, die *Attribution*) vollzieht sich durch sukzessive Eliminierung der Möglichkeiten, auf die sich die Klasse (negativ) bezieht, der die effektiv realisierte Möglichkeit im betrachteten Werk angehört. Daran wird sofort ersichtlich, daß die Unsicherheit, welche der differenten Merkmale dem betrachteten Werk zuzurechnen sind (Autoren, Schulen, Epochen, Stile, Themen etc.), sich beheben läßt, indem man verschiedene, als Gliederungssysteme fungierende Codes anwendet: dies kann ein spezifisch künstlerischer Code sein, der z. B. die Entschlüsselung der spezifisch stilistischen Merkmale ermöglicht und damit das betrachtete Werk derjenigen Klasse zuzurechnen erlaubt, die sich als die Gesamtheit der Werke einer Epoche, einer Gesellschaft, einer Schule oder eines Autors (»Das ist ein ›Cézanne‹«) konstituiert, oder der Code des alltäglichen Lebens, d. h. die unerläßliche Kenntnis der möglichen Unterteilungen in komplementäre Klassen der Welt der Signifikanten und der Signifikate und der Korrelationen zwischen den Aufteilungen der einen und der anderen. Dieser Code ermöglicht es, die betreffende, als ein Zeichen verstandene Vorstellung einer Klasse von Signifikanten zuzuordnen. Von daher weiß man dank den Korrelationen zur Welt der Signifikate, daß das entsprechende Signifikat zu der und der Klasse von Signifikaten gehört (»Das ist ein Wald«).[10]

Im ersten Fall bezieht sich der Betrachter auf die *Art und Weise*, wie die Blätter oder die Wolken *behandelt* werden,

d. h. auf die stilistischen Hinweise, indem er der realisierten, charakteristischen Möglichkeit einer Klasse von Werken im Gegensatz zur Gesamtheit der stilistischen Möglichkeiten ihren Ort zuweist; im anderen Fall faßt er die Blätter oder Wolken als Indikatoren der Signale auf, die er, im Sinne der oben entwickelten Logik, den Bedeutungen assoziiert, die der Darstellung transzendent sind (»Das ist eine Pappel, das ist ein Sturm«).

2.2.1.2. Die Kunstkompetenz erweist sich also als die unerläßliche Kenntnis der spezifisch künstlerischen Unterteilungsprinzipien, die es gestatten, einer Darstellung durch Gliederung der *stilistischen* Indikatoren, die sie enthält, im Rahmen der Darstellungsmöglichkeiten, die den gesamten Bereich der Kunst konstituieren, ihren Ort zuzuweisen, nicht aber im Rahmen der Vorstellungsmöglichkeiten, die das Universum der alltäglichen Gegenstände (oder, genauer gesagt, der Gebrauchsgegenstände) oder der Welt der Zeichen bilden; denn das liefe darauf hinaus, sie als ein einfaches Dokument, d. h. als ein simples Kommunikationsmittel zu behandeln, das die Aufgabe hätte, eine ihm selbst transzendente Botschaft zu übermitteln. Das Kunstwerk auf spezifisch ästhetische Weise zu betrachten, d. h. als etwas, das nichts außer sich selbst bedeutet, heißt daher nicht, wie oft behauptet wird, es so zu betrachten, daß man es weder psychisch noch intellektuell auf irgend etwas anderes bezöge als auf es selbst, heißt also nicht, sich dem betrachteten Werk in seiner unableitbaren Einzigartigkeit zu überlassen, sondern dessen distinktive stilistische Züge zu ermitteln, indem man es in Beziehung zu allen Werken (und nur zu diesen Werken) setzt, die insgesamt die Klasse bilden, der es angehört. Dagegen ist der *Geschmack der unteren Klassen* gekennzeichnet im Sinne dessen, was Kant in der *Kritik der Urteilskraft* einen »barbarischen Geschmack« nennt, gekennzeichnet nämlich durch die Abneigung oder Unfähigkeit, zwischen dem, »was gefällt«, und dem, »was Vergnügen bereitet«, genauer gesagt, zwischen dem »interesselosen Wohlgefallen«, dem einzigen Garanten der ästhetischen Qualität der Betrachtung, und dem Interesse der Sinne zu unterscheiden, wodurch sich das »Angenehme« oder das »Verstandesinteresse« bestimmt: Dies Interesse fordert nämlich von jedem Bild, daß es eine Funktion erfüllen soll, und sei es nur die eines Zeichens. Daher steckt hinter dieser »funktionalistischen« Vorstellung vom Kunstwerk sehr häufig die Abneigung gegen alles, was mühelos entstanden ist, der Hinweis auf den Kult der Arbeit oder die Wertschätzung des »Instruktiven« (im Gegensatz zum Interessanten) oder eine gewisse Hilflosigkeit, Ermangelung eines spezifisch stilistischen Gliederungsprinzips, d. h. die Unfähigkeit, jedem besonderen Werk im Universum der Darstellungen seinen Ort zuzuweisen.[11] Daher ist ein Kunstwerk, von dem diese unteren Klassen erwarten, daß es ohne Doppelsinnigkeiten eine dem Signifikanten transzendente Botschaft ausdrücke, für diejenigen, die über keinerlei Rüstzeug verfügen, um so verwirrender, je mehr (wie es in den nichtfigurativen Künsten der Fall ist) die erzählende und designative Funktion entfällt.

2.2.1.3. Der Grad der Kunstkompetenz hängt nicht nur davon ab, in welchem Grade man das verfügbare Gliederungssystem beherrscht, sondern bestimmt sich zugleich an der Komplexität oder Verfeinerung dieses Systems. Seine Qualität bemißt sich also danach, inwieweit es geeignet ist, eine Reihe sukzessiver, mehr oder weniger großer Unterteilungen im Rahmen der gesamten Vorstellungsmöglichkeiten vorzunehmen und von daher mehr oder weniger grob unterteilte Klassen zu bestimmen. Für denjenigen, der lediglich in der Lage ist, einen Unterschied zwischen romanischer und gotischer Kunst festzustellen, figurieren alle gotischen Kathedralen innerhalb einer Klasse, bleiben also zugleich ununterschieden, während eine größere Kompetenz die Unterschiede zwischen der Früh-, Hoch- und Spätgotik oder sogar noch innerhalb eines jeden dieser Stile, Werke einer Schule oder sogar eines Architekten zu erkennen gestattet.

Daher ist das Verständnis derjenigen Züge, die die Originalität der Werke einer Epoche in Beziehung zu denen einer anderen Epoche oder im Rahmen dieser Klasse ausmachen, d. h. der Werke einer Schule oder einer Künstlergruppe in Beziehung zu einer anderen, oder darüber hinaus der Werke eines Autors zu den anderen Werken seiner Schule oder seiner Epoche, oder schließlich des besonderen Werkes eines Autors in Beziehung zur Gesamtheit seiner Werke, nicht zu trennen vom Verständnis der *Redundanzen,* d. h. der typischen Behandlungsweisen des malerischen Stoffes, die einen Stil kennzeichnen: kurz gesagt, um überhaupt Ähnlichkeiten erfassen zu können, ist ein impliziter oder ausdrücklicher Begriff von Unterschieden und Unterscheidungen immer schon vonnöten, wie auch im umgekehrten Fall.

2.3. Der künstlerische Code als ein System der möglichen Unterteilungsprinzipien in komplementären Klassen der gesamten Darstellungen, die einer bestimmten Gesellschaft zu einem bestimmten Zeitpunkt offeriert werden, hat den Charakter einer gesellschaftlichen *Institution.*

2.3.1. Als ein historisch entstandenes und in der sozialen Realität verwurzeltes System hängt die Gesamtheit dieser Wahrnehmungsinstrumente, die die Art der Appropriation der Kunst- (und allgemeiner der »Kultur«-)Güter in einer bestimmten Gesellschaft zu einem bestimmten Zeitpunkt bedingt, nicht von individuellem Willen und Bewußtsein ab. Sie zwingt sich den einzelnen Individuen auf, meist ohne daß sie es merken, und bildet von daher die Grundlage der Unterscheidungen, die sie treffen können, wie auch derer, die ihnen entgehen.

Jede Epoche organisiert die Gesamtheit ihrer künstlerischen Darstellungen gemäß einem Gliederungssystem, das ihr in eigentümlicher Weise anhaftet, indem sie Verwandtschaften zwischen Werken sieht, die andere Epochen voneinander schieden, und Werke voneinander trennt, die andere Epochen in engem Zusammenhang sahen; darum haben die Individuen Mühe, andere Unterschiede zu bemerken als diejenigen, welche ihnen ihr verfügbares Gliederungssystem festzustellen gestattet. »Nehmen wir an,« schreibt Longhi, »die französischen Naturalisten zwischen 1680 und 1880 hätten ihre Werke nicht mit ihrem Namen signiert und keine Kritiker und Journalisten von der Intelligenz eines Joffroy oder Duret als Herolde zur Seite gehabt. Stellen wir uns vor, man hätte sie aufgrund eines Wandels des Geschmackes und eines Verfalls der wissenschaftlichen Forschung über einen langen Zeitraum hin, während hundert oder hundertfünfzig Jahren, vergessen. Was würde nun zuerst geschehen, falls das Interesse sich ihnen wieder zuwendete? Es ließe sich unschwer vorhersehen, daß in einer ersten Phase die Untersuchung damit begänne, in den verstummten Materialien mehrere eher symbolische als historische Entitäten zu unterscheiden. Die erste trüge den symbolischen Namen Manets, der einen Teil des Jugendwerkes von Renoir und, wie ich fürchte, sogar einige Gervex, von dem gesamten Gonzalès ganz zu schweigen, sowie schließlich den ganzen Morizot und den gesamten jungen Monet verschlingen würde: was den ebenfalls zum Symbol gewordenen späteren Monet angeht, so verschlänge er fast den ganzen Sisley, einen Großteil von Renoir und, noch schlimmer, einige Dutzend Boudins, mehrere Lebours und mehrere Lépines. Es ist keineswegs ausgeschlossen, daß einige Pissarros und sogar, eine wenig schmeichelhafte Belohnung, mehr als ein Guillaumin Cézanne zugeschrieben würden.«[12]

Noch überzeugender als diese Art imaginärer Variation ist die historische Studie von Berne Joffroy über die sukzessiven Vorstellungen, die man sich von dem Werk Caravaggios machte. Sie zeigt, daß das öffentliche Image, das die Individuen einer bestimmten Epoche von einem Künstler oder Werk haben, aus den historisch entstandenen, also historisch sich ändernden Wahrnehmungsinstrumenten resultiert, die ihnen die Gesellschaft liefert, der sie angehören: »Ich weiß sehr wohl, was man über die Urheberschaftsquerelen sagt; sie hätten mit Kunst nichts zu tun, seien kleinlich und die Kunst sei groß (. . .). Die Vorstellung, die wir uns von einem Künstler machen, hängt nun einmal von den Werken ab, die man ihm zuschreibt, und färbt, ob wir es wollen oder nicht, diese globale Vorstellung, die wir von ihm haben, den Blick, der auf ein jedes seiner Werke fällt.«[13] Daher bildet die Geschichte der Wahrnehmungsinstrumente eines Werkes die unerläßliche Ergänzung zu der Geschichte seiner Produktionsinstrumente, da ein jedes Werk in gewisser Weise zweimal gemacht wird, nämlich einmal vom Urheber und einmal vom Betrachter oder, genauer, von der Gesellschaft, der dieser Betrachter angehört.

2.3.2. Die durchschnittliche Lesbarkeit eines Kunstwerkes (in einer bestimmten Gesellschaft zu bestimmter Zeit) ist ein Resultat der Distanz zwischen dem Code, den das betreffende Werk objektiv erfordert, und dem sozialen Code als einer historisch bedingten Institution. Die Lesbarkeit eines Kunstwerkes hängt also für ein bestimmtes Individuum von dem Abstand zwischen dem mehr oder weniger komplexen und verfeinerten Code, den das Werk erfordert, und dem individuellen Sachverständnis ab. Dies wiederum richtet sich danach, in welchem Grade der ebenfalls mehr oder weniger komplexe und verfeinerte soziale Code von den Individuen beherrscht wird. So hat nach Boris Schloezers Beobachtung jede Epoche ihre melodischen Schemata, die es den Individuen möglich machen, die Struktur der Sequenzen und Töne, die diesen Schemata entsprechen, unmittelbar zu begreifen: Wir brauchen heute einiges Training, um am Gregorianischen Gesang Gefallen zu finden, und sehr viele Monodien des Mittelalters erscheinen uns nicht weniger verwirrend als beispielsweise eine Komposition Alban Bergs. Wenn aber eine Melodie ohne weiteres in unsere gewohnten Bezugsrahmen paßt, ist es nicht nötig, sie zu rekonstruieren. Ihre Einheit ist gegeben, und der Satz erreicht uns sozusagen wie ein Akkord en bloc. In diesem Falle kann sie wie ein Akkord oder Timbre eine magische Wirkung ausüben; handelt es sich dagegen um eine Melodie, deren Struktur nicht den traditionell bestätigten Schemata entspricht – z. B. denen der Tradition der italienischen Oper, Wagners oder des Schlagers –, ist die Synthese nicht ohne Schwierigkeiten zu bewerkstelligen.

2.3.3. Da die Werke, die das künstlerische Kapital einer zu gegebenem Zeitpunkt gegebenen Gesellschaft bilden, unterschiedlich komplexe und verfeinerte Codes erfordern, die sich mehr oder weniger leicht oder schnell durch institutionalisierte Unterweisung aneignen lassen, unterscheiden sie sich je nach Art ihres Emissionsniveaus. Die oben aufgestellte Behauptung (2.3.2.) läßt sich daher folgendermaßen umformulieren: Die Lesbarkeit eines Kunstwerkes hängt für ein bestimmtes Individuum von der Distanz zwischen dem Emissionsniveau[14] (verstanden als Grad der immanenten Komplexität und Verfeinerung des vom Werk erforderten Codes) und dem Rezeptionsniveau ab (das sich daran bemißt, inwieweit das Individuum den sozialen Code beherrscht, der dem vom Werk erforderten Code mehr oder weniger angemessen sein kann). Jedes Individuum besitzt eine bestimmte und beschränkte Fähigkeit, die vom Werk angebotenen »Informationen« aufzufassen, eine Fähigkeit, die von seiner Kenntnis des art- oder gattungsspezifischen Codes des betreffenden Typs von Botschaft abhängt, z. B. der Malerei insgesamt oder aber der Malerei dieser oder jener Epoche, dieser oder jener Schule, dieses oder jenes Autors. Überschreitet die Botschaft seine Verständnismöglichkeiten oder geht, genauer gesagt, der Code des Werkes aufgrund seiner Finesse und Komplexität über den Code des Betrachters hinaus, so hat dieser gewöhnlich kein Interesse an etwas, das ihm als ein Wirrwarr ohne Sinn und Fug erscheint, als ein Spiel von Klängen oder Farben ohne jede Notwendigkeit. Anders gesagt: gegenüber einer Botschaft, die für ihn zu reich oder, wie die Informationstheorie sagt, »überwältigend« (overwhelming) ist, fühlt er sich ratlos und bestürzt. (Vgl. 1.3.2.)

2.3.4. Man kann, um die Lesbarkeit eines Kunstwerkes (oder einer Sammlung wie die der im Museum ausgestellten Werke) zu erhöhen und dem aus der Distanz möglicherweise resultierenden Mißverständnis abzuhelfen, daher entweder das Emissionsniveau vermindern oder das Rezeptionsniveau erhöhen. Der einzige Weg, das Emissionsniveau zu vermindern, ist der, mit dem Werk zugleich auch den Code zu liefern, nach dem es kodiert ist; so etwa in Form einer (verbalen oder graphischen) Erläuterung, deren Code bereits teilweise oder vollständig vom Rezipienten beherrscht wird, oder eines Codes, der unaufhörlich zugleich den Code mit bereitstellt, nach dem er selbst zu entschlüsseln ist. Dies wäre der Code, der dem Modell der rationellsten pädagogischen Wissensvermittlung entspricht. Daran zeigt sich übrigens, daß eine jede Handlung, die darauf zielt, das Emissionsniveau zu vermindern, tatsächlich dazu beiträgt, das Rezeptionsniveau zu erhöhen.

2.3.5. Die Regeln, die in jeder Epoche die Lesbarkeit der zeitgenössischen Kunst bestimmen, bilden nur eine partikulare Anwendung des allgemeinen Gesetzes der Lesbarkeit. Die Lesbarkeit eines zeitgenössischen Werkes ist verschieden, je nachdem, in welcher Beziehung die Künstler in einer bestimmten Epoche, innerhalb einer bestimmten Gesellschaft, zum Code der vorangegangenen Epoche stehen: Man kann daher sehr grob klassische Epochen, in denen ein Stil seine eigene Vollendung erlangt und die Künstler die von einer als Erbe übernommenen *ars inveniendi* bereitgestellten Möglichkeiten bis zu deren Vollendung oder Erschöpfung ausbeuten, von Perioden des Bruchs unterscheiden, in denen man eine neue *ars inveniendi* erfindet, oder in denen sich eine neue generative Grammatik von Formen als Bruch mit den ästhetischen Traditionen einer Zeit und eines Milieus heranbildet. Die Kluft zwischen dem sozialen Code und dem von den einzelnen Werken geforderten Code ist aller Wahrscheinlichkeit nach in klassischen Perioden weniger tief als in Perioden des Bruches, jedoch unendlich viel schmaler als in Perioden kontinuierlichen Bruches wie etwa der heutigen. Die Transformation der künstlerischen Produktionsinstrumente geht der Transformation der Instrumente der Kunstwahrnehmung voraus, und der Wandel der Wahrnehmungsweisen vollzieht sich nur langsam, da es einen Typus von Kunstverständnis (ein Produkt der Verinnerlichung eines sozialen Codes, der den Verhaltensmustern und dem Gedächtnis so tief eingestanzt ist, daß er auf unbewußter Ebene funktioniert) zu entwurzeln gilt, um ihn durch einen anderen, neuen Code zu ersetzen, der notwendigerweise einen langen und komplizierten Prozeß der Verinnerlichung erfordert.[15]

Das Trägheitsmoment, das dem Kunstverständnis (oder, wenn man so will, dem jeweiligen *Habitus*) auf eigentümliche Weise innewohnt, bewirkt, daß in Perioden des »Bruches« die mit Hilfe neuer künstlerischer Produktionsinstrumente hervorgebrachten Werke dazu verurteilt sind, über einen gewissen Zeitraum hinweg durch herkömmliche Perzeptionsinstrumente, nämlich eben diejenigen, gegen die sie doch geschaffen wurden, wahrgenommen zu werden. Die Gebildeten, die der Bildung (culture) mindestens in dem Maße angehören, wie diese ihnen, neigen stets dazu, die ererbten Kategorien auf Werke ihrer Epoche zu applizieren. Dabei verkennen sie die unableitbare Neuartigkeit von Werken, die selbst noch die zu ihrer Wahrnehmung erforderlichen Kategorien bereitstellen (im Gegensatz zu jenen Werken, die man in einem sehr weiten Sinne akademisch nennen kann und die nur einen bereits schon vorhandenen Code, genauer gesagt, Habitus ins Werk setzen).

Die Bildungsfrommen, die sich dem Kult der anerkannten Werke einstiger Propheten weihen, stehen ebenso wie die Priester der Kultur, die sich gleich den Professoren der Organisation dieses Kultes widmen, in denkbar größtem Gegensatz zu den kulturellen Propheten, d. h. den Schaffenden, die die Routine des ritualisierten Eifers in Verwirrung bringen und doch mit der Zeit ihrerseits zum Gegenstand des routinierten Kultes der neuen Priester und der neuen Gläubigen werden. Wenn es stimmt, daß, wie Franz Boas sagt, »das Denken derjenigen, die wir als die gebildeten Klassen bezeichnen, hauptsächlich von den Idealen bestimmt wird, die ihnen von den vergangenen Generationen vermittelt wurden«[16], so ist der völlige Mangel an Kunstverständnis nichtsdestoweniger weder die notwendige noch die zureichende Bedingung der angemessenen Wahrnehmung neuer bahnbrechender Werke oder, a fortiori, der Erzeugung solcher Werke. Die »Einfalt« des Blicks wäre in diesem Falle nur die äußerste Form einer Verfeinerung des Auges. Die Tatsache, daß man über keinerlei Schlüssel verfügt, gewährleistet keineswegs, daß man deshalb Werke verstünde, die nichts anderes erfordern, als daß man alle herkömmlichen Schlüssel beiseite legt, um vom Werk selbst zu erwarten, daß es einem den Schlüssel zu seiner eigenen Entschlüsselung schenke – ganz im Unterschied zu der gängigen Annahme, daß diejenigen, die nicht über das Rüstzeug eines ausgebildeten Kunstverstandes verfügen, sich am allerwenigsten etwas vormachen ließen: Die ideologische Vorstellung, daß sich die modernsten Formen der nichtfigurativen Kunst der kindlichen Unschuld oder der Unwissenheit leichter erschlössen als einem durch Schulausbildung (die man für deformierend hält) erworbenen Sachverständnis, wird nicht nur von den Tatsachen widerlegt.[17] Die bahnbrechendsten Formen der Kunst erschließen sich nämlich zunächst nur einigen »Virtuosen« (deren avantgardistische Position sich immer zu einem großen Teil aus der Stellung heraus erklären läßt, die sie im intellektuellen Kräftefeld und in der Sozialstruktur einnehmen). Und zwar deshalb, weil diese Formen die Fähigkeit erfordern, mit allen Codes, natürlich zuerst mit dem der alltäglichen Existenz, brechen zu können. Diese Fähigkeit wird darüber hinaus einmal durch die häufige Beschäftigung mit Werken, die verschiedene Codes erfordern, erworben, und zum anderen durch die Erfahrung, daß die ganze Kunstgeschichte eine Folge von Brüchen mit etablierten Codes ist. Kurzum, die Fähigkeit, alle verfügbaren Codes aufzugeben, um sich dem Werk selbst in seiner zunächst unerhörten Befremdlichkeit zu überlassen, setzt die völlige Beherrschung des prinzipiellen Codes aller Codes voraus, der die angemessene Applikation der verschiedenen sozialen Codes regelt, wie sie die Gesamtheit der zu einem bestimmten Zeitpunkt verfügbaren Werke erfordert.

3. Da das Werk als Kunstwerk nur in dem Maße existiert, in dem es wahrgenommen, d. h. entschlüsselt wird, wird der Genuß, der sich aus dieser Wahrnehmung ergibt – mag es sich um den eigentümlichen ästhetischen Genuß oder um indirektere Privilegien wie den Hauch von Exklusivität, den er verschafft, handeln – nur denjenigen zuteil, die in der Lage sind, sich die Werke anzueignen. Nur sie nämlich messen ihnen überhaupt Wert bei, und das nur deshalb, weil sie über die Mittel verfügen, sie sich anzueignen. Daher kann das Bedürfnis nach der Appropriation dieser Güter – die wie die Bildungsgüter überhaupt nur für diejenigen existieren, die dank ihrer familiären Herkunft oder dank der Schule über die nötigen Appropriationsmittel verfügen – sich nur bei denjenigen ausbilden, die in der Lage sind, es zu befriedigen, und befriedigen kann es sich, sobald man es verspürt.

3.1. Daher wächst einerseits im Unterschied zu den »primären« Bedürfnissen das Bildungsbedürfnis als ein gebildetes Bedürfnis in dem Maße, in dem es befriedigt wird, da eine jede neue Appropriation zur Vermehrung der Appropriationsinstrumente (vgl. 3.2.1.) führt und demzufolge zu einer größeren Befriedigung, die der neuen Appropriation entspricht. Auf der anderen Seite schwindet das Bewußtsein der Entbehrung in dem Maße, in dem diese Versagung selbst anwächst, da diejenigen, die von den Appropriationsmitteln der Werke so gut wie vollständig abgeschnitten sind, zugleich dem Bewußtsein dieser Versagung am fernsten stehen.

3.2. Die Bereitschaft zur Appropriation der kulturellen Güter ist das Produkt einer mehr dem Zufall überlassenen oder mehr spezifischen, institutionalisierten oder nicht institutionalisierten Erziehung, die das Kunstverständnis als Beherrschung der Instrumente zur Appropriation dieser Güter erzeugt (oder kultiviert) und das »Bildungsbedürfnis« erst erschafft, indem sie die Mittel bereitstellt, es zu befriedigen.

3.2.1. Die wiederholte Beschäftigung mit Werken eines bestimmten Stils begünstigt eine unbewußte Verinnerlichung der Regeln, nach denen sich die Produktion dieser Werke vollzieht. Den Regeln der Grammatik gleich werden diese nicht als Regeln aufgefaßt und sind noch weniger ausdrücklich formuliert und formulierbar als jene: Der Liebhaber klassischer Musik braucht z. B. weder ein Bewußtsein noch eine Kenntnis der Gesetze zu haben, denen die Tonkunst gehorcht, an die er gewöhnt ist; sein geschultes Gehör führt jedoch dazu, daß er, sobald er einen Dominantakkord vernimmt, gebieterisch die Tonika erwartet, die ihm als die »natürliche« Auflösung dieses Akkords erscheint. Daher fällt es ihm schwer, die immanente Stimmigkeit einer Musik zu begreifen, die auf anderen Prinzipien beruht. Die unbewußte Beherrschung der Appropriationsmittel, auf der die Vertrautheit mit den kulturellen Produkten basiert, bildet sich durch langdauernden Umgang als eine unmerklich lange Folge von »petites perceptions« im Leibnizschen Sinne. Das Sachverständnis des Kenners (connaisseurship) ist eine »Kunst«, die wie eine Denk- oder Lebenskunst sich nicht ausschließlich in Form von Vorschriften und Geboten übermitteln läßt; ihre Erlernung setzt einen gleichwertigen und steten Kontakt zwischen Lehrer und Schüler in Form traditioneller Unterweisung voraus, d. h. den wiederholten Kontakt mit dem Werk (oder Werken derselben Klasse). Und ebenso wie der Lehrling oder Schüler unbewußt die Kunstregeln einschließlich derer, die dem Lehrer selbst nicht ausdrücklich bekannt sind, erlernen kann, wenn auch um den Preis einer nahezu völligen Selbstaufgabe, die eine Untersuchung und Auswahl der Elemente des beispielhaften Verhaltens ausschließt, kann der Liebhaber, indem er sich in gewisser Weise dem Werk überläßt, dessen Prinzipien und Konstruktionsregeln verinnerlichen, ohne daß ihm diese jemals ins Bewußtsein dringen und damit als Regeln ausdrücklich formuliert werden. Darin besteht der ganze Unterschied zwischen dem Kunsthistoriker und dem Kenner, der seinerseits meistens unfähig ist, die Ausgangsprinzipien seiner Urteile (vgl. 1.3.3.) darzulegen. In diesem Bereich wie in anderen (z. B. dem des Erlernens der umgangssprachlichen Grammatik) fördert die Schulerziehung das bewußte Erfassen der Denk-, Wahrnehmungs- und Ausdrucksmodelle, die man bereits unbewußt beherrscht, indem sie die Grundlagen der kreativen Grammatik, z. B. die Gesetze der Harmonie und des Kontrapunktes oder die malerischen Kompositionsregeln, explizit darlegt. Gleichzeitig liefert sie das unerläßliche Wort- und Begriffsmaterial, mittels dessen die zunächst auf rein intuitive Weise geahnten Unterschiede benannt werden. Die Gefahr des Akademismus steckt daher in jeder rationalisierten Pädagogik, da sie fast regelmäßig dazu führt, all das in ein Lehrgebäude ausdrücklich bezeichneter und eingeübter, häufiger negativ als positiv gefaßter Vorschriften, Rezepte und Formeln umzumünzen, was ein traditioneller Unterricht in Form eines in direkter Weise, *uno intuito*, erfaßten *Habitus*, als Stileinheit übermittelt, die sich auf analytischem Wege nicht zerlegen läßt.

3.2.2. Der Umgang mit den Werken, wie man ihn durch Reiteration von Wahrnehmungen pflegt, bildet die privilegierte Form eines Erwerbs der Mittel zur Appropriation der Werke, weil das Kunstwerk sich stets als eine konkrete Individualität präsentiert, die sich niemals aus den Prinzipien und Regeln, die einen Stil definieren, ableiten läßt. Wie es sich im Falle des musikalischen Werkes ganz deutlich zeigt, könnten diskursive Übersetzungen – mögen sie auch noch so präzis und informativ sein – niemals eine Darbietung hic et nunc ersetzen, die aus keiner Formel ableitbar ist: Die bewußte oder unbewußte Meisterschaft auf dem Gebiet der Produktionsprinzipien und -regeln dieser Form gestattet es, deren Stimmigkeit und immanente Notwendigkeit durch eine der Konstruktion des Urhebers symmetrische Rekonstruktion zu erfassen. Anstatt jedoch das einzigartige Werk auf die Allgemeinheit eines Typus zu reduzieren, ermöglicht eine solche Rekonstruktion es vielmehr, die Originalität einer jeden Aktualisierung, genauer gesagt, Darbietung hinsichtlich der Prinzipien und Regeln, nach denen sie bewerkstelligt wurde, zu erfassen und zu bewerten. Wenn das Kunstwerk stets das doppelte Gefühl des Niedagewesenen und doch mit Notwendigkeit Eingetroffenen vermittelt, so deshalb, weil die einfallsreichsten, improvisiertesten und originellsten Lösungen sich stets post festum aus den Denk-, Wahrnehmungs- und Handlungsschemata (Kompositionsregeln, theoretischen Problemkreisen etc.) begreifen lassen. Sie nämlich ließen die technischen und ästhetischen Fragen, auf die das Werk antwortet, in dem gleichen Augenblick entstehen, in dem sie auch dem Autor bei der Suche nach einer aus dem Schema nicht ableitbaren Lösung die Richtung wiesen, eine Lösung, die insofern zwar unvorhersehbar war und dennoch a posteriori den Regeln einer Grammatik der Formen entspricht. Die endgültige Wahrheit des Stils einer Epoche, eines Autors oder einer Schule liegt letztlich nicht keimhaft in einer eigentümlichen Eingebung beschlossen, sondern definiert sich und ändert sich fortwährend von neuem als »Bedeutung im Werden«, die, wenn sie sich realisiert, zugleich mit sich selbst übereinstimmt oder aber auf sich selbst reagiert. Allein im fortwährenden Wechsel von Fragen, wie sie sich nur aus einem Geiste heraus und für einen Geist stellen können, der über einen bestimmten Typus mehr oder weniger einfallsreicher Grundmuster verfügt, die sich ihrerseits der Anwendung der Schemata verdanken, jedoch fähig sind, das Ausgangsschema zu verändern, ergibt sich jene Einheit von Stil und Bedeutung, die nachträglich oft den Eindruck erweckt, als sei sie den Werken vorausgegangen, die das abschließende Gelingen ankündigten. Dieses verwandelt die verschiedenen Momente auf der zeitlichen Skala nachträglich in einfache, vorbereitende Entwürfe[18]: Stellt die Entwicklung eines Stils sich somit weder als autonome Entwicklung einer einzigen unveränderbaren Essenz noch als Schöpfung von unvorhersehbarer Neuartigkeit dar, sondern eher als ein Hin und Her, das weder Vor- noch Rückgriffe ausschließt, so deshalb, weil der Habitus des Künstlers als eine Axiomatik von Schemata seine Wahl immerzu leitet, die, wenn auch nicht wohlüberlegt, nichtsdestoweniger systematisch erfolgt. Ohne in der Art ihrer Organisation ausdrücklich einem bestimmten Zweck zu gehorchen, ist diese Wahl doch Träger einer Art von Finalität, die sich allerdings erst post festum zu erkennen gibt. Wenn daher Werke, die durch eine

Kette signifikanter Beziehungen miteinander verbunden sind, sich aus sich selbst heraus zum System konstituieren, vollzieht sich ihre Verkettung in einer Koppelung von Sinn und Zufall. Diese Verbindung stellt sich her, löst sich auf, um schließlich nach Regeln wieder zu erstehen, die um so beständiger sind, je mehr sie sich dem Bewußtsein entziehen. So bildet sich dieses System in einer ständigen Verwandlung, die beiläufige Ereignisse aus der Geschichte der technischen Verfahrensweise in die Stilgeschichte einbringt und ihnen dadurch Bedeutung verleiht. Es konstituiert sich in der Erfindung von Hindernissen und Schwierigkeiten, die im Namen eben jener Prinzipien auf den Plan gerufen scheinen, die doch zu ihrer Lösung hinführen und die mitunter, auch wenn sie sich vorübergehend dagegen sperren, im Dienste einer höheren Zweckmäßigkeit stehen.

3.2.3. Selbst wenn die Institution der Schule hinsichtlich eines spezifischen Kunstunterrichts nur einen untergeordneten Platz einnimmt (wie es in Frankreich und vielen anderen Ländern der Fall ist), selbst wenn sie weder eine spezifische Anregung zur kulturellen Praxis noch ein Arsenal zusammenhängender und z. B. spezifisch auf Werke der Bildhauerei zugeschnittener Begriffe liefert, flößt sie doch eine bestimmte *Vertrautheit* mit der Welt der Kunst ein (die konstitutiv ist für das Gefühl, zur gebildeten Klasse zu gehören), so daß man sich in ihr zu Hause und unter sich fühlt, als sei man der prädestinierte Adressat von Werken, die sich nicht dem ersten besten ausliefern: Diese Vertrautheit führt andererseits (zumindest in Frankreich und in der Mehrzahl der europäischen Länder, die über die Institution »höhere Schule« verfügen) dazu, eine Aufnahmebereitschaft für Bildung als dauerhafte und allgemein verbreitete Einstellung einzuschärfen, die die Anerkennung des Wertes von Kunstwerken und die Fähigkeit, sich diese Werke als art- und gattungsspezifische Kategorien anzueignen, einschließt.[19] Obwohl der Lehrbetrieb der Schule sich beinahe ausschließlich auf literarische Werke erstreckt, gelingt es ihm dennoch, eine übertragbare Bereitschaft zu erzeugen, nämlich alle von der Schule anerkannten Werke zu bewundern, bzw. das Pflichtgefühl einzuimpfen, bestimmte Werke oder, genauer gesagt, bestimmte Klassen von Werken zu verehren und zu schätzen, die nach und nach so erscheinen, als seien sie Attribute eines bestimmten Schul- und Sozialstatus. Auf der anderen Seite produziert dieser Lehrbetrieb eine ebenfalls allgemein verbreitete und übertragbare Fähigkeit, Autoren, Gattungen, Schulen und Epochen bestimmten Kategorien zuordnen zu können, sowie die Fähigkeit zur Handhabung der Schulkategorien der literarischen Analyse und der Beherrschung jenes Codes (vgl. 2.3.5.), der den Gebrauch der verschiedenen Codes regelt. Dadurch wird es möglich, sich die entsprechenden Kategorien auch in anderen Bereichen anzueignen und die typischen Wissensbestände zu horten, die, selbst wenn sie äußerlich und anekdotisch bleiben, zumindest eine elementare Form des Verständnisses ermöglichen, so unangemessen diese auch sein mag.[20]

So ist ein erstes elementares Sachverständnis auf dem Gebiet der Malerei daran zu bemessen, inwieweit man ein Arsenal von Begriffen beherrscht, die es ermöglichen, Unterschiede zu benennen und, indem man sie benennt, sie zu begreifen. Dazu gehören die Eigennamen der berühmten Maler Leonardo, Picasso, van Gogh, die als Gattungskategorien fungieren, so daß man vor einem Gemälde oder nichtfigurativen Gegenstand sagen kann: »Das ist ein Picasso«, oder vor einem Werk, das deutlich oder weniger deutlich an die Manier des florentinischen Malers erinnert: »Das könnte man fast für einen Leonardo halten.« Weiterhin gehören hierzu so weitmaschige Kategorien wie die »Impressionisten« (deren Definition sich von Gauguin bis zu Degas erstreckt), die »Niederländer« oder schließlich die »Renaissance«. Es ist besonders bezeichnend, daß, wie Umfragen ergeben haben, die Zahl derjenigen Betrachter, die in Kategorien von Schulen denken, proportional zum Ausbildungsniveau und, allgemeiner gesagt, zu der vorhandenen Kenntnis von Gattungen anwächst, die nun einmal die unerläßliche Voraussetzung ist, Unterschiede wahrzunehmen und sich im Gedächtnis einzuprägen. Eigennamen, historische, technische oder ästhetische Begriffe sind daher um so zahlreicher und spezifischer verfügbar, je gebildeter die Betrachter sind, mit denen man es zu tun hat.

Die angemessenste Wahrnehmung unterscheidet sich von der unangemessensten daher nur durch die Genauigkeit, den Reichtum und die Verfeinerung der angewandten Kategorien.

Es handelt sich also keineswegs um ein Dementi dieser Behauptungen, wenn man feststellt, daß die Museenbesucher um so häufiger gerade den berühmtesten und durch den Schulunterricht in höchstem Grade anerkannten Gemälden ihre Gunst entgegenbringen, je weniger Unterricht sie genossen haben, während die modernen Maler, die die geringsten Chancen haben, einen Platz im Unterricht eingeräumt zu bekommen, nur von den Inhabern der höchsten Bildungsabschlüsse (zumeist Großstadtbewohnern) zitiert werden. Die Fähigkeit, Geschmacksurteile zu äußern, die man »persönlich« nennt, ist letztlich ein Resultat der Art des Unterrichts, den man genossen hat: Die Freiheit, sich von den schulischen Zwängen zu befreien, besitzen nur diejenigen, die ihre Schulbildung ausreichend assimiliert haben, um ein freies Verhältnis zu der Art von Bildung zu gewinnen, wie eine Schule sie vermittelt, die so tief von den »Werten« der herrschenden Klassen durchdrungen ist, daß sie sogar ihrerseits die mondäne Entwertung der Schulpraktiken übernimmt. Die scharfe Trennung zwischen der kanonischen, stereotypen bzw., wie Max Weber sagen würde, »routinierten« und der authentischen Bildung, die sich vom Zuschnitt der Schule befreit hat, hat einen Sinn nur für jene kleine Zahl von Gebildeten, für die die Bildung eine »zweite Natur« geworden ist, eine »Natur«, die alle Zeichen der Begnadung aufweist. Der reale Besitz der Schulbildung ist daher die unerläßliche Voraussetzung, um diese erst zu jener »culture libre«, d. h. einem Bildungsbereich hin überschreiten zu können, der seinen schulischen Ursprüngen entronnen ist, die die bürgerliche Klasse und ihre Schule für den »Wert der Werte« halten (vgl. 3.3.)

Aber der beste Beweis für die Tatsache, daß die allgemeinen Prinzipien der Übertragung von Lernprozessen auch für die schulischen Lernprozesse gelten, zeigt sich darin, daß die Beschäftigungen ein und desselben Individuums und a fortiori der Individuen einer sozialen Kategorie oder eines bestimmten Unterrichtsniveaus dazu tendieren, ein System zu bilden. Daher impliziert ein bestimmter Typus von Beschäftigungen in irgendeinem Bildungsbereich mit sehr großer Wahrscheinlichkeit einen Typus homologer Beschäftigung in allen anderen Bereichen: eifriger Museumsbesuch geht insofern beinahe notwendig mit entsprechend häufigem Theater-

und in geringerem Maße Konzertbesuch einher. Ebenso scheint alles andere darauf hinzudeuten, daß Kenntnisse und Vorlieben sich in strikt an das Unterrichtsniveau gebundenen Konstellationen ausbilden, so daß beispielsweise eine typische Struktur von Vorlieben auf dem Gebiet der Malerei alle Chancen hat, einer Struktur von Vorlieben desselben Typs auf dem Gebiet der Literatur zu entsprechen.[21]

3.2.4. Aufgrund des besonderen Status des Kunstwerkes und, im Zusammenhang damit, der spezifischen Logik des Lern- und Aneignungsprozesses ist ein Kunstunterricht, der sich auf eine (historische, ästhetische oder andere) Erläuterung der Werke beschränkt, zweitrangig[22]: wie der Unterricht in der Muttersprache setzt der Literatur- oder Kunstunterricht (d. h. die Bildungsfächer [»les humanités«] des traditionellen Unterrichts) notwendigerweise Individuen voraus – ohne sich jedoch auf diese Voraussetzung hin einzurichten –, die über ein vorgängig erworbenes Wissen und ein in ungleicher Weise zwischen den verschiedenen sozialen Milieus verteiltes Kapital von Erfahrungen verfügen (Museumsbesuche, Denkmalsbesichtigungen, Konzertbesuche, Lektüre etc.).

3.2.4.1. Da der Kunstunterricht nicht methodisch und systematisch vorgeht, insofern er nicht alle verfügbaren Mittel von den ersten Schuljahren an mobilisiert, um allen während der Schulzeit den direkten Kontakt mit den Werken oder zumindest einen annähernden Ersatz dieser Erfahrung (durch Darstellung von Reproduktionen oder durch Textlektüre, Organisation von Museumsbesuchen, Anhören von Schallplatten etc.) zu verschaffen, kommen nur diejenigen in seinen vollen Genuß, die schon ihrer familiären Herkunft ein Sachverständnis verdanken, das nach und nach und durch unmerkliche Übung erworben wurde. Denn dieser Unterricht dispensiert sich von der Aufgabe, allen das explizit zu vermitteln, was er implizit von allen verlangt. Wenn es richtig ist, daß nur die Institution der Schule eine kontinuierliche und nachhaltige methodische und in der Ausrichtung uniformierende Ausbildung vermitteln kann, die es, wenn der Ausdruck gestattet ist, möglich macht, sachverständige Individuen in *Serienproduktion* hervorzubringen, kompetente Individuen, die einerseits über die Wahrnehmungs-, Denk- und Ausdrucksschemata, d. h. die Voraussetzungen zur Appropriation der Bildungsgüter und andererseits zugleich über eine allgemein verbreitete und nachhaltige Bereitschaft verfügen, sich diese Güter zu appropriieren – und dies ist das Kriterium der kulturellen Devotion –, so hängt die Wirksamkeit dieser »Menschenbildung« unmittelbar davon ab, inwieweit diejenigen, die ihr ausgesetzt werden, die unerläßlichen Bedingungen einer angemessenen Rezeption erfüllen: Der Effekt der Schulausbildung ist um so stärker und nachhaltiger, je länger sie dauerte (wie es sich darin zeigt, daß das Bildungsinteresse und die entsprechende Praxis bei denjenigen, die eine längere Schulausbildung genossen haben, mit zunehmendem Alter entsprechend weniger rückläufig ist). Denn wer immer diesem nachhaltigen Einfluß der Schule ausgesetzt war, verfügt über die größere und unerläßliche Kompetenz, die durch den unmittelbaren und von früh auf geübten Umgang mit den Werken (der, wie man weiß, sich um so häufiger findet, je höher man in der sozialen Hierarchie hinaufsteigt) erworben wurde. Und schließlich unterstützt und fördert ein günstiges kulturelles Klima diesen Effekt.[23]

Daher unterscheiden sich Studenten der geisteswissenschaftlichen Fächer (der »Lettres«), die jahrelang eine homogene und homogenisierende Ausbildung erfahren haben und kontinuierlich gemäß ihrer Anpassung an die Leistungsforderungen der Schule ausgesiebt wurden, sowohl in ihren kulturellen Gepflogenheiten wie in ihren Vorlieben in systematischer Form, die wiederum davon abhängt, ob sie einem mehr oder weniger gebildeten Milieu entstammen bzw. wie lange sie darin verblieben: Ihre (an der Zahl der Stücke, die sie auf der Bühne gesehen haben, gemessene) Theaterkenntnis ist desto größer, je häufiger ihr Vater und Großvater (oder, *a fortiori*, der eine oder andere) zu einer gehobeneren Berufskategorie gehört. Darüber hinaus ist hierbei die Tatsache von Gewicht – angenommen, man untersucht einen Fixwert innerhalb einer jeden dieser Variablen (d. h. die Kategorie des Vaters oder Großvaters) –, ob die eine oder die andere Kategorie schon allein für sich dazu tendiert, die Hierarchie dieser Resultate zu bestimmen.[24] Da der Eingliederungsprozeß bis zur vollen Integration in die Bildungsschichten sich über einen sehr langen Zeitraum hin vollzieht, bleiben Individuen, die hinsichtlich ihres sozialen und sogar ihres Schulerfolges auf einer Stufe stehen, weiterhin durch subtile Unterschiede voneinander getrennt, die sich danach bemessen, seit wann jene Individuen Zutritt zur Bildungssphäre haben. Auch der Bildungsadel hat seine Domänen.[25]

3.2.4.2. Nur eine Institution wie die Schule, deren spezifische Funktion darin besteht, auf methodischem Wege jene Anlagen zu entwickeln oder erst zu schaffen, die das Kriterium des »gebildeten Menschen« und die Grundlage einer nachhaltigen und quantitativ wie qualitativ intensiven Beschäftigung sind, könnte (zumindest teilweise) die ausschlaggebende Benachteiligung derer ausgleichen, die von seiten ihrer familiären Herkunft keinen Anreiz erfahren, sich mit den Bildungsgütern zu befassen, und daher nicht das bei allen gelehrten Erörterungen innerhalb dieses Bereiches vorausgesetzte Sachverständnis von zu Hause mitbekommen. Diesen Ausgleich könnte die Schule unter der Bedingung, und nur unter der Bedingung, leisten, daß sie alle verfügbaren Mittel einsetzte, um die zirkelhafte Verkettung kumulativer Prozesse zu durchbrechen, zu der jede Erziehungspraxis auf kulturellem Gebiet verurteilt ist. Wie man sieht, hängt also die Kunstkompetenz in puncto ihrer Eindringlichkeit und Verfügbarkeit davon ab, inwieweit der Betrachter den art- und gattungsspezifischen Code eines Kunstwerkes beherrscht, d. h. von jener Kompetenz, die er zum Teil seiner Schulbildung verdankt. Dasselbe gilt entsprechend für die pädagogische Vermittlung selbst. Denn diese hat unter anderem die Funktion, den Code der Werke des gehobenen Bildungsbestandes zu vermitteln (und zugleich denjenigen Code, nach dem sie diese Übermittlung betreibt), so daß die Intensität und das durchschnittliche Niveau der pädagogischen Vermittlung hier noch einmal von der Bildung (als historisch konstituiertem und sozial bedingtem System von Wahrnehmungs-, Ausdrucks- und Denkschemata) abhängt, einer Bildung, die der Schüler seiner familiären Herkunft verdankt und die daher in größerer oder kleinerer Distanz zum Bildungskapital und den linguistischen oder kulturellen Modellen steht, nach denen die Institution der Schule die Vermittlung dieses Kapitals betreibt. Da die unmittelbare

Aufnahme der gehobenen Bildungsgüter und der institutionell organisierte Erwerb von Bildung, d. h. der Bedingungen der angemessenen Rezeption dieser Werke, denselben Gesetzen unterliegen (vgl. 2.3.2., 2.3.3. und 2.3.4.), wird ersichtlich, wie schwierig es ist, die Verkettung dieser kumulativen Wirkungen zu durchbrechen. Denn sie führen dazu, daß das Bildungskapital sich nur dorthin schlägt, wo bereits Kapital vorhanden ist: Die Institution der Schule braucht nämlich nur die objektiven Mechanismen der Bildungsvermittlung spielen zu lassen und sich von der Aufgabe zu dispensieren, auf systematische Weise im Rahmen und mittels der pädagogischen Botschaft allen zuteil werden zu lassen, was einigen durch familiäres Erbe in den Schoß fällt, d. h. die Instrumente, die die Bedingung einer angemessenen Aufnahme der von der Schule übermittelten Botschaft bilden –, und schon verdoppelt und bestätigt sie durch ihre Sanktionen die gesellschaftlich bedingten Ungleichheiten auf dem Sektor des Bildungswissens, indem sie diese als natürliche Ungleichheiten, d. h. als Ungleichheiten der Begabung behandelt.

3.3. Die charismatische Ideologie beruht auf der Tatsache, daß die Beziehung zwischen Kunstkompetenz und Erziehung, die auf der Hand liegt, nachdem sie einmal nachgewiesen wurde, ausgeklammert bleibt. Allein eine solche Erziehung nämlich vermag die Bereitschaft zu wecken, den Bildungsgütern Wert beizumessen und zugleich das Sachverständnis zu vermitteln, das dieser Bereitschaft einen Sinn verleiht, indem sie es erst ermöglicht, daß man sich diese Güter appropriiert. Da ihr Kunstverständnis das Produkt einer unmerklichen Übung und einer automatischen Übertragung von Fähigkeiten ist, neigen die Angehörigen der privilegierten Klassen auf »natürliche Weise« dazu, eine kulturelle Erbschaft, die sich ihnen durch unbewußtes Erlernen übermittelt, für ein Geschenk der Natur zu halten. Aber darüber hinaus werden die Widersprüche und Doppeldeutigkeiten des Verhältnisses, in dem die Gebildeten unter ihnen zu ihrer Bildung stehen, zugleich durch die paradoxe Tatsache ermöglicht und bestärkt, daß die »Verwirklichung« der Bildung durch ein *Zu-Natur-Werden* gekennzeichnet ist. Da die Bildung sich nur vollendet, indem sie sich als eine »gebildete«,

d. h. als artifizielle und auf künstlichem Wege erworbene negiert, um eine zweite Natur, ein *Habitus* zu werden statt ein Gemacht-Haben und Geworden-Sein, scheint den »Virtuosen des Geschmacksurteils« eine Erfahrung von ästhetischer Begnadung zuteil zu werden, die so völlig von den Bildungszwängen befreit und so wenig von der langen Ausdauer der Lernprozesse, deren Produkt sie ist, gezeichnet ist, daß der Hinweis auf die sozialen Bedingungen und die Bedingungen dieser Bedingungen, die sie erst ermöglicht haben, als etwas Selbstverständliches und zugleich als ein Skandal erscheint. Daher sind die gediegensten Kenner die natürlichsten Verteidiger jener charismatischen Ideologie, die dem Kunstwerk eine Macht der magischen Bekehrung einräumt, welche fähig sei, die in einigen »Erwählten« versteckten Anlagen ans Licht zu holen. Daher stellt diese Ideologie die »echte« Erfahrung des Werkes als »Bewegung des Herzens« oder »intuitive Erleuchtung« den mühsamen Verfahrensweisen und kalten Kommentaren der Intelligenz entgegen, indem sie die sozialen und kulturellen Bedingungen einer solchen Erfahrung mit Schweigen übergeht und damit zugleich die durch langen Umgang oder die Mühen eines methodischen Lernprozesses erworbene Virtuosität als in die Wiege gelegte Gaben behandelt: das Verschweigen der sozialen Bedingungen der Appropriation des Bildungskapitals oder, genauer, des Erwerbs ästhetischer Kompetenz als Beherrschung aller zur Appropriation des Kunstwerkes erforderlichen Mittel ist ein *interessiertes* Schweigen, da es erlaubt, ein soziales Privileg zu rechtfertigen, indem man es in eine Gabe der Natur verwandelt.[26]

Wenn man daran erinnert, daß die Bildung nicht das ist, was man ist, sondern das, was man hat oder, genauer gesagt, was man geworden ist; wenn man sich die sozialen Bedingungen der Möglichkeit ästhetischer Erfahrung und die Bedingungen der Möglichkeit derer, denen sie möglich ist, nämlich Kunstliebhabern oder »hommes de goût« vor Augen hält; wenn man sich weiter ins Gedächtnis ruft, daß das Kunstwerk sich nur denen erschließt, die die Mittel mitbekommen haben, um erst jene Mittel zu erwerben, die es ermöglichen, sich die Werke zu appropriieren, und die nicht versuchen könnten, sie zu besitzen, wenn sie sie nicht schon in dem und durch den Besitz der Besitzmittel als der realen Möglichkeit, diese Besitznahme zu bewerkstelligen, besäßen; wenn man schließlich daran gemahnt, daß nur einige die reale Möglichkeit haben, in den Genuß dieser reinen und auf liberale Weise allen angebotenen Möglichkeit zu gelangen, d. h. die in den Museen ausgestellten Werke zu genießen: dann tritt die geheime Antriebsfeder der meisten sozialen Bildungsgepflogenheiten ans Licht.

Allein durch die Ausklammerung der sozialen Bedingungen, denen sich die Bildung und die »zu Natur gewordene« Bildung, eben die kultivierte Natur, allererst verdankt – jene Bildung, die alle Zeichen der Begnadung und Begabung aufweist und dennoch erworben, also »verdient« ist –, kann die charismatische Ideologie sich durchsetzen, die der Kultur und insbesondere der »Liebe zur Kunst« den zentralen Platz einräumt, den sie in der bourgeoisen »Soziodizee« einnehmen. Der Bourgeois findet natürlicherweise in der Bildung als kultivierter Natur und naturgewordener Kultur das einzig mögliche Prinzip der Legitimation seines Privilegs: Da er sich weder auf das »Recht des Blutes« (das seine Klasse der Aristokratie historisch abgesprochen hat) berufen kann noch auf die »Natur«, die entsprechend der »demokratischen« Ideologie die Universalität darstellt, d. h. das Gebiet, auf dem alle Distinktionen aufgehoben sind, noch auf die asketischen Tugenden, die es den Bürgern der ersten Generation erlaubt hatten, auf ihr Verdienst zu pochen, beruft er sich auf die kultivierte Natur und die zu Kultur gewordene Natur, d. h. auf das, was man bisweilen in einer Art aufschlußreichem Lapsus »die Klasse« nennt, »die Erziehung« im Sinne eines Erziehungsproduktes, das der Erziehung nichts zu verdanken scheint[27], »die Distinktion«, eine Begnadung, die Verdienst, und ein Verdienst, das Begnadung ist, ein nicht erworbenes Verdienst, das seine nicht verdienten Erwerbungen rechtfertigt, d. h. das Erbe. Soll die Kultur ihre ideologische Funktion als Prinzip einer Klassenkooptation und die Legitimierung dieser Art von Rekrutierung erfüllen können, genügt es, die augenscheinliche und zugleich verborgene Wechselbeziehung zwischen Bildung und Erziehung zu vergessen, zu verschleiern und zu bestreiten. Die widernatürliche Idee einer mit der Geburt gegebenen Kultur, einer bestimmten Menschen von der »Natur« auferlegten Begnadung ist unauflöslich verfilzt mit der Blindheit gegenüber den Funktionen der Institution, die die Rentabilität des kulturellen Erbes sichert und dessen Übermittlung legitimiert, indem sie verschleiert, daß sie diese Funktion erfüllt. Die Schule ist in der Tat diejenige Institution, die mittels ihrer formal unanfechtbaren Urteilssprüche die sozial bedingten Unterschiede in Ungleichheiten des Erfolges verwandelt, welche als Ungleichheiten der Begabung, die ihrerseits zugleich Ungleichheiten des Verdienstes seien, interpretiert werden.[28]

Plato berichtet am Ende der *Republik*, daß die Seelen, die ein anderes Leben beginnen müssen, ihr Los zwischen »Lebensmodellen« aller Arten selbst zu wählen und, nachdem sie gewählt, das Wasser des Flusses Ameles zu trinken haben, ehe sie wieder zur Erde hinabsteigen. Die Funktion, die Plato dem Wasser des Vergessens zuweist, übt in unseren Gesellschaften das universitäre Richteramt aus, das, gerecht wie es ist, nur Lernende mit gleichen Rechten und Pflichten zu kennen behauptet, die sich nur durch Ungleichheiten der Begabung und des Verdienstes unterschieden. Die Titel, die es getreu seinem Grundsatz den Individuen erteilt, richten sich nach ihrem Bildungserbe, also ihrer sozialen Herkunft. Indem man das Unterscheidungsprinzip gegenüber den anderen Klassen symbolisch von dem Gebiet der Ökonomie auf das der Kultur verlegt, d. h. genauer gesagt, die spezifischen Unterschiede, die der reine Besitz materieller Güter erzeugt, durch Unterschiede, die der Besitz symbolischer Güter wie der Kunstwerke hervorbringt, oder durch Suche nach symbolischen Unterscheidungen in der Art der Verwendung dieser (ökonomischen oder symbolischen) Güter verdoppelt, kurzum: indem man aus allem eine Naturgabe macht, was deren Stellenwert, d. h., um das Wort im Sinne der Linguisten zu verwenden, deren Distinktion als ein Unterscheidungsmerkmal kennzeichnet – das, wie der Littré sagt, vom Gewöhnlichen »par un caractère d'élégance, de noblesse et de bon ton« unterscheidet –, setzen die privilegierten Klassen der bürgerlichen Gesellschaft an die Stelle zweier Kulturen, historischer Produkte sozialer Bedingungen, den Wesensunterschied zweier Naturen, einer auf natürliche Weise kultivierten und einer auf natürliche Weise natürlichen Natur.[29] Daher erfüllt die Sakralisierung von Kultur und Kunst, dieses »Geld des Absoluten«, wie es eine Gesellschaft bewundert, die vom Absolutum des

Geldes besessen ist, eine lebenswichtige Funktion, indem sie ihren Beitrag zur Bestätigung der sozialen Ordnung leistet: Damit die »Gebildeten« an die Barbarei glauben und ihre »Barbaren im Lande« von deren Barbarei überzeugen können, genügt es, daß sie es fertig bringen, die sozialen Bedingungen zu verschleiern (auch sich selbst zu verschleiern), auf denen nicht nur die als zweite Natur verstandene Bildung beruht, an der die Gesellschaft die menschliche Auszeichnung oder den »bon goût« als »Verwirklichung« in einem von der Ästhetik der herrschenden Klassen bestimmten *Habitus* erkennt, sondern auf die darüber hinaus auch die legitimierte Herrschaft sich stützt – oder, wenn man so will, die Legitimität eines partikularen Begriffs von Bildung. Und auf daß der ideologische Zirkel sich vollständig schließe, bedarf es nur noch der Vorstellung von einer Art Wesenszweiteilung ihrer Gesellschaft in Barbaren und Zivilisierte, um ihr Recht bestätigt zu finden, über die Bedingungen zu verfügen, nach denen der Bildungsbesitz und der Ausschluß von diesem Besitz, d. h. ein Naturzustand produziert wird, der notwendig so erscheinen muß, als sei er in der Natur jener Menschen begründet, die an ihn veräußert sind.

Wenn es so um die Funktion der Bildung steht und die »Liebe zur Kunst« nur das Zeichen einer »Erwähltheit« ist, das wie eine unsichtbare und unübersteigbare Schranke diejenigen, die dieses Zeichen tragen, von jenen trennt, denen diese Gnade nicht zuteil ward, dann wird verständlich, wieso die Museen schon in den geringsten Details ihrer Morphologie und Organisation ihre wahre Funktion verraten, die darin besteht, bei den einen das Gefühl der Zugehörigkeit, bei den anderen das Gefühl der Ausgeschlossenheit zu verstärken.[30] Alles, aber auch alles in diesen bürgerlichen Tempeln, in denen die bürgerliche Gesellschaft deponiert, was sie an Heiligstem besitzt, nämlich die ererbten Reliquien einer Vergangenheit, die nicht die ihre ist, in diesen heiligen Stätten der Kunst, die einige Erwählte aufsuchen, um den Glauben an ihre Virtuosität zu nähren, während Konformisten und Philister hierher pilgern, um einem Klassenritual Genüge zu tun, alles in diesen ehemaligen Palästen oder großen historischen Wohnsitzen, denen das neunzehnte Jahrhundert imposante, oft im graeco-romanischen Stil der bürgerlichen Heiligtümer gehaltene Anbauten hinzufügte, besagt schließlich nur das eine: daß nämlich die Welt der Kunst im selben Gegensatz zur Welt des alltäglichen Lebens steht wie das Heilige zum Profanen. Die Unberührbarkeit der Gegenstände, die feierliche Stille, die sich des Besuchers bemächtigt, der asketische Puritanismus der spärlichen und unkomfortablen Ausstattung, die quasi prinzipielle Ablehnung jeder Art von Didaktik, die grandiose Feierlichkeit des Dekors und Dekorums, Säulen, weiträumige Galerien, verzierte Decken, monumentale Treppen innen wie außen, all das hat den Anschein, als solle es daran gemahnen, daß der Übertritt aus der Welt des Profanen in die des Heiligen eine, wie Durkheim sagt, »wahre Metamorphose« voraussetzt, eine radikale Bekehrung der Gemüter, daß die Kontaktnahme der beiden Welten » stets aus sich selbst heraus eine delikate Sache ist, die Vorsichtsmaßregeln und eine mehr oder weniger komplizierte Initiation erfordert«, ja daß sie »nicht einmal möglich ist, ohne daß das Profane seine spezifischen Merkmale verlöre, ohne daß es selbst in gewisser Weise und in gewissem Grade geheiligt würde«.[31]

Wenn aufgrund jener quasi religiösen Weihe das Kunstwerk besondere Dispositionen oder Prädispositionen erfordert, trägt es seinerseits dazu bei, jenen die »Weihe« zu verleihen, die diese Anforderungen erfüllen, jenen Erwählten, die sich selbst erwählt haben durch die Fähigkeit, diesen Ruf zu vernehmen, und die Möglichkeit, ihm zu folgen. Das Museum überläßt allen als öffentliche Erbschaft die Monumente einer vergangenen Pracht, Instrumente der verschwenderischen Glorifizierung der Großen von einst. Diese Liberalität aber ist erheuchelt, da der freie Eintritt auch ein fakultativer Eintritt ist, nämlich denjenigen vorbehalten, die die Fähigkeit besitzen, sich die Werke zu appropriieren, und damit zugleich über das Privileg verfügen, von dieser Freiheit Gebrauch zu machen. Auf diese Weise sehen sie sich in dem Privileg, d. h. in dem Besitz der Mittel bestätigt, die es ihnen erlauben, sich die »Kulturgüter« anzueignen bzw., wie Max Weber sagt, in dem *Monopol* der Manipulation der »Kulturgüter» und der (von der Schule erteilten) institutionellen Zeichen des kulturellen Heils. Als Schlußstein eines Systems, das nur funktionieren kann, wenn es seine wahre Funktion verschleiert, erfüllt die charismatische Vorstellung von ästhetischer Erfahrung ihre mystifizierende Funktion niemals so gut wie in den Fällen, in denen sie sich eine »demokratische« Sprache entlehnt.[32] Dem Kunstwerk die Macht einzuräumen, in jedermann die Gabe der ästhetischen Illumination zu erwecken, wie verarmt in kultureller Hinsicht er auch sei, heißt, es sich anzumaßen, den unergründbaren Zufällen der Begnadung oder der Willkür der Begabungen Fähigkeiten zuzuschreiben, die stets das Produkt einer in ungleichem Maße erteilten und verteilten Erziehung sind, heißt also, ererbte Fähigkeiten als eigentümliche, natürliche und zugleich verdiente Vermögen zu behandeln.

Die charismatische Ideologie besäße nicht die Macht, die sie effektiv hat, wenn sie nicht das einzig formal unanfechtbare Mittel wäre, das Recht der Erben auf die Erbschaft zu legitimieren, ohne dabei in Widerspruch zum Ideal der formalen Demokratie zu geraten, und wenn sie insbesondere nicht dazu führte, das exklusive Recht der Bourgeoisie auf die Appropriation der Kunstschätze, d. h. ihre *symbolische*, nämlich einzig legitime Art der Aneignung als ein Naturrecht zu begründen, und das in einer Gesellschaft, die so tut, als überlasse sie allen auf demokratischem Wege die Hinterlassenschaft einer aristokratischen Vergangenheit.[33]

Anmerkungen

1 Vgl. E. Panofsky, »Iconography and Iconology: An Introduction to the Study of Renaissance Art«, in *Meaning in the Visual* Arts, New York 1955, p. 33-35.

2 E. Panofsky, »Die Perspektive als ›symbolische Form‹«, *Vorträge der Bibliothek Warburg, 1924-25*, Leipzig–Berlin, p. 257 ff. (wieder aufgelegt in: *Aufsätze zu Grundfragen der Kunstwissenschaft,* Berlin 1964, p. 126).

3 Von allen Mißverständnissen hinsichtlich des Schlüssels ist das »humanistische« Mißverständnis vielleicht das verhängnisvollste, indem es durch Negation oder (im Sinne der Phänomenologen verstanden) »Neutralisierung« alles dessen, was der eigentümlichen Prägung der willkürlich in das Pantheon der »Universalkultur« integrierten Kulturen abgeht, dazu neigt, sich den griechischen oder römischen Menschen als eine besonders gelungene Realisierung der »menschlichen Natur« in ihrer Universalität vorzustellen.

4 Das Ideal der »reinen« Wahrnehmung des Kunstwerks im Sinn eines

»reinen« Werkes der Kunst setzt einen langen historischen Prozeß voraus, der die Kunst »reinigte«: der Prozeß dieser Autonomisierung beginnt mit dem Augenblick, in dem das Kunstwerk seine magischen und religiösen Funktionen verliert, und schreitet fort in dem Maße, wie sich eine relativ autonome Kategorie Professioneller bildet, die die Kunst als Beruf betreiben und daher dazu neigen, keine anderen Regeln als die der künstlerischen Tradition selbst anzuerkennen, die sie von ihren Vorläufern übernahmen und die für sie zumindest eine Ausgangsbasis bilden, von der aus sie weiter arbeiten oder von der sie sich abstoßen. Ihnen gelingt es mit der Zeit, ihre Produktion und ihre Produkte von jeglicher sozialer Nutzanwendung zu befreien, d. h. von der Respektierung moralischer Zensuren, ästhetischer Programme einer Kirche, die Proselyten sucht, von akademischen Kontrollen oder von Aufträgen einer politischen Macht, die dazu neigt, die Kunst als Propagandainstrument zu betrachten.

Die allmähliche Bildung eines relativ autonomen intellektuellen Kräftefeldes vollzieht sich in Zusammenhang mit der Explikation und Systematisierung der Prinzipien einer spezifisch ästhetischen Legitimität: der Vorrang des »wie man etwas sagt« vor dem »was man sagt«, der Primat der Form über die Funktion, die feierliche Bestätigung des vordem der unmittelbaren Nachfrage unterworfenen Subjekts, das nun ins Zentrum eines reinen Spiels der Farben, Nuancen und Formen rückt, führt schließlich dazu, die Unerklärbarkeit und Unersetzlichkeit des Schaffenden zu bestätigen, indem man den Akzent auf den hermetischen und einzigartigen Aspekt des Produktionsaktes legt.

Die Eroberung der Form und ihr Primat über die Funktion ist der spezifischste Ausdruck der Autonomie des Künstlers und seines Anspruchs auf das Verfügungsrecht über die Prinzipien einer spezifisch ästhetischen Legitimität. Indem die moderne Kunst dem Betrachter *kategorisch* eine Disposition abverlangt, die die Kunst früher nur *bedingt* von ihm forderte, führt sie und insbesondere die nichtfigurative Kunst, die das »Sujet« abschafft, den absoluten Triumph der Form und mit ihr des Künstlers herbei, wodurch sie eine neue Beziehung zwischen Künstler und Publikum oder, was auf dasselbe hinausläuft, zwischen der Form des Werkes, die allein der Künstler beherrscht, und der Funktion des Werkes herstellt. Kurzum, die spezifisch ästhetische Betrachtungsweise ist ein Produkt (oder Nebenprodukt) einer Transformation der künstlerischen Produktionsweise, die durch die Erziehung unablässig reproduziert werden muß.

5 Gerade diese Art von Ethnozentrismus führt dazu, daß man eine Darstellung des Wirklichen für realistisch hält, die als »objektiv« nicht dank ihrer Übereinstimmung mit der Wirklichkeit der Dinge selbst gilt (da diese »Wirklichkeit« sich stets nur durch sozial beding-

te Wahrnehmungsformen erschließt) sondern aufgrund der Konformität der Regeln, nach denen die Syntax ihrer sozialen Anwendung sich richtet – mit einer gesellschaftlich bestimmten objektiven Anschauung der Welt; indem die Gesellschaft bestimmte Darstellungen des »Wirklichen« (z. B. der Photographie) für das Patent des »Realismus« hält, bestätigt sie sich selbst ihre tautologische Gewißheit, daß ein Bild des Wirklichen, das ihrer Vorstellung von der Wirklichkeit konform ist, »objektiv« sei.

6 M. Heidegger, *Sein und Zeit*, p. 107.

7 E. Panofksy, »The history of art as a humanistic discipline«, in *Meaning in the Visual Arts*, 1 c., p. 17.

8 Die entsprechenden Stellen finden sich in zwei in deutscher Sprache erschienenen Aufsätzen: »Über das Verhältnis der Kunstgeschichte zur Kunsttheorie«, *Zeitschr. f. Ästhetik u. allg. Kunstwissenschaft*, XVIII, 1925, p. 129 ff., und »Zum Problem der Beschreibung und Inhaltsdeutung von Werken der bildenden Kunst«, *Logos*, XXI, 1932, p. 103 ff., die mit einigen Änderungen in *Iconography and Iconology*, I. c., p. 26-54, übernommen sind.

9 Die Gesetze, die die Rezeption der Kunstwerke bestimmen, bilden einen Spezialfall der Gesetze der Bildungsvermittlung: wie immer die Natur der Botschaft, ob religiöse Prophetie oder politische Rede, ob Reklamebild oder technischer Gegenstand etc., beschaffen sein mag, die Rezeption hängt von den Wahrnehmungs-, Denk- und Handlungskategorien der Rezipienten ab, so daß in einer hochdifferenzierten Gesellschaft eine enge Beziehung zwischen der Natur und Qualität der ausgesandten Informationen und der Struktur des Publikums besteht. Ihre Lesbarkeit und Durchschlagskraft sind um so größer, je direkter sie auf implizite oder explizite Erwartungen antworten, die die Rezipienten prinzipiell ihrer Erziehung durch das Elternhaus und ihren sozialen Bedingungen (d. h. auf dem Gebiet des Bildungswissens zumindest ihrer Erziehung durch die Schule) verdanken. Durch den unmerklichen Druck der Bezugsgruppe werden diese Erwartungen in Form unaufhörlicher Mahnungen, sich an die soziale Norm zu halten, aufrecht erhalten, unterstützt und verstärkt. Auf der Grundlage dieser Entsprechung zwischen dem Emissionsniveau der Botschaft und der Struktur des Publikums, die als Indikator des Rezeptionsniveaus konstruiert werden (s. P. Bourdieu und A. Darbel, in Zusammenarbeit mit D. Schnapper, *L'amour de l'art, les musées et leur public*, Paris 1966, p. 99 ff.).

10 Um zu zeigen, daß dies die Logik der Transmission von Botschaften im täglichen Leben ist, braucht man nur diesen, in einem Restaurant gehörten Wortwechsel zu zitieren: »Ein Bier!« – »Glas oder Flasche?« – »Glas.« – »Helles oder Pils?« – »Pils.« – »Münchener oder Dortmunder?« – »Dortmunder.«

11 Die Prinzipien des »goût populaire« lassen sich den Meinungen, die man über die Werke des etablierten Bildungsbestandes hegt, z. B. Malerei oder Plastik (da diese wegen ihres hohen Grades von sozialer Legitimation in der Lage sind, Urteile zu erzwingen, die zur Konformität tendieren), weniger gut entnehmen als den Meinungen über photographische Produktion und den Urteilen über Photographien (s. P. Bourdieu, *Un art moyen, essai sur les usages sociaux de la photographie,* Paris 1965, p. 113-134).

12 R. Longhi, zit. nach Berne Joffroy, *Le dossier Caravage,* Paris 1959, p. 100-101.

13 B. Joffroy, ibid., p. 9. Man müßte einmal in systematischer Form die Beziehung zwischen der Transformation der Wahrnehmungsinstrumente und der der künstlerischen Produktionsinstrumente untersuchen, da die Entwicklung der öffentlichen Vorstellung von den Werken der Vergangenheit unablöslich an die Entwicklung der Kunst gekoppelt ist. Wie Lionelli Venturi feststellt, entdeckt Vasari von Michelangelo aus Giotto, gewinnt Belloni von Carrachi und Poussin aus ein neues Verständnis Raffaels.

14 Selbstverständlich läßt sich das Emissionsniveau nicht absolut in dem Sinne definieren, daß das Werk Bedeutungen unterschiedlichen Niveaus je nach dem Interpretationsschlüssel liefert, mit dem man an das Werk herangeht (vgl. 2.1.1.): Wie der Western Gegenstand der naiven Anteilnahme der naiven *aisthesis* (vgl. 2.1.3.) oder einer gelehrten Lektüre sein kann, die über eine Kenntnis der Traditionen und Regeln des Genres verfügt, liefert auch dasselbe gemalte Werk mehrschichtige Bedeutungen und kann z. B. das Interesse an der Anekdote oder am informativen (insbesondere am historischen Inhalt) befriedigen oder allein durch seine formalen Eigenschaften fesseln.

15 Das gilt für jede kulturelle Produktion, künstlerische Form, wissenschaftliche oder politische Theorie, da die ehemaligen habituellen Einstellungen eine Revolution der sozialen Codes und sogar der sozialen Bedingungen der Produktion dieser Codes zu überleben vermögen.

16 F. Boas, *Anthropology and Modern Life,* New York 1962, p. 196.

17 Das Studium der typischen Merkmale des Publikums der europäischen Museen zeigt, daß diejenigen Museen, in denen Werke moderner Kunst angeboten werden, das höchste Emissionsniveau, also das gebildetste Publikum aufweisen.

18 Vgl. »Der Habitus als Vermittler zwischen Struktur und Praxis«.

19 Die Vermittlung durch die Schule erfüllt stets eine Legitimationsfunktion, und sei es nur durch die Bestätigung, die sie den Werken zuteil werden läßt, die sie, indem sie sie übermittelt, für würdig befindet, bewundert zu werden; auf diese Weise trägt sie dazu bei,

die Hierarchie der kulturellen Güter zu definieren, die in einer gegebenen Gesellschaft zu gegebenem Zeitpunkt gültig ist. (Zum Problem der Hierarchie der »Kulturgüter« und ihrer Legitimitätsgrade s. P. Bourdieu, *Un art moyen*, l. c., p. 134-138.)

20 L. S. Vygotsky hat auf experimentellem Wege die Gültigkeit der generellen Gesetze auf dem Gebiet der schulischen Fähigkeiten aufgewiesen: »Die unerläßlichen psychologischen Bedingungen der Erziehung sind in den verschiedenen Bereichen der Schule im großen Maße dieselben. Die in einem gegebenen Bereich genossene Erziehung beeinflußt die Entwicklung höherer Funktionen, die weit oberhalb der Grenzen dieses besonderen Bereiches liegen; die prinzipiellen psychologischen Funktionen, wie die verschiedenen Studienbereiche sie implizieren, hängen wechselseitig voneinander ab. Ihre gemeinsame Basis liegt darin, inwieweit sie wirklich bewußt sind und mit Überlegung gehandhabt werden, Fähigkeiten, die als prinzipielle Resultate der Verschulung anzusehen sind.« (L. S. Vygotsky, *Thought and Language*, hrsg. u. aus dem Russ. übers. v. E. Hanfmann u. G. Vakar, Cambridge 1962, p. 102).

21 Eine Kritik der Ideologie der Ungleichmäßigkeit der Geschmacksrichtungen und Kenntnisse in den verschiedenen künstlerischen Bereichen (Musik, Malerei etc.) und des weitverbreiteten Mythos vom »kulturellen Durchbruch« (wonach z. B. ein Individuum trotz Ermangelung jeglicher Bildung auf dem Gebiet der Malerei oder Zeichnung Kunstwerke auf dem Gebiet der Photographie zustande bringen könnte), Vorstellungen, die darauf hinauslaufen, die Ideologie der »Begabung« nur zu verstärken, findet sich bei P. Bordieu, *Un art moyen*, 1. Teil.

22 Das gilt in der Tat für jeden Unterricht. Man weiß z. B., daß mit der Muttersprache die logischen Strukturen, die mehr oder weniger komplex sind, je nach der Komplexität der im Elternhaus gesprochenen Sprache, auf unbewußte Weise erworben werden und in ungleichmäßiger Weise die Anlagen zur Entschlüsselung und Handhabung von Strukturen heranbilden. Das gilt für eine mathematische Beweisführung in gleichem Maße wie für das Verständnis eines Kunstwerkes.

23 Die Zugehörigkeit zu einer in sehr hohem Maße durch Bildungsgepflogenheiten gekennzeichneten sozialen Gruppe trägt dazu bei, die kulturelle Aufnahmebereitschaft zu unterstützen und zu fördern. Dennoch verspürt man die anonymen Pressionen oder Anreize der Bezugsgruppe um so stärker, je größer die Bereitschaft ist, diesen entgegenzukommen (was wiederum in gewisser Weise eine Frage des Kunstverständnisses ist). Über die Wirkungen von Ausstellungen und Tourismus, die den kollektiven Rhythmus tiefer als der gewöhnliche Museumsbesuch prägen und sich von daher eher dazu eignen,

denjenigen, die die stärksten kulturellen Ambitionen haben (die also zur »gebildeten Klasse« gehören oder danach streben, ihr anzugehören), die anonymen Normen ihrer Beschäftigung ins Gedächtnis zu rufen, siehe *Un art moyen*, l. c., p. 51 u. 115-119. So legen z. B. die meisten Studenten eine Art Bildungsheißhunger an den Tag, weil der Anreiz zu derartigen Beschäftigungen, den die Bezugsgruppen ausüben, in diesem Fall besonders stark ist. Hinzu kommt, daß der Zugang zur Hochschule den Eintritt in die Welt der Bildung und damit das Recht und, was auf dasselbe hinausläuft, die Pflicht bedeutet, sich diese Bildung anzueignen.

24 Vgl. hierzu P. Bourdieu u. J. C. Passeron, *Les étudiants et leurs études*, Paris 1964, p. 96-97.

25 Ähnliche Differenzen zeigen sich auch im Bereich der Kunstausübung und des Geschmacks.

26 Dieselbe Autonomisierung der »Bedürfnisse« oder »Neigungen« gegenüber den sozialen Bedingungen ihrer Erzeugung führt bestimmte Leute dazu, die effektiv geäußerten und durch die Meinungsforschung oder die Untersuchung des kulturellen Konsums bestätigten Meinungen als »kulturelle Bedürfnisse« zu beschreiben und, da man deren Gründe weder ausspricht noch anzeigt, auf diese Weise die Teilung der Gesellschaft in solche, die »kulturelle Bedürfnisse« verspüren, und solche, die nicht einmal *das Bedürfnis nach diesen Bedürfnissen* haben, zu sanktionieren.

27 So verstand es wohl jene »ältere und sehr gebildete Persönlichkeit«, die mir im Verlauf einer Unterredung erklärte: »L'éducation, Monsieur, c'est inné.« (»Die Erziehung, mein Herr, ist etwas Angeborenes.«)

28 Vgl. P. Bourdieu, » L'école conservatrice«, *Revue Française de sociologie*, VII, 1966, p. 325-347, insbesondere p. 346-347.

29 Es ist nicht möglich, hier zu zeigen, daß die Dialektik von Verbreitung und Distinktion eine der Bewegkräfte des Wandels der Konsummodelle auf dem Gebiet der Kunst ist, da die distinguierten Klassen durch die Verbreitung ihrer eigenen distinktiven Merkmale gezwungen sind, neue Distinktionsprinzipien zu erfinden.

30 Nicht selten äußern die Besucher der unteren Klassen mit Nachdruck dies Gefühl ihrer Ausgeschlossenheit, das sich im übrigen in ihrem ganzen Verhalten verrät. So sehen sie bisweilen im Fehlen von Hinweisen, die ihre Orientierung erleichtern könnten, von richtungsweisenden Pfeilen, von Schildern mit Erläuterungen etc. den ausdrücklichen Willen, sie durch Esoterik auszuschließen. Zwar wäre die Einführung pädagogischer und didaktischer Hilfsmittel kein wahrer Ersatz für mangelnde Schulbildung, sie würde indessen zumindest das Recht verkünden, nichts zu wissen, das Recht, da zu sein, ohne etwas zu wissen, das Daseinsrecht der Unwissenden, ein

Recht, das von der Darbietung der Werke bis zur Organisation des Museums so gut wie durchweg bestritten wird, wie es deutlich eine im Schloß von Versailles aufgefangene Bemerkung bezeugt: »Dieses Schloß ist nicht für das Volk gemacht worden, und daran hat sich nichts geändert.«

31 E. Durkheim, *Les Formes élémentaires de la vie religieuse*, Paris 1960, 6. Aufl., p. 55-56. Der kurze Aufenthalt einer dänischen Ausstellung, die in den Räumen der Abteilung ›Alte Keramik‹ des Museums von Lille moderne Möbel und Gebrauchsgegenstände zeigte, bewirkte bei den Besuchern des Museums eine solche »Konversion«, wie sie sich in den folgenden Gegensatzpaaren ausdrückt, die geradezu an den Gegensatz von Warenhaus und Museum erinnern: Lärm – Schweigen; Berühren – Schauen; hastige, unsystematische Prüfung, die dem Zufall der Entdeckung folgt – bedächtige, methodische Betrachtung, die sich an eine vorgegebene Regel hält; Freiheit – Zwang; ökonomische Taxierung von Produkten, die vielleicht gekauft werden sollen – ästhetische Bewertung von Erzeugnissen »ohne Preis«. Trotz dieser Unterschiede, die mit der Natur der ausgestellten Dinge zusammenhängen, setzt sich aber der Effekt des Feierlichen und der Distanz, die das Museum den Dingen verleiht, allem Anschein entgegen nichtsdestoweniger fort: Tatsächlich hat das Publikum der dänischen Ausstellung eine hinsichtlich seines Bildungsniveaus »aristokratischere« Struktur als das normale Museumspublikum. Allein die Tatsache, daß diese Erzeugnisse in einer gewissermaßen »geheiligten Stätte« ihrerseits geheiligt werden, reicht aus, ihre Signifikation zutiefst zu verwandeln, genauer gesagt, das Emissionsniveau von Erzeugnissen zu erhöhen, die, stellte man sie innerhalb einer vertrauteren Stätte, z. B. einem Kaufhaus aus, zugänglicher wären.

32 Darum sollte man sich hüten, den rein formellen Unterschieden zwischen den »aristokratischen« und »demokratischen«, »patrizischen« und »paternalistischen« Ausdrücken dieser Ideologie allzu großes Gewicht beizumessen.

33 Auf dem Gebiet des Unterrichts erfüllt die Ideologie der »Naturgabe« dieselben Verschleierungsfunktionen: Sie erlaubt es einer Institution, die, wie etwa in Frankreich der Literaturunterricht, eine – um mit Max Weber zu reden – »Erweckungserziehung« erteilt, die zwischen dem Lehrenden und dem Lernenden eine Gemeinsamkeit von Werten und Bildung voraussetzt, wie sie nur zu finden ist, wenn das System es mit seinen eigenen Erben zu tun hat –, sie erlaubt dieser Institution ihre wahre Funktion zu verschleiern, d. h. das Recht der Erben auf kulturelle Erbschaft zu bestätigen und somit zu legitimieren.

VII
Bibliographie

Vorbemerkung

Die nachfolgende Bibliographie ist eine Auswahl aus ca. 700 Titeln, die zur Erstellung dieser Bibliographie in Zusammenarbeit mit Christa Bürger durchgesehen wurden. Nicht aufgenommen sind, von Ausnahmen abgesehen, Arbeiten zur Massen- bzw. Trivialliteratur, da diese inzwischen einen eigenen Forschungsbereich ausmachen*. Aus dem gleichen Grunde wurde darauf verzichtet, Arbeiten zur Soziologie der Intelligenz sowie kulturgeschichtliche Studien aufzuführen, obwohl besonders letztere für den historisch arbeitenden Literatursoziologen oft von großem Nutzen sein können**. Schließlich wurde darauf verzichtet, die zahlreichen Lexikon- und Handbuchartikel zum Stichwort Kunst- bzw. Literatursoziologie, sowie die ebenfalls zahlreichen Einführungen zu nennen; schon wegen des begrenzten Umfangs vermögen diese Arbeiten nur in den allerwenigsten Fällen das zu leisten, was sie versprechen.

Weiterhin habe ich bei der Auswahl folgende nicht-formale Kriterien in Anschlag gebracht: Aufzuführende Einzeluntersuchungen sollten Modellcharakter haben, d. h. methodisch reflektiert sein. Besonderer Wert wurde darauf gelegt, wissenschaftliche Auseinandersetzungen zu belegen (vgl. die *Zur Diskussion* überschriebenen Rubriken). Da empirische Kunstsoziologie ausführlich bei Silbermann aufgeführt ist (125) – allerdings keineswegs vollständig; die empirischen Ansätze aus der DDR z. B. werden nicht genannt – schien es notwendig, andere Ansätze hier besonders zu berücksichtigen. Um die Bibliographie zu einem nützlichen Arbeitsinstrument zu machen, wurde ihr Umfang so knapp wie möglich gehalten; statt einer Kommentierung jedes Titels wurde die zusammenhängende Erörterung in den Einleitungen vorgezogen.

* Vgl. Bibliographie in: G. Waldmann, *Theorie und Didaktik der Trivialliteratur [. . .]* (Krit. Information, 13). München 1973, 175-196; Forschungsbericht: Ch. Bürger, *Textanalyse als Ideologiekritik. Zur Rezeption zeitgenössischer Unterhaltungsliteratur* (FAT 2063). Frankfurt 1973, 3-64.

** Zwei Beispiele: B. Groethuysen, *Die Entstehung der bürgerlichen Welt- und Lebensanschauung in Frankreich.* 2 Bde., Halle 1927/1930 jetzt: Frankfurt 1978 (suhrkamp taschenbuch wissenschaft 256), und: N. Elias, *Die höfische Gesellschaft [. . .]* (Soz. Texte, 54). Neuwied/Berlin 1969.

Die Einteilung der Bibliographie folgt den Einzelabschnitten des Readers, enthält aber darüber hinaus weitere Untergliederungen, die jedoch keinen systematischen Anspruch erheben. Die Einordnung eines Titels in eine Rubrik darf nur als erste Orientierungshilfe verstanden werden, keineswegs als ausschließende Zurechnung. Die Bibliographie wurde Mitte 1976 abgeschlossen und Ende 1977 nochmals um einige wichtige Neuerscheinungen ergänzt.

I. Die Brecht-Benjamin-Adorno-Debatte der 30er Jahre

1 Adorno, Th. W.: (Brief an Walter Benjamin vom 18. März 1936), in: ders., Über Walter Benjamin, hrsg. v. R. Tiedemann (Bibl. Suhrkamp, 260). Frankfurt 1970, 126-134.

2 –, Über den Fetischcharakter in der Musik und die Regression des Hörens (1938), in: ders., Dissonanzen. Musik in der verwalteten Welt (Kleine Vandenhoeck-Reihe, 28/29/29 a). [4]Göttingen 1969, 9-45.

3 Benjamin, W.: Der Autor als Produzent [1934], in: ders., Versuche über Brecht, hrsg. v. R. Tiedemann (ed. suhrkamp, 172). Frankfurt 1966, 95-116.

4 –, Das Kunstwerk im Zeitalter seiner technischen Reproduzierbarkeit [1936], in: ders., Das Kunstwerk im Zeitalter seiner technischen Reproduzierbarkeit. Drei Studien zur Kunstsoziologie (ed. suhrkamp, 28). Frankfurt 1963, 7-63.

5 Brecht, B.: Der Dreigroschenprozeß. Ein soziologisches Experiment [1931], in: ders., Schriften zur Literatur und Kunst I. [. . .] Frankfurt 1967, Bd. I, 143-234.

6 Marcuse, H.: Über den affirmativen Charakter der Kultur [1937], in: ders., Kultur und Gesellschaft I (ed. suhrkamp, 101) Frankfurt 1965, 56-101.

Zur Diskussion der Debatte

7 Brüggemann, H.: Theodor W. Adornos Kritik an der literarischen Theorie und Praxis Bertolt Brechts [. . .], in: Alternative, Nr. 84/85 (Juni/August 1972), 137-149.

8 Bürger, P.: Benjamins »rettende Kritik«. Vorüberlegungen zum Entwurf einer kritischen Hermeneutik, in: Germanisch-romanische Monatsschrift, N. F. 23 (1973) 198-210.
9 Habermas, J.: Bewußtmachende oder rettende Kritik – die Aktualität Walter Benjamins, in: Zur Aktualität Walter Benjamins [...], hrsg. v. S. Unseld (Suhrkamp Taschenbuch, 150). Frankfurt 1972, 173-223.
10 Lethen, H.: Neue Sachlichkeit 1924-1932. Studien zur Literatur des »Weißen Sozialismus«. Stuttgart 1970; Kap. III, 5-7.
11 Lindner, B.: Brecht/Benjamin/Adorno – Über Veränderungen der Kunstproduktion im wissenschaftlich-technischen Zeitalter, in: Bertolt Brecht I. Sonderband der Zeitschrift Text + Kritik (1972), 14-36.
12 Tiedemann, R.: Studien zur Philosophie Walter Benjamins (Frankfurter Beiträge zur Soziologie, 16). Frankfurt 1965; Kap. II: Zur Ästhetik und Kunstsoziologie, 53-102.
13 Wawrzyn, L.: Walter Benjamins Kunsttheorie. Kritik einer Rezeption. Darmstadt/Neuwied 1973.

Kunst als Ware

14 Holz, H. H.: Vom Kunstwerk zur Ware. Studien zur Funktion des ästhetischen Gegenstands im Spätkapitalismus (Sammlung Luchterhand, 65). Neuwied/Berlin 1972.
15 Schlaffer, Hannelore: Kritik eines Klischees: »Das Kunstwerk als Ware«, in: Erweiterung der materialistischen Literaturtheorie durch Bestimmung ihrer Grenzen, hrsg. v. Heinz Schlaffer (Literaturwiss. und Sozialwiss., 4). Stuttgart 1974, 265-287.
16 Schütze, P. F.: Zur Kritik des literarischen Gebrauchswerts (Phil. Texte, 4). Darmstadt/Neuwied 1975; darin: Zum »Warencharakter« von Literatur, 206-214.
17 Winckler, L.: Kulturwarenproduktion. Aufsätze zur Literatur- und Sprachsoziologie (ed. suhrkamp, 628). Frankfurt 1973.

II. Zum Problem der Zurechnung kultureller Objektivationen

18 Antal, F.: Florentine Painting and Its Social Background. The Bourgeois Republic Before Cosimo de Medici's Advent to Power: XIV and Early XV Centuries. London 1947.

19 Balet, L. / Gerhard E.: Die Verbürgerlichung der deutschen Kunst, Literatur und Musik im 18. Jahrhundert [1936], hrsg. v. G. Mattenklott (Ullstein-Buch, 2995). Frankfurt 1973.

20 Bénichou, P.: Morales du grand siècle [1948] (Coll. Idées, 143). Paris 1967.

21 Borkenau, F.: Der Übergang vom feudalen zum bürgerlichen Weltbild. Studien zur Geschichte der Philosophie der Manufakturperiode. Paris 1934; Reprint: Darmstadt 1971.

22 Bredekamp, H.: Kunst als Medium sozialer Konflikte. Bilderkämpfe von der Spätantike bis zur Hussitenrevolution (ed. suhrkamp, 763). Frankfurt 1975.

23 Brockmeier, P.: Lust und Herrschaft. Studien über gesellschaftliche Aspekte der Novellistik. Boccaccio, Sacchetti, Margarete von Navarra, Cervantes. Stuttgart 1972.

24 Caudwell, Ch.: Bürgerliche Illusion und Wirklichkeit [engl. Ausgabe 1937] (Reihe Hanser, 76). Stuttgart 1971.

25 Goldmann. L.: Der Begriff der sinnvollen Struktur in der Kulturgeschichte, in: ders., Dialektische Untersuchungen (Soz. Texte, 29). Neuwied/Berlin 1966, 121-132.

26 –, Soziologie des modernen Romans [frz. Ausg. 1964] (Soz. Texte 61). Neuwied/Berlin 1970.

27 –, Der verborgene Gott. Studie über die tragische Weltanschauung in den Pensées von Pascal und im Theater Racines [frz. Ausgabe 1955] (Soz. Texte, 87). Neuwied/Darmstadt 1973.

Zur Diskussion

28 Escarpit, R. (Hrsg.): Le Littéraire et le social [...]. Paris 1970; zu Goldmann vgl. J. Dubois, Ch. Bouazis, H. Zalamansky, R. Estivals, G. Mury.

29 Literatursoziologie II: Lucien Goldmanns Methode – Zur Diskussion gestellt. Alternative Nr. 71 (April

1970); besonders die Beiträge von E. Sanguineti und H. Lefebvre (61 f.), sowie von H. Kallweit/W. Lepenies (88-92).

30 Pouillon, J.: Le Dieu caché ou l'histoire visible, in: Les Temps Modernes 13 (1957-58), 890-918.

31 Haferkorn, H. J.: Zur Entstehung der bürgerlich-literarischen Intelligenz und des Schriftstellers in Deutschland zwischen 1750 und 1800, in: Deutsches Bürgertum und literarische Intelligenz 1750-1800 (Literaturwiss. und Sozialwiss., 3). Stuttgart 1974, 113-275.

32 Hauser, A.: Sozialgeschichte der Kunst und Literatur (Sonderausgabe in einem Band). [2]München 1967.

Zur Diskussion

33 Kuhn, Hugo: Eine Sozialgeschichte der Kunst und Literatur [...], in: ders., Text und Theorie. Stuttgart 1969, 59-79.

34 Kunst- und Musiksoziologie, in: Th. W. Adorno/M. Horkheimer, Soziologische Exkurse. Frankfurt 1956, 93-105.

35 Köhler, E.: Ideal und Wirklichkeit in der höfischen Epik [...] (Beihefte zur Zeitschrift für Romanische Philologie, 97). Tübingen 1956, [2]1970.

36 –, Trobadorlyrik und höfischer Roman. Aufsätze zur französischen und provenzalischen Literatur des Mittelalters (Neue Beiträge zur Literaturwiss., 15). Berlin (DDR) 1962.

37 –, Esprit und arkadische Freiheit [...]. [2]Frankfurt 1972; darin besonders: Über die Möglichkeiten historisch-soziologischer Interpretation (83-103) und: Die Rolle des niederen Rittertums bei der Entstehung der Trobadorlyrik (9-27).

Zur Diskussion

38 Peters, U.: Niederes Ritterum oder hoher Adel? Zu Erich Köhlers historisch-soziologischer Deutung der altprovenzalischen und mittelhochdeutschen Minnelyrik, in: Euphorion 67 (1973), 244-260.

39 Kortum, H.: Charles Perrault und Nicolas Boileau. Der Antike-Streit im Zeitalter der klassischen französischen Literatur (Neue Beiträge zur Literaturwiss., 22). Berlin (DDR) 1966.

40 Krauß, H.: Zum dolce stil novo. Dichtung einer Schicht zwischen den Schichten, in: Sprachen der Lyrik. Festschrift für Hugo Friedrich zum 70. Geburtstag, hrsg. v. E. Köhler. Frankfurt 1975, 447-486.

41 Kuhn, Hugo, Soziale Realität und dichterische Fiktion am Beispiel der höfischen Ritterdichtung Deutschlands, in: ders., Dichtung und Welt im Mittelalter. Stuttgart 1959, 22-40.

42 Leenhardt, J.: Lecture politique du Roman. La Jalousie d'Alain Robbe-Grillet. Paris 1973; deutsch: Politische Mythen im Roman. Am Beispiel von Alain Robbe-Grillets »Die Jalousie oder die Eifersucht«. Mit einem Nachwort von André Stoll. Frankfurt 1976.

43 Littérature et société. Problèmes de méthodologie en sociologie de la littérature. Bruxelles 1967.

44 Löwenthal, L.: Das Bild des Menschen in der Literatur (Soz. Texte, 37). Neuwied/Berlin 1966.

45 Lukács, G.: Balzac und der französische Realismus. Berlin (DDR) 1952.

46 –, Deutsche Realisten des 19. Jahrhunderts. Berlin (DDR) 1952.

47 –, Schriften zur Literatursoziologie, hrsg. v. P. Ludz (Soz. Texte, 9). Neuwied/Berlin [2]1963.

48 –, Ausgewählte Schriften (rowohlts deutsche enzyklopädie). Bd. I: Die Grablegung des alten Deutschland. Essays zur deutschen Literatur des 19. Jahrhunderts. Bd. II: Faust und Faustus [. . .]. Bd. III: Russische Revolution, russische Literatur [. . .]. Reinbek bei Hamburg 1967/1967/1969.

Zur Diskussion

49 Adorno, Th. W.: Erpreßte Versöhnung. Zu Georg Lukács: ›Wider den mißverstandenen Realismus‹, in: ders., Noten zur Literatur II (Bibl. Suhrkamp, 71). Frankfurt 1961, 152-187.

50 Gallas, H.: Marxistische Literaturtheorie. Kontroversen im Bund proletarisch-revolutionärer Schriftsteller (Sammlung Luchterhand, 19). Neuwied/Berlin 1971.

51 Holz, H. H.: Kunst als Symptom: das Prinzip Realismus, in: ders. (14), 42-65.

52 Kofler, L.: Weder «Widerspiegelung« noch Abstrak-

tion. Lukács oder Adorno? in: ders., Zur Theorie der modernen Literatur [...]. Neuwied/Berlin 1962, 160-187.

53 Lehrstück Lukács, hrsg. v. J. Matzner (ed. suhrkamp, 554). Frankfurt 1974.

54 Mittenzwei, W., Marxismus und Realismus. Die Brecht-Lukács-Debatte, in: Das Argument, Nr. 46 (März 1968), 12-43.

55 –, Dialog und Kontroverse mit Georg Lukács (Reclam-Univ.-Bibl., 643). Leipzig 1975.

56 Schmitt, H.-J. (Hrsg.): Die Expressionismusdebatte [...] (ed. suhrkamp, 646). Frankfurt 1973.

57 Žmegač, V.: Kunst und Wirklichkeit. Zur Literaturtheorie bei Brecht, Lukács und Broch (Schriften zur Literatur, 11). Bad Homburg 1969, 9-41.

58 Mannheim, K.: Wissenssoziologie [...], hrsg. v. K. H. Wolff (Soz. Texte, 28). ²Neuwied/Berlin 1970; darin besonders: Das Problem einer Soziologie des Wissens (308-387) und: Ideologische und soziologische Interpretation der geistigen Gebilde (388-407).

59 Mattenklott, G./Scherpe, K. R. (Hrsg.): Westberliner Projekt: Grundkurs 18. Jahrhundert. Die Funktion der Literatur bei der Formierung der bürgerlichen Klasse Deutschlands im 18. Jahrhundert (Scriptor Taschenbücher, S. 27-28). 2 Bde., Kronberg/Ts. 1974.

60 Minder, R.: Glaube, Skepsis und Rationalismus. Dargestellt aufgrund der autobiographischen Schriften von Karl Philipp Moritz (Suhrkamp Taschenbuch Wissenschaft, 43). Frankfurt 1974.

61 Plechanov, G. W.: Die französische dramatische Literatur und die französische Malerei des 18. Jahrhunderts vom Standpunkt der Soziologie [1905], in: ders., Kunst und Literatur. Berlin (DDR) 1955, 172-197.

62 Recknagel, A.-Ch.: Der Brigant in der italienischen Literatur des 19. Jahrhunderts. Ein Beitrag zur Sozial- und Ideologiegeschichte des italienischen Bürgertums. Diss. Bremen 1973.

63 Soziologie mittelalterlicher Literatur, hrsg. v. W. Haubrichs. Lili Nr. 11 (1973).

64 Thomson, G.: Aischylos und Athen. Eine Untersuchung

der gesellschaftlichen Ursprünge des Dramas [engl. Ausg. 1941]. Berlin (DDR) 1957.

65 Waltz, M.: Rolandslied, Wilhelmslied, Alexiuslied. Zur Struktur und geschichtlichen Bedeutung (Studia Romanica, 9). Heidelberg 1965.

66 Warnke, M. (Hrsg.): Bildersturm. Die Zerstörung des Kunstwerks (Kunstwissenschaftl. Untersuchungen des Ulmer Vereins für Kunstwiss., 1). München 1973.

67 Watt, I., Der bürgerliche Roman. Aufstieg einer Gattung. Defoe-Richardson-Fielding [engl. Ausg. 1957] (suhrkamp taschenbuch wissenschaft, 78). Frankfurt 1974.

67 a Weimann, R.: Shakespeare und die Tradition des Volkstheaters [. . .]. Berlin (DDR) 1967.

68 Zima, P.-V.: Le Désir du mythe. Une lecture sociologique de Marcel Proust. Paris 1973.

Zum Basis-Überbauproblem

69 Althusser, L.: Für Marx [frz. Ausg. 1965]. Frankfurt 1968; darin: Widerspruch und Überdeterminierung (52-85) und: Über materialistische Dialektik (86-167).

70 Bogdal, K. M. / Lindner, B. / Plumpe, G.: Materialistische Literaturtheorie und die Kontinuität bürgerlicher Kunstideologie, in: dies., Arbeitsfeld: materialistische Literaturtheorie. [. . .]. Wiesbaden 1975, 13-30.

71 Bürger, P.: Was leistet der Widerspiegelungsbegriff in der Literaturwissenschaft, in: Das Argument, Nr. 90 (Mai 1975), 199-208.

72 Habermas, J., Technik und Wissenschaft als ›Ideologie‹ (ed. suhrkamp, 287). Frankfurt 1968; Titelaufsatz (48-103).

73 Kosik, K.: Die Dialektik des Konkreten. Frankfurt 1967; darin: Die Metaphysik der Kultur (104-149).

74 Lukács, G.: Einführung in die ästhetischen Schriften von Marx und Engels, in: ders., (47), 213-240.

75 Mattenklott, G. / Schulte, K.: Literarische Widerspiegelung, Literaturverhältnisse, Literaturgesellschaft, in: G. Mattenklott / K. R. Scherpe (59), 1-40.

76 Metscher, Th. W. H.: Hegel und die philosophische Grundlegung der Kunstsoziologie, in: Literaturwissen-

schaft und Sozialwissenschaften [I]. Stuttgart 1971, 13-80.
77 – Ästhetik als Abbildtheorie [...], in: Das Argument, Nr. 77 (Dezember 1972), 919-976.
78 Raphael, M.: Arbeiter, Kunst und Künstler. Beiträge zu einer marxistischen Kunstwissenschaft. Frankfurt 1975; darin besonders Kap. VI.
79 Tomberg, F.: Mimesis der Praxis und abstrakte Kunst [...]. Neuwied/Berlin 1968.
80 – Basis und Überbau im historischen Materialismus, in: ders., Basis und Überbau. Neuwied/Berlin 1969, 7-81.
81 Volpe, della, G.: Critica del gusto. [3]Milano 1966; darin: Laocoonte 1960 (114-155).
82 Weber, M.: Die protestantische Ethik, hrsg. v. J. Winckelmann (Siebenstern Taschenbuch, 53/54 und 119/120). [2 Bde.], [2]Hamburg 1969/1972.
83 Williams, R.: Zur Basis-Überbau-These in der marxistischen Kulturtheorie, in: Alternative, Nr. 101 (April 1975), 77-91.

Zur Soziologie des Publikums

84 Altick, R. D.: The English Common Reader: A Social History of the Mass Reading Public. 1800-1900. Chicago 1957.
85 Auerbach, E.: La Cour et la ville [1933], in: ders., Vier Untersuchungen zur Geschichte der französischen Bildung. Bern 1951, 12-50.
86 Engelsing, R.: Analphabetentum und Lektüre. Zur Sozialgeschichte des Lesens in Deutschland zwischen feudaler und industrieller Gesellschaft. Stuttgart 1973.
87 – Der Bürger als Leser. Lesergeschichte in Deutschland 1500-1800. Stuttgart 1974.
88 Giraud, R.: The Writer and the Bourgeoisie in Nineteenth Century France, in: ders., The Unheroic Hero in the Novels of Stendhal, Balzac and Flaubert. New Brunswick N. Y. 1957.
89 Hohendahl, P. U. (Hrsg.): Sozialgeschichte und Wirkungsästhetik. Dokumente zur empirischen und marxistischen Rezeptionsforschung (FAT, 2072). Frankfurt 1974.

90 Kaës, R.: Publics et participation ouvrière, in: Esprit 33 (Mai 1965), Nr. 5, 900-916.
91 Klotz, V.: Dramaturgie des Publikums überhaupt und bei Raimund, Büchner, Wedekind, Horváth, Gatti sowie im politischen Agitationstheater. München 1976.
92 Kracauer, S.: Über Erfolgsbücher und ihr Publikum [1931], in: ders., Das Ornament der Masse. Essays. Frankfurt 1963, 64-74.
93 Krauß, W.: Über die Träger der klassischen Gesinnung im 17. Jahrhundert [1934], in: ders., Gesammelte Aufsätze zur Literatur- und Sprachwissenschaft. Frankfurt 1949, 321-338.
94 Krauss, W.: Über den Anteil der Buchgeschichte an der literarischen Entfaltung der Aufklärung, in: ders., Studien zur deutschen und französischen Aufklärung (Neue Beiträge zur Literaturwiss., 16). Berlin (DDR) 1963, 73-155.
95 Lagrave, H.: Le Théâtre et le public à Paris de 1715 à 1750. Paris 1972.
96 Lough, J.: Paris Theatre Audiences in the Seventeenth and Eighteenth Centuries. [2]London 1965.
97 Löwenthal, L.: Literatur und Gesellschaft. Das Buch in der Massenkultur [engl. Ausg. 1961] (Soz. Texte, 27). [2]Neuwied/Berlin 1972.
98 Martin, H.-J.: Livre, pouvoir et société à Paris au XVIIe siècle (1598-1701). 2 Bde. Genève 1969.
99 Mornet, D.: Les Enseignements des bibliothèques privées 1750-1780, in: Revue d'Histoire Littéraire de la France 17 (1910). 449-496.
100 Naumann, M., u. a.: Gesellschaft, Literatur, Lesen. Literaturrezeption in theoretischer Sicht. Berlin/Weimar 1973.
101 Neuschäfer, H.-J.: Der populäre Roman im 19. Jahrhundert [. . .] (UTB, 524). München 1976.
102 Nies, F.: Gattungspoetik und Publikumsstruktur. Zur Geschichte der Sévignébriefe (Theorie und Geschichte der Literatur und der Schönen Künste, 21). München 1972.
103 Nusser, P., Romane für die Unterschicht. Groschenhefte und ihre Leser (Texte Metzler, 27). Stuttgart 1973.

104 Prüsener, M.: Lesegesellschaften im 18. Jahrhundert [...], in: Archiv für Geschichte des Buchwesens 13 (1972), 369-594.
105 Schenda, R.: Volk ohne Buch. Studien zur Sozialgeschichte der populären Lesestoffe 1770-1910 (Studien zur Philosophie und Literatur des 19. Jhdts., 5). Frankfurt 1970, [2]München 1977.
106 Schücking, L. L.: Soziologie der literarischen Geschmacksbildung [1931] (Dalp-Taschenbücher, 354). [3]Bern 1961.
107 – Die Familie als Geschmacksträger in England im 18. Jhdt., in: Deutsche Vierteljahrsschrift 4 (1926), 439-458.
108 Watson, B.: Les Publics d'art, in: Revue internationale des sciences sociales 20 (1968), 725-740.

III. Empirische Kunst- und Literatursoziologie

109 Albrecht, M. C., u. a.: The Sociology of Art and Literature. A Reader. New York/Washington 1970.
110 Bollème, G., u. a.: Livre et société dans la France du XVIIIe siècle (Civilisations et Sociétés, 1). La Haye 1965.
111 Bourdieu, P. / Darbel, A.: L'Amour de l'art. Les musées et leur public. Paris 1966.
112 Dumazier, J. / Hassenforder, J.: Eléments pour une sociologie comparée de la production, de la diffusion et de l'utilisation du livre (Bibl. de la France 151e année, 5e série, No. 24 [15 juin 1961], fasc. 1). Paris 1962.
113 Escarpit, R.: The Sociology of Literature, in: The International Encyclopedia of the Social Sciences. New York 1968, Bd. IX, 417-425.
114 – (Hrsg.): Le Littéraire et le social. Eléments pour une sociologie de la littérature. Paris 1970.
115 – Das Buch und der Leser. Entwurf einer Literatursoziologie [frz. Ausg. 1958]. Köln/Opladen 1961.
116 Fohrbeck, K. / Wiesand, A. J.: Der Autorenreport (das neue buch, 11). Reinbek bei Hamburg 1972.
117 Fügen, H. N.: Die Hauptrichtungen der Literatursoziologie und ihre Methoden [...] (Abhandlungen zur Kunst-, Musik- und Literaturwiss., 21). Bonn 1964.

118 Höhle, Th.: Probleme einer marxistischen Literatursoziologie, in: Wiss. Zeitschr. der Martin-Luther-Univ. Halle-Wittenberg. Gesellschafts- und sprachwiss. Reihe 15 (1966), Heft 4, 477-488, abgedruckt in: Soziologie und Marxismus in der DDR II, hrsg. v. P. Ch. Ludz (Soz. Texte, 72). Neuwied/Berlin 1972, 257-279.
119 Künstler und Gesellschaft, hrsg. v. A. Silbermann / R. König (Kölner Zeitschrift für Soziologie und Sozialpsychologie. Sonderheft 17). Opladen 1974.
120 Lehmann, G. K.: Von Möglichkeiten und Grenzen einer Soziologie der Kunst, in: Deutsche Zeitschrift für Philosophie 14 (1966), 1389-1404.
121 Nutz, W.: Soziologie der trivialen Malerei (Kunst und Gesellschaft 5). Stuttgart 1975.
122 Pfütze, A., u. a.: Die Schwierigkeit, Kunst zu machen – Antriebe ihrer Vergesellschaftung. Eine theoretische und empirische Untersuchung mit jungen Künstlern über ihr Selbstverständnis und über die Bedingungen ihrer Tätigkeit in der kapitalistischen Gesellschaft. Frankfurt 1973.
123 Redeker, H.: Marxistische Ästhetik und empirische Soziologie, in: Deutsche Zeitschrift für Philosophie 14 (1966), 207-222.
124 Rittelmeyer, Ch.: Dogmatismus, Intoleranz und die Beurteilung moderner Kunstwerke, in: Kölner Zeitschrift für Soziologie und Sozialpsychologie 21 (1969), 93-105.
125 Silbermann, A.: Empirische Kunstsoziologie. Eine Einführung mit kommentierter Bibliographie. Stuttgart 1973.
126 Sommer, D. / Löffler, D.: Soziologische Probleme der literarischen Wirkungsforschung, in: Weimarer Beiträge 16 (1970), Heft 8, 51-76.
127 Sommer, D.: Resonanz und Funktion. Probleme der marxistischen Literatursoziologie, in: Neue Deutsche Literatur 16 (Okt. 1968), Heft 10, 185-196; abgedruckt in: Soziologie u. Marxismus in der DDR II, hrsg. v. P. Ch. Ludz (Soz. Texte, 72). Neuwied/Berlin 1972, 294-311.
128 Thurn, H. P.: Soziologie der Kunst (Urban-Taschenbücher, 190). Stuttgart 1973.

IV. Ideologiekritische/dialektische Ansätze

129 Adorno, Th. W.: Ästhetische Theorie, hrsg. v. Gretel Adorno / R. Tiedemann (Gesammelte Schriften, 7). Frankfurt 1970.

130 – Noten zur Literatur I-IV (Bibl. Suhrkamp, 47/71/146/395). Frankfurt 1958/1961/1965/1974.

131 – Versuch über Wagner (1952) (suhrkamp taschenbuch, 177). Frankfurt 1974.

Zur Diskussion

132 Baumeister, Th. / Kulenkampff, J.: Geschichtsphilosophie und philosophische Ästhetik. Zu Adornos »Ästhetischer Theorie« in: Neue Hefte für Philosophie, Nr. 5 (1973), 74-104.

133 Dawydow, J.: Die sich selbst negierende Dialektik. Kritik der Musiktheorie Theodor Adornos (Zur Kritik der bürgerlichen Ideologie, 6). Berlin (DDR) 1971.

134 Mayer, H.: Nachdenken über Adorno, in: Frankfurter Hefte 25 (1970), Heft 4, 268-280.

134a Présences d'Adorno. Revue d'Esthétique, Nr. 1-2/1975 (Coll. 10/18, 933). Paris 1975.

135 Scheible, H.: Sehnsüchtige Negation. Zur »Ästhetischen Theorie« Theodor W. Adornos, in: Protokolle. Wiener Halbjahresschrift für Literatur, bildende Kunst und Musik, Nr. 2 (1972), 67-92.

136 Silbermann, A.: Literaturphilosophie, soziologische Literatursoziologie, in: Kölner Zeitschrift für Soziologie u. Sozialpsychologie 18 (1966), 139-148.

136a – Anmerkungen zur Musiksoziologie. Eine Antwort auf Theodor W. Adornos »Thesen zur Kunstsoziologie«, in: Kölner Zeitschrift für Soziologie und Sozialpsychologie 19 (1967), 538-545.

137 Ulle, D.: Bürgerliche Literaturkritik und Ästhetik [...], in: Weimarer Beiträge 18 (1972), Nr. 6, 133-154.

138 Werkmeister, O. K.: Das Kunstwerk als Negation [...], in: ders., Ende der Ästhetik (Reihe Fischer, 20). Frankfurt 1971.

139 Asor Rosa, A.: Scrittori e popolo. Saggio sulla letteratura populista in Italia. Roma 1965.

140 Barthes, R.: Mythen des Alltags [frz. Ausg. 1957] (ed. suhrkamp, 92). [2]Frankfurt 1970.
141 Bentmann, R. / Müller, M.: Die Villa als Herrschaftsarchitektur [...] (ed. suhrkamp, 396). Frankfurt 1970.
142 Bloch, E.: Literarische Aufsätze (Gesamtausgabe, 9). Frankfurt 1965.
143 Bredella, L. / Bürger, Ch. / Kreis, R.: Von der romantischen Gesellschaftskritik zur Bejahung des Imperialismus. Tieck / Keller / Kipling (Literatur und Geschichte. Modellanalysen). Frankfurt 1974.
144 Bürger, Ch.: Textanalyse als Ideologiekritik. Zur Rezeption zeitgenössischer Unterhaltungsliteratur (FAT, 2063). Frankfurt 1973.
145 Bürger, P.: Studien zur französischen Frühaufklärung (ed. suhrkamp, 525). Frankfurt 1972.
146 – (Hrsg.): Vom Ästhetizismus zum Nouveau Roman. Versuche kritischer Literaturwissenschaft (FAT, 2090). Frankfurt 1975.
147 Damus, M.: Über den Zusammenhang zwischen der »autonomen« Kunst und der – privat oder staatlich finanzierten, öffentlich aufgestellten – gebrauchten Kunst. Berlin (Neue Gesellschaft für bildende Kunst e.V.) o. J.
148 – Funktionen der bildenden Kunst im Spätkapitalismus [...] (Fischer Taschenbuch, 6194). Frankfurt 1973.
149 Fischer-Lichte, E.: Goethes »Iphigenie« – Reflexion auf die Grundwidersprüche der bürgerlichen Gesellschaft [...], in: Diskussion Deutsch, Nr. 21 (Feb. 1975), 1-25.
150 Franzbach, M.: Kritische Arbeiten zur Literatur- und Sozialgeschichte Spaniens, Frankreichs und Lateinamerikas (Studien zur Literatur- und Sozialgeschichte Spaniens und Lateinamerikas, 1). Bonn 1975.
151 Hauser, A.: Das soziologische Grundproblem: der Begriff der Ideologie in der Kunstgeschichte, in: ders., Methoden moderner Kunstbetrachtung. [2]München 1970, 19-42.
151a Hinz, B.: Die Malerei im deutschen Faschismus [...]. München 1974, [2]Frankfurt 1977.
152 Ideologiekritik im Deutschunterricht [...], hrsg. v. H. Ide u. a. (Sonderband der Zeitschrift Diskussion Deutsch). Frankfurt 1972.

153 Lepenies, W.: Melancholie und Gesellschaft (suhrkamp taschenbuch, 63). [2]Frankfurt 1972.
154 Littérature et idéologies. Colloque de Cluny II, 2-4 avril 1970, Sonderband der Zeitschrift La Nouvelle Critique, spécial 39 bis.
155 Macherey, P.: Zur Theorie der literarischen Produktion. Studien zu Tolstoi, Verne, Defoe, Balzac (Sammlung Luchterhand, 123). Darmstadt/Neuwied 1974. [Die umfangreiche theoretische Einleitung der frz. Ausg. (1966) fehlt in der dt. Übersetzung.]
156 Mattenklott, G. / Scherpe, K. R. (Hrsg.): Positionen der literarischen Intelligenz zwischen bürgerlicher Reaktion und Imperialismus (Scriptor Taschenbücher, S 3). Kronberg/Ts. 1973 [u. a. Arbeiten von G. Sautermeister: Gottfried Keller; G. Mattenklott: Nietzsche; K. R. Scherpe: Arno Holz].
157 Mattenklott, G.: Bilderdienst. Ästhetische Opposition bei Beardsley und George. München 1970.
158 Mayer, H.: Goethe. Ein Versuch über den Erfolg (Bibl. Suhrkamp, 367). Frankfurt 1974.
159 Mecklenburg, N.: Kritisches Interpretieren. Untersuchungen zur Theorie der Literaturkritik. München 1972.
160 Neuschäfer, H.-J.: Die Evolution der Gesellschaftsstruktur im französischen Theater des 18. Jahrhunderts, in: Romanische Forschungen 82 (1970), 514-535.
161 Rhetorik, Ästhetik, Ideologie. Aspekte einer kritischen Kulturwissenschaft. Stuttgart 1973.
162 Schlaffer, H.: Der Bürger als Held. Sozialgeschichtliche Auflösungen literarischer Widersprüche (ed. suhrkamp, 624). Frankfurt 1973.
163 Schlaffer, Hannelore / Schlaffer, Heinz: Studien zum ästhetischen Historismus (ed. suhrkamp, 756). Frankfurt 1975.
164 Ter-Nedden, G.: Gibt es eine Ideologiekritik ästhetischer Sinngebilde, in: H. Schlaffer (Hrsg.), Erweiterung der materialistischen Literaturtheorie durch Bestimmung ihrer Grenzen (Literaturwiss. u. Sozialwiss., 4). Stuttgart 1974, 251-264.
165 Warnke, M. (Hrsg.): Das Kunstwerk zwischen Wissenschaft und Weltanschauung. Gütersloh 1970.

Kunst/Literatur als Institution. Zur gesellschaftlichen Funktion der Kunst

166 Autonomie der Kunst. Zur Genese und Kritik einer bürgerlichen Kategorie (ed. suhrkamp, 592). Frankfurt 1972.

167 Zur Autonomie der Literatur, in: Historizität in Sprach- und Literaturwissenschaft. Vorträge und Berichte der Stuttgarter Germanistentagung 1972, hrsg. v. W. Müller-Seidel. München 1974, 563-616 (Arbeiten von K. Wölfel, R. Grimminger und B. J. Warneken).

168 Barthes, R.: Literatur oder Geschichte, in: ders., Literatur oder Geschichte [frz. in: ders., Sur Racine. [2]Paris 1963] (ed. suhrkamp, 303). [2]Frankfurt 1969, 11-35.

169 Bürger, Ch.: Der Ursprung der bürgerlichen Institution Kunst im höfischen Weimar. Literatursoziologische Untersuchungen zum klassischen Goethe. Frankfurt 1977.

170 Bürger, P.: Theorie der Avantgarde (ed. suhrkamp, 727). Frankfurt 1974.

Zur Diskussion

171 Theorie der Avantgarde‹. Antworten auf Peter Bürgers Bestimmung von Kunst und bürgerlicher Gesellschaft, hrsg. v. W. M. Lüdke (ed. suhrkamp, 825). Frankfurt 1976.

172 Pinkerneil, B.: Literaturwissenschaft seit 1967 [. . .], in: D. Kimpel / B. Pinkerneil (Hrsg.), Methodische Praxis der Literaturwissenschaft [. . .] (Scriptor Taschenbuch, S 55). Kronberg/Ts. 1975, 7-13.

173 Deinhard, H.: Bedeutung und Ausdruck. Zur Soziologie der Malerei (Soz. Essays). Neuwied/Berlin 1967.

174 Demarcy, R.: Eléments d'une sociologie du spectacle (Coll. 10/18/749), o.O., 1973.

174a Dufrenne, M.: Art et politique (Coll. 10/18, 889). Paris 1974.

175 Freier, H.: Ästhetik und Autonomie. Ein Beitrag zur idealistischen Entfremdungskritik, in: Deutsches Bürgertum und literarische Intelligenz. 1750-1800 (Literaturwiss. u. Sozialwiss., 3). Stuttgart 1974, 329-383.

176 Funktion der Literatur. Aspekte – Probleme – Aufgaben. Berlin (DDR) 1975.

177 Graevenitz, G. v.: Innerlichkeit und Öffentlichkeit. Aspekte deutscher bürgerlicher Literatur im frühen 18. Jahrhundert, in: Deutsche Vierteljahrsschrift 49 (1975), Sonderheft 18. Jahrhundert, 1-82.
178 Habermas, J.: Strukturwandel der Öffentlichkeit. Untersuchungen zu einer Kategorie der bürgerlichen Gesellschaft (Politica, 4). [3]Neuwied/Berlin 1968.
179 Hohendahl, P. U.: Literaturkritik und Öffentlichkeit (Serie Piper, 84). München 1974.
179a Klotz, G. u. a.: Literatur im Epochenumbruch. Funktionen europäischer Literaturen im 18. und beginnenden 19. Jahrhundert. Berlin/Weimar 1977.
180 Levin, H.: Literatur as an Institution, in: Accent 6 (1946), 159-168; abgedruckt in: ders., The Gates of Horn. A Study of Five French Realists. New York 1966, 3-23.
181 Rosenberg, R.: Literaturverhältnisse im deutschen Vormärz. München 1975.
181a Sanders, H.: Institution Kunst und Theorie des Romans. Diss. Bremen 1977.
182 Sartre, J.-P.: Was ist Literatur? [1948] (rowohlts deutsche enzyklopädie, 65). Reinbek bei Hamburg 1958.
183 Schiller, D.: Zu Begriff und Problem der Literaturgesellschaft, in: Studien zur Literaturgeschichte und Literaturtheorie, hrsg. v. H. G. Thalheim / U. Wertheim. Berlin (DDR) 1970, 291-332.
184 Schulte-Sasse, J.: Autonomie als Wert. Zur historischen und rezeptionsästhetischen Kritik eines ideologisierten Begriffes, in: Literatur und Leser [...], hrsg. v. G. Grimm. Stuttgart 1975, 101-118.
185 Die Kritik an der Trivialliteratur seit der Aufklärung [...] (Bochumer Arbeiten zur Sprach- und Literaturwiss., 6). München 1971 (erweiterte Neuausgabe in Vorbereitung).
185a Sorensen, P. E.: Elementare Literatursoziologie. Ein Essay über literatursoziologische Grundprobleme (Konzepte der Sprach- und Literaturwissenschaft, 21). Tübingen 1976.
186 Vernant, J.-P. / Vidal-Naquet, P.: Mythe et tragédie en Grèce ancienne. Paris 1972.

187 Vernier, F.: L'Ecriture et les textes [...] (éditions sociales, 13). Paris 1974.
187a Weimann, R. (Hrsg.), Realismus in der Renaissance. Aneignung der Welt in der erzählenden Prosa. Berlin/Weimar 1977.
188 Watson, B. A.: Kunst, Künstler und soziale Kontrolle. Köln/Opladen 1961.
189 Williams, R.: Gesellschaftstheorie als Begriffsgeschichte. Studien zur historischen Semantik von »Kultur«, München 1972.

V. Kommunikationssoziologische und systemtheoretische Ansätze

190 Albrecht, M. C.: The Relationship of Literature and Society, in: The American Journal of Sociology 59 (1953/54), 425-436.
191 Böhler, M.: Soziale Rolle und ästhetische Vermittlung. Studien zur Literatursoziologie von A. G. Baumgarten bis F. Schiller. Bern/Frankfurt 1975.
192 Duncan, H. D.: Communication and Social Order [1962]. London/Oxford/New York 1968.
193 – Symbols in Society. New York 1968.
194 – Die Literatur als gesellschaftliche Institution, in: Moderne amerikanische Literaturtheorien, hrsg. v. J. Strelka / W. Hinderer. Frankfurt 1970, 318-337.
195 Forster, P. / Kenneford, C.: Sociological Theory and the Sociology of Literature, in: The British Journal of Sociology 24 (1973), 355-364.
196 Fügen, N.: Einleitung, in: ders. (Hrsg.), Wege der Literatursoziologie (Soz. Texte, 46). [2]Neuwied/Berlin 1971, 13-35.
197 Gumbrecht, H. U.: Konsequenzen der Rezeptionsästhetik oder Literaturwissenschaft als Kommunikationssoziologie, in: Poetica 7 (1975), 388-413.
198 Kavolis, V.: Artistic Expression – a Sociological Analysis. Ithaca N. Y. 1968.

199 Neumann, Th.: Der Künstler in der bürgerlichen Gesellschaft. Entwurf einer Kunstsoziologie am Beispiel Friedrich Schillers (Soziologische Gegenwartsfragen, N. F. 27). Stuttgart 1968.

199a Waldmann, G.: Kommunikationsästhetik 1. Die Ideologie der Erzählform [...] (UTB, 525). München 1976, bes. Teil 1.

VI. Zur Soziologie der Darstellungssysteme und der ästhetischen Wahrnehmung

200 Auerbach, E.: Mimesis. Dargestellte Wirklichkeit in der abendländischen Literatur (Sammlung Dalp, 90). [2]Bern 1959.

Zur Diskussion

201 Gronau, K.: Literarische Form und geschichtliche Entwicklung. Erich Auerbachs Beitrag zur Theorie und Methode der Literaturgeschichte. Diss. Bremen 1977.

202 Knoke, U.: Erich Auerbach – eine erkenntnis- und methodenkritische Betrachtung, in: Lili, Nr. 17 (1975), 74-93.

203 Kuhn, Helmut: Literaturgeschichte als Geschichtsphilosophie, in: Philosophische Rundschau 11 (1963/64), 222-248.

204 Bourdieu, P.: Zur Soziologie der symbolischen Formen. Frankfurt 1970.

205 Duvignaud, J.: Spectacle et société. (Bibl. Médiations, 66). Paris 1970.

206 – Les Ombres collectives. Sociologie du théâtre. [2]Paris 1973.

207 Francastel, P.: Art et technique aux XIX et XXe siècles (Bibl. Médiations, 16). [2]Genève 1964.

208 – Etudes de sociologie de l'art (Bibl. Médiations, 74). Paris 1970.

Zur Diskussion

208a La Sociologie de l'art et sa vocation interdisciplinaire. L'œuvre et l'influence de Pierre Francastel (Bibl. Médiations, 134). Paris 1976.

209 Gehlen, A.: Zeit-Bilder. Zur Soziologie und Ästhetik der modernen Malerei. Frankfurt/Bonn 1960.

210 Gorsen, P.: Das Bild Pygmalions. Kunstsoziologische Essays. Reinbek bei Hamburg 1969.

211 Haug, W. F.: Kritik der Warenästhetik (ed. suhrkamp, 513). Frankfurt 1971.

Zur Diskussion

212 Rexroth, T.: Warenästhetik – Produkte und Produzenten. Zur Kritik einer Theorie W. F. Haugs. Kronberg 1974.

213 Warenästhetik. Beiträge zur Diskussion, Weiterentwicklung und Vermittlung ihrer Kritik, hrsg. v. W. F. Haug. (ed. suhrkamp, 657). Frankfurt 1975.

214 Krovoza, A.: Die Verinnerlichung der Normen abstrakter Arbeit und das Schicksal der Sinnlichkeit, in: Das Unvermögen der Realität [...] (Politik, 55). Berlin 1974, 13-68.

215 Lefebvre, H.: Verfall der Referentiellen, in: ders., Das Alltagsleben in der modernen Welt [frz. Ausg. 1968]. Frankfurt 1972, 155 ff.

216 Lukács, G.: Die Theorie des Romans [...] [1920]. [3]Neuwied/Berlin 1965.

Zur Diskussion

217 Fehér, F.: Ist der Roman eine problematische Gattung? [...], in: Individuum und Praxis. Positionen der ›Budapester Schule‹ (ed. suhrkamp, 545). Frankfurt 1975, 147-190.

218 Zéraffa, M.: Roman et société (Coll. »Le Sociologue«, 22). Paris 1971.

VII. Bibliographien

Ausführliche Bibliographien finden sich in folgenden oben genannten Arbeiten:

Bogdal u. a.	(70),	Ch. Bürger	(144),
Engelsing	(86),	Engelsing	(87),
Escarpit	(114),	Lukács	(47),
Nutz	(121),	Schenda	(105),
Thurn	(128),	Silbermann	(125).

Vgl. außerdem:
219 Becker, E. D. / Dehn, M.: Literarisches Leben. Eine Bibliographie. (Auswahlverzeichnis von Literatur zum deutschsprachigen literarischen Leben von der Mitte des 18. Jahrhunderts bis zur Gegenwart (Schriften zur Buchmarkt-Forschung, 13). Hamburg 1968.
220 Bibliographie sélectaire [les arts dans la société], in: Revue internat. des Sciences sociales 20 (1968), 741-747.
221 Burns, E. u. T. (Hrsg.): Sociology of Literature and Drama. Harmondsworth 1973.
222 Duncan, H. D.: Language and Literature in Society. A Sociological Essay on theory and method in the Interpretation of Linguistic Symbols with a Bibliographical Guide to the Sociology of Literature. Chicago 1953.
223 Fügen, H. N. (Hrsg.): Wege der Literatursoziologie (Soz. Texte, 46) Neuwied/Berlin [2]1971.
224 Grimm, G. (Hrsg.): Literatur und Leser [. . .]. Stuttgart 1975.
225 Literaturwissenschaft und Sozialwissenschaften [I]. Grundlagen und Modellanalysen. Stuttgart 1971, [2]1973.

VIII
Sachregister

stw 136 *Materialien zu Bachofens ›Das Mutterrecht‹*
Herausgegeben von Hans-Jürgen Heinrichs
464 Seiten
»Die Erscheinung dieses Mannes ist faszinierend«, sagte Benjamin über ihn, und ein andermal: sein Name werde immer dort genannt, »wo die Soziologie, die Anthropologie, die Philosophie unbetretene Wege einzuschlagen sich anschickten«.

stw 137 Jacques Lacan
Schriften I
Ausgewählt und herausgegeben von Norbert Haas
256 Seiten
In der neueren wissenschaftlichen Diskussion über die Psychoanalyse vertritt Jacques Lacan einer der bedeutsamsten Positionen. Sein Werk hat Horizonte eröffnet, die die Arbeiten von Psychoanalytikern wie Pontalis, Laplanche, Leclaire und Mannonis, aber auch von Autoren wie Ricœur, Foucault, Derrida und Althusser ermöglicht haben.

stw 138 F. W. J. Schelling
Philosophische Untersuchungen über das Wesen der menschlichen Freiheit und die damit zusammenhängenden Gegenstände
Mit einem Essay von Walter Schulz:
Freiheit und Geschichte
in Schellings Philosophie
128 Seiten
Schellings Philosophie, zumal seine Spätphilosophie, die er zuerst in der Schrift *Philosophische Untersuchungen über das Wesen der menschlichen Freiheit und die damit zusammenhängenden Gegenstände* (1809) entfaltet hat, hebt die klassische Metaphysik des Geistes auf. Sie weist auf die philosophischen Systeme Schopenhauers und Nietzsches sowie auf deren wissenschaftliche Fortbildung in der modernen Anthropologie und Psychoanalyse voraus. Ebendies

arbeitet Walter Schulz in seinem Essay *Freiheit und Geschichte in Schellings Philosophie* heraus.

stw 139 *Materialien zu Schellings philosophischen Anfängen*
Herausgegeben von
Manfred Frank und Gerhard Kurz
480 Seiten
Schellings philosophische Anfänge sind noch weitgehend unaufgeklärt. Der vorliegende Materialienband macht daher in erster Linie auf ein Desiderat der Forschung aufmerksam: Welche Bedeutung hat Schellings Philosophie für die Entwicklung des Deutschen Idealismus? Welche politischen Implikationen hat seine Philosophie? – Der Band bietet unter zugleich chronologischen und systematischen Gesichtspunkten Quellen und Abhandlungen zu wesentlichen Aspekten der Frühphilosophie Schellings.

stw 141 Karl-Otto Apel
Der Denkweg von Charles Sanders Peirce
Eine Einführung in den amerikanischen Pragmatismus
384 Seiten
Apels Darstellung des philosophischen Hintergrundes der Entstehung des Pragmatismus bei Charles Sanders Peirce und von Peirces Denkweg vom Pragmatismus zum Pragmatizismus ist eine umfassende Auseinandersetzung mit dem Werk von Peirce, die den historischen Ort dieses Werkes bestimmt und seine vielfältigen fruchtbaren Wirkungen für das philosophische und wissenschaftstheoretische Denken der letzten Jahrzehnte aufweist. Sie ist zugleich eine Einführung in den Pragmatismus, den Apel – neben dem Marxismus und dem Existentialismus – als eine der heute wirklich funktionierenden Philosophien begreift, das heißt: als eine Philosophie, die Theorie und Praxis des Lebens faktisch vermittelt.

stw 144 *Seminar: Philosophische Hermeneutik*
Herausgegeben von Hans-Georg Gadamer und Gottfried Boehm
352 Seiten
Die philosophische Hermeneutik lehrt keine bestimmte Wahrheit, vielmehr repräsentiert sie ein kritisches Reflexionswissen, dem es darum geht, Erkenntnischancen offenzulegen, die ohne sie nicht wahrgenommen würden.

stw 145 G. W. F. Hegel
Grundlinien der Philosophie des Rechts oder Naturrecht und Staatswissenschaft im Grundrisse
Mit Hegels eigenhändigen Notizen und den mündlichen Zusätzen
544 Seiten
Hegels »Rechtsphilosophie – darin liegt das Geheimnis ihrer gedanklichen Provokationen und ein Schlüssel zu ihrer wechselvollen Wirkungsgeschichte – ist philosophisches Lehrbuch und politische Publizistik, gelehrter Traktat und aktuelle Kampfschrift in einem.« (Manfred Riedel)

stw 146 Shlomo Avineri
Hegels Theorie des modernen Staats
Übersetzt von R. und R. Wiggershaus
336 Seiten
Avineris Studie rekonstruiert die politische Philosophie Hegels. Sie macht deren Stellenwert – insbesondere den der Rechtsphilosophie – einerseits in Hegels philosophischem System, andererseits in den politischen Auseinandersetzungen seiner Zeit klar. Hegels politische Philosophie erscheint als der erste große Versuch, den ökonomischen und gesellschaftlichen Gegebenheiten der Moderne gerecht zu werden.

stw 147 Sören Kierkegaard
Philosophische Brocken
De omnibus dubitandum est
Übersetzt von Emanuel Hirsch
208 Seiten
Das zentrale Thema der Schrift *Philosophische Brocken* ist das Verhältnis von Wissen und Glauben. Ein vorläufiger Titel Kierkegaards lautete: »Die apologetischen Voraussetzungen der Dogmatik oder Annäherungen des Gedankens an den Glauben«. Der Titel *Philosophische Brocken* wendet sich ironisch gegen den Totalitätsanspruch der idealistischen (insbesondere der Hegelschen) Systemphilosophie.

stw 148 Fredrick C. Redlich/Daniel X. Freedman
Theorie und Praxis der Psychiatrie
Aus dem Amerikanischen von Hermann Schultz und Hilde Weller
1216 Seiten. 2 Bände

Dieses Lehrbuch wendet sich an Studenten und Ärzte, insbesondere Nervenärzte, an Psychologen, Soziologen und Sonderschulpädagogen, an Sozialarbeiter, medizinisches Pflegepersonal und interessierte Laien – kurz: an alle, die in ihrer Ausbildung oder in ihrer beruflichen Praxis mit den Problemen psychischer Gesundheit und Krankheit zu tun haben. Psychiatrie wird von den Verfassern als eine *angewandte Humanwissenschaft* verstanden, die sich mit Erforschung, Diagnose, Vorbeugung und Behandlung gestörten oder von der Norm abweichenden Verhaltens befaßt.

stw 149 Urs Jaeggi
Theoretische Praxis
224 Seiten
In der deutschen Strukturalismus-Debatte ist der strukturale Marxismus in die sozialphilosophische Fragestellung aufgesogen worden. Als Kritiker am Hyper-Empirismus, als Gegner der »Rhapsodie von Fakten«, steht er andererseits quer sowohl zu einem Spät- oder Neohegelianismus wie auch zu den Exerzitien einer wortgetreuen Marx/Engels-Exegese. Jaeggi versucht herauszuarbeiten, weshalb der strukturale Ansatz dabei nicht gegen die historisch-materialistische Methode ausgespielt werden kann, sondern im Rahmen des historischen Materialismus richtige Fragen formuliert und reformuliert.

stw 151 Clemens Lugowski
Die Form der Individualität im Roman
Mit einer Einleitung von Heinz Schlaffer
240 Seiten
Seit ihrem ersten Erscheinen (1932) ist Lugowskis Abhandlung nur wenigen Fachgelehrten bekanntgeworden: einer der bedeutendsten Beiträge zur Literaturwissenschaft ist noch zu entdecken. Seine Parallelen liegen außerhalb der zünftigen Germanistik: in Cassirers *Philosophie der symbolischen Formen*, in den kunsttheoretischen Arbeiten der Warburg-Schule, im russischen Formalismus.
In der gegenwärtigen Situation der Literaturwissenschaft, die sich in textlinguistische und sozialgeschichtliche Schulen getrennt hat, kann dieses Buch an vergessene Vermittlungen erinnern: an ästhetische Sinnformen, an die besondere Weise der Dichtung, Leben und Welt deutend darzustellen.

stw 154 Jürgen Habermas
Zur Rekonstruktion des Historischen Materialismus
352 Seiten
Die in diesem Band zusammengefaßten Arbeiten zielen alle auf die Rekonstruktion des Historischen Materialismus ab. Rekonstruktion heißt hier: eine Theorie auseinandernehmen und in neuer Form wieder zusammensetzen, um das Ziel, das sie sich gesetzt hat, besser zu erreichen.

stw 155 Peter Weingart
Wissensproduktion und soziale Struktur
256 Seiten
Die in diesem Band zusammengefaßten Arbeiten zielen alle auf die Begründung und Explikation eines neuen Ansatzes in der Wissenschaftssoziologie. Ihr systematischer Zusammenhang ergibt sich aus dem Versuch, Wissen als »soziale Kategorie« zu fassen. Damit eröffnet sich die Möglichkeit, die historische und aktuelle Analyse der Wissenschaftsentwicklung und -politik über die Beschränkungen der in diesem Feld vorherrschenden Begriffsraster hinauszutreiben.

stw 156 *Seminar: Kommunikation, Interaktion, Identität*
Herausgegeben von Manfred Auwärter, Edit Kirsch und Klaus Schröter
Der Band enthält Arbeiten aus der Interaktions- und Kommunikationsforschung, die u. a. als Beiträge zur Klärung folgender Fragen gesehen werden können: Wie interpretieren Individuen wechselseitig ihre Äußerungen und Handlungen? Wie stimmen sie Erwartungen aufeinander ab? Wie verhalten sie sich im Fall der Enttäuschung von Erwartungen? Was folgt daraus für den Prozeß, in dem grundlegende interaktive und kommunikative Fähigkeiten erworben werden und Identitäten aufgebaut und bewahrt werden?

stw 157 Heinz Kohut
Narzißmus
Eine Theorie der psychoanalytischen Behandlung narzißtistischer Persönlichkeitsstörungen
Aus dem Amerikanischen von Lutz Rosenkötter
400 Seiten

»Ohne Frage ist dieses Buch ein Meilenstein, nicht nur in der Fortentwicklung der Psychoanalyse über Freuds ursprüngliche Ansätze hinaus, sondern auch im so langsam und zäh fortschreitenden Erkenntnisprozeß des Menschen über seine eigene Natur.« *Jürgen vom Scheidt*

stw 158 Norbert Elias
Über den Prozeß der Zivilisation
Soziogenetische und psychogenetische Untersuchungen
Erster Band: Wandlungen des Verhaltens in den weltlichen Oberschichten des Abendlandes
350 Seiten

stw 159 Norbert Elias
Über den Prozeß der Zivilisation
Soziogenetische und psychogenetische Untersuchungen
Zweiter Band: Wandlungen der Gesellschaft. Entwurf zu einer Theorie der Zivilisation
508 Seiten
Die Soziologie des 20. Jahrhunderts konzentriert sich vor allem auf Zustände. Die langfristigen Transformationen der Gesellschaft und Persönlichkeitsstrukturen hat sie weitgehend aus den Augen verloren. Im Werk von Norbert Elias bilden diese langfristigen Prozesse das zentrale Interesse: Wie ging eigentlich die »Zivilisation« im Abendlande vor sich? Worin bestand sie? Und welches waren ihre Antriebe, ihre Ursachen oder Motoren?
Bei Elias' Arbeit handelt es sich weder um eine Untersuchung über eine »Evolution« im Sinne des 19. Jahrhunderts noch um eine Untersuchung über einen unspezifischen »sozialen Wandel« im Sinne des 20.; seine Arbeit ist grundlegend für eine undogmatische, empirisch fundierte soziologische Theorie der sozialen Prozesse im allgemeinen und der sozialen Entwicklung im besonderen.

stw 160 Hans G. Furth
Intelligenz und Erkennen
Die Grundlagen der genetischen Erkenntnistheorie Piagets
Übersetzt von Friedhelm Herborth
384 Seiten
Hans G. Furth hat den ersten Versuch einer systematischen Darstellung der Theorie Piagets unternommen, und er hat,

wie Piaget selbst es formuliert, »diese Aufgabe außerordentlich erfolgreich gelöst«. Piaget zwingt zu einer Revolution unserer Anschauungen, wie es außer ihm in der Neuzeit nur Kopernikus, Darwin und Freud getan haben.

stw 164 Karl-Otto Apel
Transformation der Philosophie
Band 1: Sprachanalytik, Semiotik, Hermeneutik
384 Seiten

stw 165 Karl-Otto Apel
Transformation der Philosophie
Band 2: Das Apriori der Kommunikationsgemeinschaft
464 Seiten
Transformation der Philosophie meint die Transformation der Transzendentalphilosophie des Privat-Subjekts in eine Transzendentalphilosophie der Intersubjektivität.

stw 166 *Seminar: Theorien der künstlerischen Produktivität*
Entwürfe mit Beiträgen aus Literaturwissenschaft, Psychoanalyse und Marxismus
Herausgegeben von Mechthild Curtius unter Mitarbeit von Ursula Böhmer
464 Seiten
Die in diesem Band versammelten Beiträge aus westlichen und östlichen Ländern geben einen Überblick über den gegenwärtigen Stand der »Theorie« künstlerischer Produktivität und einen Ausblick auf mögliche Weiterentwicklungen dieser Theorie.

stw 176 Emile Durkheim
Soziologie und Philosophie
Mit einer Einleitung von Theodor W. Adorno
Übersetzt von Eva Moldenhauer
160 Seiten
Die Aufsätze und Diskussionsbeiträge, die unter dem Titel *Soziologie und Philosophie* zusammengestellt und zuerst 1924 veröffentlicht wurden, führen in ein für Durkheims Denken zentrales Gebiet: in die von ihm intendierte Wissenschaft der Moral, die sowohl individuelle als auch kollektive moralische – und das heißt zugleich anthropologische, psychologische und soziologische – Phänomene erfassen will.

Alphabetisches Verzeichnis der suhrkamp taschenbücher wissenschaft